D1189905

Le Monde en stop

Cinq années à l'école de la vie

Catalogage avant publication de Bibliothèque et Archives nationales du Québec et Bibliothèque et Archives Canada

Hubler, Ludovic, 1977-

Le monde en stop : cinq années à l'école de la vie

ISBN 978-2-89225-821-9

1. Hubler, Ludovic, 1977- – Voyages. 2. Voyages autour du monde. 3. Autostop. I. Titre.

G440.H82 2013 910.4'1 C2013-941426-6

Adresse municipale :
Les éditions Un monde différent
3905, rue Isabelle, Brossard, bureau 101
(Québec) Canada J4Y 2R2
Tél. : 450 656-2660 ou 800 443-2582
Téléc. : 450 659-9328
Site Internet : http ://www.umd.ca
Courriel : info@umd.ca

Adresse postale :
Les éditions Un monde différent
C.P. 51546
Greenfield Park (Québec)
J4V 3N8

Dépôts légaux : 3e trimestre 2013
Bibliothèque et Archives nationales du Québec
Bibliothèque et Archives Canada
Bibliothèque nationale de France

Conception graphique de la couverture :
OLIVIER LASSER

Photo de couverture :
Au Tibet, sur la *Friendship Highway*, entre Lhassa et le Népal.
Au fond, la chaîne de l'Himalaya.

Photocomposition et mise en pages :
LUC JACQUES, COMPOMAGNY, ENR.
Typographie : Times New Roman 12 sur 14 pts

ISBN 978-2-89225-821-9
(publié précédemment par Éditions Géorama, ISBN 978-2-915002-32-4)

Nous reconnaissons l'aide financière du gouvernement du Canada par l'entremise du Fonds du livre du Canada (FLC) pour nos activités d'édition.

Gouvernement du Québec – Programme de crédit d'impôt pour l'édition de livres – Gestion SODEC.

Gouvernement du Québec – Programme d'aide à l'édition de la SODEC.

IMPRIMÉ AU CANADA

Ludovic Hubler

Le Monde en stop

Cinq années à l'école de la vie

UN MONDE DIFFÉRENT

Le Monde en stop

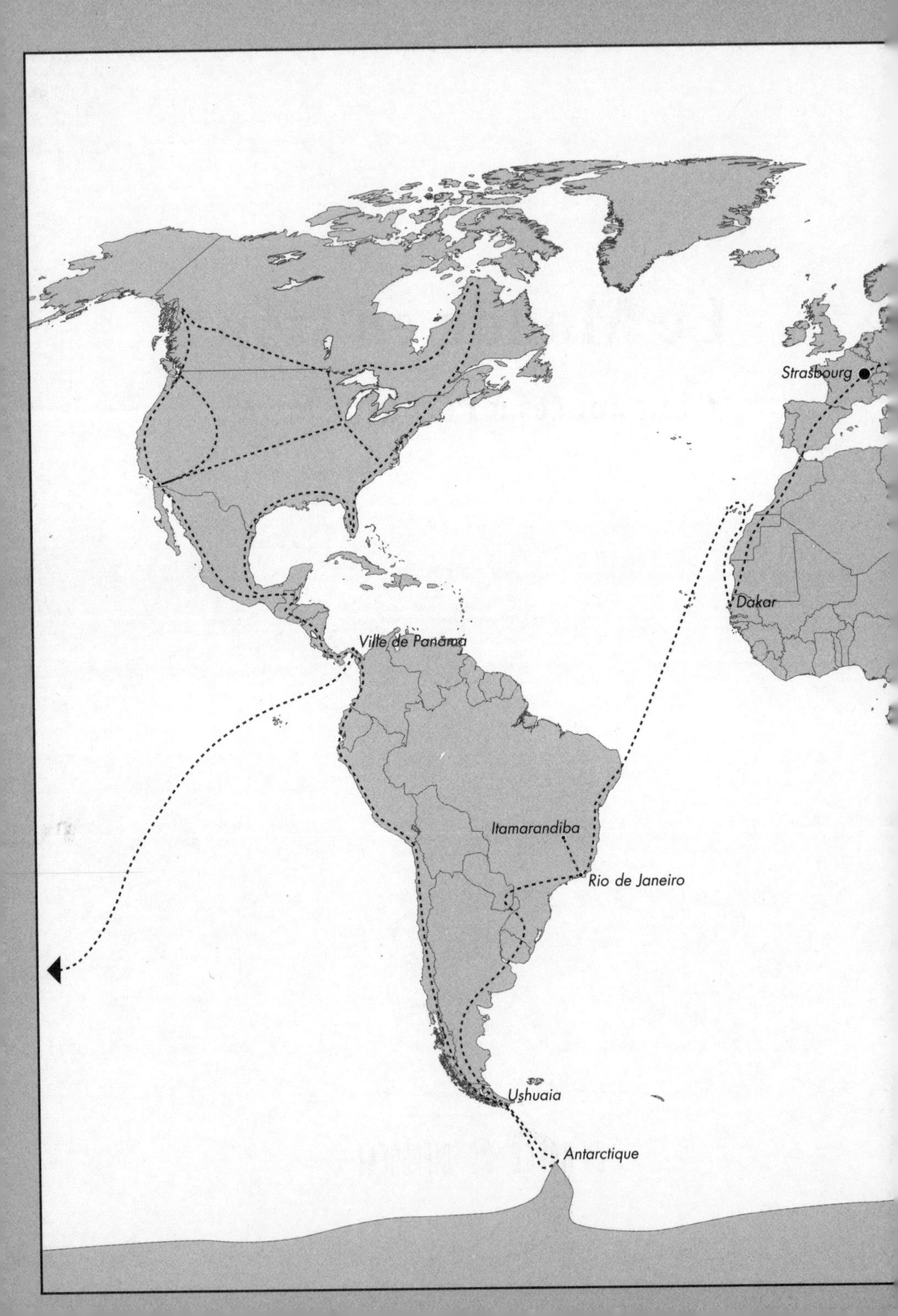

Oulan-Bator
Pékin
Pyongyang
Kaboul
Delhi
Calcutta
Djakarta
Darwin
Auckland

« Ne soyons plus Anglais, ni Français, ni Allemands. Soyons Européens.

Ne soyons plus Européens, soyons Hommes. Soyons l'humanité.

Il nous reste à abdiquer un dernier égoïsme : la patrie. »

Victor Hugo

« Ce qui empêche les gens de vivre ensemble, c'est leur connerie, pas leurs différences. »

Anna Gavalda, *Ensemble, c'est tout*

À ma mère qui n'a pas toujours dormi sur ses deux oreilles,
à mon père sans qui je n'aurais peut-être jamais levé le pouce,
à ma famille, mes amis et tous ceux qui m'ont aidé
et soutenu dans la réalisation de ce rêve...

Avertissement : *certains noms ou faits ont été volontairement modifiés par respect pour la pudeur ou la sécurité des personnes concernées.*

TABLE DES MATIÈRES

PROLOGUE

J'ai toujours pensé qu'écrire un livre était un exercice très difficile. Étant naturellement plus attiré par les chiffres que par les lettres, je m'étais promis avant mon départ de partager mon parcours uniquement avec des photographies et des histoires orales. Surtout pas par l'écriture d'un livre ! Pourtant, au fil des années de voyage, de nombreuses personnes m'ont encouragé à prendre la plume afin de mieux partager ce tour du monde en stop. « Ton expérience mérite un bouquin, Ludo. Fais de ton mieux et surtout laisse parler ton cœur », m'a-t-on répété de nombreuses fois.

Après réflexion, j'ai décidé de les écouter et me suis lancé dans l'écriture comme je m'étais lancé sur les routes du monde, c'est-à-dire sans aucune certitude, mais avec une forte volonté de mener le projet à bien. Je ne m'étais pas trompé, l'entreprise littéraire s'est avérée un véritable défi pour moi, peut-être encore plus difficile que la traversée de la planète avec la seule aide de mon pouce et de ma personnalité. Il m'a fallu puiser au fond de moi pour traduire mes émotions par des mots et pour décrire correctement mes expériences. Il m'a fallu aussi accepter, après cinq années de rencontres et de découvertes, de rester cloîtré plusieurs mois devant un ordinateur à taper, changer et rechanger mon texte jusqu'à ce qu'il me paraisse enfin acceptable.

« Concentrez-vous sur l'essentiel », m'avait dit mon éditeur avant de me lancer.

Le conseil était plein de bon sens. Seulement, après cinq années de stop autour du monde et des milliers de rencontres, mon essentiel se résumait à 1 800 pages ! Le plus douloureux fut donc de couper près des quatre cinquièmes du texte de départ et donc « de taire » tant de rencontres et tant d'épisodes que je considérais comme « importants ». D'où la liste des remerciements, un peu longue, que j'ai souhaité ajouter à la fin du livre.

J'espère que vous prendrez plaisir à la lecture de cet ouvrage et peut-être qu'un jour, vous emprunterez, vous aussi, la route planétaire car, comme le dit si bien le dicton chinois : *Mieux vaut voir une fois qu'entendre cent fois.*

Vos passeports sont prêts ? Alors, c'est parti…

Chapitre 1

LE DÉCLIC ROUMAIN

France – Espagne

« Prends garde à tes pensées, elles deviendront des paroles,
Prends garde à tes paroles, elles deviendront des actes,
Prends garde à tes actes, ils deviendront des habitudes,
Prends garde à tes habitudes, elles deviendront ton caractère,
Prends garde à ton caractère, il deviendra ton destin. »

— Frank Outlaw

Val-d'Isère, 1er janvier 2003, 19 heures, jour du départ.

Le ciel a revêtu la parure des mauvais jours, ceux qui vous donnent envie de rester bien au chaud sous la couette. De part et d'autre de la route, des chalets joliment éclairés abritent des familles joyeuses finissant les restes de la Saint-Sylvestre auprès d'un bon feu de cheminée. À l'extérieur, une petite dizaine d'individus emmitouflés se dirige en marchant vers le panneau de sortie de la station de ski. C'est de cet endroit précis que s'amorcera dans un instant la réalisation de mon rêve : le tour du monde en stop.

Ces derniers mois, j'ai songé tous les jours à ce départ. J'imaginais un grand ciel bleu triomphant invitant au voyage ;

suffisamment de trafic pour ne pas faire durer les au revoir et entamer mon parcours au plus vite. Mais en ce premier jour de l'année 2003, le ciel est gris, maussade. Pendant toute la journée, il a tellement neigé que j'en suis arrivé à douter que le top-départ puisse être donné aujourd'hui. Ce soir, la neige ne tombe plus mais la route, à présent ouverte, est déserte. Pas une voiture, pas un camion, pas même une bicyclette à l'horizon… Les dieux me seraient-ils défavorables ? Qu'importe ! Avec ou sans voiture, avec ou sans neige, c'est aujourd'hui que ce tour du monde débutera. Rien ni personne ne peut à présent venir me faire changer d'avis…

Tout en marchant lourdement dans le craquement sensuel de la neige, je songe à la série d'événements qui m'ont amené à me retrouver à cet endroit en cet instant précis. Quand et comment est née cette idée insensée d'effectuer le tour du monde en stop ? Tel un fruit arrivant progressivement à maturité par le simple fait du temps, cette décision est le résultat d'un long processus…

Tout a commencé par un rêve d'enfant tout à fait classique : « Un jour, quand je serai grand, je sillonnerai le vaste monde… » Dès l'âge de 8 ans trônait en face de mon lit une idole de trois mètres sur deux : une mappemonde. Chaque soir, au moment de me coucher, c'est vers elle que je me tournais avant que ne s'éteigne la lumière. Telle une provocation, elle semblait me répéter, inlassablement : « Je t'attends. » Aller à sa rencontre faisait déjà partie de mes aspirations les plus profondes.

Peu après, à l'âge de 11 ans, c'est un globe terrestre lumineux reçu pour mon anniversaire qui vint accompagner mes nuits. Plus qu'une simple veilleuse, celui-ci me permettait d'apprendre par cœur toutes les capitales du monde et de les répéter avec fierté à mon grand frère qui m'interrogeait quotidiennement. Oulan-Bator, Tegucigalpa, Bandar Seri Begawan… Ces noms de villes chargés d'histoires exotiques et de fragrances d'épices ont bercé ma jeunesse. Je m'étais promis qu'un jour, j'irais voir à quoi elles ressemblaient.

C'est beaucoup plus tard, en décembre 1993 exactement, que le stop entra dans ma vie. Je me souviens de ma « toute première fois » comme si c'était hier. Il faisait froid, très froid. J'avais 16 ans et je vivais une adolescence tout ce qu'il y a de plus ordinaire, faite de jeux vidéo, de football et d'études plus ou moins sérieuses. Jugeant ma mère trop protectrice et son fils pas suffisamment débrouillard ni indépendant, mon père avait décidé de me donner les moyens de réussir, m'obligeant à me rendre en autostop à mon entraînement de football dans le village voisin, situé à trois kilomètres de Wasselonne, la petite ville alsacienne qui m'a vu grandir.

« C'est pour ton bien ! » commentait-il.

Je n'en croyais pas un mot. Au bord de la route, marchant à reculons, le pouce tendu, je me sentais piteux, honteux, presque humilié. L'idée qu'une personne puisse me reconnaître en train de demander aux véhicules de s'immobiliser pour me prendre en stop me terrorisait, infligeant un sale coup à ma fierté de jeune adolescent. Une heure, deux heures… Ce jour-là, aucune voiture ne s'arrêta et c'est à pied que j'arrivai à ma destination finale. Un cuisant échec pour une première s'apparentant à mes yeux comme une dernière…

Heureusement, la suite fut plus heureuse. Quelques semaines plus tard, je recommençai, mais cette fois avec succès, rencontrant des gens aussi sympathiques qu'intéressants, me déposant aux endroits souhaités. Progressivement, je pris confiance. Tellement confiance que je me lançai dans des trajets nationaux… Paris, Nice, Toulouse… Puis internationaux… Royaume-Uni, Espagne, Scandinavie… Chacune de ces expériences me faisait prendre un peu plus conscience que le stop était, certes, un moyen de voyager à frais réduits, mais aussi et surtout une formidable école de vie nécessitant patience, persévérance, débrouillardise, ouverture d'esprit, tolérance, diplomatie et un formidable moyen de rencontrer toutes sortes de gens. Loin du connu, du cocon, c'était l'imprévu, le spontané. L'aventure ! Et l'ouverture à l'autre ; celui qu'on n'aurait jamais rencontré si chacun était resté dans sa voiture.

Ces expériences de stop ont joué un grand rôle dans mon éducation, dans le façonnement de mon caractère et de ma personnalité, mais comme souvent dans l'initiation d'un projet, c'est un déclic qui permit au rêve d'entrer dans la réalité…

Flash-back. Novembre 1999. Un matin gris et pluvieux comme seul l'automne sait en produire. Accompagné de Jean-Luc, un ami de l'école de commerce de Strasbourg, je souhaite découvrir l'est de l'Europe : découvrir ses richesses, son histoire, connaître le quotidien de petites gens plongés dans une vie ordinaire. À force de coups de pouce, nous arrivons à proximité de Linz, en Autriche, lorsque dans une station-service, notre route croise celle de Léo, un Roumain cinquantenaire arrondissant ses fins de mois avec un juteux trafic de voitures entre l'Hexagone et son pays d'origine. Il accepte de nous embarquer en direction de Budapest. Deux heures plus tard, alors que les lumières de la capitale hongroise scintillent au loin, Léo nous propose :

« Dites-moi, je peux vous déposer ici si vous le souhaitez, mais je vais jusqu'à Iasi, à une vingtaine d'heures de route encore, près de la frontière moldave. Nous pouvons vous loger, j'ai un fils de votre âge. Alors, si ça vous tente… »

Instantanément, je me tourne vers Jean-Luc. Son regard complice me confirme que la destination l'attire autant que moi. Parvenir à nous rendre en stop jusqu'en Hongrie constituait déjà pour nous un petit exploit. Nous rendre de l'autre côté de l'Europe nous semble irréel. Toutefois, une certaine appréhension nous habite. La Roumanie n'a pas une excellente réputation et notre connaissance de ce pays se résume aux habituels stéréotypes : château de Dracula, gitans réputés dangereux ou encore laveurs de pare-brise aux feux rouges des villes.

Heureusement, notre esprit contient un antidote efficace à ces craintes primaires : la curiosité. C'est elle, alliée à notre aversion des regrets, qui nous pousse à accepter la proposition. Je ne le sais pas encore à ce moment, mais cette petite décision, ce petit « d'accord, je relève le défi, on y va ! » a changé ma vie ! Avec une petite boule au ventre, nous partons pour Iasi… Au fil des kilomètres que nous parcourons vers l'est, le dépaysement se fait de plus en plus ressentir : paysages, coutumes et physique des habitants se modifient. Au poste-frontière roumain, notre naïveté juvénile est mise à rude épreuve en observant Léo qui, avec un naturel déconcertant, distribue des billets à chaque douanier, facilitant ainsi les rouages administratifs pour rendre son trafic presque légal. C'est la première fois que j'assiste en direct à une séance de corruption !

La frontière ainsi franchie, nous changeons de fuseau horaire. Non pas d'une heure, mais de 50 ans ! La Roumanie semble vivre dans une autre époque. Sur la route, notre Opel dépasse à toute vitesse des carrioles tirées par des chevaux, des Dacia quelque peu bruyantes et des troupeaux d'oies et de cochons dirigés par des grands-mères en guenilles. Dans les champs, les paysans utilisent encore des outils des siècles passés, montant les meules de foin à la fourche et moissonnant le blé à la main. Nous découvrons l'Europe sous un tout nouveau visage.

Nous passons quelques jours à Iasi, découvrant les palais et innombrables monastères orthodoxes de la ville avec pour guide le fils de Léo nous expliquant les origines de chaque monument. Quelques jours plus tard, nous descendons sur Bucarest, y découvrons la place de la Révolution, touchons les impacts de balles témoignant encore du combat des insurgés de décembre 1989, visitons le palais du Parlement – deuxième plus grand bâtiment au monde, construit en l'honneur du dictateur Ceausescu – et écoutons les témoignages de locaux nous faire part de leur expérience personnelle. Nous entrons dans l'histoire, la vraie. Telle la construction d'un puzzle, chaque jour nous ajoutons de nouvelles pièces à notre culture historique et géographique.

Le dernier soir de notre séjour roumain, allongé les yeux rivés vers le plafond, sur le canapé d'un ami de Léo, je fais le point sur ces quelques jours m'ayant permis de briser nombre de préjugés et d'agrandir mon domaine du «possible». Je repense à tout l'enrichissement découlant de ce voyage quand soudain, une question jaillit de mon cerveau pour ne plus me quitter : «Ce tour du monde que j'ai toujours voulu faire, pourquoi ne pas le faire en stop ?»

L'idée brute bondit dans mon esprit en effervescence. Brutalement extirpé de mes rêveries, comme frappé par un électrochoc, je me redresse sur le canapé et fixe une mappemonde à proximité. En moins d'une seconde, je fais le tour du monde mentalement, m'imaginant volontiers le pouce tendu au bord de routes tibétaines, australiennes ou brésiliennes. Mon mental s'emballe. Après tout, pourquoi pas ? Cette perspective s'impose d'emblée et je comprends vite, très vite, que cette idée va à présent s'accrocher à ma mémoire inévitablement. Enchaînement mémorable qui ne pourra trouver comme exutoire que sa réalisation.

Ce 18 novembre 1999, mon rêve d'enfant s'est réveillé au pied des montagnes enneigées des Carpates… Il me faut à présent étudier sa faisabilité… et ne pas, surtout pas, l'oublier…

19 h 15. La sortie de Val-d'Isère se rapproche. Elle est matérialisée par le panneau réglementaire entouré d'une bordure rouge, barré d'une ligne noire. Fin d'une ville, fin d'une étape de ma vie. À présent, la recherche de la toute première voiture de ce tour du monde peut vraiment débuter. Seul problème, le trafic est toujours nul. À l'inverse d'un voyage à vélo ou en voiture, je ne peux partir quand je le souhaite, dépendant du bon vouloir des conducteurs. Tandis que mes amis combattent le froid en blaguant, mon esprit divague. Je songe aux années qui ont suivi le «déclic roumain» et aux profondes motivations qui m'animent pour me retrouver un soir de 1er janvier au bord d'une route gelée par –12°…

Trois années ont passé depuis l'expérience roumaine, 1999 laissant place à 2002. Pendant ces trois années, l'idée de faire le tour du monde en stop ne m'a pas quitté. Mieux, elle s'est imposée au fil du temps comme la voie qui devait être mienne, comme une certitude, une étape logique et nécessaire de ma vie entre la fin de mes études et le début de ma vie professionnelle ; une évidence. Mon évidence.

Logique, tout d'abord parce que je crois au destin. Je crois, comme le mentionnait Paulo Coelho dans son excellent livre *L'Alchimiste*, que « l'homme doit savoir lire les signes du destin et vivre sa légende personnelle ». Tous les signes du destin indiquaient que ma légende personnelle devait passer par ce tour du monde. Après avoir fait le tour de ma région en stop, le tour de France puis le tour d'Europe, quoi de plus normal qu'un tour du monde ? Et rien ne me paraît plus important que d'aller au bout de ses rêves, surtout lorsque ceux-ci trouvent leurs racines dans l'enfance. Il en va de notre épanouissement. C'est l'essence même de notre existence.

Logique aussi car j'adore relever les défis. Ils me permettent de me surpasser, de me situer, d'apprendre à mieux identifier mes forces, faiblesses et limites. Faire le tour du monde en utilisant uniquement le stop comme moyen de transport est un défi qui me plaît. Deux exceptions subsisteront cependant : pas de stop à l'intérieur des villes et utilisation des transports en commun uniquement en cas d'aller-retour pour une excursion ponctuelle. Une flexibilité nécessaire pour découvrir certains sites intéressants non accessibles en stop. Pour l'anecdote, si les autostoppeurs sont nombreux à travers le monde, un véritable tour du monde en stop, sans transport préarrangé, n'a jamais été réalisé à ma connaissance. Ce sera donc une première !

Défi ambitieux, certes ! Mais celui-ci n'a absolument pas vocation à trouver sa place dans le Guinness des records. Au-delà de ce challenge, de ce fil rouge, mon objectif premier est de partager la condition des hommes et femmes à travers le monde qui voudront bien me recevoir chez eux ou dans leur voiture, le temps d'un échange, avant de continuer mon chemin. Arpenter le monde réel, me forger une opinion argumentée et tenter d'échapper aux sinistres « images catastrophes » véhiculées par les médias. Je vois dans ce voyage un passage initiatique pour bâtir solidement l'avenir. Chercher à comprendre les autres pour mieux me connaître moi-même.

Un périple logique, encore, car dans un monde en mutation, plus complexe et interdépendant que jamais, il m'apparaît important, pour ne pas dire primordial, de chercher à le comprendre. Force est de constater qu'au moment de décrocher mon diplôme, je ne connais le monde qu'à travers mon écran de télévision et le prisme de mon ignorance. Mon école de commerce m'a donné les bases pour devenir dirigeant, mais ne m'a rien appris des misères et richesses du globe. Avant de m'engager dans une carrière professionnelle et de choisir une direction pour ma vie, je souhaite me construire une vision « globale » des problèmes et des enjeux de la planète. Écouter ce que les hommes du monde ont à dire, « mesurer ma cervelle » à celle d'autrui pour me construire des points de vue, lire autre chose que des études de cas et des analyses financières ; prendre du recul pour réfléchir sur l'humanité, mais aussi sur le sens que je souhaite donner à mon existence. Bref, me poser les vraies questions et assouvir cette insatiable soif de découverte qui m'habite au plus profond de mes cellules.

Oui, la décision de partir m'est apparue cohérente. Oui, mon rêve d'enfant s'est réveillé en Roumanie. Oui, le défi est beau et intéressant. Il n'en demeure pas moins, cependant, que prendre la décision de sortir du rail pour aller au bout de mes idées ne fut pas aisé. Je me souviendrai des années 1999-2002 comme d'une période charnière. Une période de profondes réflexions, d'introspection sans tricherie, de questionnements sans détour. Qu'est-ce que je souhaite faire de ma vie ? Est-ce bien raisonnable ? Pas trop risqué ? Comment gérer le retour, l'après-voyage ? Qu'en penseront les futurs employeurs ? Ne suis-je pas en train de compromettre ma carrière professionnelle en partant plusieurs années ? Que vais-je perdre ? Quelles sont mes ressources pour financer ce périple ? De plus, pourquoi aller chercher ailleurs le bonheur ? Ma vie strasbourgeoise me plaît bien, après tout...

Toutes ces questions et bien d'autres m'ont tracassé et valu nombre d'insomnies, à me retourner dans le lit, à remettre ma vie à plat. C'est finalement le 25 janvier 2002 que le destin vint sonner la fin de mes élucubrations et provoquer la décision sans appel, quand une lettre reçue d'une entreprise de consultation m'offrit un emploi à durée indéterminée. Salaire attrayant, situation alléchante. Alors ? Construire une vie matérielle confortable et mettre le doigt dans l'engrenage de la vie professionnelle, sachant pertinemment que si j'y rentre, il sera difficile de m'en extirper pour effectuer le tour du monde ? Ou réaliser mon rêve, suivre mon instinct, aller dormir dehors et m'engager dans un projet dont je ne connais aucunement l'issue ? Un tel choix est un dilemme dans une société peu coutumière des « années de césures ».

La nuit porte conseil, dit-on. Le 25 janvier 2002, je reçois le meilleur de ma vie, sous la forme de deux citations. La première d'Antoine de Saint-Exupéry : « Faites que le rêve dévore votre vie afin que la vie ne dévore pas votre rêve. » La deuxième d'Oscar Wilde : « La sagesse, c'est d'avoir des rêves suffisamment grands pour ne pas les perdre de vue lorsqu'on les poursuit. » Au matin du 26 janvier, la décision sans appel est prise : je partirai réaliser mon rêve... Et ne le perdrai pas de vue.

Le lieu et une date symbolique de départ fixés – quoi de mieux que de commencer simultanément une nouvelle année et un tour du monde ? –, je me lance dans les préparatifs. Durant cette période, naît une autre préoccupation : je sens qu'il manque « quelque chose » à ce projet. Ce tour du monde ne saurait n'être qu'un projet personnel dont je serais l'unique bénéficiaire. Voyager, certes, mais pas uniquement pour le seul plaisir de voyager, sans autre but que d'errer au fil de mes désirs, sans autre contrainte que celle du budget, sans autres rencontres que celles de la route et des circonstances. J'aspire à un but, un objectif qui donnerait un sens plus profond à cette aventure, autour de la notion de partage.

Des nuits durant, je réfléchis à cette possibilité. Une école? Pourquoi pas? L'option me paraît intéressante. Finalement, la réponse à mes préoccupations me parvient au cours d'une insomnie, lorsqu'une image s'impose dans mon esprit: celle d'enfants en souffrance. Sans même allumer, je prends aussitôt un papier sur lequel j'écris: «Proposer projet pédagogique à l'hôpital de Strasbourg-Hautepierre.» J'imagine déjà nos discussions via webcam. Le «globe-stopper» envoyant des photos du monde et des courriels décrivant ses expériences. Offrir à des enfants l'occasion de s'évader loin de la triste réalité de leur maladie, l'espace de quelques minutes, et de laisser courir leur imagination, les pousser à croire en leurs rêves… N'est-ce pas primordial? D'autant que l'on connaît l'importance du mental dans la guérison de tout patient.

L'idée m'emballe immédiatement. Toutefois, elle doit aussi plaire aux éducateurs et aux instituteurs qui pourront assurer le relais indispensable entre ces enfants et moi, le voyageur. Au point de vue technique, il n'y a aucun souci: l'hôpital dispose d'une connexion Internet à haut débit et même les enfants confinés en chambre stérile y ont accès.

Au mois de mars 2002, je me rends au CHU, sans rendez-vous ni appel téléphonique préalable. Juste avec mon projet sous le bras. Chantal Jorand, institutrice pour les enfants malades, me reçoit aimablement et m'écoute, avant de commenter ma proposition:

«Super, super, super! Nous venons de terminer un tour du monde par procuration avec Ellen MacArthur lors du Vendée Globe. Le partage était exceptionnel et tous les enfants ont adoré. Je suis plus que partante pour "faire du stop" maintenant! Nous serons le pouce tendu au bord de la route avec toi!» conclut-elle avec un ravissant sourire qui en dit long sur sa motivation.

Mon intuition était bonne… Et je m'en réjouis. Deux heures durant, Chantal m'explique comment les enfants vont s'identifier à moi.

« Ta lutte sera la leur. Tes joies et tes peines aussi. N'oublie jamais que ces enfants ont déjà été suffisamment déçus par la vie. S'il te plaît, ne les déçois pas davantage en les abandonnant sans raison. Tout le monde comprendra si tu dois renoncer pour des questions de santé ou autre, mais garde en tête que si tu t'engages avec nous, tu ne seras plus seul et tu endosseras une réelle responsabilité. »

D'un ton plus solennel, elle me prévient :

« Sache aussi qu'il est important de conserver un peu de distance avec les enfants et de ne pas trop s'attacher à eux. Même si la lutte contre le cancer a connu de grands progrès ces dernières années et que de nombreux cas sont soignés aujourd'hui, certains malheureusement nous quittent parfois. Il est important que tu ne l'oublies pas. »

Message reçu. Devant elle, je prends l'engagement ferme d'emmener les enfants dans mon sac à dos et de leur ouvrir une fenêtre sur l'extérieur. J'éprouve une grande joie à l'idée de pouvoir apporter à ces petits patients que le destin n'a pas épargnés une dose de rêve, d'aventure et de voyage.

Au cours des dernières semaines de l'année 2002, je rencontre les enfants un à un. Je leur explique mon projet, leur montre mon sac, mon passeport, et je leur décris le trajet. Les questions sont nombreuses, les yeux grands ouverts. L'accueil qu'ils me réservent me remplit de joie et m'arme pour les premières épreuves.

Le 18 décembre 2002, je me sens un peu nerveux en arpentant les couloirs de l'hôpital. C'est ma septième et dernière visite avant le départ, désormais imminent, et sans doute la plus difficile. Chantal me propose en effet d'aller voir les enfants les plus gravement atteints, dans les chambres stériles. Pendant plusieurs longs mois, ils sont coupés du monde et ne peuvent voir la lumière du jour, ni respirer l'air naturel. Charlotte sur la tête, protège-pieds sur les chaussures, blouse, masque, gants… Désinfection des mains et de la carte du monde plastifiée présentant mon parcours… Pas un microbe ne doit les atteindre.

Yasmine, petite fille de 10 ans en pleine chimiothérapie, se montre enthousiaste quand Chantal lui explique mon projet.

« Chouette, tu m'enverras des photos d'animaux ? J'aimerais beaucoup recevoir les photos d'un dauphin et d'un kangourou, tu crois que c'est possible ? »

De la voir si forte pour supporter une telle épreuve me met les larmes aux yeux. Je lui promets de faire mon possible pour lui adresser les photographies – son vœu sera exaucé au cours de mon voyage.

Élodie a 16 ans. Depuis des mois, elle reste allongée sur son lit. Son état empire de jour en jour et les médecins ne se font guère d'illusions sur une possible rémission. Chantal me confie que l'adolescente ne veut plus manger et ne semble plus prendre goût à quoi que ce soit. La maladie l'a rongée progressivement et il lui reste peu de temps à vivre. Elle en est consciente et pourtant, quand je la vois, elle me semble tellement jeune pour mourir ! J'en ai presque honte d'être en bonne santé et prêt à partir sur les routes. Chantal lui a parlé de mon tour du monde en stop et Élodie a souhaité y participer, à sa manière. Comme les autres enfants du service, elle a tressé, il y a quelques jours, une maille d'un bracelet brésilien qui doit me porter chance pendant mon voyage. Pas n'importe quelle maille : la dernière. Elle veut m'enfiler elle-même ce bracelet autour du poignet. J'accepte bien volontiers, le cœur serré. Aux côtés de sa maman, très émue, Élodie peine : la maladie lui fait perdre la vue et ses forces, et l'entreprise s'avère épuisante. Avec effort et détermination, elle réussit finalement à faire ce petit nœud.

Ce soir, je porte le bracelet. Je ne t'oublierai jamais, Élodie… Ta détermination, je dois la garder en moi. Jamais je n'abandonnerai.

20 h 15. Déjà une heure que nous attendons, frigorifiés, et toujours pas le moindre véhicule à l'horizon. Calme en apparence, je suis impatient comme un gamin à qui on aurait promis une glace. Il paraît que le plus dur, c'est le premier pas. Mes amis, eux, ne rigolent plus. Ils doutent et commencent à se demander si me proposer d'entreprendre mon tour du monde depuis les montagnes alpines était vraiment une bonne idée. Je m'amuse intérieurement : au moins pourront-ils faire preuve d'empathie, sachant ce que cela signifie vraiment, lorsque je leur enverrai des récits d'attente au bord des routes du monde...

Mes parents ne sont pas avec moi pour ce premier jour, ni le reste de ma famille. Je les ai tous laissés à Strasbourg, il y a six jours, après les célébrations de Noël. Chaque fois que je repenserai à eux, je reverrai la dernière image : ma maman, les larmes aux yeux, luttant pour ne pas montrer sa tristesse de voir son fils partir ; et mon père, soucieux autant pour ma sécurité qu'à la perspective de retrouver un jeune homme déconnecté de la réalité à mon retour.

« Évite de partir plus de six mois, le retour sera trop difficile, sinon », me conseillait-il...

Trop tard, papa, je te le rappelle, tu as coupé mon cordon ombilical... Et je ne t'en remercierai jamais assez !

Lorsque j'ai prévenu mes proches de mon départ, la réaction de ma maman fut à l'image de son humour :

« Tu es sûr que tu souhaites faire le tour du monde ? N'aimerais-tu pas mieux le tour de la Suisse ? »

Je sais qu'elle aurait préféré que je lui annonce un mariage ou une naissance, mais je la sais aussi ouverte et compréhensive.

Le support moral de mes parents fut une aide très précieuse durant toute la période de préparation. Sans ce soutien, sans doute serais-je tout de même parti, mais pas de la même façon. Je me serais senti retenu, freiné, handicapé, un peu comme une équipe de football jouant à domicile, mais huée par ses propres supporters.

⁂

21 h 32. Ça y est ! Enfin, au loin, le halo des phares perce l'obscurité. Une vieille Mercedes, immatriculée en Belgique, se rapproche puis s'arrête. Le conducteur, visage rond, petites lunettes, baisse sa vitre :

« Vous allez où ?

— Je pars faire le tour du monde. Je vais vers Dakar. Vous allez dans cette direction ? »

L'homme croit à une blague puis se ravise, devant mon air sérieux.

« Je vais vers Lyon, c'est dans la direction. Montez, dépêchez-vous, je suis pressé. »

Ça y est, l'instant de vérité est arrivé ! Le moment est à la fois heureux et difficile. Irréel. Au revoir, les amis. Je leur dis « à bientôt », sans véritablement réaliser que « bientôt » signifie probablement « dans quelques années ». Un ultime coup d'œil photographie chacun de leurs regards. Je sais que ce cliché restera à jamais gravé dans mon cœur. Ils agitent leurs bras. Je leur réponds. Et puis, très vite, ils disparaissent au loin et je me retrouve seul avec Samuel, mon conducteur belge.

Me voici sur le siège passager, à regarder les montagnes enneigées dans l'obscurité. Samuel ne semble pas intéressé par mon tour du monde. Je n'insiste pas. D'ailleurs, mon esprit est ailleurs. Je ressens un grand bonheur : celui de réaliser un vieux rêve, de partir à la découverte du monde, de ses peuples, de ses cultures. J'éprouve également un profond soulagement, après ces mois de préparatifs, ces nuits blanches à me documenter et à bâtir mon itinéraire, je songe à tous les obstacles que j'ai dû affronter, les uns après les autres, et toutes ces bonnes raisons de ne pas partir que j'ai dû chasser de mon esprit. Je suis soulagé d'être à présent dans l'action, car c'est dans celle-ci que je trouve mon équilibre. Soulagé aussi d'avoir fait confiance à mon instinct qui guide toutes mes grandes décisions. Mais au bout d'un moment, une angoisse m'étreint, comme si je prenais d'un coup conscience du défi dans lequel je me lance à présent. Et si tous ceux qui ont cherché à me décourager avaient raison? Ne vais-je pas contracter une hépatite ou quelque maladie tropicale rare? Vais-je pouvoir traverser la planète sans me faire agresser, voler ou séquestrer? Pourrai-je réussir mon pari? Suis-je vraiment décidé à faire un «truc» pareil? Faire du stop en Europe, c'est une chose. Se lancer pour plus de 100 000 kilomètres le pouce tendu au bord des routes du monde, c'en est une autre. Un petit doute s'empare de moi…

La voiture de Samuel descend progressivement les zigzags de la montagne. Amusante sensation de réaliser que je reviendrai, un jour, par cette même route, en sens inverse. Sur *France Info*, une journaliste nous apporte les nouvelles de la journée : L'athlète olympique lyonnais est toujours en tête du championnat, de nouvelles grèves sont prévues dans le secteur public, de nouvelles revalorisations des allocations familiales sont à prévoir, la température est descendue dans certains coins du pays à –15°… Il est vraiment temps de partir voir autre chose…

Minuit. La partie la plus sinueuse du trajet est passée, le faisceau lumineux des phares est à présent rivé sur l'asphalte rectiligne. Samuel, premier maillon d'une longue chaîne d'amitié, me dépose dans la toute première station d'essence de mon tour du monde.

«Bon courage mon ami, que Dieu te protège!

— Merci. Vous garderez une place particulière dans mon cœur…»

Les stations-service sont un élément clé de ma stratégie de stoppeur. C'est généralement là que je trouve mes futurs conducteurs. Ma technique favorite, ayant déjà fait ses preuves lors de mon tour d'Europe, consiste à approcher le conducteur au moment où il fait le plein en lui présentant la carte plastifiée indiquant mon parcours et mon souhait d'être déposé dans une prochaine station. Ainsi,

Les stations-service font partie intégrante de ma stratégie de stoppeur. C'est dans celles-ci que je trouve la grande majorité de mes conducteurs, réduisant ainsi le risque encouru et augmentant mes chances de me faire embarquer.

ce n'est plus le conducteur qui choisit l'autostoppeur mais l'inverse. Un bon moyen de réduire le risque encouru et d'augmenter mes chances d'être embarqué. Le tout avec ma règle d'or : le « PPPPS », c'est-à-dire toujours « Propre, Poli, Patient, Persévérant et Souriant ».

Ce soir, la station est vide. Pour me protéger du froid, je rentre dans le commerce. Tout en comptant ses billets de banque, Marcel, le gérant, m'interpelle :

« Tu cherches à aller où comme ça, mon grand ?

— Autour du monde, je cherche à aller vers Dakar, au Sénégal.

— Autour du monde ! Ça alors, ben t'es pas arrivé, mon gaillard... Avec juste ces deux p'tits sacs ? »

Un sac à l'avant, l'autre à l'arrière, ces deux sacs me suivront cinq années durant autour du globe.

Gardant un souvenir douloureux de mon bagage trop lourd sur les routes finlandaises ou italiennes et du besoin perpétuel d'un petit sac pour visiter les villes, j'ai opté pour deux minisacs. Le premier contient quelques vêtements, assez pour rester propre huit jours. L'autre, plus petit et porté à l'avant, rassemble mon matériel photo et vidéo ainsi que les documents importants : « Le » sac à ne pas perdre, qui restera toujours avec moi dans les véhicules pendant que l'autre ira dans le coffre. Plus de clés, d'agenda, de téléphone portable. La vie sédentaire est derrière moi, vive l'existence nomade. Il est temps d'apprendre la légèreté, la liberté !

Intrigué, Marcel finit de ranger ses billets et m'invite à boire un café :

« Après l'Afrique, tu vas vers où ? Comment vas-tu traverser les océans ? »

Sortant ma carte, je lui montre le trajet imaginé, de l'Europe vers l'Afrique, puis l'Amérique, puis l'Australie, l'Asie et enfin, retour en Europe d'ici un à deux ans « grand maximum ». Je lui explique vouloir traverser les océans en bateau-stop, mon trajet d'est en ouest étant imaginé ainsi de façon à m'adapter aux mouvements des voiliers suivant les alizés.

« Ça alors ! Il va t'en falloir des conducteurs… Et comment vas-tu financer un tel *trip* ? Ca va te coûter une fortune, non ?

— J'ai estimé mon budget à 12 000 euros pour deux ans de voyage. J'ai rassemblé mes économies, vendu ma voiture, trouvé quelques partenaires – qui ont mis leur logo sur mon site Internet –, un journal publiera quelques articles que j'enverrai en chemin et une radio diffusera une chronique. Pour compléter, au besoin, je ferai de petits boulots ou un emprunt. Pas question de m'arrêter à cause des sous. J'ai toute ma vie pour en gagner. Mon budget quotidien s'élèvera à 10 dollars, soit environ 8 euros – nourriture, connexions Internet, visites diverses, visas… – auxquels viendront s'ajouter d'autres dépenses ponctuelles du type assurance et caméscope.

— C'est bien mais tu prends des risques, fais attention. Il y a plein d'endroits dangereux sur terre ! Pour aller vers Dakar, suis la direction du sud, Saint-Étienne. Bon courage. »

Je laisse Marcel à ses occupations. En m'éloignant, je l'entends grommeler :

« Non mais tout de même, partir autour du monde en stop, sans même un téléphone portable. Il a du culot celui-là… »

Les heures passent. Pas les voitures ! La station est bien calme, ce soir. Les camionneurs s'endorment. Je vis la première nuit de mon tour du monde assis jusqu'à l'aube, quand un routier matinal m'embarque enfin vers Saint-Étienne, première halte de mon parcours, où m'attend une amie. Ça y est, me voilà à présent véritablement lancé sur les routes du monde. Toulouse, Barcelone, Valencia, Alicante… Je m'en vais suivre à présent l'ancienne route de l'Aéropostale. Mon regard se tourne résolument vers le sud, vers Gibraltar, point de départ pour la première destination exotique de ce tour du monde : l'Afrique…

Chapitre 2

DE LA FUMÉE SANS FEU

Maroc – Mauritanie – Sénégal

« De toutes les folies et aberrations qu'on rencontre dans l'humanité, celle qui me paraît la plus inconcevable, c'est que l'homme, pendant son passage sur la terre, n'ait pas la curiosité de la connaître tout entière. »

— Alain Gerbault

16 janvier 2003, départ vers le continent africain.

« L'échauffement » européen est terminé. Une trentaine de flexions-extensions du pouce m'ont amené à vitesse grand V sur le rocher de Gibraltar. Là, j'ai réussi à monter dans un camion me permettant d'embarquer sur un vieux ferry rouillé en direction de Tanger, ma première ville marocaine. Juan, le chauffeur espagnol, m'a prévenu :

« C'est bien parce que tu fais le tour du monde que je t'ai embarqué. C'est un coin dangereux par ici et je n'ai pas pour habitude de prendre des autostoppeurs, mais je le fais quand même, ton histoire m'intéresse. »

Cette dernière phrase m'enchante, car donner envie à « l'autre » d'être, à son tour, curieux du monde, est une des vraies joies de mon voyage, presque une mission…

La sirène hurle. Les passagers et les camions embarquent. Le transbordeur vibre de toutes ses tôles et s'élance doucement hors du port. Assis à l'arrière, je fixe du regard le rocher britannique se dressant comme un dernier souvenir d'Europe, essayant de me figurer ce que peut être le continent africain. Mon imagination s'emballe, car j'ai hâte de découvrir ces pays qui me paraissent si lointains. Je me projette aussi pour évacuer l'inquiétude qui me travaille depuis ce matin. À l'image de mon expérience roumaine d'il y a quatre ans, je ressens une appréhension devant l'inconnu, mêlée d'une formidable envie de découverte. Je réalise tout simplement que je viens de laisser derrière moi ces repères qui facilitent et règlent notre vie quotidienne. Ceux que nous oublions lorsque nous les avons près de nous, mais dont nous éprouvons fatalement le manque lorsqu'ils ne sont plus là.

Un flot de questions gronde au plus profond de moi. Que me réserve cette route africaine? Vais-je réussir à parcourir les 4 000 kilomètres qui me séparent de Dakar, d'où je prendrai le bateau-stop pour traverser l'Atlantique, une pratique dont j'ignore la faisabilité? Comment m'y prendre pour traverser le Sahara? Où dormir ce soir? Le moteur ronronne mais ne répond pas. Les hommes en djellaba s'alignent et s'inclinent en prières. Mektoub![1] On verra bien...

À l'approche des côtes marocaines, des cheminées industrielles et des minarets se partagent un ciel sans nuages. Tanger se rapproche. Dans le port de commerce, des gamins se baignent dans une eau poisseuse manifestement polluée. Comme des grenouilles, ils plongent la tête sous l'eau et brandissent fièrement les objets brillants trouvés au fond. Malgré leur pauvreté, ils ont l'air de s'amuser comme des fous.

Soudain, la cohue du débarquement élude mes angoisses. Dans un déferlement de brutalité, d'échanges de cris et de coups, je me retrouve poussé, presque projeté sur le quai comme un vulgaire colis, les deux pieds en Afrique au milieu d'une vingtaine

1. «C'est écrit!»

d'individus criant dans ma direction. Les uns me tirent par le bras, d'autres veulent prendre mon sac, tous me promettent le tarif le moins cher, que ce soit pour un taxi ou un hôtel en ville.

« C'est 100 dirhams pour t'emmener en ville ! Allez, 50 dirhams !

Allez, 20 dirhams, parce que tu es un ami ! Allez, 10 dirhams, mon frère ! Tu sais, c'est dangereux ici, tu vas avoir des problèmes en marchant tout seul, il va bientôt faire nuit. Viens, je t'emmène dans un endroit sûr, fais-moi confiance. »

Je décline les propositions les unes après les autres et continue machinalement ma route. Autour de moi, des passeurs proposent l'éden occidental pour 1 000 euros, des hommes se cachent sous des camions pour y arriver gratuitement, des squatters me proposent de venir les rejoindre pour me vendre « le meilleur haschich du Maroc ». L'ambiance n'est guère rassurante, mais je parviens à sortir du port sans encombre.

La porte passée, j'ai l'impression d'entrer dans un monde enchanté, irréel. Dépaysé ? « Déplanétisé » plutôt. Une petite heure de bateau m'a projeté dans un autre monde : camions, voitures administratives, bus déglingués et vaches investissent la route dans un concert d'avertisseurs et de beuglements mêlés. Tous mes sens sont en éveil, exacerbés par les odeurs de thé, le brouhaha de la rue, la vision des marchands ambulants aux charrettes pleines de légumes frais tirées par des ânes. Je suis fasciné par cette activité grouillante, cette ambiance bruyante et colorée. L'atmosphère est unique.

En cet instant, j'éprouve véritablement l'impression de commencer mon tour du monde. Je suis à présent seul, tout seul, sans moyen de transport, tout en haut et si petit face à l'inconnu de ce continent. L'autostop « version Afrique » peut maintenant débuter. Va-t-il fonctionner ? Je n'en ai pas la moindre idée. Une seule façon de le savoir : se lancer ! À proximité de la sortie du port, j'aperçois une camionnette blanche sur le départ. Rassemblant mon courage, je m'approche d'un conducteur en pleine préparation de petits paquets de billets qu'il distribuera au fil du trajet aux policiers souhaitant arrondir leur fin de mois…

« Bonjour, monsieur, vous parlez français ?

— Oui, tu vas où, mon ami ?

— À Mohammedia, monsieur.

— Tu me donnes combien ? »

Bienvenue en Afrique ! J'aurais dû m'en douter, le stop n'est pas forcément une activité gratuite sur ce continent. Un cas de conscience complexe se pose à moi : dois-je m'autoriser à faire du stop payant ? La question doit être réglée, car elle reviendra forcément pendant mon périple. Déchiré entre la volonté de ne profiter de personne, surtout quand ils n'ont pas un rond, et celle de me prouver, et subséquemment démontrer, que faire un tour du monde sans dépenser le moindre sou pour le transport est chose possible, j'hésite sur la conduite à tenir. Je décide finalement de couper la poire en deux : selon les conducteurs et les situations, j'offrirai à manger aux chauffeurs, mais il n'y aura pas d'échange d'argent entre eux et moi. Les choses devant être claires dès le départ, j'expliquerai mon défi avant l'entrée dans le véhicule et remercierai ceux qui n'acceptent pas les règles du jeu.

Mon souhait est cependant d'aller au-delà du simple trajet. J'aspire à un véritable échange, une satisfaction mutuelle à l'issue du passage. J'en suis conscient, lever le pouce, c'est solliciter une faveur. Même si celle-ci ne coûte pas un sou, je respecterai toujours ceux qui désirent rester seuls ou ne se sentent pas en confiance. Jamais je ne maudirai qui que ce soit me refusant à son bord. C'est une de mes règles de base. Pour exprimer ma gratitude envers tous les gens qui accepteront de m'embarquer, je donnerai le meilleur de moi-même en partageant quelques histoires de mon tour du monde lorsqu'ils le désireront, en m'intéressant à eux, à leur famille ou à leurs soucis, que je sois fatigué ou pas.

Mon premier bienfaiteur africain s'appelle Habib. Il a 39 ans et m'accueille à bord de son camion comme si nous étions de lointains cousins, m'embrassant chaleureusement pour me souhaiter la bienvenue :

« C'est pas vrai, tu viens de Strasbourg ? Tu ne vas pas me croire, j'ai un cousin à Mulhouse, puis un autre à Colmar, puis un autre à Krautergersheim... Ça alors, j'en reviens pas ! »

Le monde est petit avec les Marocains. Presque instantanément, mon nouvel ami se propose de m'héberger pour la nuit. J'accepte avec joie. Être logé chez les autochtones est pour moi une chance formidable de mieux connaître et comprendre les cultures locales. Arrivés chez lui, Habib me prend par la main et m'invite à entrer dans sa demeure. La porte de sa coquette petite maison s'ouvre sur un petit vestibule où je dois laisser ma paire de chaussures, avant de le suivre dans une petite cuisine. Des images pieuses et des versets coraniques sont encadrés sur les murs. Il me présente ses quatre enfants et sa femme, qui spontanément me propose de prendre une douche et de me joindre à la famille pour un repas de fête. Je suis reçu comme un prince par ces gens qui, il y a quelques heures, ignoraient tout de mon existence. Certes, les liens privilégiés entre le Maroc et la France nous rapprochent, mais tout de même, je suis médusé.

Aurais-je invité chez moi et nourri un Marocain pris en stop ? Pas sûr. Du moins pas avant d'avoir entrepris ce voyage. Pour Habib et sa famille, recevoir l'étranger de passage et nourrir celui qui a faim semblent tout ce qu'il y a de plus naturel. Selon eux, la bonté ne se mesure pas à ce que l'on possède, mais à ce que l'on est capable de donner.

Première leçon d'humanité et d'humilité. Maintenant, il faut passer à table.

« Où tu vas, fais ce que tu vois. » Ce conseil plein de bon sens d'un ami français me revient en tête au moment de commencer le repas. Plongé pour la première fois dans l'intimité d'une famille musulmane, je suis curieux de chaque détail. La décoration traditionnelle, le repas servi par terre… Si je sais que l'on mange sans couverts, en se servant d'un bout de pain ou simplement de la main droite – la main gauche est utilisée pour l'hygiène intime –, et qu'il est bienséant de roter pour manifester son contentement, me comporter comme mes hôtes est inhabituel et étrange. Toutes les cinq minutes, on m'abreuve de thé à la menthe. La discussion est douce, la boisson excellente.

Discuter veut dire ici parler de famille, de mariage, mais surtout de religion. L'islam est au cœur de toutes les discussions de cette famille qui pratique sa foi avec ferveur. Chacune des phrases est ponctuée de «*in châ Allah*[2]», «*hamdoullah*[3]»… et le rêve de tous n'est pas d'effectuer le tour du monde mais le *hajj*, le pèlerinage à la Mecque, l'un des cinq piliers de l'islam. Habib m'explique l'importance du sacré dans sa vie :

«Dieu programme tout, me dit-il. Si je t'ai pris en stop, c'est parce que Dieu l'a voulu. Te ramener chez moi est la volonté de Dieu. Si tu es arrivé jusqu'ici aujourd'hui, c'est parce que Dieu t'a poussé dans cette direction. L'islam est soumission. Ma vie est une soumission constante aux paroles de Dieu. *Bismillah el-Rahmân el-Rahîm*, "au nom de Dieu, le tout-puissant, le tout miséricordieux", sois le bienvenu parmi nous.»

J'acquiesce poliment, car je ne souhaite pas engager la conversation sur le grand Créateur. Dieu m'a-t-il conduit ici ? Ma présence au Maroc n'est-elle pas plutôt le résultat de ma volonté et accessoirement, du hasard de notre rencontre ? Je ne me permets pas de donner un avis sur pareille question. La majorité des gens croisés sur ma route semble cependant avoir une opinion tranchée à ce sujet.

---

2. «Si Dieu le veut».
3. «Grâce à Dieu»…

Habib est adepte du soufisme, une branche mystique de l'islam. Chaque jour, entre chacune des cinq prières et à l'aide d'un petit chapelet qu'il a toujours en main, il doit répéter intérieurement un minimum de 10 000 fois «*alhamdullilah*» – «merci, mon Dieu» – afin de montrer son amour pour le divin. Je l'interroge :

«N'est-ce pas fatigant de répéter ainsi "merci mon Dieu" ? As-tu encore l'impression d'être sincère ou le fais-tu par habitude ?

— Ludovic, imagine que tu apprécies le vin blanc ou la bière et que tu aimes en boire toute la journée. Eh bien, c'est la même chose pour moi. Me donner tout entier à Dieu chaque instant de la journée est une véritable ivresse pour moi. Je ne fatigue jamais et suis chaque instant plus sincère.»

Selon Habib, il est impensable de chercher à appréhender le monde sans connaître le Coran, dont la lecture est un préalable nécessaire à la compréhension de toute chose. Au moment de me coucher sur l'un des tapis moelleux du salon, j'entreprends la lecture du livre sacré qui me permettra au moins de mieux comprendre le mode de pensée et le référentiel des gens que je vais à présent rencontrer, sans juger ni forcément comparer à ce que je connais. «*It's not right, it's not wrong, it's just different*», m'a dit un jour un ami américain. L'un des objectifs du voyage est de développer ma tolérance et de comprendre d'autres formes de pensées. C'est la première fois de ma vie que je sors véritablement de mon cadre. Jamais auparavant je n'ai eu l'occasion de partager le quotidien d'une famille musulmane ou tout simplement non chrétienne. Or, la religion transmet un ensemble de valeurs qui induit une vision du monde, une manière de penser et un mode de relations sociales. Elle modèle l'esprit, façonne les cultures et paraît donc incontournable pour chercher à comprendre les hommes. Je m'endors, ravi de cette entrée en matière, après avoir confié mes émotions et sentiments sur mon carnet de bord, qui deviendra au fil du temps un fidèle compagnon de voyage.

À l'aube, la voix du *muezzin* me réveille avant le lever du soleil. Sur cette terre d'Islam, les hommes vivent au rythme de la prière. Les haut-parleurs diffusent l'appel pour *al-fajr*, la prière de l'aube. Son premier rendez-vous honoré, Habib se propose de me déposer à la station-service à la sortie de la ville. Sa délicatesse est décidément sans faille.

Très vite, c'est Youssef qui prend le relais, puis Mohamed, puis Omar... Les kilomètres et les villages défilent, tandis que mon appréhension se dissout dans la lumière franche de leur sourire. Ce que j'espérais au fond de moi se confirme : les Africains témoignent à mon égard d'une hospitalité magnifique. Plus je me détends, plus les gens sont bienveillants. Comme en Roumanie. Mes inquiétudes, au moment d'aborder ce nouveau monde, étaient principalement nourries par l'ignorance. J'avais produit de la fumée sans feu.

Le monde est le miroir de nos angoisses... Si l'on a peur, il montre les dents. Désormais, je tâche d'accepter les événements au jour le jour, tels qu'ils se déroulent, et goûte au bonheur du voyage véritable.

Le soleil est radieux et j'avance à bonne allure. Mohammedia, Casablanca, Rabat, Fès, Meknès, Marrakech, Agadir... Je raye les villes que je traverse sur ma carte et m'accommode avec bonheur à ma nouvelle vie. Je mange quand j'ai faim, en fonction des pauses de mes conducteurs et du prix dans les échoppes. Un sandwich ici, une salade là. Chaque jour est un délice à prix généralement très réduit. Côté logement, la débrouillardise est de mise. Outre les nuits passées chez les gens rencontrés au hasard de la route, je trouve fréquemment refuge, tantôt sous le feuillage d'un olivier, tantôt à l'arrière d'une semi-remorque, tantôt encore chez des expatriés français que j'ai toujours plaisir à retrouver, même si je me refuse de faire un tour du monde de la communauté française. Le manque de confort ne m'embête pas, seule la recherche de sécurité m'importe.

Mon défi ne m'impose pas d'éviter les hôtels, mais mon budget serré me l'interdit. Je l'éviterai donc au maximum tout au long de mon parcours. Ne pas savoir où je vais dormir le soir même, ne pas savoir dans quelle voiture je vais monter, ne pas savoir ce qui se passera dans dix minutes, ne pas savoir quelles seront mes prochaines rencontres… L'inconnu s'invite dans ma vie quotidienne et j'apprends à ne plus en avoir peur. Apprendre à ne plus trembler devant l'inconnu, c'est agrandir sa zone de confort et sa tolérance. Cela procure une sensation de liberté formidable…

Médinas, mausolées, souks… Le Maroc me dévoile chaque jour un peu plus de ses charmes. Si je visite toutes les zones touristiques, car elles font partie intégrante de l'héritage d'un pays et de ce que je souhaite découvrir, j'essaie de ne pas trop m'y attarder. J'y trouve les relations entre touristes et locaux fausses, comme si chaque interaction devait se conclure par une transaction. N'appréciant guère d'être regardé uniquement comme un portefeuille ambulant à plumer, je préfère généralement me perdre hors des sentiers battus, prendre les rues adjacentes des zones touristiques, là où les rencontres se font spontanément, là où le thé est offert de bon cœur, là où les enfants ne sont plus envoyés par leurs parents pour courir après les touristes et leur tendre la main, là où les effets néfastes du tourisme de masse ne se font pas ressentir. C'est généralement hors des sentiers battus que je vis mes plus belles expériences de voyage, c'est aussi là que j'apprends à mieux comprendre la vie d'un pays.

Lors d'une soirée festive dans la petite ville de Meknès, je fais la connaissance de Fatima, ravissante jeune fille de 28 ans, mi-française, mi-marocaine, avec qui je passe de nombreuses heures à discuter. Nous parlons de tout : de son pays, de la France, de la vie, de sa religion. De nombreux thèmes sont abordés, si bien que nous décidons de nous revoir et de continuer nos discussions, rien que tous les deux. Au fil des jours que je passe à ses côtés, je la sens malheureuse : la religion de ses parents, le sort qu'elle réserve aux femmes, les traditions et les coutumes locales lui pèsent. Un soir, en confiance, elle me raconte l'histoire de sa vie. Née au Maroc, Fatima a grandi dans la banlieue de Paris, mais vit à nouveau au Maroc depuis trois ans, forcée de revenir au bercail du fait de pressions familiales pour lui choisir un mari marocain.

« J'ai eu beaucoup d'amis, je me suis beaucoup amusée en France », me dit-elle.

Comprendre : elle a eu des rapports sexuels avant le mariage. Elle n'a donc pas suivi ce conseil de chasteté qui se transmet de mère en fille et que l'on peut traduire ainsi en français : « Embrasse, caresse, mais prends garde à ta boîte d'or. » Résultat : Fatima s'est retrouvée désemparée en revenant au Maroc. Que faire pour être à nouveau acceptée par les siens ?

« Je suis récemment retournée en France pour me faire opérer et me faire reconstituer l'hymen, murmure-t-elle. La tradition marocaine imposant le mariage blanc, aucun homme n'accepterait de se marier avec moi sachant que je ne suis pas vierge. Ici, la tradition de la grand-mère venant chercher le drap taché de sang après le rapport sexuel et le montrant à tout le village afin de prouver l'honneur de la femme est encore très vivace. Tu imagines ? Cela serait une honte pour toute la famille si le village apprenait que j'ai fait l'amour avant le mariage. »

Fatima me dit se sentir culpabilisée de ne pas avoir été assez forte pour faire face à la tradition et se promet de ne jamais imposer cela à ses enfants si elle devait en avoir. Quoi qu'il en soit, elle souffre aujourd'hui de ce secret difficile à porter et s'apprête à épouser un homme dont elle n'est pas amoureuse. Son histoire, aussi triste et commune soit-elle là-bas, m'a particulièrement marqué, car elle est à l'image d'un pays, d'un monde actuellement déchiré entre tradition et modernité, entre voile et bikini. L'image de Fatima restera pour moi la plus représentative du Maroc d'aujourd'hui…

Le 30 janvier 2003, j'arrive aux portes du désert. La ville de Goulimine marque l'entrée du Sahara. Non qu'il s'agisse d'une véritable porte, car on n'y arrive pas tout d'un coup, comme on passe un seuil, mais parce qu'elle est chargée d'une atmosphère de désert. La ville est noyée de poussière, d'odeurs violentes et de cris de bêtes. Les négociants, les chameliers, les voyageurs et les Touaregs viennent y goûter un peu de modernité urbaine avant de reprendre le chemin des sables.

Pour moi, la ville donne le coup d'envoi d'une longue ligne droite nord-sud de 1 500 kilomètres, le long de l'Atlantique, à travers le Sahara occidental; l'ancien *Rio de Oro* espagnol, seule contrée au monde, outre l'Antarctique, n'appartenant officiellement à personne, occupée par le Maroc depuis 1974. Ces 1 500 kilomètres de route laisseront ensuite la place au désert de mes rêves, celui des dunes et des dromadaires.

Tan-Tan, Tarfaya, Laayoune… D'heures de route en heures d'attente, je progresse en direction du sud, tantôt à l'arrière des autocaravanes de vacanciers francophones, tantôt aux côtés de pieux musulmans s'arrêtant prier au pied des dunes. Plus je descends, plus l'islam se radicalise et le visage des femmes disparaît dans les plis des foulards. Le paysage, lui, devient plus désertique. Les étendues vertes du nord laissent la place à des touffes d'euphorbes et d'épineux.

À hauteur de Tarfaya, Hassan, convoyeur de poules entre Agadir et Boujdour, s'arrête aimablement à mon appel du pouce. J'embarque donc, accueilli par une puissante odeur de volaille. Quatre heures durant, Hassan, turban sur la tête, me raconte la lutte des Sahraouis pour l'indépendance; ses espoirs de voir un jour les «envahisseurs» marocains se retirer pour qu'enfin le Sahara occidental devienne un pays à part entière, ses peurs de voir la culture sahraouie disparaître, ses doutes face aux interventions des Nations unies qu'il juge inefficaces… La discussion coule paisiblement, l'atmosphère est détendue, si bien que le soir venu, j'accepte sans la moindre hésitation sa proposition d'hospitalité.

Mal m'en prend ! Pour une raison que j'ignore, Hassan change d'attitude au moment où son téléphone portable reprend du service, à proximité de la ville de Boujdour. Parlant en arabe avec l'un de ses amis, il prend tout à coup un ton grave, comme si son compère lui avait donné de mauvaises idées. Sa conversation, entrecoupée de sourires vicieux et de regards furtifs en ma direction, fait naître en moi une certaine peur. La méfiance que j'avais réussie à tenir à distance depuis des semaines me rattrape…

Le pick-up entre dans Boujdour où rien ne vient atténuer ma crainte naissante : rues défoncées et sales, ruines abandonnées, travaux inachevés, voitures abîmées, murs lépreux… Atmosphère sinistre dans laquelle évoluent quelques piétons à la mine inquiétante. La ville entière s'apparente à un bidonville et l'endroit ne m'inspire aucune confiance. Hassan s'engage dans des rues toujours plus sombres, toujours plus glauques quand soudain, alors que la voiture s'arrête au bout d'une petite impasse chichement éclairée, quatre hommes barbus, au regard rude, sortent de l'obscurité et marchent dans ma direction d'un pas décidé. Au centre, un homme balafré. Son regard me fait peur. Je réalise que je suis seul, dans un village reculé du Sahara occidental, sans défense, entouré de cinq hommes. Mon rythme cardiaque s'accélère… L'homme à la cicatrice s'avance. La lumière blafarde d'un petit lampadaire s'accroche dans sa barbe :

« Quel est ton pays ? Quel est ton nom ? Es-tu musulman ? Tu es seul ici ? Pourquoi n'es-tu pas musulman ? Quand vas-tu te convertir ? »

Dans le monde arabe, il est impensable de se dire athée, car ce mot, neutre en Occident, a dans leur langue une connotation fortement négative : il signifie « l'égaré ». Celui qui n'a pas de religion est mis au ban de la société. Expliquer ma philosophie déiste, croyant en Dieu, mais pas en son instrumentalisation religieuse n'est pas mieux compris des musulmans. Pour être tranquille, je réponds « chrétien ». Mes réponses ne semblent pas le satisfaire. Je m'attends à tout moment à ce qu'il sorte un couteau de derrière le dos. Par quoi les barbares vont-ils commencer : une oreille ? Mes parties intimes ? Ou pire, mon pouce ? Soudain, un des trois hommes, derrière lui… explose de rire et vient me serrer la main :

« Bienvenue à Boujdour, mon ami ! »

Je ne sais plus quoi penser. Blague de mauvais goût ? Volonté de me faire peur ? « Surprise, surprise ? » Je ne le saurai jamais vraiment, mais une chose est sûre : je viens de ressusciter. N'ayant aucune possibilité, j'accepte finalement leur proposition d'hébergement et installe mon duvet au milieu des leurs pour une nuit des plus angoissantes, pendant laquelle je ne fermerai pas l'œil, cerné par la peur d'une attaque et le caquètement des volailles de la salle voisine.

À l'aube, je reprends la route, le cœur serré par cette expérience qui me rappelle que le danger existe, même si l'avertissement fut sans frais. L'insouciance des derniers jours a pour ainsi dire la gueule de bois. Je n'oublierai pas le regard sévère de cet homme prêt à mettre une fin aussi précoce que définitive à mon voyage, persuadé que cette idée lui a traversé l'esprit, mais préférant croire qu'il plaisantait. Je le sais depuis le début, la violence peut croiser mon chemin à tout moment. Je refuse cependant de céder à la panique et préfère concentrer mon énergie sur les gens bienveillants qui représentent l'écrasante majorité de mes rencontres.

Faire du stop, c'est faire confiance au monde et à la vie. C'est une autre façon d'appréhender l'humanité et l'existence. C'est s'adresser aux gens en partant du principe qu'ils sont bons et qu'ils ne poseront pas de problèmes. Il me faut cependant prendre conscience que le résultat de mes actes ne m'appartient pas totalement et ainsi « lâcher prise » pour accepter le tour que prend le destin. Cela n'est en rien du fatalisme ou une sorte de résignation, c'est simplement la prise de conscience que je ne peux tout maîtriser. De cette démarche naît une paix intérieure qui allège incroyablement l'âme. *Mektoub !*

À la sortie de la ville, je rêve de rencontrer un cybercafé pour donner des nouvelles fraîches à ma famille. Miracle : au milieu de nulle part, une enseigne étrange et qui se balance brusquement indique la présence du réseau des réseaux. Je crois rêver. Pas un village à moins de 300 kilomètres à la ronde, mais un cybercafé ! Internet a vraiment atteint les coins les plus reculés de la planète… Je ne peux m'empêcher de songer à tous ces hommes qui, jadis et pendant des milliers d'années, vivaient sans connaître le monde extérieur et qui, aujourd'hui, grâce aux moyens modernes de communication, découvrent la « richesse » et les excès existant ailleurs. Un bien ou un mal ? Cette question restera présente dans mon esprit pendant tout le parcours.

Quoi qu'il en soit, je profite de la connexion pour adresser un mot aux enfants du CHU de Strasbourg, heureux de recevoir des nouvelles en direct depuis le Sahara. Jeremy, 8 ans, atteint d'une leucémie, me demande de lui envoyer du sable de la dune la plus élevée du plus grand désert chaud au monde (le plus grand est l'Antarctique). Aurélie, 9 ans, souhaite que je lui explique la différence entre un Sahraoui et un Touareg. Yasmine, quant à elle, veut surtout savoir comment je compte m'y prendre pour traverser le Sahara et si une expérience de dromadaire-stop est envisageable. La question est excellente : comment traverser les 700 kilomètres de désert sans route séparant Dakhla de Nouakchott, la capitale mauritanienne ? Cela me tourmente depuis des semaines.

Depuis que l'Algérie connaît des troubles politiques, le Maroc et la Mauritanie bénéficient entièrement du trafic routier nord-sud à travers le Sahara. Cependant, à cause du conflit sahraoui, la frontière Maroc-Mauritanie n'est ouverte que depuis peu et les abords de la piste restent minés. Depuis 2002, il n'est plus obligatoire de circuler en convoi pour traverser la zone mais les dangers demeurent…

Dakhla est la dernière ville officiellement située en territoire marocain. Cité fantôme, battue par le vent et la poussière, elle marque le terminus pour les touristes en autocaravane et le début de l'aventure pour les plus téméraires attirés par les pistes du Sud.

Tentative de dromadaire-stop.
[Sahara]

Ici, pas question de tendre le pouce sur le bord de la route. On ne traverse pas le Sahara comme on visiterait un village de la Creuse. Je sillonne la ville en quête de véhicules sur le départ. De casernes militaires en campings pour touristes, j'explique inlassablement mon tour du monde et mon envie de rallier Nouakchott. Tantôt on me demande d'attendre plusieurs semaines la venue de tel ou tel véhicule, tantôt on me fait comprendre que trouver une bonne âme acceptant de m'embarquer sans lâcher un solide paquet de dirhams tient du fantasme. « Ici, il n'y a que l'argent qui parle », me fait-on comprendre…

Malgré les refus qui s'accumulent, jour après jour, je reste calme, patient ; j'explore chaque possibilité, négocie inlassablement jusqu'à ce que finalement, ma persévérance trouve sa récompense. Martin et Graham, un couple d'Anglais en quête de sensations fortes et d'insolite, me proposent de me joindre à eux jusqu'à la capitale mauritanienne. Grande joie !

Comme un mythe, j'ai toujours rêvé de pouvoir traverser le désert du Sahara. Certes, la partie qui se présente n'est pas, et de loin, la plus vaste, mais la perspective de slalomer entre les dunes et de croiser des Touaregs et des caravanes de dromadaires m'emballe. Pour la première fois, je vais m'engager dans un désert…

Le lendemain, après avoir calé mes affaires à l'arrière de la camionnette blanche de mes hôtes et acheté suffisamment de vivres pour une semaine, je fais connaissance avec les autres membres du convoi. La plupart sont des Européens comptant vendre leur voiture à l'arrivée, souvent dans le seul but de payer leur billet d'avion de retour. Sur huit véhicules, trois sont d'antiques 504 breaks Peugeot qui seront vendus, repeints puis transformés en taxis-brousse lorsqu'ils arriveront – s'ils arrivent ! – sur les routes sénégalaises, guinéennes ou togolaises. Deux sont de vieilles Mercedes, encore rutilantes, ayant pourtant effectué deux ou trois tours de compteur, prêtes à en affronter un ou deux de plus. Un couple de Néerlandais dans une camionnette superbement aménagée fait route sur le cap de Bonne-Espérance. Et deux cyclistes se dirigent eux aussi vers la pointe de l'Afrique. Les aventuriers sont légion dans la région !

Peu après la sortie de la ville, la route s'arrête brutalement pour laisser place au néant total. À droite, l'océan. À gauche, le désert. Une immensité où l'eau et la sécheresse, le bleu et le beige se côtoient et se répondent sur des centaines de kilomètres. Magnifique, brutal, puissant, sauvage !

Malgré la beauté du paysage, je comprends toutefois rapidement pourquoi si peu de gens osent s'engager dans le désert en voiture : les secousses succèdent aux secousses. Nous voilà ballottés de tous côtés, comme des kangourous sur un trampoline. J'ai mal partout, au point de me sentir comme roué de coups. Je comprends aussi pourquoi mon conducteur a accepté de m'emmener : bien pratique, en effet, d'avoir deux bras supplémentaires pour sans cesse désensabler. Chaque fois, il faut compter une bonne heure pour enlever le sable sous les roues, installer les plaques de fer et surtout pousser, pousser et encore pousser, jusqu'à ce que le véhicule se décide enfin à repartir. Tout le monde s'épuise, mais l'idée qu'une traversée du Sahara est au bout de la route démultiplie les forces de chacun.

La piste a disparu. Aucune infrastructure ne semble assurée d'une réelle perpétuité en ce lieu résolument primaire. Ici, l'homme n'est rien : le vent, le sable et le désert ont tôt fait de rétablir leur loi. Le guide du convoi, un Touareg installé dans le véhicule de tête, semble utiliser son flair ou sa magie pour nous guider au milieu du néant. Plus qu'une mauvaise direction, ce sont les nombreuses mines disséminées au hasard des pistes qu'il nous permet d'éviter. Mines dont les voitures retournées et brûlées au bord des routes attestent l'existence.

Graham se tourne vers moi en riant :

« T'as ton permis ? Tu veux conduire ? »

Et comment ! Belle surprise. Une dune à droite, une autre à gauche.

À mon tour de me prendre pour un concurrent du Dakar !

Au terme d'une première journée de « route », nous atteignons le poste-frontière mauritanien et dérangeons cinq policiers en pleine prière. Après une courte discussion durant laquelle ils essaient de me convertir à l'islam, un coup de tampon s'abat sur le premier visa de mon voyage, obtenu à Casablanca. Quitter l'Europe pour le Maroc représentait un choc culturel. Quitter le Maroc pour la Mauritanie en constitue un autre. Ce pays, principalement constitué d'étendues désertiques, se trouve à l'interface des populations arabes d'Afrique du Nord et de celles de l'Afrique subsaharienne. Plus vraiment le Maghreb, mais pas encore l'Afrique noire. Une terre de brassage de cultures et d'échanges entre civilisations…

Passé Nouadhibou, surprenante petite ville sortie du sable dans laquelle Antoine de Saint-Exupéry écrivit notamment *Terre des hommes* et imagina son *Petit Prince*, les journées s'étirent, longues et monotones, à profiter des immensités qui m'entourent : l'une verticale, avec un bleu infini au-dessus de moi, l'autre horizontale, avec une mer de pierre et de sable qui s'étend vers le lointain. Chaque jour qui passe confirme mon goût pour les grandes étendues et le silence. Espaces de solitude si propices au calme et à la méditation. Je trouve ici un ressourcement véritable.

Chaque soir, le groupe forme des campements au milieu des dunes tandis que je plante ma tente à proximité des véhicules. Autour d'un thé chaud ou d'un verre de pastis, chacun partage ses expériences de vie. J'apprends ainsi que le trafic de voitures entre la France et l'Afrique est un *business* rentable et que la demande africaine est forte. Seul risque, tomber en panne au milieu du désert. Le prix du remorquage coûte souvent aussi cher que la voiture et l'abandon devient alors la meilleure solution. Au cours de notre voyage, la situation se présente lorsqu'une des Mercedes rend l'âme au grand dam de son propriétaire qui, non seulement perd sa voiture, mais devra payer un coûteux dédouanement. Pas sûr que cet homme souhaite tenter à nouveau l'expérience !

L'ambiance dans le groupe est excellente. Malgré tout, un jour, je décide de m'éloigner et de m'isoler pour mieux « sentir » l'immensité et le désert. Quoi de plus beau que d'avoir l'impression que le Sahara vous appartient ? Après avoir marché une vingtaine de minutes à travers les dunes, je trouve finalement l'endroit idéal pour planter ma tente. Devant moi, un véritable décor de carte postale : de grandes dunes sous un splendide coucher de soleil laissant rapidement place à un ciel laiteux étoilé. Pas le moindre bruit, hormis le sifflement du vent.

Je prépare mon lit d'un soir en goûtant à la paix désertique. Magique ! Mais alors que je m'apprête à dormir, un bruit anormal se rapproche, comme… un mur qui avancerait progressivement dans ma direction. Une tempête de sable est en train de s'abattre sur moi ! Ma tente, mal fixée, bouge dans tous les sens. Cherchant à comprendre ce qui se passe, j'ouvre la tirette et me retrouve instantanément agressé par un bon milliard de grains de ce sable qui, irrésistiblement, vient emprisonner ma tente dans sa housse. Ne pouvant rien face à cette nature capricieuse, je décide d'attendre patiemment, non sans peur de me faire complètement engloutir et de finir mes jours sous une dune.

Les nuits sont froides dans le désert. Trop encombrante, ma tente sera abandonnée au Brésil.

Malgré le vacarme, je parviens finalement à m'endormir, mais quelques heures plus tard, c'est le froid qui me réveille. Qui a dit qu'il faisait chaud dans le Sahara ? Les nuits y sont glaciales. Mon duvet qui, une fois fermé et roulé, représente le volume d'une demi-bouteille d'eau de 1,5 litre, ne me tient pas suffisamment chaud. Je m'enroule en position du fœtus, grelottant. Le lendemain, la fine pellicule de sable recouvrant mon duvet a doublé d'épaisseur, j'ai l'impression de me réveiller sur la plage. À l'extérieur, des mini-dunes se sont formées et ma tente est à moitié recouverte de sable. Sensation impressionnante et très déroutante de se retrouver ainsi « attaqué » par la nature…

Quelques jours plus tard, le Sahara me pose une nouvelle colle : je manque d'eau. Pour ne pas trop me charger, j'avais prévu juste. Trop juste. Résultat, il ne me reste plus qu'un quart de bouteille pour deux jours. Bien sûr, mes conducteurs ont aussi calculé serré et il serait malvenu d'abuser de leur générosité. Deux jours, avec 35 centilitres d'eau chaude ; jamais je n'ai tant apprécié chaque lampée d'eau !

Le jour suivant, au beau milieu de nulle part, nous doublons des Touaregs et leur caravane de dromadaires. Ils transportent du sel, du fourrage et des babioles d'une ville à l'autre, comme au temps des grandes épopées. Ces gens me fascinent. Comment se débrouillent-ils pour survivre dans un univers aussi hostile ? Pour le savoir, je demande à Graham de me déposer pour leur proposer de partager leur quotidien jusqu'au prochain village.

La première réaction des hommes tout de bleu vêtus est positive. Ils semblent satisfaits de compter parmi eux un nouveau compagnon. Tout heureux, je prends mes affaires, me voyant déjà errer en leur compagnie à jouer les nomades aux côtés de dromadaires. Malheureusement, quand ils découvrent mes quelques centilitres d'eau restants, leur décision change. La route est longue jusqu'au prochain puits et chaque goutte est comptée. Déçu, je retourne donc dans la camionnette, me promettant de tenter à nouveau l'expérience ailleurs, mais mieux préparé…

Après cinq jours et deux heures de trajet – mon record absolu de temps passé dans la même voiture –, Nouakchott surgit du sable, tel un immense village dont les maisons en mortier se confondent avec le sol. Me voilà à présent dans l'Afrique noire que je découvre pour la première fois. J'écarquille les yeux devant la nonchalance et la courtoisie des habitants, la pagaille indescriptible de sa circulation, la beauté de ses femmes enveloppées dans des tissus flamboyants et le charme de ses vieilles maisons coloniales… En se mélangeant, toutes ces saveurs de l'Afrique éternelle s'offrent langoureusement à moi.

Pressé – trop – d'arriver à Dakar et d'entreprendre l'incertaine épreuve du bateau-stop, je ne m'éternise pas à Nouakchott. Devoir effectuer cette grande boucle en deux ans m'oblige à faire des choix. Dommage. Si je m'écoutais, je resterais des semaines dans chaque ville pour mieux « sentir » l'atmosphère de l'endroit. Cela n'est malheureusement pas possible... « Vous, les Blancs, vous avez l'heure, mais jamais le temps », m'a dit un jour un Marocain... Il est vrai que je ressens cette impression d'aller trop vite, de « bâcler » ma visite du continent africain... Mais il faut que j'avance, sinon c'est au moins 10 ans que je passerai sur la route.

À la frontière sénégalaise, l'Afrique « noircit » encore un peu plus. On me propose l'hospitalité presque chaque jour. Être seul m'aide à être accepté dans les foyers. Je ne cesse d'être étonné, ému et touché par la gentillesse des gens mais souhaite ne jamais m'y habituer. Ne se lasser de rien, ne rien trouver « simplement normal », ni la beauté des endroits visités, ni la gentillesse des gens, est une règle primordiale et un défi permanent pour un voyageur au long cours.

À Saint-Louis du Sénégal, Mohammed me fait une proposition surprenante :

« Souhaites-tu venir loger chez l'une de mes femmes ? Tu pourras ainsi partager ton tour du monde avec ma famille. »

Selon le Coran, les musulmans peuvent épouser jusqu'à quatre femmes, à condition de les traiter de façon égale et de subvenir à leurs besoins. Mohammed n'en a « que » deux. « Une troisième est à l'étude », m'assure-t-il cependant, un brin rieur. Je rencontre donc sa famille, et quelle famille ! La maison « grouille » de monde. J'exerce ma mémoire en essayant de me souvenir du nom des invités et de comprendre qui est qui. Une équation à « multiples inconnues » ; ma conception de la famille est profondément perturbée. En Afrique, elle est la clé de voûte de l'organisation sociale. Son caractère sacré permet une réelle solidarité. Ici, il faut entendre « la grande famille », celle qui regroupe oncles, cousins, demi-frères, demi-cousins, cousins par alliance...

Mohammed n'a pas moins de 27 enfants, ainsi qu'une centaine de petits-enfants. En Afrique, il y a toujours du monde à la maison, les gens s'arrêtent pour un repas, une nuit, une semaine... En revanche, un seul membre fait trop souvent vivre le reste de la famille. Poussée à l'extrême, cette vertu devient une faiblesse pour le pays : pourquoi s'activer si un « cousin » peut gagner de l'argent à ma place ?

Ali, par exemple, l'un des cousins à qui je demande ce qu'il fait me répond :

« Je ne travaille pas. J'ai déjà cherché un emploi mais je n'ai pas trouvé. Tu sais, Ludovic, Allah a voulu que la situation soit difficile au Sénégal. Ce n'est pas de notre faute... »

La polygamie ne semble gêner personne. Les deux femmes de Mohammed préparent le repas de Tabaski, la fête du mouton, en souvenir du sacrifice d'Abraham – Ibrahim – à qui Dieu demanda, pour le mettre à l'épreuve, d'égorger lui-même son fils avant de finalement l'arrêter. C'est l'une des plus importantes fêtes musulmanes. Pour l'occasion, chacun a acheté de nouveaux *boubous*. Les femmes se sont tressé les cheveux et tous souhaitent se faire pardonner les péchés de l'année. Incantations et prières sont prononcées devant le mouton décapité dans la cour.

Selon le Coran, deux tiers du mouton doivent être offerts. Je profite donc de la « bonne parole » et partage le repas avec la famille. Réussir à manger le riz avec la main droite n'est pas facile. J'en mets partout et cela fait rire mes hôtes. Mohammed me montre comment m'y prendre : former une boule de riz en la comprimant légèrement, puis, la main en creux, la faire glisser avec le pouce jusqu'à la bouche. Au deuxième essai, je suis devenu un parfait convive. La technique me servira jusqu'à la fin du voyage. Pour la boisson, on me reproche gentiment d'avoir bu mon thé avec la main gauche, la main impure, pratique considérée comme un manque de respect. *Live and learn...*

L'atmosphère est joyeuse dans la famille. Nous rigolons, nous chantons. Je découvre à leur contact l'une des forces de l'Afrique : vivre le moment présent, comme si c'était le dernier, dans une joie simple, sans stress ni mauvaise humeur, sans redouter le lendemain. La leçon continue!

Au moment du dessert, une expérience vient cependant me refroidir : deux jeunes enfants frappent discrètement à la porte. Ventres ballonnés, regards tristes, mains tendues, ces gosses donnent l'impression de ne pas avoir mangé depuis des lunes. Le contraste avec l'abondance dans laquelle nous nous vautrons est glaçant. Sans leur adresser un mot, Mohammed se lève, prend un morceau de mouton, quelques grains de riz, puis les dépose sur le paillasson. Tels deux chiots, les gamins se précipitent. L'image est choquante et heurte ma conscience. Intrigué, je questionne Mohammed qui, d'un air désabusé, me commente :

« Ces gamins sont des *talibés*, des enfants de la rue. Parfois orphelins, souvent abandonnés par les parents, ils doivent se débrouiller pour survivre. »

Comme je pose davantage de questions, Mohammed me propose de rencontrer l'un de ses amis, dénommé Moussa ; « un mec incroyable, honnête et intègre », me dit-il. Chef de projet dans une organisation non gouvernementale locale, appelée Claire Enfance, Moussa accueille les *talibés* et leur permet de se doucher, de laver leurs vêtements, d'avoir accès aux soins de base et surtout, de recevoir un minimum d'éducation. J'accepte immédiatement. Découvrir le monde des ONG m'intéresse grandement. À cet instant, ma connaissance du sujet – à travers les médias – se limite aux grandes organisations internationales telles Vision mondiale, CARE, la Croix-Rouge ou Greenpeace.

Les locaux de l'association sont situés non loin du célèbre pont Faidherbe, l'unique point de passage pour accéder au centre-ville historique. On y arrive par un dédale de rues défoncées. Au bout du chemin, Moussa m'ouvre sa porte, heureux de parler de son travail à un étranger.

Son sourire contraste avec le regard vide et triste des petits mendiants. Malgré ses locaux vétustes, Claire Enfance ressemble

Enfant pouvant se doucher grâce à une ONG visitée.
[Afrique]

à un havre de paix. J'observe un gamin se débarbouillant avec de l'eau propre. Moussa commente :

« En permettant aux *talibés* de se laver, nous réduisons les risques d'épidémies, mais surtout nous les aidons à retrouver un peu de dignité. Faire ce genre d'action au Sénégal est un défi quotidien : nous nous battons contre un désintérêt politique, une corruption au-delà de tout entendement et surtout, les marabouts pour qui l'éducation des enfants n'est pas souhaitable. L'ignorance de ces jeunes est leur fonds de commerce ! »

Les marabouts. Dans mon esprit, c'étaient des marchands de rêve, des sorciers d'opérette, des guérisseurs un brin charlatans. Pas du tout. Ici, ce sont des professeurs enseignant le Coran dans les *daaras*, ces écoles coraniques où les *talibés* sont contraints d'apprendre par cœur le livre sacré sous peine d'être battus ou maltraités.

Moussa m'emmène dans l'une d'entre elles. Des bouts de choux n'ayant pas 10 ans, tablettes en main, s'y font fouetter sous mes yeux par un marabout :

« Une journée type comprend huit heures d'apprentissage du Coran et cinq heures de mendicité. Une partie de l'argent revient au marabout qui n'hésite pas à battre les enfants les moins efficaces, détaille Moussa. Nous aimerions proposer d'autres solutions à ces gosses et leur permettre de devenir autonomes. »

Impressionné, je souhaite bonne chance à Moussa et me promets de trouver un moyen, en cours de voyage, pour travailler avec des organisations de ce type.

Dakar se rapproche. Sur la route, c'est la loi du plus fort, la loi de la jungle, la loi de l'Afrique. Certains véhicules roulent à plus de cent à l'heure avec des grappes de Touaregs agrippés au toit et des deux côtés. Comment autant d'hommes peuvent-ils tenir sur une seule camionnette ? Sans compter que sur le toit, des chèvres vivantes ficelées se débattent vainement. Je demande à un homme à quelle distance se trouve la prochaine station d'essence :

« À 200 ou 300 mètres. Peut-être 700 ou 800... ou 2 ou 3 kilomètres ? Quelque chose comme ça !

— Vous êtes sûr ? Entre 200 mètres et 3 kilomètres ?

— Voilà, 200 mètres, 3 kilomètres, quelque chose comme ça ; peut-être 5 kilomètres.

— Pas plus que 5 kilomètres ?

— Quelque chose comme ça ! »

Je n'insiste pas ou elle va encore s'éloigner ! Ici, les distances sont élastiques. Je m'informe donc toujours auprès de plusieurs personnes avant de retenir les réponses qui me semblent les moins farfelues.

Dans les stations, des mendiants de tout âge s'adressent aux conducteurs avant de tendre la main dans ma direction. Je suis mal à l'aise de devoir attendre que les enfants aient terminé leur *business* avant de tenter ma chance. Malgré mon expérience chez Claire Enfance, je persiste à penser que donner de l'argent, sans la moindre contrepartie, est bien plus pervers qu'un refus. Je ne donne par conséquent quasiment jamais de pièce, considérant qu'entretenir la mendicité, c'est enlever ce qui reste à ces gens de plus précieux : leur dignité.

Le stop fonctionne. J'arrive à Dakar en fin d'après-midi, le 19 mars 2003, jour de l'invasion unilatérale de Bagdad par les troupes américaines. Après deux mois trop rapides sur le continent africain, la première étape de ce tour du monde s'achève.

Pour la plupart des voyageurs, la capitale sénégalaise évoque les ruelles étroites des marchés de Sandaga et de Kermel, les foules denses, joyeuses et animées, les vendeurs de rue trop collants ne pouvant comprendre que leur camelote n'intéresse pas, la tristement célèbre île de Gorée ou encore l'incroyable lac Rose, comparable à la mer Morte en Israël. Pour moi, Dakar marque surtout un nouveau défi : le bateau-stop. Sera-t-il possible de trouver un embarquement pour l'Amérique latine en échange d'un travail à bord ?

Une nouvelle fois, grâce à la *teranga*, l'hospitalité sénégalaise, je n'aurai pas à me soucier du logement : Baya et Mokhtar, deux employés d'un quotidien local présentés par mon dernier conducteur africain, mettent un matelas à ma disposition dans un coin de leur appartement.

« Tu peux rester le temps qu'il te faudra pour trouver un bateau ! » me disent-ils.

Ils n'imaginent sûrement pas ce que cela va impliquer…

Chapitre 3

EN AVANT POUR LE BATEAU-STOP

Îles Canaries – Cap-Vert

« La seule chose qui puisse rendre un rêve impossible, c'est la peur d'échouer. »

— Paulo Coelho

Dix jours. Voilà le temps que j'estime nécessaire avant de trouver une embarcation qui me permettra de rejoindre le Brésil où la famille de ma belle-sœur m'attend. Pour ce faire, deux possibilités s'offrent à moi : réussir à me faire embarquer comme mousse sur un bateau de marchandises ou comme équipier sur un voilier. Je suis prêt à effectuer toutes sortes de travaux en échange d'un trajet gratuit : laver le pont à longueur de journée, peler les patates, m'échiner sur les cordages et les manœuvres, chercher les puces du chien du propriétaire… Tout est envisageable, c'est à négocier.

Ma première rencontre avec le gérant du club de voile de Dakar me donne tout de suite la mesure du challenge :

« Tu es complètement à côté de la plaque, mon grand ! Les voiliers partent quasiment tous entre septembre et décembre, pendant la saison des alizés. Tu ne trouveras rien ici avant six mois au minimum. »

Restent les cargos. Je me débrouille pour pénétrer dans la capitainerie, véritable tour de contrôle du port. Il me faut connaître le nom et la fréquence des navires en partance pour le Brésil, afin d'amorcer mes recherches. Ils sont deux ou trois, chaque semaine. À son tour, le chef de port douche mon enthousiasme :

« Tes chances de réussite sont très minces. Il y a 30 ans, le *Hand against bed*, littéralement "coup de main contre lit", fonctionnait du tonnerre, mais aujourd'hui, c'est presque impossible. Les capitaines n'ont plus de pouvoir de décision, tout se joue au niveau des armateurs basés en Europe ou aux États-Unis. Trop de bureaucratie… Et puis une journée de navigation pour un gros cargo coûte entre 10 000 et 50 000 euros. Personne ne souhaite prendre le risque d'avoir à faire, en cas d'incident, un détour à cause d'un bateau-stoppeur. »

Ça commence fort ! Mais vouloir, c'est pouvoir, j'en suis persuadé. Les uns après les autres, je visite les navires et rencontre les capitaines. Quelques rares cargos acceptent des passagers… à plus de cent dollars par jour de navigation. Or, je reste fermement décidé à ne rien payer du tout. J'imaginais le bateau-stop plus compliqué que l'autostop, mais j'étais loin de penser qu'il serait si difficile de trouver un embarquement ! Cela fait deux semaines et demie que je m'évertue et je peine, à la recherche d'un hypothétique embarquement. Les mots de Baya et Mokhtar résonnent dans mon esprit :

« Tu peux rester le temps de trouver un bateau. »

Étaient-ils vraiment conscients du temps que ça prendrait ? Au train où ça va, j'aurai des cheveux blancs en quittant leur matelas ! Inlassablement, chaque matin, je me rends au port. Coups de téléphone et courriels aux affréteurs et armateurs, visites aux consignataires, aux capitaines, passage dans les agences de transport… Invariablement, les réponses qu'on me donne sont des : « Peut-être », « C'est possible », « Reviens demain, on te dira », « *In châ Allah* »...

Finalement, je commence à intégrer la mentalité africaine. Il me faut désapprendre la rentabilité, la chasse aux temps morts et le stress de notre société. Ici, le temps n'a pas la même valeur que chez nous. *In châ Allah* n'est pas une simple formule, c'est une véritable façon de vivre. Cela ne fonctionne pas aujourd'hui ? Eh bien, ça marchera demain, ou peut-être après-demain, ou encore jamais. Quelle que soit l'occasion, il ne faut pas s'en faire. Personne n'est pressé. Les instants passés à attendre ou à discuter interminablement ont autant de prix que le temps « efficace » et productif. Ceci étant, je sais pertinemment que je ne trouverai jamais de bateau si je dois prendre exemple, dans ma façon de procéder, sur tous ces gens accroupis le long du mur, regardant passer les voitures ! Je me démène, j'explore toutes les options et creuse chaque opportunité. L'une d'entre elles m'oblige à me rendre à l'entrée nord du port, à trois kilomètres de l'entrée sud que je fréquente quotidiennement. Je n'ai pas envie de faire le détour. À l'entrée des piétons, un colosse de 1 mètre 90 et 120 kilos m'arrête.

« Stop ! Papier d'autorisation ! »

Comme dans n'importe quel port du monde, l'accès est réglementé.

À l'entrée sud, je suis connu et obtiens sans difficulté mon permis d'accès. Pas ici. Le garde ne souhaite pas me laisser passer. Mon insistance n'y fait rien. Avec la mine du perdant, je m'apprête à renoncer quand, me retournant, j'avise la grande entrée pour les camions, juste à côté de celle des piétons, par laquelle de nombreuses personnes entrent et sortent apparemment sans souci. Je ne souhaite pas perdre une minute pour aller voir ce bateau qui n'attend peut-être que moi pour lâcher les amarres. Allez, c'est décidé, je vais me fondre dans la foule ! Je m'avance discrètement vers l'entrée des camions puis profite de la sortie de l'un d'entre eux pour me cacher derrière et marcher vers l'intérieur du port, la tête droite, sans un regard pour personne.

« Arrêtez-le ! »

Forcément. Se fondre dans la foule noire quand on est blanc, ce n'est pas évident ! Je viens d'être repéré. L'homme a tourné la tête au mauvais moment et ordonne à deux hommes de main de m'intercepter. Me voilà embarqué, les pieds pédalant dans le vide, soulevé par deux molosses. Mes questions « où m'emmenez-vous ? » restent sans réponse jusqu'à ce qu'on me pousse à l'intérieur d'une petite cabane où deux autres hommes entourés de mouches vrombissantes tapent mollement leurs rapports sur des machines à écrire datant de la Seconde Guerre mondiale. D'un ton sec et autoritaire, le chef m'ordonne de m'asseoir et de relater les faits. J'essaye de satisfaire sa curiosité, précisant que je pensais obtenir mon papier d'autorisation à l'entrée nord. Il aboie :

« Vous avez vos papiers ? »

La carte d'identité dans la poche et le passeport dans le petit sac à dos sont en règle, mais une mauvaise intuition me murmure : « *S'il me bloque l'accès au port, comment trouver mon bateau pour le Brésil ?* » Cela ruinerait mes espoirs de traversée.

« Non, je ne les ai pas.

— Quel est votre nom ? »

Mon intuition se confirme. N'ayant aucune envie de voir mon nom inscrit sur la liste des personnes dont l'accès au port est bloqué, j'invente un patronyme bien français me passant par la tête :

« Michel Durand. »

Me tendant un papier et un stylo, il me demande de l'écrire noir sur blanc puis de rédiger mon autocritique, un *mea culpa* qu'il me faut signer. Au fil de l'écriture, je commence à regretter mon choix d'avoir menti, mais comment revenir en arrière ? Lui dire que je viens de me rappeler que je m'appelle Ludovic Hubler ?

Soudain, alors que je m'attendais à ce que le chef me laisse filer en bloquant définitivement l'accès au port à un certain Michel Durand, le voilà qui frappe violemment sur la table et ordonne à ses deux subordonnés de me dépouiller de mes affaires et de me jeter en prison.

« Y en a marre de ces Français qui se croient tout permis et se pensent au-dessus des lois ! scande-t-il, tandis que l'on me déshabille. Votre pays m'énerve et votre attitude encore davantage ! »

Manifestement satisfait, le chef se renverse sur son siège. Il est content de lui, fier de sa démonstration d'autorité et d'inflexibilité destinée probablement autant à moi-même qu'à impressionner ses amis autour de lui. J'hésite sur la conduite à tenir. Tenter de l'attendrir sur les circonstances qui m'ont amené ici ne servirait à rien. Tout nous oppose. Il est habillé en uniforme, je suis en jeans, vêtu « à l'européenne ». Il est chez lui, je suis étranger. Il est né musulman, je suis né chrétien. Il est Noir, je suis Blanc. Il a le pouvoir et peut en abuser, je n'en ai aucun. Que faire ?

Pendant qu'il parle d'une manière prétentieuse, je remarque un détail auquel je n'avais pas porté la moindre attention jusqu'alors : le mot « police » sur son uniforme. Je réalise alors que je ne suis pas face au petit chef d'un groupe de gardes assurant la sécurité du port, mais bel et bien devant la police nationale. Je blêmis. Le stress monte…

Les deux agents s'empressent de récupérer mes vêtements et mon sac. Me voilà en slip, penaud. Ils me poussent violemment dans un cachot d'une quinzaine de mètres carrés. Des murs décrépits, une minuscule fenêtre à barreaux et des excréments humains dans un coin, couverts de mouches. Odeur aigre de fauve, d'urine fermentée, relents de transpiration viennent attaquer mes narines pourtant bouchées. « Fragrance » internationale des cellules de gardes à vue. Le parfum de toutes les misères du monde : je partage la pièce avec sept Sénégalais, tous torses nus, complètement sans expression. Certains semblent croupir ici depuis bien longtemps.

Conversation de regards. À n'en pas douter, je représente l'attraction du jour. Les *toubabs* venant visiter les geôles ne sont sans doute pas bien nombreux. Chacun s'observe sans prononcer le moindre mot. Je n'ose leur demander la raison de leur présence. Par la suite, j'apprendrai qu'ils sont des *stowaways*, des hommes ayant tenté illégalement d'embarquer sur un cargo à destination de l'Europe. Ils ont raté leur coup. L'idée de faire de même pour rejoindre le Brésil m'avait moi-même effleuré l'esprit lorsque je m'étais rendu sur l'un des navires, mais j'ai préféré opter pour un respect de la légalité. Pour l'instant, ça ne m'a pas réussi.

À l'extérieur, des rires sarcastiques ponctués de félicitations pour le «travail» du chef nous parviennent. À l'évidence, les geôliers se réjouissent de mon arrestation. J'imaginais tous les scénarios pour ce tour du monde, mais certainement pas de me retrouver dans une prison sénégalaise.

Enfermé dans une geôle aux côtés de Sénégalais. Montée subite de mon niveau d'adrénaline.
[Dakar]

Accroupi au bord du mur, comptant machinalement les cafards morts autour de moi, je me demande comment sortir de là. L'inquiétude me gagne. En prison africaine, on sait quand on y rentre, jamais quand on en sort. Je découvre alors ce qui peut traverser l'esprit d'un détenu… qui, de surcroît, ignore son sort.

Une heure passe… Deux codétenus sont allongés sur le dos, à même le sol, sur l'épaisse couche de crasse imprégnée d'urine. Leur ronflement excite les mouches qui viennent se poser sur leurs lèvres. Un autre se lève pour rejoindre «le» coin. Dans l'indifférence la plus complète, il descend son short et commence à déféquer. Les odeurs et bruits m'incommodent au plus haut point. Je suis dégoûté. Les mouches se régalent, pendant que j'essaie de détourner mon regard, de me boucher le nez et les oreilles en même temps. L'homme remonte son short, puis, sans se laver, se couche à nouveau sur le sol. Je sens poindre le moment où, à mon tour, il me faudra satisfaire mes besoins, privé de toute intimité. Où est la dignité humaine ?

Une deuxième heure s'écoule. Je ne sais pas combien de temps je vais devoir rester ici, mais une chose est sûre, ce sera le ventre creux. La police nationale héberge, mais ne nourrit pas ! C'est à la famille d'apporter la nourriture, et je n'en ai pas dans le secteur. Repenser aux petits plats de ma maman me fait sourire et m'apporte un peu de baume au cœur. J'en suis là quand soudain, un des deux policiers, d'un grand tour de clé, ouvre la porte et m'interpelle :

« Le chef veut te voir, dépêche-toi ! »

Me tenant par le bras, il m'amène violemment dans le bureau du commissaire dont l'ameublement cossu tranche avec l'état du bâtiment. J'attends le verdict, redoutant le pire. D'un ton sec, il me fait signe de m'asseoir. Dans une main, mon passeport, dans l'autre, ma déposition…

« Quel est votre nom : Ludovic Hubler ou Michel Durand ? »

Je m'étais préparé à cette éventualité. Après avoir inspiré un grand coup, j'entame un long monologue expliquant qui je suis et pourquoi j'ai échoué là. Je m'appuie sur un article de presse paru dans un quotidien local le jour même :

« Je vous ai menti, car j'avais peur que vous me bloquiez l'accès au port, ce qui serait non seulement préjudiciable pour moi, car je ne pourrais pas continuer mon tour du monde, mais aussi pour les enfants de l'hôpital que je parraine et qui me demandent tous les jours si j'ai trouvé un bateau. J'en suis sincèrement désolé, monsieur le commissaire. »

Le policier jette un coup d'œil à l'article et prend son temps avant d'annoncer :

« Je vous laisse partir pour cette fois-ci, mais ne vous amusez pas à recommencer ou je vous transférerai à la prison principale de Dakar. Vous avez de la chance, monsieur Hubler. Pensez-vous que les autorités françaises laisseraient libre un Sénégalais agissant comme vous ? Je ne crois pas. Allez, filez, que je ne vous revoie plus ! »

Libre ! J'ai eu chaud. Je serai plus prudent à l'avenir.

7 avril 2003. Un thé à la menthe m'attend de l'autre côté de la rue, dans l'échoppe de Lamine N'Diaye qui chaque jour me raconte de nouvelles histoires du cheikh Ahmadou Bamba, le grand marabout du Sénégal[4]. Il sourit :

« Toujours pas trouvé de bateau, mon ami ? Tu vas rester vivre avec nous ? »

Ses dents blanches contrastent avec la couleur de sa peau, sombre comme mes perspectives.

« Non, Lamine, je n'ai toujours pas trouvé de bateau. »

Un mois que mes recherches restent vaines. Un mois que je remue ciel et terre, que j'invoque tous les dieux généreux, rien n'y fait. J'ai beau m'entendre avec le personnel de la capitainerie, avec les capitaines de bateaux que je rencontre et avec leurs équipages, aucune décision ne se prend depuis Dakar et je passe mes journées à donner des coups de téléphone ou à écrire des courriels qui n'aboutissent à rien. Manifestement, je dois changer de stratégie.

J'envisage toutes sortes d'options : Partir dans l'autre sens ? Les bombes tombant sur Bagdad et le sens des alizés me font oublier cette option. Descendre jusqu'au Cap, en Afrique du Sud, où les vents alizés semblent plus favorables ? Avec 8 000 kilomètres et la traversée de pays instables tels que l'Angola ou la Côte d'Ivoire en plein chaos, ce n'est pas très encourageant. Ces destinations m'attirent mais ce sera pour une autre fois. Je décide finalement de tenter l'avion-stop afin de rejoindre les îles Canaries ou le Cap-Vert. Là, mes chances de trouver un embarquement sont paraît-il plus importantes…

Sitôt pensé, sitôt tenté. Direction l'aérodrome de Dakar où une trentaine d'avions privés stationnent sur le tarmac. Quelques mécanos me communiquent des contacts de pilotes

4. Dans ce cas-là, le marabout est le chef de la confrérie musulmane.

en me souhaitant bonne chance. Je les appelle tous, expliquant inlassablement mon projet, mais personne ne compte partir dans les prochaines semaines. Ma recherche frénétique se poursuit avec les compagnies officielles. Je leur propose royalement un trajet gratuit contre leur logo sur mon site Internet, n'ayant guère plus à leur offrir. On me prend tour à tour pour un rigolo, un opportuniste ou un aventurier culotté, jusqu'à ce qu'enfin, ma demande finisse par trouver écho chez un manager de TACV, la compagnie capverdienne, et qui est enthousiaste pour mon projet.

« Nous vous acceptons à bord, mais il vous faudra tout de même payer les taxes d'aéroport !

— Mais monsieur, mon défi consiste à effectuer le tour du monde sans dépenser un sou de transport !

— Hum… Bon, OK, vous partez lundi pour les Canaries. »

Yes ! La persévérance finit toujours par payer !

Je quitte l'Afrique, à la fois heureux de pouvoir – enfin – continuer mon parcours, et frustré d'avoir si peu vu du continent noir. Même si un certain nombre de choses m'ont déplu : corruption au-delà de tout entendement, volonté d'arnaque omniprésente… je souhaite y revenir pour le connaître plus en profondeur. Après un mois passé en leur compagnie, je quitte aussi Baya et Mokhtar. Ils représenteront pour moi ce que l'Afrique a de meilleur : des gens simples, le cœur sur la main, la gentillesse spontanée, la franche bonne humeur. À l'image de tant d'autres, sur ce continent, ils ont toujours cherché à savoir si je n'avais besoin de rien, si je souhaitais partager à manger ou à boire, si je voulais un peu plus d'amitié. Ils ne m'ont jamais fait ressentir que la couleur de ma peau était différente de la leur. Merci Baya et Mokhtar, merci l'Afrique. À bientôt, *in châ Allah* !

Las Palmas, îles Canaries. Je retrouve l'Union européenne, la langue espagnole et la vie chère, plus tôt que je ne l'imaginais. Ces 45 minutes de vol me font changer brutalement de monde. J'ai l'impression de m'être endormi dans un lit et réveillé dans un autre. Premier objectif : la marina. Elle est immense et pleine d'espoir. En arpentant les pontons, je fais rapidement la connaissance de Ben, un Anglais vivant avec sa femme et son fils de 12 ans sur son joli voilier de 14 mètres. Ils se proposent de me loger, le temps que je trouve une embarcation, contre deux heures d'aide tous les jours : lavage du pont, de la quille… Génial ! Autour d'un thé, dans le carré du bateau, il me raconte qu'il a quitté, il y a quatre ans, son entreprise et ses 80 salariés pour retrouver le contact avec la nature et vivre une vie simple, loin du stress qui le rendait malade. « La vraie vie », sourit-il…

Ses voisins de ponton, Sara et Johan, sont Suédois. Parents de deux enfants de 6 et 8 ans, ils ont voulu leur permettre de découvrir le monde de leurs propres yeux plutôt que dans les livres. Leur style de vie les contraint à ce que les bambins suivent des cours par correspondance, mais cela semble se passer sans difficulté. Les petits bouts de chou parlent parfaitement quatre langues : anglais, français, espagnol et suédois, et passent de l'une à l'autre sans les mélanger. Ils s'intéressent à tout et prennent part aux conversations des adultes. Leur ouverture d'esprit me laisse bouche bée et m'amène à me questionner sur le type d'éducation que je souhaiterais donner à mes futurs enfants.

Les marinas regorgent de profils passionnants, de rencontres captivantes. Je passe de délicieuses soirées à écouter les motivations de chaque *skipper* et à échanger des histoires de mer contre des histoires de désert, des histoires de bled contre des histoires de port. À leur contact, je réalise qu'un voilier est en fait bien plus qu'un simple moyen de transport, mais une véritable maison mobile. Il incarne aussi un mode de vie, une philosophie, un autre rapport à la nature… Et moi qui me croyais marginal ! Je découvre cette communauté dans laquelle je me retrouve un peu…

Recherche bateau désespérément.
[Las Palmas]

Histoires passionnantes, mais toujours pas de bateau en partance vers le Brésil. Invariablement, ponton après ponton, voilier après voilier, on me dit de revenir au mois d'octobre quand, le 22 avril 2003, alors que je viens de trouver un emploi de serveur dans un restaurant pour plusieurs mois, un des nombreux Français présents dans la marina me joue une mélodie nouvelle :

« Écoute, j'ai prévu de partir au Brésil bientôt. Si tu le souhaites, tu viens avec nous et tu travailleras en tant qu'équipier. »

Mon manque d'expérience ne semble pas le déranger.

« Tu apprendras sur le tas, la mer t'enseignera tout ! »

Qualité essentielle du bateau-stoppeur : la capacité d'adaptation. Marché conclu donc. Paul me semble être l'homme providentiel. Il est 17 h 30 lorsque je pose mes sacs sur le voilier qu'il partage avec Maryse, une femme qu'il a rencontrée récemment lors d'un aller-retour en France. Nous partons dans trois jours.

Un voilier est un endroit exigu dans lequel il vaut mieux bien s'entendre avec les autres membres de l'équipage. Paul, ancien chef de chantier, mais aussi – je l'apprends à mes dépens – pensionnaire régulier d'un hôpital psychiatrique, m'en fait d'emblée voir de toutes les couleurs. À peine l'ancre lâchée, il me prévient d'un ton sec :

« Ce bateau, c'est ma vie. Crois-moi que si tu casses quelque chose, tu me le paieras très cher. Et ne t'attends pas à ce que je t'explique les manœuvres. À toi de sentir quand j'ai besoin de toi, compris ? Fais juste attention à deux choses : un, ne tombe pas à l'eau ! Attache-toi, fais ce que tu veux mais ne tombe pas, parce que je n'irai pas te chercher. Une petite tête disparaît en quelques secondes dans un océan et personne n'entendra tes cris. Deux, attention à la « bôme » ! Si le vent change, elle peut balayer le pont à toute vitesse. Plein de marins sont morts comme ça. Débrouille-toi pour ne jamais te trouver sur son chemin. Je répète, je ne viendrai pas te chercher si tu tombes à l'eau ! »

Le ton est donné. J'ai intérêt à être attentif, à apprendre vite et à anticiper. Nous sortons du port pour un galop d'essai, Paul hurle :

« Utilise le taquet !

— C'est quoi un taquet ?

— Utilise le taquet, j'te dis ! »

Suivant son regard, je trouve quelque chose. Ce doit être ça puisque je ne me fais pas engueuler. Quelques minutes plus tard :

« Choque l'écoute !

— Quoi ?

— Choque l'écoute, j'te dis ! Je tente une réflexion :

— Je ne comprends pas ce que tu me dis, Paul. »

Je cherche des yeux sa compagne, elle n'est pas là. Lui n'a aucune patience. J'ai intérêt à apprendre vite. Mon expérience maritime se résume à quelques heures passées sur des bateaux à moteur, dans le sud de la France, avec mes parents. Jamais je n'ai mis les pieds sur un tel bateau. Le vocabulaire de la voile est une nouvelle langue pour moi. Chaque manœuvre porte un nom spécifique, chaque corde et chaque endroit du bateau également. Finalement, de guerre lasse, Paul assure lui-même la manœuvre.

Passant tout mon temps libre à étudier avec acharnement le vocabulaire marin et à essayer de comprendre à quoi sert chaque objet, je me familiarise peu à peu avec le bateau. Par chance, un vieux livre aux pages cornées et froissées traîne dans la bibliothèque. J'apprends les bases utiles pour survivre à Paul et aux vents, comme l'utilisation du *gennaker* ou de la fameuse «bôme» qui pourrait m'envoyer par-dessus bord. J'y découvre que «choquer l'écoute» n'a rien à voir avec les vociférations de mon capitaine d'opérette, mais signifie donner du mou à l'amarre; je maîtrise maintenant le taquet et j'apprends à lire les cartes marines. Puis je découvre tous les instruments modernes de la navigation: le pilote automatique, les cartes marines, le GPS, la VHS... Faire de la voile doit être incomparablement plus simple que par le passé. Fini les sextants et la navigation astronomique, le GPS indique en permanence la position exacte, la vitesse actuelle, le chemin le plus court pour arriver à destination, le cap suivi et, en fonction de ces données, le jour et l'heure approximative d'arrivée. Appréciant tous ces gadgets électroniques, j'ambitionne de devenir le consultant en la matière, car Paul me semble assez peu expert dans le domaine.

Harassé par une première journée de manœuvres, vient l'heure de faire mes preuves en cuisine, où mes compétences ne dépassent pas l'œuf brouillé, alors que j'ai vanté au vieux loup de mer des plats de maître queux. Les lasagnes, pourtant, n'incommodent pas Paul, qui attend avec une impatience contenue devant son verre de Ricard. Dans la cuisine de survie, j'expérimente. Quand ça me paraît cuit, j'essaie d'ajouter une pincée d'élégance à mes nouilles et retiens mon souffle. Ses mâchoires broient les pâtes. Je me contente de ce signe de bon augure. Sa compagne, parfaitement effacée, me glisse :

« C'était très bien, merci… »

Après le devoir, le plaisir. Les dauphins caracolent à l'avant du bateau. Ils se pourchassent, coupent la route du voilier puis viennent devant, à l'étrave, ne demandant qu'à jouer avec moi avant d'effectuer de superbes sauts périlleux. Les enfants n'en croiront pas leurs yeux en voyant les photos.

Quelques jours plus tard, nous croisons des baleines. Leur masse énorme émerge de l'eau sans prévenir, expulsant un geyser vaporeux qui s'élève puissamment vers le ciel. La nuit, elles sont encore plus impressionnantes. Et angoissantes. On ne les voit pas, mais on entend le bruit de leur souffle, tandis que le vent porte à nos narines leur haleine de poisson pourri. Les baleines sont des animaux inoffensifs, mais involontairement dangereux à cause de leur taille gigantesque. Si l'une d'elles faisait surface sous la coque ou nous envoyait un coup de queue… Ce serait la fin du voyage. Heureusement, elles sont attentives et pacifiques…

À mesure que les jours passent et ne sachant rien faire d'autre, je me spécialise dans le « *winch* ». Je tourne les manivelles commandant les voiles, dans le sens et au moment indiqués par mon psychopathe de commandant. J'observe attentivement pourtant comment il hisse ou amène les voiles au moyen des trois « ris », ces bandes horizontales percées d'un trou pour le cordage ; comment il vire « en panne » ou « donne de la toile » par vent arrière ; comment on navigue « au près » par vent « debout », c'est-à-dire de face. J'apprends à cette occasion que lorsqu'on navigue par vent de face, ou de trois quarts, le bateau avance par un phénomène d'aspiration. Le vent s'engouffre d'un côté de la toile ; de l'autre se crée alors ce qu'on appelle le « vent apparent », une énergie produite par le bateau lui-même et qui le tire vers l'avant.

L'apprentissage va bon train. Hélas, à bord, le climat se détériore. Nous n'en sommes encore qu'à tourner autour des

Canaries que Paul et sa compagne se déchirent déjà. Les disputes se succèdent. Caractère de cochon d'un côté, femme au bord de la crise de nerfs de l'autre. Réussirons-nous à traverser ? Et si nous nous lançons, arriverons-nous entiers ?

Mon contrat d'équipier ne stipulait pas qu'il me faudrait jouer les médiateurs, mais je n'ai guère le choix. À mesure que le départ est différé, la situation s'aggrave et l'ambiance sur le bateau devient mille fois plus instable que le temps. Maryse accumule les antidépresseurs, les cigarettes, les cafés et les verres d'alcool pour parvenir à supporter son capitaine Crochet. Parfois, quand il dort – car ça lui arrive, d'un sommeil profond –, elle demande au jeunot que je suis des conseils. Des déceptions sentimentales en rafales lui ont fait perdre tout espoir d'avoir une vie heureuse.

« Si ça continue, Ludovic, je me jette à l'eau ! »

Paul sent que quelque chose lui échappe. Sa nervosité, cantonnée jusqu'ici à des mots, se perçoit maintenant dans ses gestes. Le moindre bruit de moteur le stresse. Un jour, au mouillage près de Ténérife, il dégomme au lance-pierres le conducteur d'un scooter de mer et assène de coups de pied son pauvre chien, au mauvais moment au mauvais endroit. Je suis partagé entre l'envie de m'extraire de cette ambiance exécrable et le souvenir des six semaines passées à chercher un bateau sans succès. Une fois de plus, la vie décide pour moi :

« Laisse-moi sur cette île, je rentre en France, je n'en peux plus ! hurle Maryse un matin.

— Tu veux partir ? Alors casse-toi et retourne chez ta mère ! »
Situation surréaliste. Pas même un bisou d'au revoir, le couple se déchire devant mes yeux. Maryse quitte le bateau en larmes et Paul, dépité, de conclure en s'adressant à moi :

« Tu peux partir aussi, je ne vais plus au Brésil. J'y allais pour elle. Laisse-moi seul. De toute façon, le bateau, c'est pas fait pour toi… »

Moi qui commençais juste à y prendre goût…

Trois semaines plus tard, un coup de ferry-stop, je me retrouve à nouveau à la case départ à Las Palmas. Cette expérience m'a au moins permis de me familiariser avec la navigation, c'est déjà ça. Elle a aussi beaucoup fait rire les enfants de Strasbourg.

Au moment où je m'apprête à reprendre les recherches, les voilà qui m'appellent, avec Chantal, l'institutrice de l'hôpital, pour m'encourager :

« Tiens bon ! On est avec toi ! » lancent-ils en chœur.

C'est le monde à l'envers. J'ai peine à y croire… Ces enfants sont géniaux ! Bien sûr, je relativise et redouble d'efforts. Le 2 mai, Robert, capitaine de l'*Ulysseo*, me propose de rallier Sal, dans l'archipel du Cap-Vert. J'accepte sa proposition, ce sera toujours plus dépaysant si je dois chercher un job avant de traverser.

Cap-Vert. Jamais un nom n'aura été tant usurpé ! Poignée de cailloux lancée comme des dés en plein Atlantique par un créateur qui aurait raté le tapis de l'Afrique. L'archipel volcanique est aussi vert que le Libéria est libre ! La vie y est frustre mais simple. Quelques heures de pêche, quelques heures à l'ombre d'un soleil trop fort, quelques heures pour la cuisine… Cesaria Evora, la « diva aux pieds nus », célébrité du Cap-Vert, décrit ces îles comme « *o paraiso de Atlantico* ». Avec une dizaine d'îles toutes différentes les unes des autres, des paysages fabuleux et des « locaux » souvent très chaleureux, l'endroit paraît, en effet, se rapprocher du paradis… Un paradis qui a bien failli devenir mon enfer…

10 mai 2003. Je continue à chercher un voilier. Il est 18 h 30 lorsque je termine ma journée et retourne sur l'*Ulysseo* : je rame dans le Zodiac que l'on m'a prêté avec le sentiment d'avoir donné mon maximum pour la journée. L'océan est tout irisé. Je profite de la lumière qui tombe et des teintes opales à la surface de l'eau lorsque soudain, la « dame de nage[5] » lâche sans prévenir. Il me faut alors rejoindre le bateau avec une seule rame. « *OK, on finira avec une rame* », me dis-je...

Pendant plusieurs minutes, je tente de donner un cap un peu stable à l'embarcation, mais celle-ci est trop large et je n'ai pas le temps de piocher alternativement dans l'eau, d'un côté, puis de l'autre. L'Ulysseo s'éloigne, inexorablement. « La réparation semble l'unique solution. »

À mesure que je dérive vers le large, la force du courant s'intensifie. Après plusieurs minutes à m'affairer sur la fixation, je réussis finalement à réparer la pièce puis je passe la rame dans l'embout, tire précautionneusement... Mais celle-ci casse à nouveau projetant le bout de plastique au fond de l'eau... Stupeur !

Au loin, le soleil descend sur l'horizon. J'ai beau scruter les alentours, aucune embarcation ne se dirige dans ma zone. Je suis en train de disparaître au large et personne ne voit ma détresse. Les contours de l'*Ulysseo* sont moins nets. Bientôt, les vagues s'ajoutent au vent et au courant.

De tempérament calme, je m'efforce de ne pas stresser mais la situation est sérieuse : le soleil, peu à peu, se couche sur le Cap-Vert et le port paraît plus loin que jamais. Un moment, je lâche prise. « Allez bon sang, remets-toi en marche ! » Mes tentatives sont moins assurées, mes gestes moins précis. Toutes les deux minutes, je me retourne et m'aperçois de la distance grandissante. L'*Ulysseo* n'est plus qu'un point et l'annexe du port grosse comme un poing.

5. La « dame de nage » est l'objet qui supporte la rame et lui sert de pivot.

Je pense abandonner le navire. « Si ça ne marche pas cette fois, je plonge. » Mon bricolage semble enfin tenir. Je rame mollement, les bras bien parallèles, en déroulant simultanément pour ne pas exercer trop de pression sur la pièce bricolée. Ma progression est difficile. Le courant est contre moi. Quand je relève la tête, je m'aperçois que l'écart diminue faiblement. L'Ulysseo reste loin.

Je m'obstine. Mes mouvements perdent de leur efficacité. À chaque coup de rame, j'écope de plusieurs litres d'eau de mer dans le canot. Mes bras sont douloureux, mon souffle court et il fait maintenant sombre. L'embarcation n'apparaît plus que par intermittence, sous la forme d'une masse foncée qui se rapproche très lentement. Au loin, les quelques lumières du petit port de Sal et des bateaux au mouillage me narguent, comme le ciel bleu de la prison de Dakar.

« Arrête de raisonner, garde l'esprit léger, clair. Calme-toi, tout va bien, rame ! »

Je rame…

« Et les requins ? » De fait, c'est la nuit qu'ils chassent ! Deux petites rames barbotant aux premières heures d'obscurité, indiquant une proie humaine facile, c'est inespéré, l'amuse-gueule idéal ! Les îles du Cap-Vert sont réputées pour leurs superbes créatures à dents de scie. Plus le temps passe, plus je me sens proie. Plus la peine d'espérer rentrer à la nage.

« Ne réfléchis pas, Ludo, rame ! Rame ! Rame ! »

Chaque fois que je me retourne, j'ai l'impression que ma progression est nulle. Il me faut redoubler d'effort pour arracher quelques mètres à la force du courant. J'appelle à l'aide en sifflant. Personne ne m'entend. Personne ne viendra me chercher ici. Surtout, ne pas faiblir. La sanction serait immédiate. Franchement, aucune envie de rejoindre le Brésil en Zodiac…

Après quelques minutes, je m'arrête un instant, aux aguets. Il me semble que ce ne sont plus les mêmes sons. Ils sont plus mats, comme si de grosses masses se déplaçaient dans la nuit. J'ose me retourner. J'éclate de joie. La plate-forme noire a grossi sur le ciel sombre et il ne me reste, à l'estime, qu'une cinquantaine de mètres.

Quelques minutes s'écoulent encore. « Plus que 20 mètres. » Encore quelques coups de rame et... Ça y est ! Le Zodiac vient de s'écraser contre le flanc du voilier.

J'agrippe l'échelle du bateau. Je n'en peux plus. Cela fait plus d'une heure que je rame. Mes muscles tétanisés refusent de lâcher les barreaux. Un dernier effort et je grimpe sur l'*Ulysseo*. Les courbatures me paralysent immédiatement, elles culmineront le surlendemain. Assis sur le pont pour récupérer un peu, je médite un instant, le regard fixé sur le noir confondu de la nuit et de la mer, ce noir dans lequel j'ai bien failli disparaître. Merci, mon Dieu ! Ce n'était pas pour aujourd'hui ! La mer vient de me donner une grande leçon : attention aux courants ! La nature est plus forte que l'homme. Dans cet univers nouveau, le citadin pressé que je demeure doit tout réapprendre : la prudence, l'humilité, la patience, l'observation...

À l'intérieur, Robert, à la cuisine, me lance sans même lever les yeux :

« Ah, enfin ! Je commençais à me faire du souci et à me demander où tu étais passé. »

Puis, tournant la tête, il découvre mon état, mes vêtements bons à essorer et mon air hagard :

« T'es trempé, qu'est-ce qui t'est arrivé ? Tu es tombé à l'eau ?

— J't'expliquerai, Robert, j't'expliquerai ! »

Quelques jours après cet incident qui aurait pu virer au drame, je rencontre Alain et Marie-Claude, encore un couple de Français, s'apprêtant à partir pour le Brésil et acceptant de m'embarquer comme équipier. Leur voilier s'appelle *Théva*, un Bénéteau de 12 mètres. Ce joli bébé sera ma maison mobile pendant quelques semaines. Alain est ingénieur retraité, passionné de voile depuis toujours. Marie-Claude, sa compagne, semble heureuse de découvrir les mers du monde. Sa passion à elle, c'est la gastronomie. Elle adore préparer des petits plats. Ils cherchaient justement quelqu'un pour les aider…

Les portes de l'Atlantique peuvent enfin s'ouvrir, à ma plus grande satisfaction. Direction l'Amérique du Sud !

Après deux mois de recherches,
Théva, le bateau providentiel…

Chapitre 4

LA MER PROMISE

« La vie n'est pas un restaurant mais un buffet, levez-vous pour vous servir. »

— Dominique Glocheux

57 jours ! Imaginez. Vous venez de passer 57 jours à vous démener pour trouver un bateau. Au cours de cette recherche, vous avez marché des kilomètres au milieu des conteneurs et dans les bâtiments officiels de Dakar. Vous êtes allé en prison, vous avez joué les médiateurs pour un couple explosif et avez manqué de peu de vous faire embarquer par la mer… Mais vous êtes heureux. Tous vos efforts ne sont pas restés vains. La récompense est là : vous partez à présent en direction du Brésil en traversant l'océan Atlantique ! Un nouveau rêve est en train de devenir réalité…

Relaxez-vous. Laissez-vous promener par votre rêverie de lecteur solitaire. Fermez doucement les yeux et ouvrez vos oreilles… Imaginez… Oui, imaginez…

Un joli voilier Bénéteau blanc et jaune d'une douzaine de mètres carrés délicatement posé sur un océan calme, aux abords du Cap-Vert. Vous, équipière ou équipier, cheveux au vent et sourire de liberté se dirigeant vers le Brésil, un pays qui vous attire depuis de nombreuses années. Le ciel est printanier, le soleil brille de tous ses feux et seules les gouttelettes des vagues viennent vous caresser délicieusement le visage. Les côtes africaines s'éloignent derrière vous jusqu'à devenir invisibles et c'est l'océan tout entier qui se dessine en face de vous. Il vous ouvre ses bras et n'attend que de vous accueillir pour pouvoir le sentir.

Subitement, le silence s'impose. Le moteur vient de s'arrêter. Vous êtes tout ouïe. Un silence propice au repos et à la réflexion. Le temps s'arrête. La bruyante Afrique est loin dans votre esprit. Vos soucis s'évaporent avec le vent. Vous ne pensez ni au passé, ni au futur et vivez à fond, en plénitude, le temps présent. Vous rentrez dans une nouvelle vie, dans un rapport au temps bien éloigné de votre conception habituelle et prenez conscience que vous êtes en train de pénétrer dans un endroit mythique, à bord d'un moyen de transport tout ce qu'il y a de plus écologique. Pour recharger vos batteries et le matériel électrique, vous utilisez uniquement les forces de la nature : eau, vent, soleil. Votre impact sur l'environnement est minimal et vous vous en félicitez.

Votre voilier épouse les contours des vagues légères. Vous vous abandonnez au rythme de la houle. Un coup à droite, un coup à gauche. Le léger tangage vous berce comme lorsque vous étiez enfant. Des images de votre maman vous prenant dans ses bras vous reviennent à l'esprit…

Vous vous attendez à croiser un cargo, un bateau de croisière, un autre yacht. Non, rien, rien, rien de rien n'arrête votre regard. Personne à l'horizon. Pas un bruit. Pas le souffle d'une présence. Vous êtes seul, bel et bien seul sur cette eau à l'horizon infini. La solitude vous prend alors délicatement dans ses bras. La liberté s'empare de vous, baignant chaque particule de votre âme dans une délicieuse sensation de bien-être.

Un coup d'œil rapide sur le GPS vous indique que vous arriveriez à destination dans 16 jours si les conditions devaient rester identiques et que vous traverserez la ligne de l'équateur dans 10 jours. Satisfait de voir que vous êtes sur le bon chemin, vous prenez un livre, puis un autre. Les récits de voyage de Moitessier, Paul Émile-Victor ou Éric Tabarly vous apprennent à aimer encore davantage le monde de la mer dont vous devenez chaque jour un peu plus amoureux.

Vous ne faites qu'un avec votre bateau. La mélodie des voiles vous enchante et vous cherchez à les apprivoiser et à composer avec les forces de la nature. À vos côtés, Alain, un as de la navigation, souriant, est disposé à tout vous enseigner. Il vous donne tous les conseils nécessaires pour que vous puissiez adapter votre voilure en fonction des vents. Il vous enseigne aussi l'utilisation d'un sextant, vous explique le fonctionnement des marées et les bases de la navigation astronomique. Vous repérez tout de suite la croix du Sud qui vous indique le chemin à suivre. Sa patience et sa pédagogie vous rassurent et vous font oublier vos déboires passés.

Marie-Claude, sa femme, vous appelle pour manger. Le barracuda pêché quelques heures auparavant est maintenant dans votre assiette, coupé en rondelles avec des oignons et un filet de citron. Malgré un léger mal de mer, vous le savourez puis allez donner un coup de main pour une vaisselle rapide et facile.

Dix jours viennent de passer et la ligne de l'équateur se présente à vous. Comme pour fêter le passage de cette ligne symbolique, l'océan vous offre le spectacle d'une cinquantaine de dauphins amusants jaillissant des abîmes dans un élégant ballet aquatique. Peu après, vous apercevez au bord du bateau un banc de poissons, comme des milliers de pièces d'argent agitées sous la surface, qui d'un coup sortent de l'eau et s'envolent sous vos yeux ébahis.

Soudain, à quelques mètres du bateau apparaît un aileron de requin. La peur vous saisit. Vous vous revoyez quelques années auparavant en train de regarder le film *Les Dents de la mer*, de Steven Spielberg, et votre inquiétude grandit tout à coup. Votre respiration se bloque et vos membres se paralysent. Vous attendez, le regardez… Il passe. C'était moins une. Vous soupirez de soulagement. Puis vient le pot au noir, cette fameuse zone de convergence intertropicale qui vous immobilise. Un jour, deux jours, trois jours. L'océan se transforme en lac. Plus la moindre vague à l'horizon. Les méduses, qui ne font que dériver, vont plus vite que vous. Pas grave, vous attendez patiemment et profitez de cette petite pause forcée pour prendre de nombreuses douches naturelles sous les pluies tropicales, sans avoir mauvaise conscience de gaspiller l'eau. Et puis ça repart…

Votre imagination vous transporte à Strasbourg. Vous repensez aux enfants que vous parrainez, dont le bracelet matérialise la présence à vos côtés. Pour les associer à vos joies et découvertes, vous prenez le temps de rédiger un journal de bord reprenant chaque détail croustillant de la traversée. Plus tard, ils vous demanderont si vous avez eu peur qu'une baleine passe sous le bateau ou si la traversée du pot au noir fut périlleuse, mais en attendant, vous décrivez vos sensations de néophyte et leur transmettez le bonjour des dauphins, leur apportant ainsi une bonne dose de rêve et d'imaginaire.

« Terre, terre ! » Après 16 jours de traversée, un phare vous fait un clin d'œil et la fabuleuse île de Fernando de Noronha se présente à votre étrave. Avec une émotion intense, vous hissez le pavillon brésilien et le faites claquer haut dans les airs. Après 16 jours de balançoire, vous remettez le pied sur terre, mais pas n'importe quelle terre. Sur une plage de sable immaculée comme du sucre en poudre devant un lagon d'un vert émeraude parfait, se détachant nettement du bleu profond de l'océan. Tout en sirotant le jus d'une noix de coco bien fraîche, vous appréciez et exultez… Puis repartez des rêves pleins la tête vers le continent.

Soudain, sans crier gare, la VHF grésille et vous sort brutalement de votre rêverie :

« Tour de contrôle de Recife, tour de contrôle de Recife. Merci de vous identifier… »

Vous venez d'arriver sur le continent américain. La découverte du Nordeste brésilien va pouvoir débuter. Samba !

Chapitre 5

VERS LA FIN DU MONDE

Brésil – Paraguay – Uruguay – Argentine

« C'est en se jetant dans le monde, en y souffrant, en y luttant, que l'homme se définit peu à peu. »

— Jean-Paul Sartre

Après un mois passé ensemble, je quitte Alain et Marie-Claude, arborant un large sourire, heureux d'être arrivé à destination après tant de péripéties. Une arrivée est toujours plus belle lorsqu'elle est l'aboutissement d'un effort. Je n'oublierai jamais ce couple très sympathique qui, au-delà du fait de m'avoir permis de vivre ma première transocéanique, m'a permis d'éviter un séjour de plusieurs mois au Cap-Vert qui m'aurait largement retardé dans mon parcours. Je ne les remercierai jamais assez.

Un nouvel univers, un de plus, s'ouvre à moi. Une autre facette de notre monde merveilleux. L'Amérique du Sud est, depuis le début, ma destination privilégiée, celle que je souhaite découvrir en priorité. Si j'ai décidé de ne passer qu'un temps limité en Afrique, c'est en grande partie afin d'arriver au plus vite sur ce continent que j'associe à la joie de vivre de ses habitants chaleureux et aux splendeurs de sa nature souvent exubérante.

De Recife à Ushuaia, en Terre de Feu, il n'y a que la bagatelle de 9 000 kilomètres ! Oui, 9 000 kilomètres que je m'apprête à parcourir en longeant la côte Atlantique. Renonçant à faire de mon parcours une course contre la montre, je décide que, malgré le retard pris avec les péripéties du bateau-stop, je descendrai calmement.

Après tout, je n'ai aucune obligation en France, mon budget tient la route avec des dépenses limitées au minimum et je prends un formidable plaisir à voyager. J'ai l'impression de grandir. De m'ouvrir chaque jour un peu plus à la vie et aux autres. Pas question de gâcher cette expérience à cause du calendrier. Ce tour du monde prendra le temps qu'il faudra.

Premier objectif brésilien : Rio de Janeiro, 2 500 kilomètres plus au sud. Si l'on en croit les médias, Brésil rime avec violence, armes en tous genres et drogue. Faire du stop dans ce pays relèverait donc de la plus pure inconscience. Pourtant, au moment d'approcher mon premier conducteur à la sortie de Recife, je ressens une formidable confiance, une intime conviction que le stop fonctionnera en Amérique latine comme en Afrique et comme, je commence à en être convaincu, il marchera à travers toute la planète.

Après trois mois d'une vie de marin, je retrouve avec plaisir les rencontres improvisées sur le plancher des vaches. Formidable coup de pouce du destin, qui semblerait vouloir m'encourager dans mon parcours : mon tout premier conducteur est franco-brésilien. Incroyable trait d'union entre l'Afrique francophone laissée derrière moi et le Brésil lusophone, portugais, qui se présente maintenant. Bernard, mon conducteur, un ingénieur habitant Fortaleza, me confirme la faisabilité du stop au Brésil, mais insiste tout de même sur sa difficulté.

« Aucun camion ne te prendra, m'assure-t-il, leurs employeurs l'interdisent et ils sont suivis par GPS. »

Les faits viendront rapidement confirmer ses propos. Il reste les voitures! Elles sont toutefois assez rares à parcourir de longues distances, l'avion étant privilégié dans ces cas-là. Résultat : l'attente, loi de l'autostop, se prolonge. Elle est parfois longue... Très longue. Dans l'État de l'Espírito Santo, près de la petite ville de Linhares, en ce dimanche 15 juin 2003, je bats mon record d'attente dans une petite station au bord d'une route de campagne : 28 heures... Je ne ferai jamais pire durant mon périple...

Que faire pendant 28 heures dans une station-service perdue au milieu du Brésil ? La question m'est fréquemment posée. Cela peut surprendre lorsqu'on vit une existence où chaque minute se doit d'être rentable, mais je ne considère jamais ces moments d'attente comme des pertes de temps. Ces heures de solitude sont des moments privilégiés pour la réflexion, la méditation, pour étudier ma carte routière, écrire mon journal de bord, observer les populations locales dans leur vie quotidienne, discuter avec les gens de passage et les pompistes. Nous échangeons alors des histoires de village contre des histoires de monde. Un moyen pour moi de connaître la vie locale, mais aussi d'améliorer rapidement mes connaissances en portugais.

À Linhares, au pied d'une pompe servant de l'éthanol – premier carburant du pays – je fais la connaissance d'Alberto, pompiste de 32 ans. Il rit aux éclats quand je lui apprends que je viens de France en stop et que j'ai traversé l'océan en voilier-stop. Cela l'épate tellement qu'il appelle sa femme pour une photo-souvenir. Cela n'a effectivement rien de banal, dans ce coin reculé du Brésil. Prenant ma carte du monde à l'envers, il essaie de comprendre mon parcours :

« Dis-moi, Start, c'est le nom de ton pays ? C'est où le Brésil ? C'est là ? dit-il en montrant la Russie.

Alberto est à l'image de beaucoup d'autres personnes rencontrées au hasard des routes. Mon aventure lui paraît à la fois extravagante et incompréhensible. Son monde à lui, c'est Linhares. Il n'en est quasiment jamais sorti et n'y songe aucunement. La fin de sa rue est pour lui la fin du monde. Sa vie, c'est la musique, les soirées entre amis et le football. Ces rencontres de gens dont je ne croise la vie qu'un instant sont la base de mon tour du monde.

« Pourquoi voyages-tu ? demande-t-il. À quoi ça sert ? C'est pour chercher un travail ? »

Voyager pour le plaisir est un concept impensable pour la majorité de la population mondiale, trop occupée à tenter de se protéger et de se nourrir. Privilégié, bien sûr, je balade mon histoire en insistant sur l'idée de « réalisation d'un rêve ». Certains pourraient bouger, aller voir la vallée d'en face, d'autres ne pourraient même pas l'imaginer, mais j'espère que notre rencontre leur aura apporté un vent d'ailleurs, une idée de ce qui existe au-delà des mers, et des préjugés.

J'attends déjà depuis 10 heures quand Alberto rend son tablier et rentre chez lui. Il est loin d'imaginer – comme moi – qu'il me retrouvera planté au même endroit le lendemain matin, quand il reprendra son poste.

En général, mes attentes ne dépassent pas deux ou trois heures. Dans des endroits comme Linhares, où les rares automobilistes n'effectuent que de petits trajets, j'adopte une mentalité de chauffeur de poids lourd : résigné mais jamais abattu. Même si je vois que la plaque est locale, je vais voir le conducteur et lui demande où il va, juste pour me donner bonne conscience. Si j'en oublie un, je ne pourrais pas m'empêcher de me dire qu'il allait dans la bonne direction. Je ne laisse donc rien au hasard. Il m'arrive parfois d'interroger 300 ou 400 personnes avant de trouver la bonne.

Lorsque le trafic est plus intense, je choisis les conducteurs. Six mois de stop ont affûté mon sens de l'observation et mon esprit d'analyse. Je lis à présent beaucoup d'informations sur un visage. C'est primordial, car en quelques secondes, je dois décider si je monte ou non dans une voiture ou si j'accepte une invitation. Je fais attention à des détails : une photo de la famille ou une image du Christ sont en général de bon augure. Une tête de mort ou une croix nazie, nettement moins !

Enfin, un homme m'embarque :

« Tu sais pourquoi je t'ai pris ?

— Non, dites-moi !

— Parce que tu es Français, et la France est dans mon cœur. J'ai aimé la position de Jacques Chirac sur la guerre en Irak. »

Je n'imaginais pas que les faits et gestes du président amèneraient un conducteur à m'accepter. Tant mieux, je commençais à prendre racine. Dans les voitures, je parle souvent de la France. Beaucoup de clichés – souvent positifs – s'accrochent à notre pays, patrie des parfums de luxe et du camembert. Face à des gens dont je ne croise la vie qu'un court instant, je m'efforce de ne pas trop les remettre en question.

Que c'est beau, un pays où les femmes sont toutes élégantes et les hommes toujours fidèles, d'une grande galanterie... Un pays où les bonnes manières sont distillées dans tous les actes de la société, où la politesse n'est pas un vain mot... Mais la réputation de la France, c'est aussi la saleté de ses habitants :

« Excuse-moi, je peux te poser une question ? Est-ce vrai que les Français ne prennent pas de douche et n'utilisent que du parfum pour enlever les mauvaises odeurs ? »

Avec *proibido carona*, « interdiction de prendre des autostoppeurs », c'est sans aucun doute la phrase que j'ai le plus entendue lors de mon séjour brésilien ! D'abord surpris et me reniflant sous les bras afin de déterminer ma part éventuelle de responsabilité dans cette curieuse réputation, je comprends vite que son origine remonte à Louis XIV et à la mauvaise hygiène de sa cour. Cela étant, j'ai tout de même pu me rendre compte de la différence d'hygiène entre l'Amérique latine et la France. Par exemple, que ce soit dans les entreprises ou à l'université, j'ai été impressionné de voir chaque salle d'eau occupée en permanence par des employés ou étudiants se lavant les dents.

Cette réputation me suivra dans toute l'Amérique latine. Au Honduras, un journaliste, que je n'ai même pas rencontré, ira carrément jusqu'à écrire dans les colonnes de son journal : « À l'image de ses compatriotes, Ludovic est sale et ne voyage qu'avec une chemise et un pantalon. » Sans commentaire…

22 mai 2003. C'est avec une émotion toute particulière que j'arrive à Rio de Janeiro où Cibèle, mère de ma belle-sœur brésilienne, me reçoit dans son appartement, à Botafogo. Quel plaisir de retrouver une tête connue cinq mois après avoir laissé la dernière à Agadir ! Quel plaisir aussi de retrouver une délicieuse douche chaude et de bons petits plats cuisinés, après des semaines de sandwichs et de conserves ! Retrouver les choses les plus élémentaires après une longue période de manque revêt un véritable caractère de jouvence.

Je connais Rio. Je m'y suis déjà rendu par deux fois, en 1994 pour le mariage de mon frère, et en 1998 pour le baptême de mon filleul franco-brésilien. Je n'oublierai jamais mon premier séjour, qui était aussi mon premier voyage hors d'Europe. Le pays souffrait alors d'hyperinflation et la perte de confiance dans le *cruzeiro* allait obliger le gouvernement à changer la monnaie nationale. Les prix n'étaient pas les mêmes entre le matin et le soir !

Une blague circulait dans les restaurants : « Votre repas, vous le payez avant ou après manger ? » Il était conseillé de commander trois bières dès l'arrivée dans le bar pour économiser quelques sous sur la note, et les salaires étaient payés à la semaine. Heureusement le pays a, depuis, retrouvé une certaine stabilité, et l'horizon économique est bien plus clair qu'il ne l'était à l'époque. Quelques mois avant mon arrivée, Lula, ancien ouvrier métallurgiste, a été élu, insufflant un énorme espoir dans les quartiers populaires. Ceux-ci se mettent à rêver d'une réduction de l'immense gouffre entre riches et pauvres, qui caractérise tant la société brésilienne.

La baie de la « cidade maravilhosa » à Rio de Janeiro, sans doute la plus belle ville du monde. Malheureusement, l'une des plus dangereuses aussi...

Malgré ses contrastes et sa violence, c'est avec la plus grande joie que je retrouve la «*cidade maravilhosa*», que je n'hésite pas à qualifier de ville la plus belle du monde. Des heures durant, je déambule au hasard des rues de cette ville recouverte, pour un tiers, de nature. Ses splendides plages blanches, ses nombreux pains de sucre garnis de végétation tropicale, le gracieux découpage naturel de sa baie, ses jeux de lumière sont autant de défis à l'entendement. Sans parler de ses succulents jus de fruits, de ses femmes, les plus sensuelles du monde et de leur délicieux accent sonnant à mes oreilles comme une agréable mélodie. Je retrouve ici le Brésil que j'aime, le Brésil savoureux, le Brésil joyeux, le Brésil terre d'une formidable mixité. Si un endroit sur terre pouvait me retenir, nul doute que ce serait celui-là : il doit être si bon de se laisser vivre sous de telles latitudes...

Les années ont passé depuis mon premier séjour, mais le Brésil n'a rien perdu de son charme, de sa grandeur, de son harmonie incomparable, de son sens de la fête aussi... Les «3 M» (*Maracanã, Mulheres, Música*) rythmant la vie des Cariocas sont toujours d'actualité. Un jour, me baladant sur la plage d'Ipanema, je vois un homme poser un poste radio sur le sable. Le voilà qui monte le volume et envoie de puissants décibels de samba dans une ambiance déjà bien chauffée par un soleil de plomb. Instantanément, l'appel de la danse résonne dans le corps d'une trentaine de jeunes qui se rassemblent autour de lui. Les bras se lèvent, les mains s'agitent, les corps sont pris de convulsions et ruissellent bientôt de haut en bas.

Le Brésil me dévoile sa magie et la samba déverse toute sa gaieté. Une dizaine de superbes jeunes femmes débordantes de vie viennent se joindre à cette fête improvisée. Leurs mini maillots de bain et paréos aux couleurs éclatantes ne masquent pas grand-chose de leurs charmes. L'une d'entre elles me regarde dans les yeux puis me prend par la main. À mon tour de me laisser entraîner dans le tourbillon de la samba. Bonheur simple et pur de la danse… Le Brésil ne cessera jamais de m'épater ni de m'envoûter !

Profitant d'être logé sous un toit connu, je décide de mener une guerre à mon principal ennemi : le poids de mes sacs. Je m'attache à un sévère tri de mes affaires en me posant une nouvelle fois la question la plus importante : *de quoi ai-je réellement besoin* ? Ma trousse de toilette, dont je réduis considérablement le contenu, mon sac de couchage et ma tente, peu utile et trop lourde, font les frais de mon délestage. Qu'il est doux, de temps en temps, de se remémorer qu'il est possible d'être heureux avec très peu ! Je trouve rassurante l'idée que s'il devait y avoir un événement fâcheux dans ma vie ou dans la société, grave crise politico-économique ou autre, je pourrais parfaitement m'adapter à un style de vie des plus basiques. Dès le départ, j'avais fait le choix de renoncer à un certain confort. À l'heure où il suffit de tourner un bouton pour bénéficier de la chaleur, de la lumière ou de l'eau, je ressentais cette nécessité perverse d'avoir « envie d'avoir envie », d'avoir vécu le manque pour mieux apprécier ce que je possède. Cela ne constitue en rien un éloge de la pauvreté, ni un rejet du matérialisme, mais simplement un moyen de distinguer l'essentiel du superflu, d'apprendre à me resituer. Le voyage en stop, par le dénuement qu'il implique, permet d'en revenir à ces valeurs basiques et fondamentales. Il m'impose un tri sévère, des choix rigoureux.

Un objet ne cesse cependant de s'alourdir au fil du voyage : mon classeur photo. C'est un outil formidable, car il me permet de mieux partager mon parcours et d'apporter quelques minutes d'évasion aux gens qui ont la gentillesse de m'ouvrir leur porte, pour une nuit, un trajet ou le temps d'un café. Ici, une photo de ma famille. Là, une impression de la carte d'Amérique latine montrant mon trajet. Ici, une photo de Ludo sous sa tente en plein milieu du désert. Plus parlantes que de longs discours, ces images sont un sésame et un trésor au même titre que la carte plastifiée du monde où j'ai tracé mon itinéraire.

Avant de quitter Rio, j'envoie aux enfants de l'hôpital une cinquantaine de bracelets brésiliens en leur demandant de formuler un vœu en le nouant. Aux plus croyants, j'envoie aussi des *Corcovados*, « Christ rédempteur », en bois.

De l'autre côté de l'Atlantique, le projet pédagogique a pris une ampleur insoupçonnée grâce au formidable travail des instituteurs et éducateurs qui débordent d'inventivité pour rendre la vie des enfants moins difficile. Géographie, histoire, français, mathématiques, cuisine… mon tour du monde est utilisé à toutes les sauces. Michel, par exemple, s'est servi de ma traversée de l'Atlantique pour enseigner à ses élèves les notions de latitudes et longitudes et pour leur apprendre à calculer les distances sur un globe. Marie-Claire a fait dessiner aux plus jeunes des voiliers pendant la traversée ; ils attendent à présent la Patagonie pour peindre des manchots.

Chantal, elle, a inventé un jeu de l'oie où chaque case correspond à un événement de mon tour du monde. Tombez sur la case prison et reculez de trois cases. Trouvez un bateau et avancez d'autant. Attention, couple dépressif, reculez d'une case ! Mon bracelet, quant à lui, tient bon et continue d'intriguer. Dans les voitures, on me pose régulièrement la question de sa provenance et sa signification. Mes explications soulèvent, en général, l'enthousiasme, et suscitent la compassion envers les enfants.

En Amérique latine, l'intérieur des terres est peu habité. La majeure partie de la population sud-américaine se concentre le long des côtes, où s'installèrent les colons européens et leurs esclaves africains. Avide de découvrir cet autre visage du Brésil, j'accepte une proposition de «pause humanitaire» offerte par Sebastian Gusmão, un neurochirurgien brésilien ayant grandi à Itamarandiba, un petit village du Minas Gérais, l'État qui vit naître le héros de l'indépendance du pays, Tiradentes, et qui fut pendant un temps le plus riche en or du monde.

De voitures en camions, d'heures d'attente en heures de route, je m'engouffre donc dans un Brésil bien différent de celui de Rio. Les routes deviennent chemins, les plaines deviennent collines, les maisons deviennent fermes. Les images de fête de Rio laissent place à des images d'agriculteurs s'occupant de leur bétail. À mon arrivée à Itamarandiba, Sebastian me propose d'aller traire les vaches et raser des moutons. Peu à l'aise avec les mamelles bovines, je suis le plus heureux du monde lorsque j'arrive enfin à tirer quelques décilitres de lait. Une belle entrée en matière dans le monde rural.

Itamarandiba est le parfait petit village qui vivote dans une agréable léthargie, le lieu idéal pour faire halte et «lâcher prise». Ma cadence marque le pas et je décide de rester ici pendant plus de deux mois, profitant de ma présence pour organiser une coupe du monde de football pour des enfants, donner des cours d'informatique aux employés de l'hôpital (Word, Excel, comment organiser des dossiers), des cours de finance à la préfecture (utilisation d'une calculatrice financière), et pour prendre part au concours «Banco Real», organisé par la principale banque brésilienne, dont le but est de favoriser la mise en place de projets éducatifs dans les zones rurales et de récompenser financièrement les meilleurs.

Rapidement, on me présente à mes nouveaux « colocataires » et partenaires pour ce projet : six étudiants en médecine venus de Belo Horizonte, quatrième ville du pays. Chacun est obligé de pratiquer au moins une année dans un village de l'intérieur du Brésil pour obtenir son diplôme. Un moyen intelligent, me semble-t-il, d'être sensibilisé à une réalité bien différente des grandes métropoles et de participer à l'amélioration des conditions de santé dans l'intérieur du pays. À travers les yeux de ces étudiants médecins, je découvre une nouvelle réalité, éloignée de celle que je peux côtoyer en tant que simple touriste.

Avec mes nouveaux amis, plusieurs fois par semaine, nous faisons le tour des habitations pour soigner quelques angines, crampes d'estomac ou panaris. Ces expériences me permettent de découvrir ce qu'est le vrai Brésil rural : des routes dans un piteux état, des maisons à base de terre glaise rarement équipées en eau courante et en électricité ; des poules, canards, parfois même des cochons partageant les chambres à coucher des habitants ; des femmes analphabètes signant notre registre en laissant leur empreinte du pouce ; des adultes à qui nous devons apprendre qu'il faut se laver régulièrement les mains ou encore des grands-mères, crachant leurs poumons, tout en m'expliquant calmement qu'elles attendent patiemment la fin de leur vie.

Des conditions de vie difficiles, beaucoup de misère, et pourtant beaucoup d'espoir, aussi. La multiplicité des projets sociaux laisse présager des jours meilleurs. Malgré la misère, personne n'a faim dans cette région : la nature est prodigue, les pluies suffisantes et le programme Fome 0 (Faim 0) du gouvernement, dont l'objectif affiché est l'éradication de la faim au Brésil, permet aux plus pauvres de subvenir à leurs besoins de base.

Avoir un petit « chez-moi » au bout de huit mois de nomadisme me fait le plus grand bien. Il est appréciable pour un voyageur au long cours, sans cesse en démarches pour découvrir le monde, de faire une petite pause de temps en temps à la fois pour recharger les batteries et faire des rencontres moins éphémères que celles de la route. Je retrouve ici le plaisir de faire les courses pour plus d'une journée, de lier connaissance avec les voisins, de ne pas avoir à me présenter tous les jours et d'être même considéré, au fil des semaines, comme un habitant à part entière. Au marché du village, les gens me reconnaissent et partagent volontiers un brin de causette au milieu des cagettes de tomates.

Certains, comme Eduardo, l'épicier du coin, m'invitent parfois chez eux goûter un peu de leur *cachaça* faite maison, déguster quelques morceaux de viande grillée ou m'enseigner quelques pas de forró, la danse traditionnelle de l'intérieur du Brésil. La vie est simple par ici, bien loin du stress, de l'agitation et de la violence des grandes agglomérations. Malgré les conditions de vie difficiles, les gens semblent heureux. Source de vie, de lumière, de chaleur, ce soleil que j'aime tant semble ici contribuer à adoucir les tempéraments.

Une rencontre s'avère plus marquante que les autres : celle de la petite-fille d'Alphonse Pavie, âgée de 80 ans. L'histoire de son grand-père est incroyable et mérite d'être contée, d'autant plus qu'elle est absolument inconnue des Français, même dans le milieu médical. Ce médecin français, pionnier de la médecine moderne au Brésil, est né à Amiens, en 1868, de parents aristocrates. Amoureux d'une actrice de théâtre, il interrompt ses études en dernière année de médecine et, grâce au pactole hérité de son père, accompagne sa belle en tournée « aux Amériques ». À Rio, sa fortune s'épuise en même temps que son idylle.

Pour ne pas compromettre l'honneur de ses ancêtres, il change de nom. Se faisant désormais appeler Afonso Ulrik, il décide de ne plus jamais retourner en France. Quelques années plus tard, il s'installe à Itamarandiba. Ses relations en France et en Europe lui permettent de faire venir du matériel médical de pointe. Le village devient ainsi l'endroit le plus avancé du pays dans ce domaine. La qualité des installations s'est fortement dégradée depuis sa mort, en 1954, mais son souvenir est resté intact, ce qui facilite grandement mon intégration. Sa petite-fille ne parle quasiment pas français, mais elle est fière de montrer les photos de la « belle époque ». Une rencontre bien surprenante au fin fond du Brésil…

Malgré mon sédentarisme provisoire, mon envie de visiter reste la même. Chaque fin de semaine, accompagné de mes amis médecins, nous partons nous balader dans cet État grand comme la France. Un jour, notre escapade nous amène au cœur de l'un de ces trésors que recèle le Brésil : la petite ville de Diamantina, située à cinq heures au nord de Belo Horizonte. À l'image de Paratí, d'Ouro Preto ou d'Olinda, Diamantina m'emballe par son charme fou : architecture baroque portugaise formidablement préservée, petites rues pavées, maisons colorées… La ville donne l'impression d'être un musée à ciel ouvert. Son inscription à la liste du patrimoine mondiale de l'UNESCO n'est en rien usurpée. Près d'Ouro Preto, je découvre aussi la mine d'or de Passagem, la plus grande du monde accessible au public. Elle fut exploitée de 1819 à 1985 et a livré 35 tonnes du précieux métal où 1 600 personnes y travaillaient. En empruntant le wagonnet, autrefois utilisé par les mineurs, je descends 400 mètres plus bas vers des galeries de plusieurs kilomètres, soutenues par des piliers taillés dans la roche. Les Portugais, puis les Anglais, les Allemands, les Français et les Brésiliens l'ont exploitée, contribuant à faire d'Ouro Preto l'une des villes les plus riches et les plus belles du Nouveau Monde.

Après huit semaines de halte, le besoin de poursuivre ma route vers le sud se fait fortement ressentir. Je salue mes amis et reprends mes sacs. Prochaine destination : l'immense São Paulo. Le 3 septembre 2003, le rural cède la place au chaos. La plus grande ville d'Amérique du Sud est monstrueuse, dévorée par la gangrène du béton. Comme toutes les mégapoles de la planète, elle souffre d'un manque d'humanisme et d'une pollution pouvant rendre malade le plus sain des hommes. De toutes les régions brésiliennes, les paysans sans terre, les miséreux, ceux qui n'ont plus rien à perdre y convergent lentement, inlassablement, dans l'espoir de trouver du travail et de quoi survivre. Ils viennent ajouter un nouveau cercle d'enfer autour de cette ville tentaculaire de 19 millions d'âmes dont nombre d'entre elles sont sans abri.

J'ai plus de chance : mes hôtes, Roberto et Monica, habitent un splendide appartement près de l'*avenida* Angelica, l'un des quartiers les plus huppés de la ville. Draps fins de soie, vaisselle raffinée, quatre domestiques à leur disposition : rien ne manque pour satisfaire les exigences de ce jeune couple. Si l'oppression devient tout de suite plus supportable en leur compagnie, je ressens cependant une sensation bizarre, peu à l'aise devant tant de richesse côtoyant tant de pauvreté. Roberto et Monica sont « pleins aux as » grâce à leurs parents, riches industriels. Tellement riches que nous sommes sans cesse suivis par des gardes du corps toujours aux aguets, prêts à intervenir.

« Ma sœur a été séquestrée quand elle avait 12 ans, raconte Monica. Les ravisseurs ont exigé que mon père paie un million de dollars, ce qu'il a dû faire pour sauver sa fille. Cet épisode fut tragique pour notre famille. Nous avons très peur pour notre sécurité. C'est injuste, nous n'avons jamais fait de mal à quiconque ! »

Les paroles de Monica me font froid dans le dos et me donnent à penser qu'être riche au Brésil consiste à vivre dans une bulle « bunker », coupée de la réalité. Outre les gardes du corps collés à vos basques, cela impose un immeuble barricadé avec d'autres gardes, une voiture blindée et la peur au ventre à chaque fois que nous sortons boire un verre. Voilà à quoi mène une société où les écarts de richesses dépassent tout entendement ! Espérons que Lula permette enfin aux plus démunis de profiter des fruits de la croissance, sans quoi le Brésil sera toujours confronté aux problèmes d'insécurité.

Sortir d'une ville en stop n'est jamais facile. Sortir de São Paulo est un véritable calvaire. Pour m'en extirper, je dois traverser une inextricable jungle d'autoroutes puis une ceinture de misère d'une vingtaine de kilomètres. Dire que le stop est délicat dans ces conditions relève de l'euphémisme : à quel endroit se positionner ? Quelles sont les voitures qui sortent de la ville ? Je me souviendrai de ma sortie de São Paulo et de mes trois heures de marche, T-shirt sur le nez, noirci par la pollution aux côtés de diplodocus roulants m'envoyant à la figure tout le souffre de leur pot d'échappement, comme l'un des moments les plus pénibles de mon séjour brésilien.

Heureusement, la ville suivante me réconcilie avec la vie urbaine. Curitiba, capitale de l'État du Paraná, est « la » cité modèle de toute l'Amérique latine et des pays en voie de développement. Je la visite en détail, ravi de constater que l'être humain peut changer les choses s'il le souhaite. Bien inspirée, la municipalité a développé un impressionnant réseau de bus utilisé aujourd'hui par plus de trois citoyens sur quatre, soit

1,9 million d'usagers par jour. Des centaines de lignes desservent les quartiers les plus reculés de Curitiba, les stations sont adaptées aux handicapés et un bus passe en moyenne toutes les deux minutes. Les émissions de gaz à effet de serre ont été réduites de 35 % en quelques années.

Pour la gestion des déchets, la ville a également mis en place un programme ambitieux. Plus de 70 % de la population, bien sensibilisée, trie ses déchets, qui sont recyclés. Rares sont les villes de pays développés à atteindre de tels chiffres ! Pour les pauvres des *favelas*, il existe aussi un programme d'échange « déchets contre nourriture ». Et face aux pêcheurs qui se plaignent de voir les rivières de plus en plus sales, la ville leur propose tout simplement de racheter les déchets pris dans les filets ! Ces différents lieux ont ainsi été nettoyés à moindre coût et les revenus des pêcheurs ont triplé. Le programme de tri ne coûte pas plus cher que la gestion des décharges, mais la ville est plus propre. Il y a moins de chômage et les fermiers bénéficient gratuitement d'un engrais naturel, le compost. Curitiba est l'exemple même de l'excellence dans la planification urbaine. Il y aura pour moi, à jamais, un « avant » et un « après » Curitiba…

Après un bref intermède dans la ville de Ciudad del Este au Paraguay, plateforme latino-américaine de la contrebande, et une visite de l'imposante centrale hydroélectrique d'Itaipu, produisant 25 % de l'énergie électrique du Brésil et 90 % de celle du Paraguay, je fais étape, ce 22 septembre 2003, aux fabuleuses chutes d'Iguaçu, à la frontière entre l'Argentine, le Brésil et le Paraguay. Noyées dans un écrin de forêt tropicale inviolée, elles sont étourdissantes de beauté et de majesté, surpassant largement, par leur splendeur, les chutes du Niagara que j'avais visitées quelques années auparavant. Situées sur le Rio Paraná, elles sont visibles de 30 kilomètres, tant le nuage de vapeur et d'écume qu'elles provoquent est important. Quant au bruit, il est tout simplement assourdissant. Admirer ce paysage grandiose me renvoie à ma frêle condition d'être humain. Je décide de dormir là, au-dessus de cette marmite bouillonnante. Malgré un harcèlement d'insectes aussi effrayants que voraces, je passe une nuit absolument magique !

Réveillé vers 6 heures par la lumière du jour, je sors la tête de mon sac pour contempler sans doute l'aube la plus magnifique que j'ai jamais admirée. Iguaçu semble m'appartenir ! Ces chutes m'ont tellement marqué qu'aujourd'hui encore, lorsque je ressens un besoin de m'évader intellectuellement dans le métro parisien ou autre, il me suffit de fermer les yeux et de repenser à cet endroit magnifique. Ses gouttes d'eau n'en finiront jamais de me rafraîchir !

Un autre rafraîchissement viendra quelques jours plus tard, bien plus inattendu que celui-ci. Alors que je continue ma migration vers le sud, j'apprends par l'un de mes conducteurs qu'à Blumenau, petite ville de l'État de Santa Catarina, a lieu la deuxième plus grande fête de la bière au monde, après celle de Munich. La pause s'impose pour un Alsacien ! Ma surprise est grande d'y découvrir des Tyroliens, des maisons à colombages, des litres de bière coulant à flot et des germanophones tous les coins de rue. Un véritable concentré d'Allemagne en plein Brésil, qui me rapproche de l'Alsace le temps d'une journée !

Après cette piqûre de rappel, je reprends ma dégringolade vers Ushuaia. Depuis le début de ce tour du monde, j'ai pris pour habitude d'écrire un petit mot à ma mère avant de me lancer dans un grand trajet. Un moyen de la rassurer et de la tenir au courant des étapes à venir. C'est ainsi que ce matin, avant de partir vers l'Argentine, je trouve dans ma boîte de réception un courriel qui va venir changer la face, voire l'essence même de mon tour du monde. Alerté par un journaliste rencontré lors de mon séjour à São Paulo, Jô Soares, un producteur de TV Globo, première chaîne de télévision brésilienne, m'écrit :

« Bonjour Ludovic, [...] Nous avons trouvé votre parcours très original et sommes intéressés par les valeurs du stop que vous cherchez à véhiculer. Cela vous dirait de venir le présenter dans l'émission quotidienne de Jô Soares ? Nous vous donnerons 20 minutes et l'émission se fera intégralement en portugais. [...] L'émission sera retransmise à travers le Brésil. [...] Nous avons une moyenne de 5 millions de téléspectateurs chaque soir. »

Partage de mon tour du monde avec Jô Soares sur TV Globo.
[Brésil]

Je ne suis jamais passé à la télévision auparavant et faire mes premiers pas sur le petit écran devant 5 millions de téléspectateurs, de surcroît en portugais, une langue dont je ne parlais pas un mot cinq mois auparavant, ressemble à un défi de taille. Je relève le gant, l'opportunité de partager mon parcours est unique. La date du 13 octobre 2003 est arrêtée. Il me faut remonter à São Paulo où m'attend une nuit d'hôtel payée par la chaîne ; la première depuis le départ.

À 20 h 35 précises, j'entre sur le plateau comme dans l'arène avec une énorme boule dans le ventre. Je me demande si les téléspectateurs vont seulement comprendre ce que je vais leur raconter.

Bientôt pourtant, l'angoisse cède la place à l'humour. L'émission tout entière se déroule dans un fou rire permanent. Jô Soares, grand humoriste reconnu dans le pays, accumule les blagues sur l'autostop, activité se prêtant bien à toutes sortes de plaisanteries. Il éclate de rire lorsque je lui fais savoir que la voiture qui m'a amené jusqu'à São Paulo était un corbillard – vide. Encore davantage lorsque je lui parle de ma position de psychologue-médiateur avec le « couple fou » des Canaries. Mon défi l'impressionne. Le concept du bateau-stop l'intrigue. Le côté pédagogique de la démarche l'intéresse. Je ne comprends pas toutes ses histoires, mais parviens tout de même à faire à peu près bonne figure, habitué à rire aux blagues que je ne comprends pas dans les voitures. Chaque anecdote est commentée puis transformée, sous les rires du public qui ne se soucie plus, ni de mon accent prononcé, ni des signaux « RIRE » ou « APPLAUDIR » leur indiquant l'attitude à adopter. L'émission se termine sur une dernière plaisanterie. L'adrénaline peut redescendre. Première réussie.

Le lendemain, ma boîte de réception est pleine de messages enthousiastes : « Ton aventure m'a inspiré. Si toi, tu peux faire un tour du monde en stop, moi je dois être capable de mener mon projet à bien » ou encore « Bonne idée de voyager en stop, demain j'essaie. » Content de voir que je peux jouer le rôle de catalyseur, comme d'autres voyageurs l'ont fait avant moi, et d'aider à faire évoluer l'image de l'autostop, je décide de médiatiser mon aventure en contactant les journaux à chaque étape.

J'ai envie de montrer qu'il est possible de voyager, de découvrir le vaste monde, sans dépenser des fortunes, ni avoir un impact négatif sur l'environnement, tout en rencontrant de nombreuses personnes et sans pour autant se faire agresser. Je m'aperçois vite, aussi, qu'exhiber des articles de presse aide à trouver des véhicules, voire se sortir de situations délicates avec les autorités, policiers, douaniers, officiels d'immigration. Afin d'appuyer ma démarche, je réalise un dossier de presse reprenant les idées fortes de mon tour du monde.

Cette apparition à la télévision facilite grandement la suite de ma route. Les Brésiliens me reconnaissent et m'invitent spontanément dans leur voiture pour quelques kilomètres et un brin de causette. Quand je me retrouve au bord de la route, certains me klaxonnent en levant le pouce, signe du savoureux *tudo bem*, « tout va bien », et l'on m'aborde comme un vieil ami. Cette « notoriété » soudaine ne change rien à mon état d'esprit et ma position d'autostoppeur a vite fait de me remettre les pieds sur terre. Je ne suis rien sans la gentillesse et la bonne volonté de tous. Rien ! La réussite de mon projet passe avant tout par l'aide des automobilistes.

De coup de pouce en coup de pouce, je me rapproche de l'Argentine, pays que l'on me décrit ici comme un repère de gens arrogants et suffisants. « Tu verras, les Argentins se sentent supérieurs aux autres Latins », m'a-t-on souvent répété aux détours de discussions à São Paulo ou à Rio, preuve que la rivalité entre les deux peuples ne semble pas se cantonner à la lutte « Maradona-Pelé ». Certainement par volonté de casser immédiatement le stéréotype, qui a tout de même un peu de vrai cela dit, le premier couple d'Argentins que je rencontre revient de vacances à Florianópolis. Il se propose immédiatement de me déposer à Buenos Aires, à 1 700 kilomètres de là, me permettant ainsi de battre mon record de distance avec une seule voiture. Encore un record personnel qui ne sera plus jamais battu pendant ces cinq années.

Le poste-frontière argentin se présente après une anecdotique traversée de l'Uruguay. Je quitte la terre brésilienne avec un profond sentiment de *saudade*. Ce mot, intraduisible dans d'autres langues, mélange la nostalgie, la mélancolie et le rappel des bons souvenirs. Il est l'un des mots les plus usités au Brésil, l'un des plus beaux aussi.

La traversée du Brésil fut un grand bonheur. Cinq mois passés dans ce pays m'ont attaché à ce peuple festif et bon vivant. Je reviendrai, c'est sûr. Le pays me manque déjà…

Novembre 2003. En ce début d'été austral, l'ambiance en Argentine est à la gueule de bois. La grave crise économique de l'année dernière a laissé des traces. Des centaines de commerces en faillite dans la capitale, des milliers de sans-abri, des destins brisés. Le pays le plus riche d'Amérique latine (par personne) vient de se prendre un grand coup sur la tête. Quasiment chacune des personnes que je rencontre y va de son petit drame personnel. Alberto, par exemple, ami de mon hôte, me fait savoir qu'il a perdu les deux tiers de ses économies et se demande s'il arrivera à financer la fin de ses études. Son amie, Valeria, a vu son petit commerce complètement dévalisé lors des incidents et se trouve aujourd'hui en conflit avec son assurance qui ne peut plus la rembourser.

Malgré ce contexte, la capitale n'a cependant rien perdu de ses charmes et je visite cette Europe en miniature avec le plus grand intérêt. Buenos Aires est en effet un mélange de Paris et Madrid revisité par Milan, Berlin ou Londres. Le changement, par rapport au Brésil, est saisissant. Finies les images pleines de couleurs et de vie, la samba et la musique entraînante. Place aux peintures de gauchos, chapeau de cow-boy sur la tête, buvant leur verre de *maté*, le regard vide ; aux chants nostalgiques et mélancoliques rappelant l'époque dorée du début de siècle ; et au tango, dansé sensuellement, parfois à même la rue…

À la sortie de Buenos Aires, je rencontre « ma » première autostoppeuse, une Chilienne d'une quarantaine d'années, le regard fatigué, la démarche masculine. Elle fait le tour d'Amérique latine et insiste sur le fait qu'elle n'a jamais rencontré le moindre souci malgré les 20 000 kilomètres parcourus. Elle restera la seule «pouceuse» solitaire que j'ai croisée pendant tout le voyage. Nous partageons quelques histoires de pouce avant que nos chemins se séparent.

Le Rio Negro marque le début de la Patagonie. À peine le fleuve traversé, un panneau indique ma prochaine destination : Ushuaia, 3 040 kilomètres. Fort de mon expérience saharienne, je me lance sans crainte dans l'immensité. Au fil des kilomètres, le trafic se fait de moins en moins dense, jusqu'à devenir presque nul. À partir de Bahia Blanca, seuls deux à trois véhicules passent toutes les heures. Malgré ce faible trafic, je parviens à me «débarrasser» de grandes portions de cartes routières et je parcours, selon les cas, entre 200 et 1 000 kilomètres par jour.

La traversée de la Patagonie s'effectue dans un silence étourdissant et me permet de renouer avec l'une des choses que j'aime le plus dans ce voyage : la liberté, les grands espaces, la nature immense et inviolée. Grisé par des expériences toujours positives, j'éprouve un sentiment d'invincibilité et n'hésite plus à demander à mes conducteurs de me déposer dans les endroits les plus reculés. Je visite ainsi des puits de pétrole, comparables à ceux du Texas, pompant inlassablement, nuit et jour le précieux liquide enfoui profondément sous terre. Je me rends aussi dans l'une de ces *estancias* gigantesques cultivant des milliers d'hectares, notamment de soja, et élevant d'immenses troupeaux de bovidés pour produire du lait et l'une des meilleures viandes du monde.

Je rencontre aussi des gauchos suivis par des milliers de moutons. Je reste quelques heures avec ces cow-boys des temps modernes, afin de partager un bout de vie. L'un d'entre eux me fait monter en croupe. Il m'enseigne le maniement du lasso et les cris étranges que comprennent les moutons. Je m'improvise ainsi berger et rattrape quelques irréductibles cherchant, comme moi, à aller voir ce qui se passe ailleurs. Quelle chance de ne pas avoir de berger venant sans cesse me rappeler à l'ordre pour rester dans le groupe !

Malgré le froid de plus en plus mordant, je continue de dormir dans les endroits que m'octroie le destin. Chaque soir, un lit différent. En général, j'essaie de ne pas rester plus de trois nuits consécutives à l'extérieur, sinon, je suis trop fatigué pour être agréable et trop sale pour être pris en stop. Un soir, un gérant de station m'oblige à passer la nuit dehors. J'allonge ma serviette sous les étoiles et m'endors quand, soudain, je suis réveillé par un animal me passant dessus en courant : un énorme rat ! Trois nuits plus tard, un chien viendra me renifler. Mon réveil l'effrayera autant que moi ! Mais tout cela ne m'empêche pas de dormir. Ce qui me tient éveillé, en revanche, c'est la peur d'une agression. On s'habitue à l'inconfort, jamais à l'insécurité.

À mesure qu'approche la Terre de Feu, les pistes du Grand Sud me font découvrir des paysages semi-désertiques de plus en plus grandioses. Éparpillés dans un univers de rocaille, de sable et de végétation rase, de nombreux points d'eau constituent l'habitat naturel des flamants roses et des oies sauvages qui peuplent par milliers la Patagonie. Avec les montagnes enneigées en toile de fond, le décor est somptueux. Impressionnants aussi sont les vents patagons qui m'obligent à lutter pour ne pas tomber en arrière ou sur le côté. Mes sacs, posés à côté de moi, menacent souvent de s'envoler ; il m'arrive de leur courir après dans la steppe environnante. Lors de mes attentes au bord des routes, je protège mon visage du sable derrière mon écharpe et mes mains s'engouffrent dans les gants du pauvre que sont les manches de mon pull-over.

Après avoir parcouru l'équivalent de trois fois la France et effectué un crochet par le magnifique glacier du Perito Moreno, à El Calafate, je parviens au bord du mythique détroit de Magellan. Presque le bout de la route ! Un ferry antédiluvien ouvre sa mâchoire arrière pour avaler les camions, dont celui dans lequel j'ai pris place. Durant les quelque 30 minutes de traversée, je songe à tous ces vaillants navigateurs de l'histoire du Nouveau Monde qui sont passés par ici : le Portugais Fernand de Magellan, la flotte hollandaise de Schouten et Le Maire…

Le Perito Moreno, l'un des rares glaciers au monde à toujours avancer…
[Argentine]

Enfin, la mythique Terre de Feu ! Je la traverse du nord au sud à bord d'un camion Philips, l'une des multinationales ayant répondu à l'appel du gouvernement argentin soucieux de peupler le Grand Sud. Je connaissais la *Tierra del Fuego* pour son histoire, sa situation géographique et ses paysages, je la découvre paradis fiscal. À ma grande surprise, la petite ville de Rio Grande, au nord d'Ushuaia, est aujourd'hui un centre de production de matériel électronique très réputé.

À la sortie de la ville, je ressors mon pouce à la recherche d'un dernier véhicule avant la fin du monde. Deux, trois, quatre. Les heures défilent sans qu'aucune voiture ne passe. La Terre de Feu semble vouloir me faire passer un nouvel examen de persévérance, comme si elle tenait à s'assurer que je suis assez solide pour aller jusqu'au bout. Finalement, après cinq heures d'attente, Roberto, un jeune cuistot argentin ayant fui la capitale pour trouver du travail dans le sud du pays, s'arrête à mon niveau et accepte de m'embarquer à ses côtés. Une heure plus tard, à la sortie d'un virage, la baie d'Ushuaia s'ouvre enfin. Et Roberto de claironner :

« Ça y est, mon grand, tu peux descendre. Bienvenue au bout du monde ! »

Ushuaia, fin d'un monde...
[Argentine]

Ces quelques mots me donnent la chair de poule. Joie intense. Me voilà enfin dans la ville la plus australe du globe. Pour de nombreux voyageurs, cette ville est une terre mythique à laquelle sont associées images et sensations extrêmes. Fruit de mon imagination, de purs fantasmes, j'avais idéalisé cette destination, je l'avais parée de toutes les merveilles, l'assimilant à un lieu de rêve.

En réalité, je ressens une petite déception au moment de la découvrir. Si les alentours sont effectivement magnifiques avec 300° de montagnes enneigées et les 60 restants pour la mer la plus au sud du monde, la ville en elle-même n'a rien de fracassant avec ses quelques baraquements en bois rudimentaires sans grand charme. De plus, s'il s'agit bien d'un bout du monde, force est de constater qu'il a été revu et corrigé par le tourisme de masse.

J'ignore quel dépaysement peut ressentir un touriste européen, fraîchement débarqué de l'avion après une courte escale à Buenos Aires, lorsqu'il déambule dans la rue San Martin, découvrant les restaurants et les boutiques qui jalonnent la rue principale. Magasins de souvenirs, de luxe, de mode en rien pittoresques ; présence incongrue qui jure avec l'image « d'extrême » qu'évoque cette ville dont l'émission de Nicolas Hulot a emprunté le nom.

Pour des sensations plus originelles, il faut se rendre plus bas, au parc national de Tierra del Fuego, terminus de la route panaméricaine.Plutôt que m'y rendre en stop, j'opte pour quelques heures de marche dans un décor magnifique de montagnes enneigées et de nature inviolée.

À la borne affichant le kilomètre 17 848 de la route n° 3 – la distance à vol d'oiseau de l'Alaska – j'atteins le point le plus septentrional du globe praticable en véhicule. Intense moment de bonheur que je partage avec un voyageur hollandais et que j'immortalise par une belle photo. Pour prolonger ce moment symbolique, je décide de marcher encore plus loin, jusqu'au canal de Beagle, ultime refuge des grands navigateurs avant les cinquantièmes hurlants.

Là, isolé du monde, surplombant la mer, je ne peux m'empêcher de voler encore plus loin... Bien plus loin... Jusqu'en Antarctique, le véritable « bout du monde ». Instantanément surgissent en moi des images d'iceberg, de manchots, de baleines... L'invraisemblable destination m'attire, autant que le défi de faire du brise-glace-stop. C'est décidé, j'irai jusqu'en Antarctique !

« L'impossible n'existe pas, il n'y a que des obstacles à franchir », ai-je l'habitude de répéter. Le moment est venu de vérifier une nouvelle fois cette affirmation. De retour à Ushuaia, après 18 refus, je trouve enfin un emploi de serveur / coupeur de pain / laveur de vaisselle dans un restaurant de fruits de mer. Je sais pertinemment que dénicher le précieux sésame prendra plusieurs semaines. On m'emploie donc trois heures le midi, cinq heures le soir. Le reste m'appartient pour trouver un navire. J'élimine ainsi toute pression financière ; cela prendra le temps qu'il faudra.

Je me pose puis réfléchis à toutes les options possibles. Le port du bout du monde accueille chaque semaine cinq à six gros bateaux en partance pour les mers australes. Certains embarquent des touristes payant le prix fort, d'autres embarquent simplement des scientifiques ou des pêcheurs de morue. La marina, elle, compte bien une vingtaine de voiliers prêts à hisser les voiles pour l'Antarctique, mais ils ne partiront qu'au mois de janvier. Un ami devant me rejoindre au Pérou mi-janvier, je ne peux me permettre d'attendre si longtemps. Je concentre donc mes recherches sur les brise-glace.

Je propose aux capitaines et armateurs une main-d'œuvre gratuite en tant qu'aide-cuisinier, la réalisation d'un film sur le séjour à bord ainsi que l'élaboration d'une étude de satisfaction auprès des passagers. Rapidement, des opportunités se présentent à moi. Le capitaine d'un bateau de pêche me propose de l'accompagner pendant trois mois dans les mers australes pour traquer la morue. Un autre m'invite à participer à une expédition dans les îles Malouines et à faire de la plongée pour étudier des épaves. Un autre de traverser les canaux de Patagonie jusqu'à Santiago du Chili. De bien belles occasions, certainement très intéressantes, mais lorsque j'ai un objectif en tête, je n'ai pas pour habitude de changer de cap. Je vise le continent blanc et rien d'autre.

Six semaines durant, j'alterne donc entre mon travail au restaurant et la recherche d'une embarcation. À l'image de ma recherche de cargo en Afrique, les capitaines n'ont aucun pouvoir de décision et il me faut contacter les armateurs basés en Europe, en Russie ou aux États-Unis, par courriel ou téléphone. Chaque jour, des dizaines de réponses négatives tombent dans ma boîte de réception et confirment ce que de nombreuses personnes me disent sur place : « Il est impossible d'embarquer sur un brise-glace gratuitement et sans autorisation spéciale. » Je ne me décourage pas. Je le sais, la persévérance finit toujours par payer.

Employé dans un restaurant pendant ma recherche.
[Argentine]

Le brise-glace qui m'acceptera à bord
après six semaines de recherches.

Effectivement, ma récompense arrive le 12 décembre au matin : un armateur argentin me propose de travailler sept heures par jour en tant qu'aide-cuisinier en échange d'un trajet en Antarctique. « La possibilité de descendre à terre sera discutée sur le bateau », m'affirme-t-il. La proposition me convient. Je troque donc mon tablier de serveur pour enfiler celui d'aide-cuisinier, de laveur de vaisselle, de peleur de patates, de coupeur de tomates et d'homme à tout faire. Je réaliserai aussi une étude de satisfaction auprès des touristes à bord et un film de l'expédition.

Le soleil brille et la vie est formidable !

Chapitre 6

UN AUTOSTOPPEUR EN ANTARCTIQUE

« Sois le changement que tu veux voir dans le monde. »

— Gandhi

Ushuaia, 11 décembre 2003. Le jour se lève sur le bout du monde. L'Ushuaia, brise-glace de 88 mètres sous pavillon argentin, embarque 70 touristes – ayant déboursé de 3 000 à 20 000 dollars –, 15 membres d'équipage, 4 scientifiques et un « brise-glace-stoppeur » qui se réjouit de s'être fait une place à bord gratuitement.

« Salut Ludovic, je m'appelle Miguel, je crois que nous allons partager la même cabine. »

Miguel est scientifique. Casquette des Chicago White Sox sur le crâne, T-shirt yankee sur les épaules, claquettes aux pieds, rien ne le distingue d'un gringo si ce n'est sa nationalité argentine ! Les pôles sont sa passion depuis le plus jeune âge. À 14 ans déjà, il se nourrissait des exploits des grands explorateurs : Sir Ernest Shackleton, Byrd, Amundsen... Aujourd'hui, son rêve est devenu réalité : respecté par ses pairs, il compte une centaine de voyages cumulés entre l'Arctique et l'Antarctique et une longue liste de publications dans des revues spécialisées.

Les présentations à peine terminées, l'Ushuaia se met sérieusement à tanguer. Puerto Williams – la véritable ville la plus au sud du monde – et le canal de Beagle s'effacent devant le fameux passage du Drake, endroit redouté des marins du monde entier. Dans cet entonnoir Amérique-Antarctique où se rejoignent les océans Atlantique et Pacifique, s'affrontent masses d'eau et masses d'air ennemies. Les unes viennent du chaud, des tropiques. Les autres du pôle, l'empire du froid. Résultat : les vents peuvent atteindre des vitesses hallucinantes et les vagues une dizaine de mètres. Miguel me demande de le suivre à l'étrave.

« Tu vois là-bas ? C'est le cap Horn ! »

Ces deux mots me font frissonner. Me reviennent instantanément en tête les récits des innombrables naufrages et drames de cette région. Le Drake, désireux de confirmer sa réputation, nous offre un spectacle de déchaînement apocalyptique. Dans un tel contexte, laver la vaisselle et peler les légumes s'avère particulièrement difficile. La course à la patate devient pour moi une véritable épreuve sportive alors que le cuisinier et deux autres assistants, habitués au tangage et au roulis, préparent les repas en toute quiétude, reprenant des chants argentins, compensant instinctivement les mouvements du bateau avec leurs jambes. « Ambiance Titanic » avant le plongeon final dans les eaux glacées de l'Antarctique.

À mes moments perdus, j'observe les touristes. Tous ont la soixantaine bien tassée. Je ne soupçonnais pas l'existence d'un tourisme austral. **Après tout, c'est une chance pour l'Antarctique : l'émerveillement est le premier pas vers le respect. Plus les gens connaîtront ce continent, plus il aura de défenseurs.**

Les voyageurs attendent leur premier iceberg avec l'impatience d'un comédien entrant en scène ; beaucoup d'espoir, et, plus encore, du trac. Dans la cuisine, je guette l'horizon par un petit hublot lorsque soudain, mon œil accroche une protubérance qui, de loin, paraît sombre. Je cale mes plats puis me joins aux exclamations des touristes. Voilà les premières glaces ! Difficile de se faire une idée de leur taille : 200, 300 mètres de haut ?

Je reste quelques secondes aussi émerveillé qu'incrédule devant ces énormes masses de glace, avant-garde de la banquise dont l'érosion maritime aura raison avec le temps. Pour l'instant, ce sont encore de gros tabulaires d'un blanc éclatant, aux arêtes franches comme taillées par la hache d'un géant. Seules les fines stries plus ou moins bleutées témoignent des milliers d'années qui ont façonné leur existence.

J'en suis toujours à m'émerveiller quand le chef m'arrête :

« Ludovic, j'ai un problème. Notre conférencier a eu un empêchement et n'a pu embarquer. Pourrais-tu faire une présentation sur les manchots aux touristes ?

— Mais je n'y connais rien aux manchots…

— Tu peux apprendre avec les livres… »

Je crois d'abord à une plaisanterie, mais l'homme semble sérieux. Je m'y colle donc… et ça se passe bien. Je suis récompensé par un traitement de faveur. Je serai « touriste » de 8 heures à 16 heures tous les jours, et pourrai ainsi découvrir différents endroits du paradis blanc, et j'enfilerai mon « blanc de travail » de 17 heures à 1 heure du matin.

En ce 13 décembre 2003, les dieux du vent et de la glace nous laissent arriver jusqu'à la péninsule antarctique. J'ai tant rêvé de cet endroit sans espérer, ni imaginer, pouvoir l'atteindre un jour… Il incarne pour moi la pureté la plus extrême, le dernier paradis sur terre. Un endroit à la fois mythique pour ses immensités et ses extrêmes mais aussi une sorte de symbole car l'un des rares endroits sur terre où la communauté des hommes s'est véritablement montrée à son avantage. Le 1er décembre 1959, l'Antarctique est devenue une étendue sans frontières, une immense propriété inaliénable de l'humanité, consacrée à la science et à la paix… Puisse la terre tout entière suivre le même chemin!

Les mesures d'hygiène et de protection sont drastiques: désinfection des chaussures, interdiction de fumer, obligation de rapporter les déchets à bord. Si possible, rebouchage des trous creusés par nos pas, afin d'éviter de perturber les manchots…

«À partir de maintenant, ce n'est plus la police qui fait la loi mais les amoureux de l'Antarctique, c'est-à-dire nous et, je l'espère, vous. Soyez gentil d'épargner le seul continent au monde non pollué.»

Les paroles du chef d'expédition sont claires.

Nul port en Antarctique, aucun quai où amarrer le brise-glace. Nous rejoindrons donc la terre en Zodiac quand le temps sera clément. Pas question de jouer aux kamikazes. Si quelqu'un tombait à l'eau, il ne survivrait pas plus d'une à deux minutes. L'équipage reste aux aguets, on ne transige pas avec les conditions de sécurité, personne ne tient à appeler les secours.

L'Antarctique est le plus grand désert du monde, le plus froid aussi. En 1983, la température est descendue à –89,2° dans la station de Vostok… record mondial absolu. Aujourd'hui, la température se montre plus clémente, il fait «seulement» –10°! L'équipage m'a prêté une combinaison mais sur le Zodiac, les poussières de gouttelettes de vagues qui affluent provoquent en moi un violent mal de crâne. Le même qui vrille les tempes lorsque, enfant, on croque trop vite dans une glace. J'imagine à quoi pourrait ressembler une trempette dans les eaux glacées.

Nous débarquons le cœur battant, impatients d'apercevoir les premiers manchots, impatients aussi de pénétrer cet espace unique de notre monde. Quand l'homme reste discret, la nature est souvent grandiose! Dans son immense générosité, elle nous offre ici l'un des plus beaux panoramas de la planète.

La première colonie de manchots Adélie ne tarde pas à montrer le bout de son bec. Ces ravissantes petites créatures viennent ici pondre et couver. La plupart me croisent tranquillement, on dirait même qu'ils me saluent. Évoluant librement au milieu d'eux, j'observe avec discrétion leurs déplacements, les parties de pêche et les joutes aquatiques auxquelles ils se livrent, et surtout les marques de tendresse que se témoignent les couples. Interdiction de toucher, sous peine de se faire attaquer.

Je découvre aussi les manchots Macaroni et Chinstrap – à jugulaire –, avec leurs yeux pleins d'innocence et cette sorte de sourire qu'ils affichent, dignes d'un dessin animé. Je resterais des heures à les observer… Le lendemain, je décide de m'isoler du groupe pour partir seul vers l'inconnu comme je l'avais fait dans le Sahara. Marcher où, peut-être, personne n'a jamais marché. L'endroit est magnifique : de hautes montagnes abruptes couvertes d'une épaisse couche de neige plongent dans une mer exceptionnellement calme. L'effet de miroir est saisissant. Tout respire l'œuvre du divin, inchangé depuis son origine.

Me fondant dans cet univers de perfection, loin de la moindre trace de civilisation, loin de toute violence, loin du bruit, loin des routes chaotiques d'Amérique latine, je m'installe sur un dôme de neige et m'abandonne à une douce méditation. Mon émerveillement est à la hauteur de la magie des lieux et je ressens un véritable sentiment de plénitude. Soudain, à quelques mètres seulement, apparaissent deux baleines à bosse. Elles soufflent, se retournent, plongent lentement puis m'éclaboussent, semblant elles aussi vouloir jouer avec moi.

Le photographe que je suis se régale devant leur queue en éventail qu'elles offrent gracieusement à mon objectif, l'espace de deux longues secondes. Moment exceptionnel de complicité avec la nature. La réalité dépasse le rêve ! Chaque année, ces baleines accomplissent un voyage de 5 000 kilomètres qui les mène jusqu'aux eaux chaudes des îles Tonga, où elles s'accouplent et mettent au monde leurs petits avant de revenir se nourrir en Antarctique.

En Antarctique,
début d'un nouveau monde...

Je ne veux pas perdre une seule parcelle de ce séjour chaque jour plus intéressant et impressionnant. Mes nuits sont courtes. Je profite de chaque instant pour apprécier le paysage ou discuter avec Miguel avec qui naît une grande amitié. Il joue le rôle de professeur et prend le temps de partager son savoir, comme par exemple comment l'histoire du monde se lit dans la glace. Chaque année, la neige tombe, la couche s'épaissit puis, peu à peu, se transforme en glace. Mais, en son cœur, un peu d'air reste captif. Ainsi, le temps s'inscrit pour toujours dans une couche identifiable, trahissant quelques-uns des secrets de la terre : les poussières de l'éruption volcanique du Krakatoa, les traces de DDT utilisé massivement après la Seconde Guerre mondiale, les éléments radioactifs du drame d'Hiroshima... La nature garde en elle la trace de toute activité humaine...

Le réchauffement climatique revient souvent dans nos discussions. S'il soutient la thèse de l'implication de l'homme dans ces changements, Miguel estime que cette crise écologique doit nous donner l'opportunité de vivre ce que peu de générations ont eu le privilège d'expérimenter au cours de l'histoire : « Une mission pour toute une génération, la joie de poursuivre un but moral, de partager une cause unificatrice, le frisson causé par l'obligation de mettre de côté nos mesquineries et nos conflits qui, trop souvent, étouffent le besoin humain irrépressible de se transcender. »

Miguel me met face à mes responsabilités. Selon lui, les globe-trotters de mon espèce ne peuvent se satisfaire d'observer ou même de chercher à comprendre. Ils doivent jouer le rôle d'agitateurs de conscience.

« C'est la survie de l'espèce humaine qui est en jeu, Ludovic. Ne rien faire, c'est prendre le risque d'être accusés plus tard de non-assistance à la planète en danger. Par son niveau de consommation, par sa puissance, par son histoire, l'Occident a le devoir de donner l'exemple à suivre, de jouer le rôle de moteur. [...] Notre génération et la vôtre doivent changer le monde à tout jamais. Ce qui nous distingue de la génération précédente, c'est la connaissance des faits et de leurs conséquences. Nous ne pouvons plus jouer les innocents maintenant que nous savons. Notre civilisation est capable de s'autodétruire [...] Si nous ne prenons pas nos dispositions dès maintenant, nous risquons de passer le point de non-retour d'ici une dizaine d'années. La complexité de cette crise rend caduque toute tentative de résolution venue exclusivement d'en haut. Chacun d'entre nous doit jouer un rôle... »

Chaque scientifique y va de sa propre expérience. Matías raconte que lors de ses premières expéditions sur la banquise en 1990, un petit avion pouvait atterrir sans problème. Aujourd'hui, quand un hélicoptère décide de s'y poser, les pilotes exigent de connaître l'épaisseur exacte de la glace. Ils ont trop peur de s'abîmer. Diego, lui, me montre sur une carte jusqu'où s'étiraient les glaces en hiver lors de son premier séjour, il y a 25 ans. Il compare avec aujourd'hui : terrifiant ! Et tous les indicateurs virent au rouge plus vite que prévu.

En les écoutant, je repense à toutes ces images de mutilations imposées à la nature, auxquelles j'ai assisté ces derniers mois : déforestation massive au Brésil, blanchiment du corail sur l'île de Fernando de Noronha, rivières polluées en Afrique… et j'en passe. La destruction de la nature dont ils parlent s'associe à présent à des images concrètes dans mon esprit. Face à de tels phénomènes, ma conscience écologique ne fait que se raffermir…

Une dizaine d'années. Voilà l'échéance semble-t-il, si l'homme ne renonce pas à son appétit de consommation, s'il ne se remet pas dans l'ordre de la nature. J'ai envie de croire que ce défi est à la mesure de notre intelligence.

Le 18 décembre 2003, j'atteins la latitude la plus au sud de ce tour du monde… Et de ma vie : 62° 14' 16" S. La remontée peut commencer. Le 21 décembre, notre brise-glace fait halte à la station Jubany, « village » multicolore, jaune, orange vif et noir, peuplé d'une cinquantaine d'âmes. Principalement des scientifiques étudiant l'air, les animaux ou les algues, mais aussi un médecin, visiblement ravi d'avoir de la visite.

« Les bactéries sont rares par ici, donc les malades aussi. Je m'ennuie », explique-t-il.

En Antarctique, le nombre de scientifiques atteint 8 500 l'été et descend à 1 500 l'hiver. Inutile de préciser qu'il s'agit du continent le moins peuplé au monde ! Vivre si loin de tout dans des conditions météorologiques extrêmes m'impressionne. Ici, par exemple, les frigidaires sont utilisés pour que les aliments… ne gèlent pas ! On mange deux fois plus afin d'avoir assez de calories pour affronter l'hiver et des températures descendant fréquemment en dessous de –70°.

« Le plus dur à supporter, l'hiver, ce n'est ni le froid, ni la solitude, mais l'obscurité, ajoute le toubib. Quasiment quatre mois sans voir la lumière du jour ! Rares sont les scientifiques qui restent plus d'un an en Antarctique. Plus, on risque de devenir fou. À l'inverse, l'été, on ne se lasse pas du jour permanent et de ce ciel d'une pureté liquide. »

Je profite de la connexion satellite, utilisée par les scientifiques de la station – qui *chattent* avec leurs petites amies via Messenger ! – pour envoyer un petit courriel aux enfants de Strasbourg. Roxanne m'expédie ses dessins de manchots. Georges demande la différence entre un manchot et un pingouin ; Sophie si j'ai vu un orque croquer un phoque. Marie-Claire, 6 ans, si j'ai vu la neige…

Phoque de l'Antarctique.

En revenant sur le brise-glace, je découvre avec stupeur que le bracelet des enfants n'est plus à mon poignet. A-t-il gelé puis cassé ? Est-il tombé entre les glaçons ? A-t-il été attrapé par un manchot ? Je n'en ai aucune idée. Une chose est sûre : il n'est plus là et c'est en Antarctique qu'il restera. Sans doute n'aurais-je pu inventer une meilleure destinée pour lui. J'annonce aux enfants qu'il a décidé de rester avec les manchots et qu'ils s'entendront certainement très bien... La réaction est unanime : son destin était là-bas.

Ce séjour dans la station de Jubany marque la fin de ma parenthèse antarctique, pause revigorante de 15 jours que j'aurais volontiers prolongée. Une nouvelle séquence de secousses à travers le Drake m'attend à présent. Je repars du continent blanc sans avoir planté le moindre drapeau mais une chose est sûre : je viens d'attraper la maladie de l'Antarctique.

Mon envie d'en savoir davantage me démange. Pendant plusieurs semaines, je vais me laisser emporter par la magie blanche. La dette émotionnelle restera intacte toute la durée de mon tour du monde. Les recommandations de Miguel aussi. Lui passera une année dans la station argentine Jubany pour approfondir ses recherches sur une algue marine ne vivant que dans les régions polaires. Je lui promets que je témoignerai de ce que j'ai vu ici. J'en repars en état de grâce, en parfaite symbiose avec la nature qui m'entoure...

Chapitre 7

REMONTÉE CÔTE PACIFIQUE

Chili – Pérou – Équateur – Colombie

« Pas de corruption, pas de malbouffe, pas de pollution, pas de sans-abri, pas de bombes, pas de prison, pas de misère, pas de dette... et on prétend qu'ils sont primitifs. »

Slogan de l'ONG Survival,
aidant les peuples racines à maintenir leur culture.

Je retrouve la Panaméricaine avec une « pêche » d'enfer et une fraîcheur extraordinaire. Cette sensation de se dire qu'à force de persévérance, tout devient possible, est formidable ; elle me confère une grande force, de la sérénité et un grand bonheur. Surtout, ne jamais abandonner.

La mythique Panaméricaine va devenir la colonne vertébrale de mon périple pendant plus d'une année. Prochain objectif : les États-Unis, dont la frontière est à 13 000 kilomètres au nord. La tête pleine d'images d'icebergs, je retrouve les routes rocailleuses et un trafic quasiment inexistant. Lorsque j'aperçois un point noir au loin, je me place en travers de la route et force presque le conducteur à s'arrêter.

La Patagonie semble être l'endroit le plus paisible au monde. Pourtant, au beau milieu de la route entre Ushuaia et Bariloche, une mésaventure me sort de la routine. Il est 18 heures lorsqu'un fermier me dépose dans un hameau comptant deux maisonnettes… Et rien d'autre à 200 kilomètres à la ronde. Un grand calme règne sur cette route absolument déserte.

Assis sur mon sac, je patiente en lisant un livre jusqu'à ce que le froid s'installe avec la nuit. Une lumière s'allume à l'intérieur de l'une des maisons. Curieux de savoir qui peut bien habiter dans un endroit aussi perdu, et espérant trouver un abri pour la nuit, j'appelle le propriétaire. Mes cris restent longtemps sans réponse mais finalement, un chien sort en aboyant, suivi d'un vieil homme moustachu armé d'une carabine. La pointant dans ma direction, il menace :

« *Que quieres ? Que pasa ?*[6] »

Machinalement, je lève les bras. Tout en maintenant l'arme dans ma direction, le vieil homme, chapeau sur la tête, s'avance lentement, sans me quitter des yeux. Je lui explique mon parcours et insiste sur

« *Francés* », comme si ce simple mot signifiait clairement que je ne suis pas dangereux. Le silence pèse des tonnes au beau milieu de la Patagonie. Autour de nous, seuls quelques *guanacos*[7] semblant ne se soucier de rien. Je lis dans son regard que l'homme n'a pas bu que de l'eau. Le voyant trembler, j'ai peur d'entendre, d'une fraction de seconde à l'autre, l'explosion du terrible coup de feu, bruit de ma propre mort. Mais il ne tire pas. Il hésite et se rapproche encore… Soudain, comme s'il venait enfin de comprendre que je ne suis pas un agresseur, il baisse son arme, m'ouvre le portail et me fait signe de le suivre à l'intérieur de sa modeste habitation. Mon rythme cardiaque baisse brutalement de moitié tandis que mes poumons expirent tout l'air contenu en un gros « ouf » de soulagement.

6. « Que veux-tu, qu'est-ce qui se passe? »
7. Espèce sauvage de camélidé d'Amérique du Sud.

« Désolé si je t'ai fait peur, me confie-t-il en m'ouvrant la porte d'entrée. Les visiteurs sont rares par ici et je ne savais pas ce que tu voulais. »

De vieux meubles garnissent une salle aux murs défraîchis. La pièce est livrée aux toiles d'araignées et à l'humidité. Des trophées de bêtes sont accrochés au mur comme des tableaux d'art : têtes de guanacos, un renard, des rongeurs. L'homme me fait signe de m'asseoir et honore ma présence sous son toit en décapsulant une canette de bière argentine. Il m'explique qu'il vit seul. Depuis le décès de sa femme, il y a quelques années, il a décidé de s'éloigner de la société et de vivre loin de tout.

« Les villes deviennent trop dangereuses », assure-t-il.

Nous discutons de chasse, un sujet qui ne m'intéresse guère, mais je prête une oreille attentive à mon hôte qui ne semble vivre que pour cela. Progressivement, au fil des bières qu'il engloutit, ses histoires tournent en de pathétiques racontars d'ivrogne. Physiquement et nerveusement fatigué, je m'installe sur un sommier sans matelas et passe une nuit somme toute agréable.

Je repars le lendemain dans la direction de Bariloche. Les paysages sont absolument magnifiques dans cette région : des sommets des Andes de plus de 6 000 mètres côtoient des lacs couleur émeraude. Qu'il est bon de vivre au rythme de la nature ! Plus je découvre les merveilles de la planète, plus je me rends compte à quel point j'en étais coupé dans mon monde essentiellement urbain. Au fil des kilomètres, j'apprends à construire un nouveau rapport avec la nature. Je la regarde différemment et donne de l'importance aux petits détails que je ne prenais pas forcément le temps d'apprécier auparavant : un coucher de soleil, le vol gracieux d'un oiseau, une fleur brusquement épanouie au bord de la route, la caresse du vent sur un champ de blé, le mouvement des insectes... Tant de choses banales mais ô combien intenses si l'on y accorde un peu d'attention. Antoine de Saint-Exupéry les nommait fort justement « trésors invisibles ».

Je demande de plus en plus souvent aux conducteurs de me déposer au milieu de nulle part pour marcher et m'imprégner des endroits que je traverse. Au bord de l'eau, j'en profite parfois pour m'offrir un plongeon bénéfique et revigorant. Je prends aussi l'habitude de profiter des points d'eau pour faire un brin de toilette et parfois, laver mon linge.

Si j'ai décidé de partir seul, c'est en partie pour pouvoir bénéficier de cette liberté : faire ce que je veux, quand je veux. Cela ne m'empêche pas d'entrer en relation avec « l'autre » aussi souvent que possible, bien sûr. Lorsque je rencontre des caravaniers en campement ou des gens coupant du bois, je vais spontanément leur dire bonjour et partager une tranche de vie.

À San Martín de los Andes, par exemple, dans un panorama hallucinant, je fais la connaissance de Robert et Laurence, un couple de Français profitant de la vie en sillonnant le continent américain à bord de leur autocaravane. Confortablement installés au bord de l'eau et sirotant un pastis, ils m'expliquent avec conviction les avantages de voyager de cette façon : confort, sécurité, flexibilité... À chacun sa vision du meilleur moyen de transport !

L'Amérique latine est aujourd'hui très touristique. Rares sont les jours où je ne rencontre pas un routard ou un bus de touristes. Quel que soit le moyen de transport utilisé, la passion de la découverte est la même et j'apprécie toujours l'échange de « bons tuyaux » et d'expériences de la route. Certains voyageurs m'impressionnent cependant plus que d'autres. Parmi ceux que j'admire le plus figurent les voyageurs « nouvelle génération », ces jeunes, souvent diplômés et polyglottes, partis eux aussi découvrir le monde, mais en s'investissant d'une réelle mission, s'engageant pour la planète et souhaitant faire de leur voyage – et de leur vie

– une aventure utile. Certains choisissent l'humanitaire, d'autres l'environnement.

Parmi ceux-là, je passe un long moment avec Christian et Solène, un couple français faisant un tour du monde du développement durable avec leur bicyclette. Ils recensent les actions environnementales les plus originales afin d'en publier la liste et la description dans un livre «pour donner des idées aux autres». Deux ans de leur vie pour «apporter leur grain de sel à la construction d'un monde meilleur», disent-ils. Un peu plus loin, je rencontre un jeune Américain, parfait représentant du mouvement «volontourisme», qui consacre deux ans de sa vie à donner gratuitement des cours d'informatique dans un orphelinat de Quito. Il aide les jeunes Équatoriens la semaine et visite le pays le week-end. Au cours de mon séjour latino-américain, je rencontrerai une vingtaine de personnes participant ou cherchant à développer un tourisme plus équitable, solidaire et responsable. Dommage que ce type de tourisme ne soit encore cantonné qu'à une petite poignée de convaincus!

«Agir pour donner du sens à sa vie»: Quelle surprise de rencontrer tant de jeunes Occidentaux me tenant ce discours! Comme si le monde développé, qui sert souvent de référence chez beaucoup de jeunes Latins, ne satisfaisait plus ces personnes préférant réussir leur vie que réussir dans la vie. Cette nouvelle génération de voyageurs semble refléter une mutation sociologique profonde, une véritable prise de conscience que l'heure est au changement et à l'action pour la planète. Forcément, ces rencontres me font réfléchir. Tout en cheminant, je me dis que partager avec les enfants de l'hôpital, c'est bien, mais que je devrais en faire davantage. L'idée me traverse face à l'océan Pacifique que je vois pour la première fois.

Adieu l'Argentine, bonjour le Chili! Je quitte un pays très long et étroit pour entrer dans un autre beaucoup plus long et encore moins étroit. Avec 4 300 kilomètres de côtes sur une largeur d'à peine 180 kilomètres en moyenne, le Chili est, avec la Norvège, l'un des pays les plus «étirés» qui soit. Santiago, sa capitale, donne l'apparence d'une cité moderne, bien organisée et prospère. J'y suis accueilli par Jean Toche, ami d'un copain de France, qui m'héberge pour quelques jours dans une caravane installée à proximité de son domicile. Dans la grande banlieue, loin du bruit et de l'agitation urbaine, il a pour seuls voisins une dizaine de chevaux qu'il prête aux gens de passage. Parmi ses invités récents figurent Zidane et plusieurs personnalités politiques.

Auteur-compositeur-interprète et amoureux de la poésie française, Jean était un ami de Jean Rostand, le célèbre biologiste et fils de l'écrivain Edmond Rostand. Avant de mourir, Jean Rostand lui a légué les originaux des poésies de son père ainsi que d'autres inédits de grands poètes français – Musset, Cendrars, Hugo… – en lui demandant de les mettre en musique et de contribuer à les faire connaître aux jeunes du monde entier. Il s'est exécuté. Aujourd'hui grand-père et vivant une retraite paisible, Jean consacre une partie de son temps à faire rayonner la culture française au-delà de l'Hexagone, notamment au Chili, son pays d'adoption.

31 décembre 2003. Déjà un an que je suis sur la route ! Mes proches me manquent mais je ne suis pas seul pour célébrer l'arrivée de la nouvelle année, Jean ayant invité une vingtaine de ses amis pour l'occasion. Je profite de cette belle ambiance festive pour jouer une nouvelle carte : celle de la magie. Lors de mon passage à São Paulo, il y a quelques semaines, j'ai rencontré dans la rue un magicien proposant aux passants de leur enseigner des tours de prestidigitation pour trois sous. Le concept du voyageur magicien me séduisant, j'ai accepté de lui donner quelques *réais*[8]

8. Monnaie brésilienne.

contre le secret de plusieurs tours impressionnants mais pas forcément difficiles à réaliser.

Alors que le repas bat son plein, Jean, connaissant mes nouvelles aptitudes, me présente à ses amis comme un grand magicien prêt à leur offrir quelques échantillons de mon spectacle. Instantanément, une vingtaine de yeux se tournent dans ma direction. Il s'agit de ne pas les rater. D'un air solennel, j'intime le silence aux invités puis, plongeant mes mains dans les poches, m'empare d'un jeu de cartes que je présente à l'assemblée. Je demande alors à la personne en face de moi d'en prendre une, de la regarder puis de la remettre dans le paquet. Je passe ma main légèrement tremblante au-dessus du paquet puis, tout en prononçant une phrase magique, souffle sur le jeu jusqu'à ce que sorte toute seule la carte choisie sous les yeux ébahis de l'assistance qui me prie de recommencer.

Depuis plusieurs semaines, ces tours que je ne cesse de retravailler m'ont souvent aidé à « briser la glace », à m'attirer la sympathie et parfois même à convaincre des chauffeurs de me prendre à bord. Un moyen aussi de remercier, à ma façon, les hôtes qui me reçoivent, comme ce soir. Mes *réais* étaient un bon investissement.

Quelques jours plus tard, Jean me dépose à la première station-service, à la sortie de la ville. Prochaine destination : Lima, au Pérou. En attendant, il s'agit de traverser 3 300 kilomètres de désert, celui d'Atacama, l'un des plus arides au monde. Je les parcours grâce à une suite ininterrompue de camions.

Comment pourrais-je évoquer un tour du monde en stop sans parler des camions ? Ils représentent plus du tiers des véhicules qui m'embarquent. J'en utilise de toutes sortes : des petits, des gros, des chargés, des vides, des instables à trois pattes, des bombés, des déséquilibrés, des omnipotents, des tyrans, des cercueils ambulants... Je ne suis pas un passionné de camions, mais sans doute me serait-il possible, à présent, de produire une étude comparative complète du marché du camion, au même titre que celle des voitures et des stations-service.

Sans vouloir généraliser, le monde du camion est un monde d'hommes, de durs, de machos, pour ne pas dire de rustres. On crache dans l'urinoir pendant qu'on pisse, on sort en remontant sa braguette, on rote fort après chaque bière... Ces habitudes ne changent guère selon les pays traversés. Soyons honnêtes, je ne me sens pas toujours très à l'aise dans ce milieu, mais j'y rencontre parfois des gens attachants. À hauteur d'Antofagasta, par exemple, je monte dans le « bahut » de Jorge, plus connu chez les routiers chiliens comme « Scorpio » du fait de son tatouage en forme de scorpion sur son bras droit. De sa voix rauque et râpeuse, il me convie à son bord. Malgré son apparence de gros dur, Scorpio est un être tout ce qu'il y a de plus sympathique.

Son camion, c'est sa vie. Il n'échangerait son engin pour rien au monde. Il admet même le traiter mieux que sa propre femme. « Je passe plus de temps avec lui qu'avec elle », dit-il en rigolant. Il se dit heureux et surtout libre. La radio lui permet de rompre avec la monotonie des longues distances et de discuter avec ses collègues. Comme nombre de ses confrères, sa cabine est tapissée d'affiches diaboliques et de pin-up à la poitrine siliconée aussi imposante que son pare-chocs. De l'Iran à l'Australie et de l'Argentine à la Mongolie, ces images sont toutes les mêmes. Comme si l'Amérique du Nord avait mondialisé la libido masculine, version poupée Barbie pour adultes !

Ici comme dans bien d'autres pays, ces chauffeurs m'amènent parfois à me poser de nombreuses questions sur la nature humaine. Comment leur est-il possible de conduire de temps en temps jusqu'à 40 heures de suite sans même s'octroyer une petite sieste ? Je pensais que c'était physiquement impossible, je m'étais trompé. Je sous-estimais les effets qu'un verre de coca-cola, mélangé avec du café et une pilule miracle, peut accomplir. Mon rôle, que je prends à cœur dans ces cas-là, est alors de maintenir les chauffeurs éveillés en leur racontant des blagues et mon parcours. Les nombreuses croix en bord de route rappelant les tragédies accidentelles ne semblent pas pousser les routiers à prendre un peu de repos.

Malgré tout, ma traversée du Chili se passe sans heurt et assez rapidement, tiré par une énergie qui a pour nom Pérou. Par le folklore qu'il évoque depuis toujours dans mon imaginaire, ce pays fait partie de ceux que je souhaitais visiter en priorité.

D'entrée, le contraste entre un Chili façonné sur le mode occidental, et son voisin, est frappant. L'animation des villes autour du marché traditionnel et le caractère indigène très marqué de la population sont autant d'éléments nouveaux qui me séduisent d'emblée. Si l'on ajoute à cela le grand bonheur vécu à la vue de mon premier lama et le pick-up m'embarquant au milieu de paysans indiens aux *chullos* multicolores, de leurs chèvres et de leurs poules, l'attraction se transforme aussitôt en véritable coup de foudre pour ce pays.

Lima approche. Les grandes étendues désertiques laissent la place à ce que j'imaginais : une ville au trafic dense et cacophonique. À peine arrivés, nous frôlons l'accident. Mon chauffeur doit freiner de toutes ses forces pour éviter un taxi, répondant soudainement à l'appel d'un client, ne se souciant pas de savoir si quelqu'un se trouvait derrière. Je me rendrai compte par la suite que cette attitude désinvolte est fréquente par ici. Mieux vaut rester bien concentré au volant et avoir de bons freins !

La capitale péruvienne a la réputation d'être une ville dangereuse, sale et laide. Dans son ouvrage *Lima, l'horrible*, Salazar Bondy raconte comment la ville est devenue un véritable chaos, passant en quelques années de 1 à 8 millions d'habitants. Polluée et disposant d'un réseau de transport archaïque, elle n'est effectivement pas l'endroit idéal pour le touriste de passage. J'y suis reçu par Claudio, un Péruvien parfaitement francophone m'ayant contacté après avoir découvert mon site Internet. Son accueil me fait le plus grand bien. Une bonne douche et un copieux petit-déjeuner me font rapidement oublier quatre jours de poussière et les cocktails de gaz, de fumées et de gouttelettes de vagues bien imprégnés sur mes vêtements. Grâce à lui, je découvre d'autres facettes d'une ville possédant finalement nombre de quartiers agréables. Le centre-ville est notamment agrémenté de nombreuses maisons coloniales, dotées de magnifiques balcons fermés en bois. Ces demeures, le plus souvent coincées entre deux immeubles modernes, sont hélas trop souvent cachées, voire dénaturées par des affiches publicitaires ou une débauche de fils électriques.

Passionnés par le monde, nous nous lions rapidement d'une grande amitié. Il se propose même de me « coacher ». Une façon pour lui de voyager en préparant avec moi le parcours, en me donnant des recommandations, des idées de visites, en traduisant les articles de mon site en espagnol et en m'apportant une aide précieuse dans plusieurs projets. Il deviendra un acteur très important de ce voyage.

À ses côtés, je rejoins l'aéroport international Jorge Chavez, où j'ai donné rendez-vous à mon ami Éric. Pour la deuxième fois depuis le début de ce tour du monde, un proche va profiter de ses congés pour passer quelques jours à mes côtés. Ces visites sont importantes pour moi. Elles me permettent, non seulement de prendre des nouvelles fraîches d'Alsace, mais surtout de retrouver quelques habitudes et têtes connues, quelques repères aussi. Tout ce qui manque lorsqu'on passe la majorité du temps seul, sans cesse avec de nouvelles personnes.

L'écran d'information indique l'arrivée de l'avion. Je trépigne à l'idée de le revoir plus d'un an après notre au revoir dans les Alpes et me réjouis à l'idée de partager avec lui la découverte du Pérou. Éric est l'ami de tous les coups, toujours disposé à faire rire son auditoire et à rendre service dès que l'occasion se présente.

Son avion se pose. La porte s'ouvre. Les passagers débarquent. Ça y est, j'aperçois enfin Éric au loin et lui fais un grand signe de la main puis, immense surprise, découvre qu'il est accompagné de Jean-Luc, mon compagnon d'autostop pendant le tour d'Europe. Je n'en reviens pas. Des larmes de joie viennent recouvrir mon visage ; me voilà en train de sangloter d'émotion dans les bras de mes amis. La surprise est totale, le bonheur complet…

Comme le Nil, la Mésopotamie, l'Indus et le fleuve Jaune, le Pérou est l'un des berceaux de l'humanité. L'histoire des anciennes cultures, les sites archéologiques et les musées sont fascinants. Grâce aux conseils avisés de Claudio, fin connaisseur des richesses de son pays, nous parvenons à mettre en place un ambitieux programme afin de découvrir en deux semaines un certain nombre des trésors péruviens parmi lesquels Cuzco, Paracas, Arequipa, Ica, Pisco, Canyon de Colca, le lac Titicaca et bien entendu, l'incontournable Machu Picchu, merveille parmi les merveilles. Contrainte de temps oblige, je mets pendant deux semaines le stop entre parenthèses. Je reprendrai la pratique du pouce de retour à Lima. En attendant, c'est en nous fondant au cœur des populations dans des bus locaux bondés que nous nous déplaçons.

Cuzco, capitale des Incas, nous séduit d'emblée. Malgré l'afflux touristique, la magie opère autant pour ses vestiges précolombiens que pour son architecture hispanique, merveilleusement rénovée après deux tremblements de terre meurtriers. Nous passons deux jours à découvrir la ville, ses vieux quartiers, ses églises baroques, ses musées archéologiques, ainsi que la vallée sacrée qui l'entoure. Située de part et d'autre du rio Urubamba, fleuve sacré des Incas en raison de sa puissance destructrice et de sa fertilité, cette vallée regorge de sites impressionnants. Tout comme moi, Éric et Jean-Luc prennent un réel plaisir à s'initier aux rites et coutumes des Incas, à mesurer la beauté de leur œuvre, à goûter la richesse de leur civilisation, à comprendre leur funeste destin. C'est la première fois que nous visitons les vestiges d'une civilisation disparue.

Mais la séduction de Cuzco est incomparable à l'émerveillement que provoque notre arrivée au Machu Picchu. Pour moi qui regarde depuis tout petit *Les Mystérieuses Cités d'or*, mon arrivée dans ce lieu mythique est une sorte d'apothéose qui soulève émotion, fascination, voire envoûtement. Comment ne pas imaginer l'état de choc dans lequel dut se trouver l'Américain Bingham lorsqu'en 1911, il découvrit ce site abandonné depuis plus de 300 ans ? Protégé de la folie destructrice espagnole grâce à son éloignement et à son isolement en pleine jungle, le Machu Picchu a conservé toute sa structure de citadelle du 15e siècle avec ses secteurs urbains, ses quartiers sacrés, ses maisons royales, sa place centrale, ses zones agricoles et artisanales, ses carrières et ses prisons. Si le Machu Picchu a aujourd'hui révélé la plupart de ses secrets de fonctionnement, il reste cependant un mystère encore inexpliqué, et de taille : alors qu'il avait échappé à l'anéantissement espagnol, pourquoi ce site fut-il un jour abandonné ? Pourquoi la vie s'y arrêta-t-elle subitement ? Sur ces questions sans réponse, je quitte la « Vieille Montagne », ravi d'avoir pu partager la visite de l'un des plus beaux endroits qui existent sur terre avec mes deux amis que je quitte, quelques jours plus tard, avec la même émotion qu'à leur arrivée.

Qu'ils soient incas, mayas, aztèques, khmers ou autres, j'adore visiter les sites historiques. Ils me permettent de mieux comprendre d'où nous venons, qui nous sommes, peut-être même où nous allons. Comme cela est certainement le cas de nombre de touristes se rendant dans ce joyau de l'humanité, la visite du Machu Picchu va laisser des traces dans mon esprit. À l'image de ce qui s'était produit au sortir de mon séjour en Antarctique, je ressens un fort besoin, une forte envie d'en savoir davantage sur la civilisation inca, mais aussi sur le mode de vie de ses descendants, sur ceux que l'on nomme parfois « peuples premiers », « amérindiens », « peuples racines » ou tout simplement « indigènes ».

Seul hic : depuis mon arrivée au Pérou, les rencontres avec les Indiens, aussi pittoresques qu'attachants, me semblent tout ce qu'il y a de plus superficielles et quelque peu frustrantes. Elles se résument trop souvent à des « *no photo* », des « *photo one dollar* », ou encore des relations acheteur-vendeur de part et d'autre d'une table emplie d'objets d'artisanat. Idem côté communication : ils ne parlent souvent pas espagnol, je ne parle pas *quechua*, la langue des Incas pratiquée par près de 3 millions de personnes dans les Andes. J'ai besoin et envie d'aller au-delà. Je rêve d'amitié, d'intimité, de vraies discussions, d'échange… Comment faire ?

Une fois de plus, la vie répond à mes aspirations. Alors que je cherche une solution à mon envie du moment, un courriel vient me l'offrir. François, un ami de l'Hexagone ayant vécu en Équateur, ce voisin du dessus dont la population est pour moitié indienne, me met en contact avec José-Maria, un Indien Saraguro, fondateur de l'école Inka Samana, destinée à sauvegarder la culture et la langue quechua dans les Andes. Il accepte de me recevoir « le temps que je souhaite ». Je décide de m'accorder deux semaines pour cette nouvelle expérience. François me prévient :

« Côtoyer les peuples racines va changer ta vision du monde et du progrès ! »

Je n'attends que cela…

Le Pérou et l'Équateur se rejoignent au milieu du désert. La frontière séparant les deux pays ressemble à toutes celles d'Amérique latine avec leurs cohortes de changeurs au noir, de douaniers véreux et de trafiquants en tous genres. Je change 100 dollars, suffisamment pour vivre une quinzaine de jours, et file vers ma nouvelle destination.

Les Indiens Saraguros forment l'une des 18 ethnies d'Équateur. Ils se concentrent principalement autour d'une petite ville portant le même nom qu'eux, située à 200 kilomètres de la frontière. Pour s'y rendre, il faut sortir de la Panaméricaine et s'engager au cœur des Andes sur des routes sinueuses, se faufilant entre des pics de 5 000 à 6 000 mètres d'altitude. Tête inclinée, regard suspendu, âme silencieuse et rêveuse, je m'évade avec les magnifiques condors.

Chaque attente au bord des routes est ici un véritable délice. Parfois, j'en viens presque à regretter que des véhicules s'arrêtent !

Sur les plateaux, je croise pour la première fois des Indiens équatoriens. Ici aussi, ils portent le poncho mais le chapeau de feutre a remplacé le *chullo*. Les mamans promènent leur enfant attaché sur le dos, dans une couverture enroulée autour du corps. Le sud-est de l'Équateur est prosaïque ; ici s'étend la terre de la classe paysanne, nourrie par le travail des champs. Vaches et moutons se partagent une herbe abondante qui pousse à la saison des pluies.

Dans les champs, les Indiens mâchent la feuille de coca. Leur jus produit des effets anesthésiques, une légère euphorie, une sensation d'élargissement de la conscience et une augmentation de l'énergie corporelle. Grâce à cette plante, le peuple andin réussit à supporter des conditions de vie et de travail extrêmement difficiles. En 1504, le navigateur italien Amerigo Vespucci – on désigna le nom du continent d'après son prénom – décrit l'usage de la coca en découvrant les Indiens d'Amérique : « Ils étaient tous laids de gestes et de corps, ils avaient dans la joue une herbe qu'ils ruminaient comme des bêtes. » La feuille de coca devint universelle et conquit le monde au point de donner naissance au produit le plus vendu de l'histoire : le Coca-Cola. De la coca ajoutée à de l'extrait de noix de cola. Le 8 mai 1886, le pharmacien d'Atlanta John Pemberton inventa ainsi la boisson qui allait « inonder » la terre entière.

Pour éviter le mal de l'altitude, j'essaie moi aussi de mâcher ces feuilles achetées dans un petit commerce de bord de route, mais je m'y prends mal. Au lieu de coincer les feuilles entre mes dents et ma joue, pour laisser les substances agir, je les mâche comme une vache. Résultat : au bout de cinq minutes, les feuilles sont désagrégées et j'en ai plein la bouche. Je crache tout, peu convaincu de mon expérience !

Un vieux camion me rapproche de Saraguro. Nous dépassons de vieux bus déglingués, rafistolés, et des remorques remplies d'Indiens quittant leur campagne pour aller vendre des marchandises, des vaches, des moutons, des chèvres et des cochons d'Inde en ville.

En Équateur, comme au Pérou, le jour du marché est un jour de fête, un rassemblement haut en couleur. L'ambiance s'apparente à celle d'une kermesse, d'une foire médiévale. Sur les bâches installées à même le sol, on retrouve toutes sortes de produits, souvent en quantité réduite, mais surprenants en terme de diversité. Je découvre de nombreux fruits et légumes dont je ne soupçonnais pas l'existence : d'innombrables sortes de fèves et haricots, moult types de maïs, des espèces de pommes de terre en pagaille. Un vrai régal pour les yeux et les papilles.

Saraguro se trouve à l'écart des circuits touristiques. Les rapports humains y sont plus naturels. Bien que timides et réservés, les Indiens m'offrent une hospitalité très chaleureuse. José-Maria me loge dans ce qu'il considère comme la chambre d'amis, une sorte de cave simple mais propre. C'est la première fois que j'ai l'occasion de vivre avec ceux que Christophe Colomb avait baptisés « Indiens » lorsqu'il crut atteindre l'Inde, alors que sa flotte touchait les côtes américaines.

José-Maria me raconte fièrement l'origine et les objectifs de son école, fondée en 1985. Inka Samana est née de la volonté de permettre aux Indiens de s'ouvrir sur le monde extérieur, donc d'apprendre les matières imposées par le gouvernement équatorien, sans perdre leur culture et leurs valeurs : un mélange de matières « modernes » et d'activités traditionnelles liées à l'apprentissage de la langue, aux coutumes, aux traditions et aux rites quechuas. Associées à des savoirs naturalistes poussés, elles remplissent les journées des écoliers.

Enfants indigènes au Pérou et Panama.

À l'extérieur de l'école, un jeune garçon d'une dizaine d'années portant, comme tous les hommes de Saraguro, une queue-de-cheval d'un noir ébène, l'un des signes de leur identité, m'aborde. Je lui pose la question classique :

« Qu'aimerais-tu faire plus tard ? » Sa réponse me surprend :

« Je veux savoir bien cultiver la terre, construire une maison, connaître les lois de nos ancêtres, celle de la nature pour parler avec elle et la sauver. Je voudrais aussi avoir une famille et savoir la protéger. »

La même demande à un jeune adolescent de nos régions du monde se terminerait vraisemblablement par « je veux devenir comme Zidane » ou « un grand avocat, un grand chirurgien », « un grand chanteur de rap », etc., suivant le milieu social de l'interlocuteur...

Outre le côté traditionnel, le plus impressionnant, lorsqu'on partage le quotidien de populations indigènes, c'est d'observer leur rapport à la nature. La *Pachamama*[9] est l'objet de toutes les prières. C'est elle qu'on vénère, que l'on cherche en priorité à respecter. Elle fait intégralement partie de la famille et représente tout pour les Indiens : les parents, les grands-parents, le cordon ombilical entre la mère et l'enfant.

Dans une autre communauté indienne, les Kogis, en Colombie, dans laquelle j'ai aussi passé un peu de temps, j'ai un jour assisté à la construction d'un petit pont, fabriqué avec des éléments naturels. C'était impressionnant de solidarité, de respect de l'autre et de la nature, de travail de pensée. Dans cette culture, une logique interne relie *aluna*, l'âme et *seiwa*, la conscience. L'intérêt du groupe, le respect de la nature et l'équilibre de toutes choses se mêlent ; l'énergie étant canalisée par des rituels dansés.

Forcément, dès lors que le rapport à la nature des Occidentaux est évoqué, José-Maria bondit sur ses grands chevaux :

9. Terre mère, mère Nature.

« Vous, les Occidentaux, il vous est difficile de comprendre, me dit-il. La civilisation que vous avez construite et développée à travers le monde est complètement déconnectée de la nature. La *Pachamama* n'est pour vous qu'un magasin d'accessoires qu'il s'agit de pomper jusqu'au bout [...]. Vous ne pensez pas aux conséquences de vos actes. Nous avons parfois l'impression que vous êtes amorphes, comme drogués à la consommation [...]. La nature peut être à même de combler nos besoins mais pas votre avidité. [...] Elle se rebellera tôt ou tard... »

Cette phrase : « Vous, les Occidentaux, vous êtes déconnectés de la nature » me reviendra souvent en tête durant mon séjour en Amérique latine, notamment dans certaines villes d'Amérique centrale où plusieurs habitants de bidonvilles me confieront n'avoir jamais vu un arbre dans son contexte naturel. Un aveu effrayant en effet...

Je souhaite profiter de ma proximité avec José-Maria et les Indiens pour aborder la colonisation. Pour parler de ce sujet avec des indigènes, mieux vaut faire preuve de tact. Malheureusement, il m'arrive parfois d'en manquer, preuve en est ma première discussion avec José-Maria :

« Quand Christophe Colomb a découvert l'Amérique en 1492...

— Pardon ?

— Quand Christophe Colomb a découvert l'Amérique en 1492...

— Pardon ?

— Quand...

— Vous vous moquez de moi ? »

Très énervé, José-Maria poursuivit :

« Christophe Colomb a découvert l'Amérique ? Et nous, alors ? Nous n'existions pas ? Nous étions là bien avant l'arrivée de

Christophe Colomb. Vous avez détruit notre culture et maintenant vous dites que vous avez découvert le continent sur lequel nous vivons depuis des milliers d'années… Vous vous prenez pour qui ? »

Plates excuses et table rase de mes stupides cours d'histoire qui mentionnaient effectivement « la découverte de l'Amérique en 1492 ». Ce que nous appelons « découverte de l'Amérique » est pour les peuples racines le début de la fin. Une catastrophe humaine d'une ampleur sans précédent : en deux siècles, 60 millions d'individus disparurent, soit 90 % de la population, victimes d'épidémies et de massacres à grande échelle. Ceux qui ont survécu ont-ils tourné la page ou gardent-ils encore des cicatrices de cette période de l'histoire ? José-Maria me répond :

« Tu sais, Ludovic, la haine ne fait pas partie de notre culture et nous ne souhaitons pas l'encourager. À Saraguro, cependant, personne n'a oublié le passé. Comme tu peux le voir autour de toi, ici tout le monde est habillé en noir, en mémoire de notre chef Atahualpa, tué il y a cinq siècles par les Espagnols. Impossible d'oublier toutes les tragédies provoquées par leur arrivée. Au-delà des massacres, ils ont cherché à éradiquer notre culture, nos croyances… Ils nous ont confisqué nos territoires, nous ont parfois déportés dans des réserves lointaines, nous ont séparés de nos enfants pour les confier à des pères missionnaires, nous ont volontairement transmis des maladies mortelles, nous ont discriminés, humiliés à des points inimaginables.

« Non, tout cela ne peut pas s'oublier. Cependant, nous cherchons aujourd'hui avant tout à regarder devant, à reconstruire notre identité et à retrouver notre fierté. Cette école doit contribuer à cela. Et je crois qu'il appartient aux descendants européens, non pas forcément de s'excuser directement des méfaits de la colonisation, mais de connaître le passé et d'apprendre de celui-ci. Nous apprécions la venue d'un Européen souhaitant discuter et comprendre, c'est ainsi qu'une confiance mutuelle peut renaître. »

En Amérique latine, les peuples premiers pâtissent souvent de mauvaise réputation et subissent un véritable ostracisme dans leur vie quotidienne. Au Mexique, par exemple, « arrête de faire l'idiot » se dit « arrête de faire l'Indien ». On les considère parfois comme des sous-hommes, des freins au développement. Il y a quelques semaines, un Équatorien blanc me disait :

« Ils font chier, ils ne veulent pas s'intégrer, refusent le progrès et veulent rester avec leurs traditions ancestrales. Comment peut-on avancer ainsi ? »

J'interroge José-Maria sur sa vision du progrès et cette mauvaise image. Avec un sourire ironique, il me répond :

« Le progrès ! C'est quoi au juste ? Votre vision du progrès et la nôtre diffèrent sensiblement. Si le progrès, c'est la venue de chercheurs d'or, d'exploitations minières et forestières, de prospecteurs pétroliers qui détruisent l'habitat des indigènes quand ils ne les massacrent pas, cela ne nous intéresse pas. Si par contre, le progrès, ce sont des Occidentaux qui viennent nous enseigner la lecture, l'écriture, d'autres façons de planter des arbres ou des plantes médicinales, alors, c'est différent. Un lien sacré nous unit à la nature, le progrès est pour nous envisageable qu'en la respectant. C'est pour nous une question d'équilibre. Regarde bien ta civilisation. Que cherchez-vous aujourd'hui ? Une vie paisible en communauté, une alimentation saine, être en harmonie avec la nature ? C'est ce que nous avons depuis la nuit des temps ! Peut-être pourriez-vous aussi apprendre quelque chose de nous, vous aussi ? Quant à la mauvaise image dont nous sommes victimes, celle-ci nous humilie et cela explique en partie la réapparition des mouvements indigènes à travers le monde et notamment en Amérique latine. »

Au contact des Saraguros, je comprends qu'il est temps de remettre à plat mes valeurs. Temps de me poser la question de la place des Anciens dans notre société, du contenu de l'éducation que nous voulons dispenser à nos enfants, de la place que nous accordons à la nature. Bref, de repenser notre relation à l'autre et au vivant.

Expérience passionnante mais qui va me laisser quelques séquelles physiques. Sur le chemin d'Ambato, de fortes crampes intestinales me font souffrir et m'obligent à rester recroquevillé au bord de la route. Une main levée pour arrêter les voitures, l'autre me pressant le ventre. Ce sont les effets précurseurs d'une dysenterie, une infection intestinale, sur l'origine de laquelle j'hésite : le cochon d'Inde goûté il y a quelques jours ou la bouillie dégustée sans retenue avec des amis de José-Maria ? Ou peut-être est-ce simplement l'accumulation de la fatigue, le fait de ne jamais prendre les petites coliques au sérieux ? Quoi qu'il en soit, je me tords de douleur au bord de la route et n'entrevois aucune autre solution que de continuer mon chemin. Une voiture s'arrête. Nous parcourons une vingtaine de kilomètres sur des chemins sinueux, puis je dois lui demander de s'arrêter une première fois dans une petite station. Cinq minutes durant lesquelles je me vide littéralement, après quoi nous repartons.

Dix minutes plus tard, *bis repetita*, il me faut un arrêt d'urgence. Cette fois-ci derrière un arbre, ramassé sur moi-même, caleçon sur les talons. Je remonte dans la voiture, souffrant. Le pauvre conducteur prend pitié de moi et me propose gentiment de l'accompagner chez lui pour me soigner. Sa route est malheureusement bien différente de la mienne, je lui demande alors de me déposer à l'intersection où bifurquent nos chemins. La douleur se fait de plus en plus ressentir et commence sérieusement à m'affaiblir.

Une autre dizaine de minutes plus tard, absolument seul au milieu de nulle part, je m'effondre. Je n'ai plus de force, la douleur est trop forte et m'oblige à rester en position du fœtus au bord du chemin. Les minutes passent, parmi les plus longues de ma vie. Aucune voiture ne se présente. Le soleil amorce sa descente derrière l'horizon. Je rassemble quelques forces pour me relever et me mettre en quête d'un gîte pour la nuit. Je me traîne jusqu'à une grange en bois isolée au milieu d'un champ. Elle fera l'affaire pour une nuit de souffrance au milieu des volailles.

Au réveil, je retrouve l'énergie nécessaire qui me permettra d'atteindre la ville d'Ambato où la famille de Daniela, amie d'une amie française, s'occupera de moi jusqu'au rétablissement total, trois semaines plus tard ; juste à temps pour prendre part aux fabuleuses festivités du carnaval, mélange de danses traditionnelles et de costumes extravagants. Cette maladie sera la plus sérieuse de mon tour du monde. Celle que je craignais vraiment, la malaria, ne viendra fort heureusement jamais frapper à ma porte…

4 mars 2004. Quito, la capitale équatorienne, est un chaos urbain d'un million d'habitants. Ses 2 850 mètres d'altitude en font la seconde plus haute capitale au monde après La Paz. Des dizaines d'églises et de monastères de l'époque coloniale, dont les murs sont tapissés d'or et d'argent, sommeillent au pied des volcans aux neiges éternelles. Des ruelles bordées de nobles demeures et de modestes échoppes véhiculent les souvenirs de l'histoire. L'Unesco, en 1972, a inscrit les vieux quartiers de Quito sur sa liste du patrimoine culturel de l'humanité.

Cette ville jouera un rôle important dans la suite de mon voyage, grâce à un hôte, Charito et à ses bonnes idées. Professeur d'anglais au *collegio Menor*, un établissement regroupant 700 élèves de 11 à 15 ans, issus de la couche sociale privilégiée, il me propose de venir présenter mon parcours dans sa salle de classe.

Je n'ai jamais eu l'occasion de partager mon tour du monde lors d'une conférence mais l'idée me semble excellente. C'est pour moi une grande joie d'évoquer mon parcours, mes motivations, mes peurs, mes espoirs. Je me retrouve donc propulsé devant une centaine de petites têtes brunes, aux yeux écarquillés devant la carte du monde recouvrant le tableau noir. N'ayant jamais fait cela, j'improvise. Je débute par un jeu de géographie, matérialisant sur le tableau deux colonnes de dix lignes numérotées de un à dix, leur demandant les pays les plus grands et les plus peuplés au monde. La réaction est immédiate : tous semblent vouloir me montrer leurs connaissances en géographie et les deux colonnes se remplissent à la vitesse de la lumière.

Je continue et leur explique les raisons m'ayant poussé à partir, mes incertitudes avant de me lancer, les premiers enseignements et découvertes de la route… Je fais également part de mon expérience en Antarctique, parle du réchauffement climatique, de ses causes, ses conséquences, ce que chacun d'entre nous peut faire pour réduire notre impact négatif sur la planète. Les enfants semblent attentifs et intéressés. Les questions fusent, tant sur la logistique, le choix des pays traversés que sur les difficultés éprouvées. Je sens que nombre d'entre eux seraient partants pour m'accompagner au bord des routes. Après trois quarts d'heure de présentation, la conférence se termine. La petite appréhension qui était mienne au début retombe. Autour d'un café, Charito, entouré d'autres professeurs, me fait part de ses impressions :

« Ludo, c'était génial. Les enfants ont adoré et maintenant, tous veulent découvrir le monde de leurs propres yeux et aider à sa protection. J'espère que tu donneras beaucoup d'autres conférences de ce style. Nous allons maintenant te suivre pas à pas et nous appuyer sur tes expériences pour nos cours.

Les propos de Charito et les messages des étudiants me remplissent de joie, d'autant que j'ai pris un grand plaisir dans ce qui fut un moment fort de chaleur, de partage, d'étonnement. Je prends conscience, à cet instant, que je suis à présent en mesure de passer du statut d'élève à celui de professeur et qu'il m'est possible de partager autrement que via Internet. À travers la présentation de mon tour du monde, je suis en mesure d'ouvrir une fenêtre sur le monde aux enfants, de les encourager à croire en leurs rêves et à les poursuivre. Pas de doute, ce « déclic équatorien » va laisser des traces…

Quelques jours plus tard, je traverse la « *mitad del mundo* » et entre à nouveau dans l'hémisphère nord. La ligne de l'équateur, latitude 0° 0' 0" est peinte en jaune en travers de l'asphalte, à 20 kilomètres au nord de Quito. Je vérifie ce que l'on m'a annoncé : mon poids est inférieur de quelques grammes par rapport à ce qu'il était peu de temps auparavant. En raison de l'attraction terrestre, la gravité est légèrement moindre sur la ligne de l'équateur que sur les pôles !

« La mitad del mundo ».
Un pied dans le sud,
l'autre dans le nord...
et deux kilos en moins...
[Équateur]

Une des questions fréquemment posées par les étudiants est celle du danger encouru. Si l'on en croit les statistiques de la BBC, un étranger a trente fois plus de chance de se faire agresser en Amérique latine qu'en Europe. On pourrait croire, par conséquent, que se placer le pouce tendu au bord d'une route latino-américaine est un exercice particulièrement dangereux. Ce n'est pas exactement le cas. Certes, la vigilance s'impose et je fais toujours confiance les yeux ouverts, surtout en ville, mais je me sens rarement en danger. J'en suis persuadé, la sécurité est avant tout une question de bon sens et je crois que les personnes ayant de bonnes intentions attirent généralement les gens bien intentionnés. En 16 mois, outre mon expérience argentine, je n'ai vraiment eu peur que deux fois.

La première, sur la route d'Otavalo, dans le nord de l'Équateur. Ce jour-là, un véhicule s'arrête à mon niveau et le conducteur me propose de monter. Fatigué, je grimpe un peu vite, sans bien regarder à qui j'ai affaire. Erreur ! La mine inquiétante, l'homme me dévisage :

« Hmmmm… Tu fais le tour du monde ?… Mais tu dois avoir beaucoup d'argent, dis donc ? »

L'agression semble inéluctable et imminente. L'homme a dans le regard une méchanceté redoutable, une certaine folie. J'imagine le pire des dénouements pour ce mauvais scénario. Quelle attitude adopter ? Une prise d'aïkido enseignée par mon frère avant de partir ? Un coup de frein à main qui nous enverrait dans le décor ? Je suis prêt à me battre, mais l'heure n'est pas encore à cette forme de défense. J'opte pour la diplomatie et l'humour. Je lui explique que si j'avais beaucoup d'argent, sans doute ne ferais-je pas de stop ! Ce n'est pas vrai – je ferais exactement la même chose si je disposais d'une fortune – mais ça marche. Son regard change.

J'enchaîne en montrant photos et articles de presse, expliquant mon parcours, lui donnant l'impression qu'il est à côté de quelqu'un menant une aventure sympa dont il est un maillon. Visiblement, l'homme ne s'attendait pas à cela. Du coup, ce type qui ressemblait à un tueur à gages veut maintenant m'aider à réaliser mon objectif. Il m'emmènera finalement plus loin que sa destination initiale… Ce classeur rempli d'articles et de photos vient peut-être de me sauver la vie ; il m'a au moins évité de sérieux ennuis.

La seconde situation trouble arrive quelques mois plus tard, sur une route campagnarde du Costa Rica. Une pluie drue et chaude s'abat par rideaux sur le goudron détrempé. J'arrête un véhicule d'une façon quelque peu « dynamique ». Pris de peur, l'homme s'arrête violemment devant moi, ouvre sa portière, sort son arme, la pointe dans ma direction puis me menace violemment :

« Tu ne vas pas m'avoir salaud ! Ne bouge pas sinon je te descends ! »

Un homme armé, tremblant, face à un autre les mains en l'air, trempé, au milieu d'une forêt tropicale : Hollywood n'aurait pas fait mieux. Restant calme, sans bouger d'un cheveu, j'explique à mon conducteur potentiel qu'il ne se trouve pas en face d'un agresseur, mais d'un autostoppeur. Une nouvelle fois, le « *soy francès* » fait effet. Il baisse son arme et me propose d'embarquer, non sans me rappeler au passage certaines règles de prudence, valables même au Costa Rica, ce pays souvent appelé la « Suisse de l'Amérique centrale » et considéré comme le plus sûr de cette langue de terre...

Au moment d'aborder la Colombie, cette question de la sécurité se pose avec encore plus d'acuité. Est-il sage de pratiquer le stop dans l'un des pays les plus dangereux au monde ? Un pays dont les tristes statistiques bâtissent la renommée : un taux de criminalité neuf fois plus élevé qu'aux États-Unis, une centaine d'enlèvements chaque année, une guérilla de 16 000 hommes gérant un territoire aussi grand que la Suisse et ne ménageant guère ses ennemis, 2 000 gardes du corps employés en permanence pour assurer la protection des membres du gouvernement colombien... Mes proches ont leur opinion sur le sujet... Mais me font part de leur confiance. Priscilla, jeune fille de l'hôpital, me demande si j'ai peur de traverser ce pays.

La prise de risque est un sujet que j'aborde généralement assez peu avec les enfants de l'hôpital. Ils n'en comprennent pas très bien l'utilité. Un jour, Romain, jeune homme atteint du cancer m'a demandé pourquoi je risque ma vie alors que lui essaie tant bien que mal de sauver la sienne. Une question qui, forcément, m'avait plongé dans une certaine réflexion… Aussi, lorsque je parle des dangers, je les évoque seulement une fois ceux-ci passés.

Ai-je peur ? À question claire, réponse claire : oui, bien sûr, j'ai la trouille. Pour un étranger comme moi, le danger existe et l'ignorer serait de l'inconscience. Et l'inconscience, dans une aventure comme la mienne, peut être fatale. Pas question de jouer les têtes brûlées, mais pas question non plus de céder à la paranoïa. Si la peur est présente en moi, elle n'en demeure pas moins une émotion importante. La peur est un garde-fou, un système d'alarme qui démultiplie ma concentration. Même si j'en avais le pouvoir, je n'éliminerais pas la peur de la gamme de mes émotions. La peur est l'une des manifestations les plus aiguës de l'éveil, et, en tant que tel, indispensable.

À mon arrivée au poste-frontière colombien, une grande discrétion s'impose donc tout naturellement. Mon apparence « brun bronzé » m'aide à me fondre au cœur des populations locales. Donnant l'impression d'être sûr de moi, je cherche à passer le moins possible pour un touriste. Je décide tout de même de ne faire du stop que de jour et auprès de voitures à l'arrêt, ce qui me permet de choisir les conducteurs avec précaution. Mon pouce restera donc caché en Colombie !

Par chance, la première personne à qui je m'adresse me semble digne de confiance et propose de m'avancer sur 200 kilomètres. German, homme d'affaires d'une cinquantaine d'années, est un habitué des guérilleros et des « zones rouges ». Il s'est déjà fait kidnapper deux fois et a été relâché grâce aux rançons payées par son entreprise. Malgré ces expériences peu encourageantes, il continue de traverser ces zones à risques, comme le tronçon Pasto-Popayan qu'il me permet de franchir sans encombre.

« Les guérilleros n'attaquent jamais dans les villes, explique-t-il. Leurs endroits de *kidnapping* favoris sont la jungle et les montagnes. C'est donc là qu'il faut redoubler de vigilance et notamment près des cols, quand le conducteur n'a pas de visibilité et circule lentement.

— Et s'ils t'arrêtent ? Que font-ils ?

— Si tu as de la chance, ils te volent tout. Si tu n'as pas de chance, ils t'embarquent. Si tu n'as vraiment pas de chance, ils n'ont aucune pitié pour toi. Ce ne sont pas des tendres. »

Pas très rassurantes, ses mises en garde s'accompagnent de conseils précieux : « Si tu ne veux pas te faire tuer, obéis aux ordres et ne cherche pas à provoquer tes agresseurs. Un touriste français est un gros poisson. Les attaques se font en général pendant la nuit, évite donc de te trouver dans les zones dangereuses à la tombée du jour. Tous les Colombiens savent où tu peux et où il ne faut pas aller. Écoute-les bien. Et pour savoir si ce sont des soldats de l'armée ou des guérilleros, regarde les chaussures. C'est le meilleur moyen de déterminer si tu es face à un ami ou un ennemi. »

En l'écoutant, je découvre les paysages verdoyants et vallonnés de Colombie, où s'étendent, à perte de vue, des exploitations de bananes ou de café. La route serpente dans de magnifiques gorges. German emprunte ces chemins à une allure démentielle ; il double les camions dans les virages, au-dessus de précipices de plusieurs centaines de mètres. Plus d'une fois, je retiens mon souffle en m'attendant au plongeon final. Un panneau annonce pourtant notre arrivée dans Pasto.

« Ici, c'est une zone dangereuse. Si on se fait arrêter, surtout, ne parle pas. Tant que tu n'ouvres pas la bouche, ils peuvent te prendre pour un Colombien ! »

Nous traversons une succession de villages. German poursuit :

« Ici se cachent des guérilleros. Dans la journée, ils travaillent et s'occupent de leur famille, mais le soir, ils enfilent leurs bottes et vont se battre. Ici, tout le monde sait qui est guérillero, mais personne ne dit rien. La loi du silence prime. Si tu veux éviter les problèmes et rester en vie, il faut te taire aussi. »

Contrôle de routine en Colombie,
le militaire s'assure que je n'ai ni arme,
ni drogue sur moi.
[Colombie]

Après trois heures de route, German me dépose à l'un des nombreux barrages militaires jalonnant la route. Ici comme ailleurs, ces postes de contrôle me sont utiles pour trouver des conducteurs. Généralement, les hommes armés commencent par se méfier, puis s'intéressent à mon projet. Ces soldats, à peine sortis de la puberté, aux gueules d'anges plus que de combattants, m'invitent volontiers dans leur guérite pour partager un thé ou un repas en attendant un véhicule. L'album photos aide, là encore, à me faire accepter. Chaque cliché est analysé, commenté et provoque de grands éclats de rire.

Ces périodes d'attente avec les soldats sont parfois longues. Tant mieux, elles me permettent d'observer au plus près la lutte contre le trafic de drogue, première de leurs préoccupations. Les véhicules sont tous fouillés de fond en comble. Même les sièges sont renversés. Et pour cause, la Colombie est le plus gros producteur de coca au monde, la production partant principalement vers les États-Unis.

Passent les jours et les kilomètres. Cali, Pereira, Manizales… Au fil du temps, je me rends compte que l'image caricaturale que j'avais de ce pays, celle que nous transmet la presse, n'est pas tout à fait justifiée. Certes, la violence que traduisent les chiffres est là, on la sent, les habitants en parlent ouvertement, mais j'observe aussi une tout autre réalité : celle d'un peuple chaleureux, ouvert et tolérant. J'apprends à porter un nouveau regard sur ce pays tant décrié.

Depuis la frontière, les gens me prennent facilement. Les temps d'attente n'excèdent que rarement 30 minutes. Nombreux sont ceux, à l'instar de Rafael, mon hôte à Cali, qui me remercient d'avoir bravé les a priori :

« Tu sais, Ludovic, la réputation de notre pays nous affecte profondément. Cela nous fait mal de savoir que le monde entier associe la Colombie à la cocaïne et aux FARC (Forces armées révolutionnaires de Colombie). Du coup, personne ne vient nous voir. Les grands reporters ne rencontrent guère que la haute société colombienne et ne quittent presque jamais leurs hôtels de luxe. Et quand c'est le cas, ils sont accompagnés de gardes du corps, de traducteurs et d'un chauffeur ; le mélange entre étrangers et Colombiens est trop rare. Tu nous fais plaisir en venant ! »

Les discussions avec les habitants se rejoignent. Tous affirment qu'en Colombie, il y a peu de morts parmi les gens qui ne sont impliqués ni dans la guérilla, ni dans le trafic de drogue. La majorité des victimes appartient aux gangs de quartiers qui s'affrontent. Le conseil que chacun me donne est de me tenir éloigné de tous ces trafics, d'éviter certaines zones dangereuses en utilisant mon bon sens, moyennant quoi tout ira bien. Seulement… Je suis entêté, c'est le moindre de mes défauts. J'aime aller voir la réalité en face ; là est d'ailleurs le but premier de mon voyage. Si, en Colombie, j'évite les zones « rouges » où les risques d'enlèvement sont importants, j'aime découvrir les quartiers « louches » des villes que je traverse. Je ne m'y suis jamais fait agresser mais parfois, ce fut un peu juste.

Un soir, par exemple, j'erre dans les rues de Medellin en quête d'insolite. Il fait chaud. Comme l'étape du jour s'est achevée tard, je n'ai pas voulu déranger mon hôte et me suis exceptionnellement installé dans un hôtel bon marché. Il est 23 heures et je m'enfonce dans l'entrelacement des ruelles faiblement éclairées. Malgré une diminution récente de son taux de criminalité, Medellin reste l'une des villes les plus malfamées de Colombie. C'est ici que Pablo Escobar dirigeait, jusqu'en 1993, le fameux cartel qui se disputait, avec celui de Cali, le plus important trafic de narcotiques du monde. Un trafic qui se chiffrait en milliards de dollars. Pablo Escobar était alors l'homme le plus recherché du moment : sa tête était mise à prix par la CIA pour 6 millions d'euros, jusqu'à ce qu'il soit abattu le 2 décembre 1993…

En dehors de quelques quartiers agréables, Medellin *by night* se résume à une succession d'hôtels crasseux, de bars louches et de façades lépreuses devant lesquelles traînent des jeunes dévisageant le passant avec une curiosité dénuée de bienveillance. Ici ou là, sur les façades, des impacts de balles et des traces d'explosion témoignent des combats ayant opposé le cartel au gouvernement.

Dans les ruelles les plus sombres, des prostituées vilainement maquillées proposent leurs services. Non loin, des enfants n'ayant pas 10 ans se réfugient dans des bouches d'égout dont les plaques en fonte ont dû être revendues au marché noir.

« Haschisch, opium, cocaïne, LSD, morphine », murmurent des voix sans visage.

Le boui-boui dans lequel je loge est à l'image de ce décor : un réduit à lumière faiblarde qui n'est autre qu'une maison de passe aux odeurs pas très catholiques. La nuit y coûte 3 euros. La chambre est miteuse, peuplée de cafards de la taille d'un pouce. Mais elle fait l'affaire pour la nuit. Les voisins sont si proches qu'ils me donnent l'impression d'être la troisième personne du couple, celle que l'on ne voit pas mais qui entend tout. Je m'endors au son des ambulances au loin, et des mamas prenant leur pied ou le mimant, tout près.

Il m'arrive de passer la nuit dans ce genre d'endroit quand, vraiment, dormir à l'extérieur n'est pas assez sûr ou que je me sens trop fatigué. Les murs y sont généralement parsemés d'insectes écrasés, les portes sont branlantes, les serrures absentes ou dévissées. De la poussière partout, des robinets archaïques ballottent dans l'orifice du mur fissuré, aux céramiques brisées. Des papiers, des épluchures traînent sur le sol autour de la poubelle vide. Les postes radio hurlent des insanités publicitaires et « infomerciales » que personne n'écoute, mais que tout le monde entend. Du bruit, toujours, partout. Jamais de papier dans les toilettes. L'écriture, la lecture et la musique sont dans ces moments-là mes meilleures amies.

Heureusement, le lendemain matin, la ville offre un spectacle plus doux. En ce mois d'avril 2004, le ciel a opté pour un beau bleu méditerranéen et le soleil me caresse doucement le visage. Ce beau temps incite les Colombiennes à revêtir des tenues sexy affriolantes : minijupes, décolletés avantageux, talons aiguilles. Partout, flotte un air de séduction qui ne laisse pas les mâles indifférents… Et je ne leur jetterai pas la première pierre ! À l'image des Brésiliennes, la beauté des Colombiennes me chavire : tant d'élégance et de douceur sous une peau délicieusement halée…

Pour avoir l'air encore plus sexy, nombre d'entre elles passent sur la table d'opération. Medellin n'est pas uniquement réputée pour ses narcotrafiquants et ses tueurs à gages, elle est aussi considérée comme l'une des capitales mondiales de la chirurgie plastique. La ville a même été surnommée « silicone vallée » par les Colombiens, en référence aux poitrines avantageuses et aux lèvres pulpeuses dont sont artificiellement pourvues nombre de ses habitantes les plus aisées. Selon les statistiques des revues féminines spécialisées du pays, plus de 40 % des Colombiennes avouent être déjà passées entre les mains d'un chirurgien plastique.

Il n'est d'ailleurs pas rare que pour l'anniversaire des 15 ans, âge important en Amérique latine, puisque considéré comme l'entrée dans la vie d'adulte, le cadeau offert par les parents soit une poitrine siliconée. C'est sans aucun doute dans cette région, où tout le monde ne cesse de se regarder et de commenter les habits et le look de chacun, que j'ai rencontré la culture de l'apparence la plus prononcée au monde. Un culte du paraître qui semble bien lointain au voyageur en recherche d'authentique.

À la sortie de Medellin, la chance est avec moi. Alors que j'attends patiemment dans une station-service la venue d'un véhicule pour Carthagène, ce sont six pick-up, emplis de jeunes me paraissant tout à fait dignes de confiance, qui s'arrêtent pour remplir leurs réservoirs. L'un des chauffeurs m'explique qu'ils viennent d'obtenir leur diplôme d'architecture et me propose de venir fêter l'événement avec eux. Une telle offre ne se refuse pas ! Ça rigole, ça chante, ça danse, ça s'embrasse… Malgré les problèmes du pays, les Colombiens, comme les autres Latins, savent s'amuser… Ces étudiants m'en apportent la preuve…

Au lendemain de cette fête, je reprends ma route vers le nord. Un chauffeur de camion accepte de m'emmener à proximité de Carthagène. Le soir venu, il me propose de dormir dans son hamac, sous son camion-citerne, pendant qu'il se couche dans sa cabine. Pas rassuré pour deux sous, j'accepte tout de même sa proposition et passe l'une des nuits, peut-être pas la plus romantique, mais parmi les plus originales de mon tour du monde, à proximité de milliers de litres de gazole distillé du pétrole…

Carthagène est, à n'en pas douter, l'une des plus belles villes découvertes pendant ce tour du monde. Son centre-ville à l'architecture coloniale, son ambiance à la fois latine et antillaise, sa forteresse l'entourant lui donnent un charme fou. La visite de cette ville sonne le terme de ma traversée de la Colombie et de l'Amérique du Sud. Pour se rendre de la Colombie au Panama, il n'y a pas de route. La Panaméricaine s'interrompt sur près de 150 kilomètres, laissant la place à une jungle inextricable contrôlée en grande partie par les FARC et les commandos paramilitaires. L'endroit, considéré comme l'un des plus dangereux au monde, est plus connu des routards sous le nom de Darién Gap[10]. L'autostop n'étant pas possible et la solution aérienne exclue, j'envisage pendant un moment l'option « Indiana Jones », c'est-à-dire la traversée à coups de machette pendant une dizaine de jours. Finalement, après réflexion et diverses recherches, je me ravise et abandonne cette piste. L'aventure, éventuellement. Le suicide, non.

Quelques jours plus tard, dans la marina de Carthagène, je trouve un bateau norvégien, le *Solid*, dont le capitaine accepte de m'emmener à Colon, sur la côte caraïbe du Panama.

Les routes d'Amérique centrale peuvent s'ouvrir…

10. Zone de jungle dépourvue de routes.

Chapitre 8

LE CAUCHEMAR URBAIN

Panamá – Costa Rica – Nicaragua – El Salvador – Honduras – Belize – Guatemala – Mexique

«La grandeur d'un homme se mesure par la manière avec laquelle il a œuvré pour le bien-être d'autrui.»

— Gandhi

Colón, ma première ville en Amérique centrale, est à l'image de Medellin *by night*. Elle fait partie des plus malfamées de toutes les Amériques, pour ne pas dire du monde ! Les rares gringos rencontrés, venus se perdre ici, ont quasiment tous des histoires de vol ou d'agression à raconter. D'ici démarre la remontée de l'isthme vers les États-Unis et la traversée du canal de Panamá, 80 kilomètres qui me mèneront à la capitale du pays.

Pour décrire la capitainerie, j'hésite entre les mots «ruine» et «chantier». De nombreuses maisons, souvent en bois, sont dans un triste état d'abandon et de saleté. Certaines sont en partie écroulées et leur sol, jonché de débris, sert aussi de dépôt d'ordures. Des relents d'urine et de corps mal lavés embaument ce paysage d'enfer. Le choc est rude par rapport aux somptueuses îles San

Blas dans lesquelles mes amis norvégiens et moi avions fait halte quelques jours avant d'arriver sur le continent !

Le soleil brille mais les mises en garde pleuvent : « Attention, les rues sont dangereuses ! » Le vol à l'arraché semble en effet être une spécialité de la région. Dans ces endroits, on serait capable de m'enlever mes chaussettes sans m'ôter les chaussures.

Ma façon de me comporter dans ce genre d'endroits demeure inchangée depuis le départ. Je reste constamment en éveil, sur mes gardes. La méfiance est comme une seconde peau. J'entretiens une apparence souvent trompeuse qui me vaut la neutralité des regards. Ma démarche et mon aspect général sont ceux d'un brave vagabond sans histoires. Ma petite barbe que je garde dans ces cas-là et mes vieilles chaussures ne donnent certainement pas l'image d'un touriste occidental. Les pays d'Amérique centrale pouvant être dangereux, il est bon de se protéger de toute convoitise et cacher tout signe extérieur de richesse.

Je découvre cependant des parcelles de paix qui deviennent pour moi autant de repères. Parmi ceux-là, les cybercafés. Ils sont de véritables « havres de paix » dans lesquels je me sens en sécurité et protégé. Une fois la porte fermée, je laisse le chaos derrière moi. Peut alors souffler un vent calme et agréable. C'est un bureau à ma disposition partout dans le monde, une touche de « connu » dans l'inconnu.

Une fois mon « Yahoo mail » ouvert, je retrouve mes repères et un certain automatisme dans mes gestes. Je ne remercierai jamais assez celui qui en a inventé le concept ! Autour de moi, de jeunes ados viennent parfaire leur éducation sexuelle ou s'adonner aux joies du « *chat* ». Pour ma part, je lis mes courriels, les informations de la planète, les scores du Racing Club de Strasbourg, et j'organise la prochaine étape de mon parcours. De 30 centimes d'euros l'heure en Argentine à 25 dollars à Bora-Bora, des connexions hyper rapides aux États-Unis à celles d'une incroyable lenteur dans les villages africains ou sur les îles indonésiennes, les oasis Internet se suivent sans toujours se ressembler.

Bizarrement, ce n'est pas dans la rue, mais dans un cybercafé que je découvre le plus gros vol dont j'ai été victime durant ce voyage. En vérifiant mon compte bancaire sur Internet, je m'aperçois que la quasi-totalité de ma réserve, 5 000 euros, a disparu. L'achat d'un lecteur DVD et d'une télévision, de nombreuses factures de restaurant, des bijoux : la liste des dépenses sur deux jours est longue. Un inconnu, basé en Floride s'est visiblement débrouillé pour réaliser une fausse carte bleue à mon nom avec mes coordonnées bancaires récupérées, je ne sais comment. J'ai peine à y croire. J'ai toujours été extrêmement prudent contre le vol à la tire, je me refuse d'acheter des choses superflues parce que mon budget est trop serré et voilà que d'un coup, la quasi-totalité de mon compte s'évapore. Je suis atterré !

Premier réflexe : blocage de la carte bleue. Première erreur : j'oublie de retirer la centaine de dollars restant sur mon compte. Première conséquence : me voilà plongé dans l'une des villes les plus dangereuses au monde avec seulement 22 dollars en poche. Il faudra s'en contenter pour survivre jusqu'au remplacement de la carte bloquée...

Je file au commissariat de Colón pour porter plainte avant d'entreprendre un recours auprès de Visa. Le poste de police offre un concentré de toutes les misères du monde ; alcooliques, drogués ou criminels arrivant menottés les uns après les autres. Des victimes de viols, de vols ou d'agressions viennent y porter plainte... Les policiers ne semblent pas s'ennuyer par ici ! Après trois longues heures d'attente, on me fait savoir qu'on ne peut rien pour moi car le vol n'a pas eu lieu au Panamá. On me conseille d'aller à la capitale, à deux heures de route.

Au commissariat de ville de Panamá, on m'emmène dans une première salle, puis une deuxième, puis une troisième... pour m'annoncer quatre heures plus tard, que l'on ne peut rien pour moi car je suis Français, je me trouve au Panamá, le voleur est aux États-Unis et le vol a eu lieu sur Internet. Un joli casse-tête !

La police panaméenne refuse de se saisir du dossier. L'ambassade de France ne peut rien faire non plus. Interpol me fait part de son incompétence. Finalement, après de multiples démarches, c'est un commissariat de France qui acceptera, grâce à une procuration donnée à ma mère, d'enregistrer la plainte. Je pourrai ainsi caresser l'espoir de récupérer mon argent auprès de Visa, responsable de l'arnaque. En attendant, je vis avec le minimum !

Avec le recul, vivre neuf jours sans le sou s'est avéré intéressant. Sur le moment, ce ne fut pas simple de vivre avec deux dollars et demi par jour – juste assez pour une heure d'Internet et un seul repas léger. Mais ce type d'expérience forge un caractère et permet d'apprécier la vraie valeur de chaque chose…

Panamá est un curieux pays qui ne ressemble à aucun autre en Amérique latine. Chaud et humide à longueur d'année, c'est la « marmite du diable » où cohabitent Indiens Kunas, Emberas et Ngöbe-Buglé, descendants de conquérants espagnols, ainsi que de nombreux Noirs anglophones, jamaïcains et antillais, dont les grands-parents furent « importés » à la fin du 19e siècle pour construire le canal. Un bien étrange cocktail ethnique qui s'inscrit sur les visages que je croise, même si les Panaméens forment une nation spirituellement homogène, unie par la langue espagnole et la religion catholique.

Unique, ce pays l'est aussi par sa capitale dont le bord de mer pourrait aisément se confondre avec celui de Miami ou de New York : les banques s'y bousculent, les investisseurs américains s'y pressent, cherchant à s'assurer une retraite dorée en profitant des avantages fiscaux du pays. L'argent y coule à flots. Tous les soirs, la très longue avenida Balboa, qui longe la baie de la ville, se pare de faux airs de Monte-Carlo. Au volant de 4 × 4 à 50 000 dollars, de jeunes frimeurs se livrent à des courses infernales, sous le regard d'une police complaisante.

Unique, ce pays l'est surtout par son fameux canal, enjeu, depuis près d'un siècle, de toutes les tractations avec les États-Unis. Reliant Colón et ville de Panamá, le canal long d'environ

80 kilomètres fut débuté par les Français et achevé par les Américains. Chaque année, il permet à plus de 14 000 navires de passer d'un océan à l'autre, s'épargnant ainsi les 12 666 kilomètres de détour que constitue un passage par le cap Horn.

La traversée de ce qui fut l'un des plus grands chantiers de la planète prend une journée entière. Départ vers 5 heures du matin, arrivée aux alentours de 20 heures. Le trajet est quasiment chronométré et dirigé par un capitaine appartenant à l'ACP – Autoridad del Canal de Panama –, gestionnaire du canal depuis le 31 décembre 1999, date du départ des Américains. Sur le *Solid*, je fais partie des quatre *line handlers* obligatoires, ceux qui doivent arrimer le bateau pour éviter qu'il ne parte en vrille lors de la montée des eaux à Gatun, Pedro Miguel et Miraflores, les trois écluses qui mènent progressivement notre voilier jusqu'au niveau du Pacifique.

Dans chaque écluse, notre petite coque se trouve juste devant un cargo massif, nous donnant l'impression de n'être qu'un jouet au milieu d'un bassin trop grand. Vu d'en dessous, le cargo est une bête impressionnante ! L'expérience fabuleuse de la traversée sera suivie en direct, via webcam, par les enfants de l'hôpital.

Panamá, Costa Rica, Nicaragua, Honduras, El Salvador, Belize... Les pays d'Amérique centrale se succèdent avec leurs lots de rencontres et d'enseignements.

Conformément à ma volonté, je continue d'éviter autant que possible l'hôtel. Outre mes nombreuses nuits chez les habitants, je squatte un peu partout. Il y a toujours un prêtre ou une bonne sœur pour m'accueillir dans une église, un fermier pour m'ouvrir sa grange, une cellule de prison vide que m'ouvre un policier, un matelas dans une caserne de pompiers ou un coin de station-service où je peux allonger ma carcasse. Ni la tente, ni le duvet ne me manquent vraiment, je trouve toujours un endroit où étendre mes 188 centimètres...

L'Amérique centrale me montre ce qu'elle a de meilleur mais aussi ce qu'elle a de pire. Je rencontre aussi bien des familles joyeuses que des cas sociaux isolés vivant une sombre existence. Même si j'aime rencontrer toutes sortes d'individus, je cherche en général à ne pas rester trop longtemps dans l'entourage d'énergies négatives.

Durant mon parcours, j'ai tout de même eu l'occasion de plonger un certain nombre de fois dans le monde infernal de la drogue, de la violence ou de l'alcool. Une rencontre particulièrement marquante se déroula dans une petite station-restoroute réservée aux camionneurs sur une route du Honduras...

En Amérique centrale, les stations-service sont quasiment toutes fermées la nuit. Le gérant part donc en confiant la sécurité des lieux à un garde armé. Les prostituées et les camionneurs, habitués des lieux, peuvent faire ce qu'ils veulent à partir du moment où ils ne posent pas de problèmes de sécurité.

Ce soir, les néons de la station sont éteints mais une petite lumière blafarde éclaire un coin de terrasse légèrement à l'écart. C'est là que camionneurs et prostituées se retrouvent avant de passer à la couchette. Assis sur une chaise en plastique et patientant jusqu'à l'aube, je m'intègre au groupe. Très vite, *el Francès* fait partie du paysage. Des bouteilles de bière jonchent le sol. L'une d'elles, percée d'un petit trou à l'extrémité opposée du goulot, sert de pipe. À tour de rôle, les deux prostituées et les trois camionneurs aspirent la fumée d'une dose de cocaïne reposant sur l'orifice de la bouteille tenue à l'horizontale.

J'observe, attentif, leur petite popote et refuse leurs sollicitations. Sans doute une confortable nuit d'hôtel m'aurait-elle épargné ce spectacle, mais je veux tout voir, tout connaître. Le regard de l'une des filles se révulse soudain, faisant d'elle un personnage lointain, parti vers le néant. Chaque bouffée de vapeur semble déclencher en elle une sorte d'orgasme. Son front est en sueur, ses poumons se gonflent pour mieux conserver la matière qui lui entre par la bouche et ressort quelques instants après par les narines.

Rapidement, cette fille rondelette qui paraissait au premier abord sympathique et souriante se couche sur la table, raide morte. Les autres suivent la même courbe descendante qui les amènera en enfer. L'un des camionneurs trouve suffisamment de force pour porter la demoiselle jusqu'à sa cabine. Je ne les reverrai plus. Le garde, visiblement habitué, assiste quant à lui, sans mot dire à cette déchéance humaine. Côtoyer ces bas-fonds me dégoûte…

Autre station, autre nuit, même ambiance. Entre León et Chinandega, au Nicaragua, les prostituées vont d'un camion à l'autre et proposent leurs charmes aux chauffeurs esseulés. Je discute avec celles en mal de client et rencontre des femmes parfois très intelligentes et éduquées. Parmi elles, Tatiana, 20 ans, rondelette et souriante. Je l'interroge sur son histoire et les circonstances qui l'ont amenée là. Elle m'explique qu'elle se prostitue depuis l'âge de 14 ans, préférant se vendre à « des gros qui puent » plutôt que se faire battre à la maison par son père. Ma présence sert d'exutoire à cette fille et ses deux copines. Toutes me racontent leur histoire, plus tragique l'une que l'autre. « C'est la seule façon de gagner de l'argent pour une fille ici, il n'y a pas d'emplois disponibles au Nicaragua pour les jeunes », me raconte Melissa, pourtant titulaire d'un diplôme d'université.

Je raconte mon parcours à Tatiana et la raison de ma présence dans cette petite station si reculée. Elle sourit à l'annonce des mots « tour du monde ». Un tel voyage lui semble si loin de sa réalité. Elle me dit faire du stop de temps en temps pour rentrer chez elle, mais elle n'aime pas ça car, précise-t-elle, « je me fais souvent violer. J'ai pris l'habitude et me laisse faire pour ne pas me faire battre, mais je préfère éviter. » Ces mots claquent dans mon esprit. Comme si les mots « espoir » ou « vie digne » n'avaient plus aucun sens. Comment peut-on prendre « l'habitude » de se faire violer ? Nous nous quittons sur ces propos que je n'oublierai pas. Tatiana me remercie de l'avoir écoutée et d'avoir pu discuter avec un homme sans aucun sous-entendu, chose visiblement peu commune dans la région.

Au fil des semaines et des kilomètres, je découvre les différents pays d'Amérique centrale : ses paysages parfois magnifiques, ses jolies villes coloniales, son peuple, son histoire mouvementée, ses relations parfois tendues avec l'Oncle Sam. Les gens se montrent généralement très gentils avec moi et n'hésitent jamais à me raconter les heures noires que vécurent leurs pays ces 20 dernières années : à part le Costa Rica, tous les États d'Amérique centrale ont connu la guerre civile dans les années 80. Les avis divergent selon les interlocuteurs. Certains estiment que les États-Unis sont à l'origine de tous leurs maux, d'autres que la situation de leur pays serait encore bien pire sans la présence des entreprises américaines. À moi de me faire une opinion entre ces deux extrêmes…

Entre Guatemala et la frontière mexicaine, alors que je tends le pouce au bord de la route, un quatre roues motrices flambant neuf s'arrête à ma hauteur. À l'intérieur, Victor Hugo del Pozo, ex-maire d'Antigua, la seconde ville du pays, candidat à la présidentielle du Guatemala. Malgré sa prestance, l'homme a demandé à son chauffeur de me prendre :

« J'aime rencontrer des voyageurs, dit-il. Ils ont une meilleure vision de la réalité que nous, les politiciens, qui n'allons que d'hôtels de luxe en banquets mondains. »

Durant deux heures, nous discutons de la situation sociale du pays, des relations entre Indigènes et Blancs. Mon rêve d'un monde où les hommes politiques feraient du stop ou prendraient des autostoppeurs n'est peut-être pas si fou ? En France, le président s'arrêterait-il pour m'embarquer ?

À Cartago, au sud de San José, je m'arrête découvrir la Basílica Nuestra Señora de los Angeles, le Lourdes latino-américain. Chaque année, des millions de pèlerins viennent y rendre hommage à la *Négrita*, « Notre-Dame des Anges », patronne du Costa Rica, dont la statue trône dans une chapelle de la basilique. Des miracles lui sont attribués, ainsi qu'à la petite source coulant en contrebas de l'église. Pour voir leurs vœux exaucés, les pèlerins doivent parcourir toute la nef, agenouillés et en prière. Les miraculés laissent ici, chaque année, des centaines d'ex-voto représentant les parties guéries de leur anatomie. Je suis du regard une vieille dame visiblement très affaiblie, mettant toute son énergie pour arriver au bout de la nef et ainsi pouvoir espérer une guérison miraculeuse de la *Négrita*. Une heure plus tard, elle arrive à destination les genoux gonflés mais l'âme en paix. Je réalise à quel point la foi peut déplacer des montagnes.

À l'extérieur de la basilique, un jeune homme d'une trentaine d'années, prénommé Juan Carlos, vient s'asseoir à mes côtés. Il souhaite, dit-il, m'enseigner le sens de l'existence. Il me montre sa bible bien protégée dans son sac à dos et prétend que les grandes vérités de la vie y sont écrites. Quelque peu agacé par son ton présomptueux et peu respectueux des autres croyances, je me permets de lui demander s'il sait pourquoi il croit en un seul Dieu et en Jésus-Christ. Son regard montre une certaine incompréhension à ma question. Disposant d'un peu de temps, je reformule puis remets les choses dans leur contexte. Je lui rappelle ses origines, précisant que quelque 500 ans en arrière, ses ancêtres vénéraient d'autres dieux et n'avaient jamais entendu parler du Christ. Ce n'est qu'après l'arrivée des Espagnols et d'innombrables massacres que les croyances ont changé. Mon explication le laisse perplexe, il ne semble pas vouloir me croire. Désireux de reprendre la route, je laisse Juan Carlos avec de nouvelles interrogations dans son esprit, et peut-être quelques doutes. Comment faut-il sc comporter face à l'ignorance ? Une question que je me suis souvent posée en regardant tant de gens innocents, heureux de ne pas savoir…

20 mai 2004. Je laisse à la providence le soin de choisir mes rencontres, cherchant moins des aventures qu'une véritable fraternité avec les peuples, sans souci des conventions. À Tegucigalpa, capitale du Honduras dont le nom imprononçable

a bercé mon enfance, j'engage la conversation avec Gerardo, un Hondurien d'une vingtaine d'années, rencontré dans un cybercafé. Il m'explique, dans un anglais approximatif, qu'il essaie d'apprendre cette langue avec un vieux bouquin et qu'il consacre une heure par jour à s'initier à Internet et à l'informatique. Il n'est jamais allé à l'école. Gerardo voudrait pratiquer l'anglais. Il me propose de rendre visite à sa famille. Éprouvant un profond respect pour les autodidactes, j'accepte sa proposition avec plaisir.

Dans le vieux bus bradé par les États-Unis, à la carrosserie couverte d'autocollants *Señor, bendiga mi camino*, « Seigneur, bénis mon chemin », et *gracias Señor*, Gerardo me raconte sa vie. Il a perdu son père récemment, à la suite d'une longue maladie, et son salaire d'assistant dans une petite entreprise locale constitue l'unique gagne-pain de la famille. Il apprend l'informatique pour essayer de trouver un meilleur boulot. Un mendiant lisant la bible à voix haute nous interrompt.

La banlieue dans laquelle vit Gerardo est plus qu'un coin « populaire », c'est en réalité une vraie ceinture de misère. Comme tous les bidonvilles d'Amérique centrale, elle fourmille de bambins faméliques, voués à tous les miasmes et à tous les microbes. Certains, entièrement nus, jouent avec ce qu'ils trouvent par terre. Il flotte dans l'air une odeur infecte, mais cette puanteur ne semble incommoder personne. Devant moi, plusieurs centaines d'habitations de fortune faites de briques grises à l'état brut et de cartons d'emballage juxtaposés. Les toits sont recouverts de tôle ondulée. Une pointe d'appréhension ralentit ma marche. Faut-il y aller ? J'hésite avant de m'engager au cœur du bidonville. La tombée de la nuit n'est pas faite pour me rassurer et je connais la réputation de ces endroits. Je me suis rendu dans bien d'autres quartiers populaires que ce soit au Sénégal, Brésil ou Pérou, mais celui-ci me paraît particulièrement sordide.

Gerardo sent mon appréhension et rigole.

« T'inquiète pas, Ludo, c'est pas parce que c'est sale et pauvre que tu te feras égorger, les gens sont sympas ici. »

Je continue de le suivre. Au bout d'une ruelle boueuse, Gerardo s'arrête devant un taudis, soulève une planche et me fait signe d'entrer.

«*Bienvenido amigo. Mi casa es tu casa*[11].

À l'intérieur, le bruit de la vie et quelques lumières falotes. Sur les murs, des trous béants, obstrués tant bien que mal par des plastiques ou de vilaines couvertures. Des images de la Vierge Marie et de Jésus assurent la décoration. Un vieux poêle à bois trône au milieu de cette débâcle. Son conduit sort par un trou pratiqué dans l'unique fenêtre en plastique.

Matelas et couvertures encombrent un côté de la salle. De l'autre, la nourriture, quelques accessoires de cuisine, et tout au fond, une télé allumée complètent l'aménagement. La maman et la toute jeune femme de Gerardo, assises sur de vieux tapis râpés, préparent la nourriture du soir: une soupe de pommes de terre avec de petits oignons. Elles m'accueillent avec un large sourire qui me met tout de suite à l'aise et me font signe de m'asseoir sur une caisse de coca-cola retournée. Deux autres, placées côte à côte, servent de table, un bout de carton fait office de nappe.

Trois enfants plus jeunes – dont un bébé de 5 mois – et une grand-mère s'entassent dans l'unique pièce. Sur le côté, l'un des enfants, âgé d'une dizaine d'années, regarde la télé. Comme ceux des voisins, le foyer de Gerardo peine à se nourrir mais est équipé d'une télévision avec accès au câble. Le poste débite de nombreuses chaînes en espagnol ou en anglais. L'une d'elles diffuse des séries américaines entrecoupées, au moment le plus incisif de l'action, d'annonces publicitaires étalant toute la richesse du voisin américain. Le contraste est saisissant et me rappelle ces endroits populaires au Sénégal où les familles regardaient quotidiennement le journal de France 2.

Malgré le manque de place évident, la famille me propose de rester dormir. Ma présence est un honneur, me

11. «Bienvenue, mon ami, ma maison est la tienne.»

disent-ils, avant de s'excuser de leur pauvreté! J'y resterai finalement quatre jours. La famille insiste chaque soir pour que je dorme sur le matelas de la grand-mère, le plus confortable, mais je m'accroche à mon coin de tapis. Je campe près de la télévision, allumée en permanence.

Dans le *barrio*[12], la délinquance et la violence sont la règle, et l'hygiène est des plus que basique. L'eau « courante » – disponible au coin de la rue – n'est pas potable mais tous la boivent. Gerardo me propose de l'accompagner à la décharge pour découvrir la vie quotidienne de gens fraîchement débarqués de la campagne.

Les enfants chiffonniers, vêtus de guenilles, sacs en plastique et vieux crochets rouillés à la main se dirigent vers des montagnes d'ordures nauséabondes dont les arêtes fumantes se dégagent des brumes matinales. Des centaines de bambins en loques, dont beaucoup ont les cheveux roux, signe d'une alimentation déficiente, fouillent les détritus à la recherche de ce qui pourrait être revendu. Certains, accroupis, se nourrissent d'ordures. Beaucoup marchent pieds nus malgré le verre et les produits corrosifs.

Lorsque Gerardo m'a proposé de venir avec lui, j'ai hésité : est-il approprié de « faire du tourisme » dans un tel endroit ? Sentiment de voyeurisme… C'était en fait une bonne excuse pour ne pas voir ce qui se passe, pour ne pas me confronter à la vie de ces gosses. Maintenant que je suis là, je sais que j'ai bien fait de venir. Les enfants sont heureux de me voir, heureux que quelqu'un s'intéresse à eux, surtout un étranger ! Mais bien sûr, ma visite ne change pas grand-chose, un sourire ne remplit pas un estomac et ces pauvres déshérités retournent vite à leurs déchets.

L'activité de chiffonnier est une solution d'urgence pour les gamins. Pourtant, sans une formation élémentaire, ils l'exerceront toute leur vie. Régulièrement, certains se font écraser par les camions benne. Voulant être les premiers à fouiller, de crainte d'être battus s'ils ne rapportent pas assez d'argent, ils se précipitent vers le déchargement.

---

12. Quartier.

Je suis bouleversé. Ces bouts de chou ont droit à autre chose que cette survie insupportable. La pauvreté me révolte, je ne supporte pas l'injustice. Ce malaise est d'autant plus fort que les différences économiques, sociales, culturelles semblent incommensurables entre l'étranger de passage que je suis et les habitants du pays que je traverse. Avec mes sacs bien remplis, mon corps bien nourri et malgré mon petit budget – pour un pays riche –, je dégage une prospérité enviable. Je me sens à la fois coupable, responsable et… impuissant face à ces regards qui reflètent une cruelle vérité.

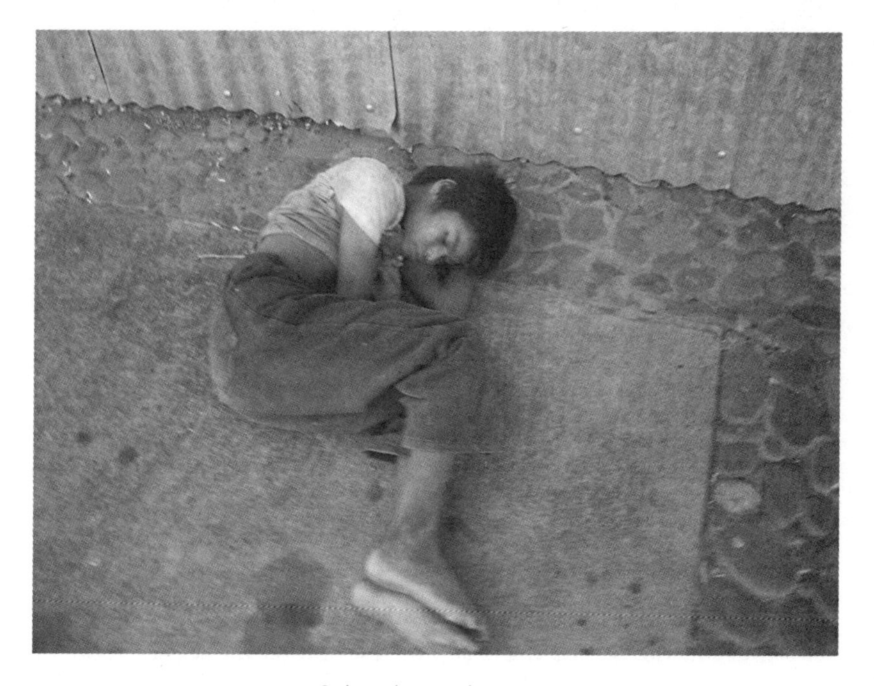

Enfant livré à lui-même dans une rue de Managua, la capitale nicaraguayenne.

Dans les villes d'Amérique centrale, des scènes humaines ont remué mes intestins aussi bien que ma conscience d'homme ; comme cette petite fille de 11 ou 12 ans venant me proposer une fellation pour trois dollars ou ce petit garçon, ayant perdu ses deux jambes, se droguant à l'aide d'un pot de colle et devant ramper désespérément afin de trouver de quoi se nourrir sur un tas d'ordures. Et que dire de cet enfant victime d'une crise d'asthme qui mourra devant mes yeux dans d'atroces souffrances au Nicaragua, faute d'avoir trouvé un traitement pour le soulager? Autant de scènes gravées dans ma mémoire pour l'éternité. L'émotion est la porte de la conscience. La mienne trouve là une acuité qu'elle ne perdra jamais plus.

Après m'avoir accueilli pendant quatre jours, comme si son hospitalité et sa gentillesse n'étaient pas suffisantes, Gerardo m'offre avec beaucoup de solennité une bible en espagnol. « Un cadeau à emporter avec toi, elle te tiendra compagnie pendant ton tour du monde. » Émouvant témoignage d'une amitié éphémère mais sincère. Côtoyer les plus pauvres est une expérience magnifique. J'apprends, grâce à leur chaleur, que souffrir de maladie, manquer d'argent et des biens matériels les plus élémentaires aiguisent parfois la beauté de l'âme. Ceux qui ne possèdent quasiment rien sont souvent prêts à tout offrir. Longue vie et un peu de douceur à tous les Gerardo de la planète…

J'expédie en France la bible offerte par Gerardo que je ne peux porter avec moi. Elle sera bientôt suivie par des exemplaires du Coran, une *Bhagavad-Gîtâ*[13] offerte en Inde et quelques livres de psaumes offerts en route par quelques vénérables. Je garde dans mon sac, en revanche, ma bible. Un livre qui me suit partout en Amérique centrale : *The End of poverty*, de Jeffrey Sachs, ou comment éradiquer la misère de la planète d'ici 2025 en respectant les objectifs du millénaire des Nations unies, et en utilisant de façon intelligente les effets de la mondialisation. Un ouvrage de référence pour moi.

L'exode rural est l'un des phénomènes les plus importants de notre époque. Depuis 2007, pour la première fois dans l'histoire de l'humanité, la population urbaine mondiale dépasse la population rurale. D'ici 2025, la proportion d'urbains devrait atteindre 60 %.

13. Livre sacré de l'hindouisme.

En résulte une pauvreté urbaine accrue et des villes qui explosent. En 2008, environ un milliard de personnes vivaient dans des bidonvilles, ils seront trois fois plus en 2050 ! Une ville comme Mexico City pourrait compter environ 40 millions d'habitants, soit deux tiers de la population française ! Le planning urbain, à l'image de ce que fait Curitiba au Brésil, devient une immense priorité…

Car la pauvreté urbaine génère la violence. Dans cette partie du monde, les gangs juvéniles, parmi les plus meurtriers de la planète, sont baptisés maras, du nom de la fourmi brésilienne ne se déplaçant qu'en groupe et détruisant tout sur son passage. Ces bandes de jeunes, souvent tatoués de la tête aux pieds, vivent de drogue, de meurtres et font trembler l'Amérique centrale. Ils sont 30 000 au Salvador, 35 000 au Honduras, 20 000 au Guatemala et se développent un peu plus chaque année. À mon arrivée au Salvador, mon conducteur, montrant l'arme cachée sous son siège prévient :

Arme dans une voiture m'ayant pris en stop.
[El Salvador]

« San Salvador est l'une des villes les plus dangereuses du monde. Chaque jour, des dizaines de personnes se font abattre dans les rues. La violence et les armes font partie du quotidien, ici. Ne t'amuse pas à mettre les pieds dans leurs quartiers, ils n'auront aucune pitié pour toi… »

Les faits viendront rapidement confirmer ses paroles. Quelques jours plus tard, dans le centre-ville, j'entends un coup de feu. Quelques pas plus loin, je découvre un homme mort, gisant sur le bord de la route. Il est allongé sur le dos, les bras en croix, une rivière de sang coulant vers le caniveau. Durant plusieurs jours, je vais rester hanté par le souvenir de ce corps sans vie. Première fois que j'assiste à une telle scène. Au détour de la rue, quelqu'un m'explique qu'il a été abattu froidement par des membres de la *mara salvatrucha*, un des principaux gangs de la ville. Une sordide affaire de règlement de comptes, sans doute liée à la drogue. Dans cette région, on attache bien peu de prix à la vie.

Pour s'en persuader encore davantage, il suffit de regarder les médias locaux, sans doute les pires que je n'ai jamais vus. La morale semble avoir complètement disparu du monde du journalisme dans l'isthme… Ou peut-être n'a-t-elle jamais existé ? Les quotidiens du type *La critica*, *El Siglo* au Panama ou les journaux télévisés d'El Salvador montrent la mort en gros plan. Les parents des victimes sont interviewés dès qu'ils apprennent la nouvelle et personne n'hésite à soulever une couverture pour filmer un cadavre. « Plus il y a de sang, plus ça vend », dit-on. Choquant !

Le Padre Moratalla, l'un de ces hommes formidables rencontrés qui mériterait de se retrouver en première page dans les journaux.

Quelques lumières brillent, heureusement, dans ces ténèbres. Dans le quartier Iberia de San Salvador, je fais connaissance avec le Padre Moratalla, Padre Pépé pour les intimes. À 55 ans, cet Espagnol exilé au Salvador se trouve à la tête d'un des plus beaux projets humanitaires que j'ai rencontrés pendant ce tour du monde. Arrivé ici en 1983, Padre Pépé, touché par les témoignages faisant état de meurtres quasi quotidiens et de chômage important, décide de changer la destinée du quartier. En 1985, il crée le Poligono Industrial Don Bosco

(PIDB), pour tenter d'assurer, par l'instruction, un avenir meilleur aux enfants. Mais son ambition ne s'arrête pas là. Éduquer c'est bien, leur proposer du travail à la sortie, c'est mieux !

Avec l'aide de sponsors espagnols, il a développé une véritable zone industrielle regroupant 10 ateliers – aluminium, menuiserie, chaussure, textile, sérigraphie, plastiques, matrices, boulangerie, imprimerie et mécanique – et offre des contrats aux jeunes afin qu'ils créent leur propre activité et qu'ils sortent de l'infernale spirale de la pauvreté. Comme si tout cela n'était pas suffisant, voyant l'inquiétante montée des bandes juvéniles organisées, il a également lancé son « plan *Maras* de réinsertion » proposant à tous les jeunes criminels souhaitant amorcer une nouvelle vie un travail rémunéré dans son centre, à condition, bien sûr, d'accepter un certain nombre de règles et d'abandonner les armes. Grâce à son charisme, 25 ans plus tard, le quartier a cessé d'être le plus pauvre et le plus violent de la ville. Tous les jours, plus de 1000 enfants sont aidés, formés, sensibilisés, accompagnés. Un mot me revient sans cesse en tête pendant la visite du centre : Excellence. Pas un détail n'est laissé au hasard. Je ressors du PIDB le cœur gonflé à bloc.

L'action du Padre Moratalla n'est qu'un exemple d'actions parmi d'autres rencontrées durant mes quatre mois passés en Amérique centrale. Depuis ma première découverte un peu naïve de Claire Enfance au Sénégal, la rencontre de gérants d'ONG fait partie intégrante de ce tour du monde au point que je n'hésite plus à frapper à leur porte pour connaître leur action. J'en visite des petites, des moyennes, des grandes. Ces passeurs d'espoir aux yeux tournés vers les étoiles et aux étoiles plein les yeux, transforment la destinée de milliers de personnes. Ils luttent contre les armes de destruction massive que sont l'analphabétisme, le VIH ou le manque d'eau sans chercher la moindre gratification, ni la moindre reconnaissance. Ils ont interpellé ma conscience et représentent de véritables sources d'inspiration pour moi. Outre leur grand cœur, ils ont en commun la ferveur, la persévérance.

À un moment de leur existence, ils ont décidé d'aller jusqu'au bout de leur engagement pour faire une différence dans la communauté. Malgré la résignation ambiante, ils ont tenté de construire le monde dont ils rêvent, plutôt que de subir celui qui existe déjà. Par leurs actes, ils montrent, chacun à leur manière, que rien n'est impossible et que tous les espoirs sont permis pour aboutir à un monde sans pauvreté. Ils partagent une foi en l'homme, une haute conscience humaniste qui les pousse à s'engager avec ferveur, et leur esprif combatif positif ne peut être que contagieux. L'action de tous ces gens n'est peut-être qu'une goutte d'eau dans l'océan mais, comme aimait le dire Mère Teresa : « Si cette goutte d'eau n'était pas dans l'océan, elle lui manquerait. »

Peu à peu, à leur contact, m'imprégnant de leur exemple, j'ai envie de ne pas subir, mais d'agir. « L'action seule libère », disait Jacques Brel. J'ai besoin d'être libéré… Mais comment ? Je ne suis ni médecin, ni ingénieur agronome. Pour autant n'ai-je rien à apporter à un pays et sa population dans le besoin ? Avec six années d'études à mon actif, quelques centaines de pages de manuels de finance et de marketing en tête, des soirées passées à résoudre des cas pratiques sur la finance d'entreprise ou la conduite de projets, suis-je réellement démuni de toute utilité ou compétence ? Non, bien évidemment. Je décide donc de prendre le taureau par les cornes et de passer à l'acte.

Au fil de mes rencontres en Amérique centrale, je me suis souvent rendu compte que ces « héros » ne se connaissent pas entre eux. Ils ne s'entraident pas. Ils n'apprennent rien de leurs expériences respectives. Chaque fois, ils réinventent la poudre. Ainsi, depuis quelques temps, j'essaye de les faire connaître grâce à mon site Internet. Un premier acte gratuit et, j'espère, utile. Seconde étape, le 11 août 2004 à San Salvador, je décide de réunir 11 responsables d'ONG d'Amérique centrale autour d'une table, pendant une journée. Discussions, partage d'expériences, inspirations croisées, synergie. Depuis, l'ONG Intervida prépare un partenariat avec le PIDB pour mettre en place un projet commun en faveur de l'insertion des jeunes sur le marché du travail au Salvador; l'ONG Remar, au Guatemala s'inspire du travail de Padre Moratalla. Un petit coup de pouce qui ne me fera pas, cette fois-ci, avancer géographiquement, mais qui allégera pour un temps quelque peu ma conscience. L'expérience sera renouvelée à plus grande échelle dans les villes de Djakarta et New Delhi.

De camionneurs en représentants de commerce, je reprends la route vers le nord. Voici le Belize, ex-Honduras britannique. Comme le Panamá, ce pays ne ressemble à aucun autre. On n'y parle pas l'espagnol, ni aucune langue indigène mais une sorte d'anglais revu à la sauce jamaïcaine. La musique se rapproche plus du reggae que de la *bachata*[14]. Les métis laissent place aux descendants d'esclaves noirs africains et Élisabeth II orne les billets de banque. Je commence à mieux comprendre les mouvements migratoires des ex-colons.

Puis arrive le Mexique. Après un tour complet des sites mayas du Yucatan et du Chiapas, j'arrive progressivement dans sa capitale, la plus peuplée du monde : Mexico City qui me happe instantanément. Ici comme ailleurs en Amérique latine, l'exode rural provoque une perte de repères chez les nouveaux urbains. Les institutions évangélistes en profitent. Elles sont partout, notamment l'Église universelle, créée en 1977 au Brésil. En passe de conquérir l'Amérique latine, elle supplante par endroits l'Église catholique.

Je ne pouvais pas quitter l'Amérique latine sans aller à l'intérieur de cette « multinationale de la foi », souvent considérée comme une secte. Pour ce faire, je m'imprègne de son émission télé quotidienne que j'avais déjà entrevue, entre autres chez Gerardo quelques semaines auparavant.

14. Musique traditionnelle latine.

« Dieu a changé ma vie », « Dieu a réalisé un nouveau miracle », « Enfin la prospérité »... Les témoignages de fidèles pleuvent sur le canal 4 mexicain. Je note l'adresse indiquée sur le petit écran et me rends sur place.

Le *Santuario de la fé* ressemble davantage à un centre culturel ou un hypermarché qu'à une église. À peine rentré, je me retrouve jeté pêle-mêle dans une indicible cohue humaine. Plus de 3 000 personnes de tout âge, aux apparences multiples, sont rassemblées à l'intérieur, une bible à la main. Des gens professent à haute voix des sermons en simultané, agenouillés face à des rangées de bancs, visages posés sur les sièges. L'église universelle ne connaît pas l'angoisse de l'absence de fidèles que connaissent les églises européennes. Au bout d'une demi-heure, cela tourne à la transe religieuse, à la gloire du Seigneur Jésus. Les chants succèdent aux sermons, ponctués de poignées de main, d'embrassades, de tapes sur l'épaule du voisin, et de « la paix du Christ ».

Peu à peu, les prières s'enchaînent de plus en plus rapidement, balbutiées jusqu'à l'essoufflement. La communauté a tout de la secte avec orateur-endoctrineur crachant ses cordes vocales dans un micro, et des fidèles qui donnent la réplique d'un geste au Führer. Je ne saisis pas grand-chose de ce sermon mais comprends qu'il évoque l'histoire de Jérusalem. Cela frise l'agonie. L'orateur fait tournoyer ses bras vers le plafond, comme en 1933 sur la grande place de Berlin face à la foule des hurleurs conditionnés.

À son tour, la foule secoue les bras de droite à gauche et de gauche à droite entraînée par un groupe de rock accompagnant les serments de la façon la plus dynamique qui soit, bien loin des « alléluias » dont j'avais l'habitude. L'auditoire au complet subit une crise de larmes, pour de vrai. Certains se jettent à terre, en proie à une crise d'épilepsie religieuse. L'office dégénère comme une veillée funèbre qui aurait mal tourné. Des rivières de larmes s'écoulent des 3 000 personnes réunies devant le hurleur énervé, monté sur sa chaise, bible violemment montrée à l'assemblée.

Deux heures après le commencement de l'office, tout le monde se console puis se remet à pleurer. Je ne peux retenir un éclat de rire en catimini, mon visage dissimulé derrière l'écran de mes mains. Je n'en reviens pas. Je n'avais jamais vu une telle ferveur. Les larmes sèchent vite. L'orateur, parlant espagnol avec un léger accent brésilien, finit par baisser le ton et demande à l'assistance son attention. Il rappelle tout d'abord à tous ces gens, complètement acquis à sa cause, combien il est important de propager « la bonne nouvelle de l'arrivée du Christ », puis, plus calmement encore, demande :

« Qui nous regarde à la télévision tous les soirs ? » Plus de quatre personnes sur cinq lèvent la main.

« Vous savez que l'émission doit être financée, vous connaissez aussi les activités sociales que l'Église universelle réalise dans les quartiers les plus défavorisés... »

L'auditoire, souvent originaire des quartiers les plus pauvres, acquiesce en tremblant. L'orateur sort alors une bible d'un grand carton, la présente à la foule puis s'exprime comme le meilleur des commerciaux :

« Qui d'entre vous serait prêt à donner 5 000 pesos[15] pour cette bible neuve qui aiderait l'Église universelle dans ses missions ? Qui ? »

Une dame se lève et dépose ses 5 000 pesos dans la boîte prévue à cet effet.

« On applaudit madame, Jésus vous le rendra. Qui souhaite donner 2 000 pesos pour cette bible toute neuve ? »

Et ainsi de suite, 1 000, 500, 200, 100, 50, 20 pesos... À l'issue d'une bonne demi-heure de vente au forceps, tous les participants ou presque auront donné quelque chose. Invraisemblable !!! Au Brésil, cette « église », avec l'argent ainsi

15. Environ 500 dollars.

récolté, est progressivement en train de se construire un empire médiatique. Car contrôler les médias c'est contrôler les esprits. Elle se place aussi, dit-on, sur le plan politique. Sa vision de la société idéale ? Un Brésil sans carnaval, sans bikinis ; un mode de vie dicté par la bible… Je me demande quel impact auront ces fous de Dieu sur l'Amérique latine de demain.

À la sortie de Mexico City, un homme d'affaires en costume-cravate se gare sur le côté de la route. Il sort 200 pesos de son portefeuille « pour m'aider dans mon voyage », dit-il, avant de rajouter : « Je vous ai vu à la télévision, vous réalisez mon rêve et vous donner une pièce me donne l'impression de partir avec vous autour du monde… » Je bénéficie de temps en temps de ce genre de charité, télévision ou non. Alors que, gêné, j'essaye de lui rendre son don, l'homme disparaît dans le flot de la circulation en me souhaitant « bonne chance ».

Quelques kilomètres plus loin, je trompe l'attente en marchant en direction de l'État du Michoacán. Un homme trapu, cheveux noirs, petite moustache me rattrape :

« *Hey man, where are you from ?* »[16]

Son anglais parfait m'intrigue. La proportion de Mexicains anglophones est faible dans la campagne. Il poursuit :

« Mon nom est Fernando, mais aux États-Unis on m'appelle Jerry. »

Tandis que nous marchons, Fernando me raconte qu'il a vécu aux États-Unis pendant trois ans, après avoir risqué sa vie pour s'y rendre, mais qu'il a finalement décidé de rentrer au pays.

« Il n'y a pas que l'argent dans la vie, mec. Je me faisais exploiter là-bas. J'ai préféré revenir vivre près de ma famille et retrouver ma culture. »

---

16. « Salut, mec, d'où viens-tu? »

Pas banal. La plupart des jeunes que je rencontre rêvent, à l'inverse, de partir chez l'Oncle Sam. Grâce à la médiatisation de mon parcours, je reçois de plus en plus de courriels de jeunes Latinos rêvant d'exil américain. Mon parcours leur donne des idées et ils souhaitent rejoindre les USA en stop. Pas par plaisir, expliquent-ils, mais « pour nourrir leur famille ». L'argent envoyé par les immigrés dans leur village – appelé *remesas* – représente la troisième source d'entrée d'argent du Mexique, après le pétrole et le tourisme.

Au bord de la Panaméricaine, je rencontre un certain nombre de ces candidats à l'exil. Je parcours avec eux quelques kilomètres en marchant ou partage leurs angoisses durant le temps d'attente. J'éprouve une certaine peine à laisser les autres autostoppeurs à quai lorsqu'un chauffeur accepte de me prendre mais refuse le Latino. Les villageois se montrent souvent durs envers ces émigrants, simplement parce qu'ils sont hispanophones et que leurs allures de pauvre n'inspirent guère la confiance. Une fois dans les camions, je me sens parfois mal à l'aise lorsque j'entends les chauffeurs m'expliquer qu'ils ne prennent pas de Mexicains à bord ou leur demandent de grosses sommes d'argent. À moi, ils ne me demandent pas le moindre sou. Vous avez dit injustice ?

Par-delà ces réflexions et au-delà des grandes étendues semi-arides du nord du Mexique se présentent les États-Unis. Le 9 septembre 2004, j'atteins Matamoros, sur le rio Grande, à la frontière américaine. Après 16 mois d'un périple extraordinaire, je fais mes adieux à l'Amérique latine, sous-continent qui en dépit de nombreuses métropoles me semblant invivables, en dépit de sa forte corruption, en dépit de rendez-vous et paroles rarement respectés, en dépit de sa violence, m'aura fait aimer son peuple avec fougue. Mon tempérament me rapproche de ces gens portés à apprécier la vie à sa juste valeur.

Des Cariocas aux Indiens des Andes, des gauchos aux cow-boys mexicains, je garderai un excellent souvenir de mon séjour latino-américain ; un séjour m'ayant offert tous les ingrédients d'un formidable voyage plein d'émotions : une pointe de danger, de la poussière, du soleil omniprésent, de la pluie rafraîchissante, quelques gouttes de Tabasco et d'alcool local, des policiers véreux, la vue obsessionnelle des armes à feu et de la drogue, les moustiques, les cafards, la générosité des villageois et la rencontre d'individus exceptionnels. Le tout pour quelques dollars par jour. Je pense qu'aucun tour-opérateur n'égalera jamais le catalogue de mes émotions.

Je m'apprête à présent à passer dans l'autre monde et franchir cette ligne de démarcation entre nord et sud, riches et pauvres, matérialisée par un mur de cinq mètres de haut qui bientôt achèvera de séparer les quelque 3 000 kilomètres entre le Mexique et les États-Unis. En attendant, des milliers de voitures chargées de marchandises plus ou moins légales passent chaque jour au travers des contrôles imposés par les services américains de douane. La frontière bat tous les records officiels de contrebande.

Une passerelle conduit les piétons jusqu'aux États-Unis. De petits écriteaux répartis sur tout le parcours empêchent quiconque de s'arrêter ainsi qu'aux groupes de se former. Des caméras aux angles pivotants sont placées aux angles stratégiques. Au-dessus, des hélicoptères veillent à ce qu'aucun clandestin ne passe. J'arrive aux États-Unis, le pays le plus riche du monde, prétendu « pays de la liberté ». Mais il me faut ici marquer une pause philosophique, car en même temps que mon pouce m'a fait voyager géographiquement, mon esprit a cheminé. Quelque chose est en train de se passer en moi, d'achever de mûrir…

Chapitre 9

DE L'ÉLÈVE AU PROFESSEUR

« Il y a ceux qui voient le monde tel qu'il est et qui demandent : pourquoi ? Et il y a ceux qui voient le monde tel qu'il pourrait être et qui disent : pourquoi pas ? »

— George Bernard Shaw

L'arrivée à la frontière américaine est l'occasion de faire un premier bilan sur mon parcours. Déjà 600 jours que j'ai quitté la France et je n'ai pas encore parcouru la moitié de la planète. Nul besoin de s'étendre sur mon retard par rapport au planning initial de « un à deux ans maximum » : il est évident. Et pour cause, les péripéties du bateau-stop, les diverses missions réalisées et ma boulimie de découverte m'ont sérieusement retardé. Peu importe, ce tour du monde s'avère aussi passionnant que je l'avais imaginé.

Au moment d'effectuer ce premier bilan, je ne peux m'empêcher de repenser à ce 21 juin 2002 et à cette phrase d'un ami d'école de commerce qui résonne aujourd'hui dans mon esprit. Dans l'auditorium principal, alors que le gratin de mon école nous remettait les diplômes et nous parlait des salaires attractifs à la sortie, il me glisse à l'oreille :

« Ludo, c'est bien beau de vouloir voir le monde et sortir du rail, mais attention de ne pas dérailler et revenir de ton tour du monde déconnecté de la réalité ! »

« Sortir du rail » : sans doute voulait-il dire : « Ne rate pas les opportunités de travail à la sortie de l'école » ou peut-être « fais attention de ne pas trop t'éloigner du monde de l'entreprise, tu auras du mal à y retourner ».

À l'époque, cette phrase m'avait fait réfléchir. Aujourd'hui, elle me fait sourire. Plus que jamais, je suis convaincu d'avoir fait le bon choix en me lançant dans cette aventure. Elle s'intègre dans mon esprit comme une suite presque logique de mon cursus d'éducation, allant jusqu'à la considérer comme mon doctorat. Un doctorat de la route où mes professeurs ne se trouvent pas dans une salle de classe, mais au volant de leur voiture, camion ou bateau. Un doctorat d'ethnologie, d'anthropologie, de géologie, de sociologie, de biologie, d'histoire, de géographie, de psychologie, de sciences politiques, de géopolitique… Un doctorat de vie me permettant d'élargir mes centres d'intérêts, mes horizons, de comprendre qui je suis et d'où je viens.

Que serait devenue ma vie si je n'étais pas parti ? Je me pose parfois la question, mais il est impossible d'avoir une réponse. Une chose est sûre cependant : loin de me sentir « déconnecté de la réalité », le sentiment qui prédomine aujourd'hui est celui de la connexion…

Connexion à moi-même. Par sa symbolique, ses exigences, ses rencontres, son dénuement et le temps disponible pour la réflexion, la route donne l'impulsion à l'autoanalyse, à l'introspection, au voyage intérieur. Faire le tour du monde, c'est aussi apprendre à mieux se connaître, à mieux appréhender ses forces, faiblesses et limites ; à mieux savoir ce qui m'anime, me passionne mais aussi ce qui m'irrite et m'angoisse dans ma vie d'homme. Formidable sensation de me laisser imprégner et modeler par ce voyage au gré des rencontres. Ce voyage m'adoucit, me rend plus aimant, plus humaniste. Plus je rencontre les gens, mieux j'ai l'impression de me connaître. Le regard des autres est un miroir, c'est celui qui permet de répondre à la question éternelle et essentielle : « Qui suis-je ? »

Connexion aux autres. Faire un tour du monde en stop, c'est rencontrer un nombre considérable de gens tous les jours, que ce soit dans les stations d'essence, sur la route, dans les maisons ou dans les véhicules qui m'embarquent. Si cela implique de souvent répéter les mêmes histoires et d'avoir parfois l'impression de se transformer en robot, cela veut dire surtout rencontrer une grande diversité d'hommes et de femmes, chose impossible dans la vie de tous les jours. Du PDG au paysan en passant par le témoin de Jéhovah, l'adepte de la scientologie, le franc-maçon, le défenseur de l'esperanto, le sportif renommé ou l'altermondialiste, chacune des rencontres laisse quelque chose : une sensation, une trace, une vibration, une réflexion. Chacun me laisse un avis, une info sur son pays, ses dirigeants, sur sa croyance, sa passion, sur sa philosophie de vie.

Partager quelques minutes, quelques heures ou quelques jours du quotidien de tous ces gens me permet, chaque jour, de gagner un peu plus en empathie, en compassion, de mieux comprendre la formidable diversité de pensées qui existent sur cette terre. Dans nos sociétés occidentales, nous avons tendance à vivre refermés sur nous-mêmes, en vase clos. Cette sensation se ressent davantage dès lors que l'on sort de son cadre habituel. Grâce à ce tour des hommes, je me sens connecté comme jamais à mes frères.

Connexion au monde qui m'entoure. Splendide. La planète est absolument splendide. Depuis 600 jours que j'ai quitté la France, il ne s'est pas passé une journée sans que je me sois émerveillé, pas un jour sans que je me sois rappelé la chance que j'ai de pouvoir découvrir notre monde, pas un jour sans que je me sois félicité de ma décision de partir. Quelle tristesse eût-il été de passer à côté de tant de beautés en restant chez moi ! Bien sûr, j'aurais pu voir toutes ces beautés à la télévision ou en feuilletant des magazines, mais comme le dirait l'infatigable globe-trotter André Brugiroux, « lire un beau roman d'amour n'est pas vivre une belle histoire d'amour ».

Connexion aux défis planétaires. Fragile. La planète est incroyablement fragile et l'arpenter permet d'en prendre chaque jour un peu plus conscience. Lorsqu'on ne voyage pas, cette fragilité peut paraître lointaine et abstraite : les villes nous coupent de la nature, de nos racines. Les distances nous déresponsabilisent face aux problèmes du monde. Voyager permet d'avoir une meilleure vision des conséquences de chacun de nos actes, de rendre le monde plus petit, de rendre les distances plus concrètes. Un coup de pouce et hop, me voilà dans un autre pays…

Le monde vit actuellement une période charnière. Son équilibre est menacé par l'action parfois irréfléchie des hommes. Les prochaines décennies vont être cruciales pour l'avenir de l'humanité et ma génération porte une grande responsabilité. Rien ne sert de jouer au pessimiste mais la lucidité est de mise et l'action de chacun indispensable. Me reviennent en tête les paroles de Miguel en Antarctique :

« Ludovic, les globe-trotters de ton espèce ne peuvent se contenter d'observer, ni même d'apprendre. Vous avez tous un rôle d'agitateur de conscience à jouer, l'Occident doit assumer le rôle de moteur du changement et montrer la voie à suivre. »

Progressivement, le voyage transforme le « je » en « nous ». Certes, le challenge de tour du monde en stop est toujours bien vivace en moi. Il reste un combat personnel à mener, un Léviathan à combattre, un rêve à réaliser mais ce rêve a quelque part été rattrapé par la réalité…

Me voici à présent à la porte des États-Unis. Pays le plus pollueur au monde, qui a refusé de signer le protocole de Kyoto. Pays où les mots « voyages à l'étranger » sont inconnus de la grande majorité de la population (seul un quart des Américains possède un passeport). Pays où, selon une enquête du magazine *National Geographic*, 65 % des 18-25 ans ne peuvent situer la France sur une carte du monde et encore moins l'Angleterre ou l'Irak. Et pourtant, pays dont le vote de chaque citoyen aura des conséquences directes sur la stabilité du monde.

Je connais les États-Unis pour y avoir étudié pendant une année, au Texas, en l'an 2000. Par la suite, j'ai également effectué un stage de plusieurs mois dans le Massachussetts. J'y ai vécu pendant cette période des moments inoubliables, y ai gardé plusieurs amis mais n'ai véritablement connu que le monde étudiant et celui de l'entreprise. Je souhaite à présent découvrir d'autres facettes de la première puissance mondiale mais aussi concrétiser une idée qui me trotte dans la tête depuis plusieurs mois…

Avant mon départ de France, mon plan était simple : je comptais faire un tour rapide de trois mois tout au plus chez l'Oncle Sam avant de chercher un bateau pour rejoindre l'Australie depuis la Californie.

Mais voilà, le 4 mars 2004, jour du déclic équatorien – première conférence donnée à Quito en Équateur –, a bouleversé tous mes plans et toutes mes aspirations. Depuis ce jour, j'ai donné d'autres conférences et une idée me revient sans cesse en tête : et si je prenais une année de ma vie pour faire une tournée de conférences à travers les États-Unis et le Canada ? Je pourrais alors partager les enseignements de mon tour du monde avec d'autres, encourager le voyage à l'étranger, sensibiliser et favoriser la prise de conscience de mon public face aux défis planétaires, proposer quelques actions individuelles et peut-être même en profiter pour gagner quelques sous afin de financer la suite de mon parcours…

L'idée m'enthousiasme mais la décision est très difficile à prendre. Me lancer dans cette tournée de conférences impliquerait de prolonger d'au moins un an la durée de mon tour du monde. Pour la première fois, je pense à la possibilité de faire durer ce tour du monde cinq ans. Si celle-ci me semblait inimaginable au moment du départ, elle ne l'est plus aujourd'hui. Si je devais vivre 100 ans, chose envisageable de nos jours, cinq ans ne représenteraient que 5 % de ma vie. Passer 5 % de mon existence à vouloir mieux connaître et comprendre le monde autour de moi ne me paraît plus excessif. Au fil des années de voyage, la notion de temps devient de plus en plus relative. Il est d'ailleurs amusant de s'entendre parfois dire des phrases du type : « Toi, tu as du temps, tu peux te permettre de faire un tour du monde… » Vais-je vivre plus longtemps que le commun des mortels ?

Avant de prendre la décision finale, se posent tout de même les sempiternelles questions : est-ce bien raisonnable ? Est-ce que ça va marcher ? Qu'est-ce qu'une telle décision implique ? Comment gérer le retour, l'après-voyage ? Comment réagiront mes proches ? Et les éventuels futurs employeurs ? Me reviennent en tête les paroles de mon père avant le départ : « Évite de partir plus de six mois, le retour sera trop difficile. »

Dans ses leçons sur la psychanalyse, Freud disait que : « L'homme n'a rien de mieux à faire qu'essayer d'être en accord avec lui-même. » Aujourd'hui, être en accord avec moi-même signifie faire confiance à mon instinct, lire les signes du destin et ne pas rester insensible face aux réalités côtoyées pendant mon voyage. Le destin m'a conduit ici, à la porte des États-Unis, avec l'envie d'animer une tournée de conférences. Comme pour ma décision de départ en 2003, il me paraît important d'aller au bout de mon idée et de mon rêve. Le doute n'a une nouvelle fois plus de prise : il faut que je me lance.

Il me faut maintenant préciser ce projet, étudier sa faisabilité. Malgré mon esprit d'aventure, j'aime savoir où je vais. Cette tournée de conférences va devenir, pendant toute une année, ma ligne conductrice, celle qui va m'orienter et me désorienter. Elle donnera un sens plus profond à mon voyage, me permettra d'exposer les thèmes qui me préoccupent et de partager ce que j'ai appris pendant près de deux années passées sur les routes. Cette nouvelle perspective m'emballe.

Pour le logement, une aide venue du ciel va à présent rendre ma vie de nomade beaucoup plus aisée. Grâce à un courriel reçu d'un internaute, j'apprends l'existence de deux sites Internet à l'idée novatrice et résolument altruiste : www.hospitalityclub.org et www.couchsurfing.com.

Ces deux sites sont au logement ce que l'autostop est au transport : un moyen d'augmenter les interactions entre locaux et voyageurs et de rendre le voyage plus abordable. L'idée est de permettre au voyageur de « squatter » en toute légalité et gratuité chez des inconnus du monde entier, engagés à mettre à la disposition des intéressés une chambre, un appartement, un bout de canapé, un peu de place sur le sol ou un petit coin de jardin pour planter la tente. Le séjour peut durer le temps d'un café, d'une nuit ou deux, d'un mois voire plus. L'échange peut aussi simplement consister à faire découvrir sa ville ou aller boire un verre pour discuter du pays ou d'échanger les visions du monde. Bien sûr, le voyageur s'engage à être agréable et intéressant mais aussi, sans pour autant signer de contrat, à rendre la pareille une fois de retour au bercail. Pour proposer ou demander l'hébergement, il suffit de devenir membre puis de faire une recherche en ligne dans un périmètre défini.

Et l'offre est vaste ; ces sites qui avaient chacun moins de 10 000 membres fin 2003, en ont plus d'un million en 2009, dans près de 30 000 villes, dans quasiment tous les pays du monde. Ce concept me plaît et je décide instantanément d'en devenir membre. Je ne le sais pas encore, mais ces deux sites vont être pour moi de véritables mines d'or rendant mon tour du monde à la fois beaucoup plus facile, moins fatigant, mais surtout encore plus intéressant…

Chapitre 10

«NE SURTOUT PAS DONNER DE MAUVAISES IDÉES AU LECTEUR»

États-Unis – Canada

«Asistiendo a la mejor escuela de vida.» (vivant la meilleure école de la vie)
Diario del fin del mundo, Ushuaïa, Argentine
«Learning life on the road.»

— *Townsville bulletin*, Queensland, Australie

À peine arrivé dans le complexe frontalier géant, je me fais déjà remarquer ! Voulant réaliser un reportage pour mon site Internet, je photographie le rio Grande, le bâtiment officiel et le drapeau américain, lorsqu'un fonctionnaire, talkie-walkie et arme à la main, me fait signe d'approcher et demande à voir mon appareil photo :

«Effacez-moi tout ça, et qu'ça saute ! La prochaine fois que vous prendrez un bâtiment officiel en photo, vous irez en taule !»

Belle entrée en matière ! Et ce n'est qu'un début, l'officiel regarde d'autres clichés gardés en mémoire puis tombe sur le pont des Amériques à Panama :

« Vous avez pris cette photo ici ?

— Non, à Panama.

— C'est où Panama ? »

Je juge peu opportun de lui rappeler que ce pays est considéré par son gouvernement comme l'un des plus stratégiques au monde et qu'il l'avait envahi en 1989 pour se débarrasser de son dictateur.

« Et cet animal, c'est quoi ? Vous voyagez avec un animal ?

— C'est un iguane d'Amérique centrale, sir. Non, je ne voyage pas avec un iguane ! »

Les photos effacées, le fonctionnaire semble enfin satisfait. Me voilà maintenant convié à me rendre dans les bureaux de l'immigration pour obtenir un visa de touriste, que je renouvellerai par la suite en effectuant des allers-retours au Canada.

Hélas ! Ce qui devrait, en principe, constituer une simple formalité, s'avère en réalité un véritable parcours du combattant. Face à moi, deux fonctionnaires zélés et hautains m'interrogent sur mon parcours. Ils veulent tout savoir : mes motivations, mon statut, l'origine de mes fonds, mon site Internet, dont ils notent l'adresse dans leur système informatique – vive la liberté d'expression !... On me fait patienter dans une salle, dans une autre, puis c'est au tour d'un supérieur de me poser les mêmes questions. À aucun moment, je n'aborde ma tournée de conférences qui me bloquerait probablement l'entrée dans le pays. Finalement, après une heure de discussion, les fonctionnaires m'octroient le visa et les portes des États-Unis peuvent enfin s'ouvrir. « *Good morning America !* »

Première vision du pays après la frontière : une enseigne dans un magasin : *Buy now, pay later*. Deuxième vision : un homme obèse assis dans un McDonald's, raie des fesses bien visible, avec quatre Big Mac devant lui. En seulement deux images, je viens de capturer une partie de l'esprit américain. Difficile de ne pas superposer la vision de cet homme en train de se goinfrer aux images accumulées en Amérique centrale ces derniers mois.

Sacré contraste… Et ce n'est que le premier d'une longue série. Les routes sont maintenant toutes bien goudronnées et jalonnées de restoroutes et commerces en tout genre. Voitures et conducteurs ont doublé de volume. À la croisée des *highways*, il me faut maintenant rechercher les conducteurs à la sortie des fast-foods rassemblés en congrégation.

McDonald's, Burger King, Jack in the box, Arby's, Hardee's, Denny's, Wendy's, Taco Bell, Whataburger, etc., un univers de consommation qui me nargue et me vole ma volonté de rester sain. Finis les tacos et la nourriture équilibrée dans la rue. Mis à part l'option supermarché, manger *junk food* est ici le seul moyen de manger pas cher. Hamburgers rapides, glaces rapides, cuisses de poulet frit rapides, pizzas, spaghettis, tartes grand-mère rapides. Les consommateurs semblent pressés de remplir leur panse et de repartir au plus vite.

À l'extérieur de ces «mangeoires», il est souvent difficile de s'adresser aux conducteurs face à face : ils ne se lèvent même plus ! Tout est *drive-in* et on ne sort de sa voiture qu'en cas d'extrême nécessité. Même les banques, les petits commerces, les *liquor store* ont leur service à la portière. À croire que l'homme du futur troquera ses deux jambes pour quatre roues ! De fait, à Houston, les piétons ont disparu ou presque. Ceux qui restent sont pressés, leur visage est fermé. J'ai la nostalgie des foules sud-américaines. Tout à coup, la fête, en ce qu'elle a de profondément humain, me manque.

Comme la plupart des villes américaines, Houston ressemble à un immense centre commercial. J'en profite pour acheter un ordinateur portable qui me sera bien utile pour mes présentations et me donnera un peu d'indépendance dans un pays où les cybercafés sont quasiment inexistants.

Dans cette ville, je retrouve un vieil ami. En l'an 2000, lorsque j'étais étudiant au Texas, j'avais sympathisé avec John, venu par la suite étudier à Strasbourg. Après quatre années d'études de commerce, il a décidé de changer de voie et de se lancer… dans de nouvelles études de médecine. Un choix bien courageux. Nos retrouvailles sont émouvantes et chargées de souvenirs.

Afin de préparer au mieux ma tournée de conférences, John me propose de loger chez lui pendant un mois. Un contexte idéal pour me consacrer entièrement à mon nouvel objectif ! Je mets donc tranquillement au point un document PDF résumant mon parcours et le but de mes conférences puis une présentation *Power Point* assistée par ordinateur. Première partie sur le périple, deuxième, adaptable selon l'auditoire, sur la pauvreté dans le monde, le commerce équitable, les « passeurs d'espoirs » rencontrés en Amérique centrale et les questions environnementales. Un temps pour rêver, un autre pour réfléchir. Un bon équilibre !

Une fois les outils prêts, je passe à l'envoi massif de courriels. Disposant d'assez peu de relations directes dans les écoles, universités, alliances françaises ou Rotary club, le culot est de rigueur. Je ne néglige aucune piste et exploite chaque point d'entrée et de réseau possible : Hospitality Club, Couchsurfing, réseau d'anciens étudiants de mes universités, tout le monde est contacté et mis à contribution. Les premiers résultats ne tardent pas à venir. Je reçois environ 5 % de réponses positives, c'est-à-dire la possibilité de donner au total près de 200 conférences. Mon calendrier me permettra d'en réaliser 114 pendant toute l'année. C'est tout simplement formidable !

La typologie des réponses positives est très intéressante : 80 % d'entre elles proviennent des États bleus. Les États-Unis sont en effet divisés entre les États rouges – républicains, pro-Bush – et les États bleus – démocrates. Les républicains se concentrent dans l'intérieur du pays tandis que les États démocrates se trouvent sur les côtes atlantique et pacifique ainsi qu'à la frontière canadienne. Cette concentration de réponses va donc me pousser à passer le plus clair de mon temps dans les grandes villes américaines que sont New York, Boston, Philadelphie, Los Angeles, San Francisco, Chicago, Detroit, Seattle, Minneapolis, Miami... Est-ce un manque d'ouverture au monde des États rouges ? Un sentiment antifrançais de la partie la plus conservatrice du pays après les déclarations de messieurs Chirac et de Villepin dénonçant la volonté guerrière des États-Unis ? Sans doute un peu des deux. Si cette distribution de réponses ne m'étonne guère, elle me déçoit, j'aurais préféré «prêcher» auprès des moins convaincus !

En attendant de me lancer, il m'apparaît impossible de quitter Houston sans tenter une expérience de navette spatiale-stop à la NASA. Ne serait-ce que pour voir la tête des responsables, je me pointe au QG de Houston où l'on m'engage à aller me faire prendre en stop ailleurs. Dommage, je me contenterai donc d'un tour terrestre, ce coup-ci !

De Houston à Collège Station, siège de mon ancienne université, il n'y a que deux heures de route. Arrivé sur place, je retrouve l'immensité du complexe : 45 000 étudiants, stade de 88 000 places, aéroport privé…

«*The bigger, the better*», aiment-ils dire !

C'est là que commence officiellement ma tournée. Je ne pouvais rêver d'un meilleur endroit pour débuter : la majorité des étudiants n'y jurent que par le «*I was born in Texas, I live in Texas and I will die in Texas*». «Voyager» signifie pour eux aller à Cancun pour la grande beuverie annuelle de *Spring break* : pas exactement le type de voyage que j'essaye d'encourager. Si les étudiants de cette université conservatrice sont des gens charmants et souvent très doués dans leur domaine d'activité, le sort de la planète ne les intéresse guère, ils sont plutôt obnubilés par la Mustang clinquante garée sur le parking. Posséder un tel engin équivaut à être de son époque, paraît-il. C'est la condition *sine qua non* pour que les femmes te trouvent viril et te regardent. Pas terrible. C'est donc face à des cow-boys, taillés en bloc de glace,

T-shirt de George Bush sur les épaules, claquettes ou longues bottes aux pieds, que je commence une tournée qui s'étirera sur 36 États américains et 3 provinces canadiennes.

Si certains trouvent mon parcours enthousiasmant, ces cow-boys n'y trouvent qu'un intérêt... limité. En fait, beaucoup ne comprennent pas du tout ce que je fais sur la route sans voiture, sans maison, sans avenir en construction. Je représente pour eux l'antithèse du succès et de l'*American way of life* ! Mais cela ne me décourage pas, au contraire. Je le sais, le défi que je me suis fixé est ambitieux. Je sais aussi que nombre d'Américains sont des gens ouverts et chaleureux et que je ne dois pas m'arrêter à ce premier ressenti. Et les jours suivants me confortent dans mon choix.

Au cours de cette année de tournée, je parcours l'Amérique pour parler du monde devant toutes sortes d'auditoires : des retraités installés en Floride, des handicapés à Chicago, des orphelins à Saint-Paul, une organisation s'occupant de jeunes délinquants à Los Angeles, un hôpital à Indianapolis ou encore des chambres de commerce. Sans oublier divers événements lors desquels inviter le *french globe-stopper* permet d'apporter un peu d'exotisme aux participants. Selon mes publics, je dois adapter le fond et la forme de mes présentations. Certains veulent rire, d'autres connaître en détail les difficultés rencontrées pour mener à bien mon projet, d'autres que j'évoque ma vision du monde et des défis planétaires.

De nombreuses écoles ont répondu positivement à mes propositions de conférence. Les professeurs et directeurs d'écoles accueillent souvent avec enthousiasme l'idée qu'un globe-trotter vienne parler de son expérience personnelle et sensibiliser les élèves aux défis planétaires. Si l'on me demande parfois « d'éviter de trop parler du stop », « trop dangereux » paraît-il, on me prie souvent d'insister sur la paix dans le monde, le réchauffement climatique et l'importance de faire de ses rêves des réalités.

« Ludovic, nos jeunes ne savent plus rêver, déplore un professeur dans le Colorado. Ils passent leurs journées sur des consoles de jeux à se goinfrer de sucreries, devenant obèses et amorphes. Tout leur est servi sur un plateau, ils ne savent rien du monde qui les entoure. Merci pour votre visite, n'hésitez pas à donner nos coordonnées à d'autres voyageurs ! »

Adeptes des consoles de jeux et de sucreries, certes, mais pas tant que ça désintéressés du sort de la planète. En face du globe-trotter que je suis, les questions sont souvent nombreuses et l'intérêt très grand pour ce qui touche à l'environnement, en particulier. La fonte des glaciers, le blanchissement du corail, la disparition annoncée des ours polaires. Presque à chaque conférence, on me demande ce qu'on peut faire pour changer le cours des choses... Et c'est tant mieux car le moins que l'on puisse dire, c'est que les parents ne donnent pas l'exemple. Pour s'en persuader, il suffit de se rendre dans les quartiers résidentiels d'une grande ville en pleine nuit : toutes les lumières y sont allumées !

N'ayant souvent pas le temps de rentrer dans les détails, j'ai conçu, à l'aide d'informations recueillies sur Internet, un petit dossier intitulé «comment chacun d'entre nous peut changer le monde», que je distribue aux enfants. Il explique, entre autres, une dizaine de gestes éco-citoyens que chaque enfant peut effectuer à la maison et encourager ses parents à les accomplir dans leur vie quotidienne : utiliser davantage les transports en commun, trier au mieux ses déchets pour favoriser le recyclage, recharger les cartouches d'encre, fermer le robinet quand on se savonne pour économiser l'eau et l'énergie, consommer de façon plus responsable, favoriser l'utilisation des énergies renouvelables, financer la plantation d'arbres pour absorber les gaz émis... Autant de bonnes pratiques qui, à l'échelle d'un pays, contribuent à réduire les émissions de gaz à effet de serre et donc le réchauffement climatique. J'y ai rajouté également des adresses de sites Internet proposant des activités et des objets d'apprentissage : http ://massivechangeenaction.museevirtuel.ca/, un site qui se veut catalyseur de projets pour les jeunes et vise à encourager des changements positifs dans leurs milieux respectifs, des idées d'actions humanitaires concrètes, une explication de ce qu'est le commerce équitable et des idées et contacts de voyages de sensibilisation organisés par des organismes rencontrés en Amérique latine. À l'issue des conférences, je donne également aux professeurs un document permettant un suivi de la conférence et de ce qu'en ont retenu les étudiants. Tous ces supports m'ont été d'une grande aide... Et prolongent l'influence du globe-trotter visiteur d'un jour...

Pour passer à l'action, il suffit parfois d'une simple «étincelle», et le propos d'un globe-trotter peut jouer ce rôle. Ainsi, je suis heureux d'apprendre qu'après mon passage, tel groupe dans le Minnesota a décidé de remplacer toutes les ampoules de l'école. Tel groupe d'adolescents californiens organise un voyage de sensibilisation au Nicaragua pour découvrir une autre réalité que la leur. Ou encore tel groupe dans le Mississippi, intéressé par «Mondialogo», programme de l'Unesco visant au dialogue interculturel que j'ai souvent relayé, s'est inscrit et a débuté des dialogues interculturels... J'ai reçu également des courriels de jeunes collégiens ou lycéens me faisant part de leur nouveau rêve de parcourir le monde.

Parmi mes expériences préférées, la palme d'or revient aux écoles internationales. J'y rencontre les étudiants les plus ouverts, les plus intéressants qui soient. Un véritable microcosme représentatif du monde de demain, formé par des jeunes de tout horizon. J'y découvre par ailleurs des programmes d'enseignement qui retiennent mon attention. En particulier, j'assiste à des cours de «*global issues*» où les défis qui attendent l'humanité sont abordés et des solutions recherchées. Puissent ces initiatives se multiplier dans toutes les écoles du monde! Dans ces institutions, ma présence offre fréquemment l'occasion d'organiser une «journée monde». Chaque étudiant chinois, indien ou espagnol apporte des objets et de la nourriture de son pays. Un moyen formidable de baigner dans l'interculturalité!

Autre découverte enthousiasmante de cette tournée: les Rotary clubs. Je comprends bien que chaque individu n'a pas forcément une vocation humanitaire, ni la possibilité de donner toute son énergie et son temps au service des autres. Alors comment se rendre vraiment utile tout en restant chez soi? La réponse à cette question, je l'ai trouvée en apprenant à mieux connaître le Rotary international et le concept de «club de service». L'idée de cette organisation créée en 1905 par Paul Harris est simple : réussir à rassembler des gens ordinaires pour réaliser des choses extraordinaires. Le Rotary international est une association mondiale de professionnels, hommes et femmes, représentant toutes les races, couleurs et croyances, unis dans l'idéal de servir les autres : financer la construction d'un orphelinat au Cambodge, d'installations sanitaires au Rwanda, d'un parc municipal de proximité, permettre à de jeunes étudiants de passer une année d'études à l'étranger, supporter le coût des études d'un jeune défavorisé de la communauté...

Le Rotary aide sur tous les fronts. Son objectif n'est pas de «faire la charité» ou d'assister les populations, mais bien de donner les moyens aux communautés d'envisager un avenir meilleur et de former un réseau mondial performant pouvant s'attaquer aux grands problèmes de l'humanité. Parmi leurs plus grandes réalisations, citons l'éradication de la polio, sur le point d'être achevée grâce à un programme d'ampleur : plus de 600 millions de dollars ont été attribués à un immense programme de vaccination et de distribution de vitamines.

Son nouveau grand défi : l'accès à l'eau pour le plus grand nombre. Individuellement, nous pouvons aider quelques personnes ici et là, et apporter des changements somme toute modestes. Ensemble, notre force se démultiplie, nous pouvons véritablement avoir un impact durable à l'échelle mondiale. C'est l'effet «club» ou disons «groupe», car c'est aussi valable pour les associations. Il est, aux États-Unis, particulièrement efficace.

Avant mon départ, l'image que j'avais du Rotary n'était guère positive. Je pensais que tous ces clubs rassemblaient des nantis ne se réunissant que pour se montrer, se faire mousser et profiter du réseau entre deux banquets. J'ai complètement revu mon jugement grâce à mon tour du monde ! Au cours de mes conférences dans les clubs et dans des « Rotaract » – destinés aux plus jeunes – puis à travers la visite de nombreux projets réalisés à travers le monde, j'ai pu témoigner de la force de ce réseau et de la volonté d'action de ses membres. Le Rotary compte aujourd'hui 1,2 million de membres dans 180 pays. Nul doute que tôt ou tard, il en comptera un supplémentaire, car en découvrant cette organisation, j'ai trouvé l'essentiel de ce qui me semble être mon devoir d'homme. Pour moi, c'est ça la mondialisation, c'est disposer d'un réseau mondial performant pouvant s'attaquer aux grands problèmes de l'humanité. Longue vie au Rotary !

Je suis un idéaliste, voire un utopiste. Je le sais, on me l'a assez répété. D'ailleurs, si ce n'était pas le cas, sans doute ne serais-je jamais parti pour ce tour du monde. J'ai toujours eu besoin d'objectifs dans la vie et mon ambition pour le monde ne peut ressembler qu'à la perfection. Un monde où tous les enfants seraient aimés, éduqués, un monde où tous les êtres humains auraient accès à de l'eau potable et à des conditions de vie dignes, un monde où la planète serait respectée et où ses habitants cohabiteraient pacifiquement, un monde où tout le monde se prendrait en stop sans le moindre risque d'agression…

Ma tournée de conférences a atteint les objectifs fixés au départ, en termes de communication, de partage de mon expérience. Au niveau financier, elle m'a permis de récolter suffisamment de fonds pour continuer mon parcours. Parfois en faisant passer le chapeau à l'issue de la conférence – chose fréquente aux États-Unis, les Américains sont généralement des gens très généreux –, parfois en ayant convenu d'une rémunération avec l'organisateur – les alliances françaises, par exemple, donnent entre 200 et 300 dollars pour une conférence –, parfois en récupérant les bénéfices d'une soirée où l'entrée était payante – après avoir fait une campagne publicitaire.

Partage de mon aventure dans une université américaine.

Pendant cette année particulière, il m'a fallu de nouveau mesurer le temps, respecter des rendez-vous, m'astreindre à une discipline très stricte : toujours partir le jour précédent pour être sûr d'arriver à l'heure, garder, encore plus que d'habitude, une apparence correcte, être toujours en forme même lorsque je ne le suis pas. Durant cette année, le globe-trotter s'est presque transformé en travailleur ordinaire…

Un an durant, j'ai découvert et observé les différents visages de l'Amérique : des immigrés russes ou asiatiques aux nombreux Latinos, des Américains pauvres aux très riches, des démocrates aux républicains ou encore des mormons (Utah), des Amérindiens aux amish, les États-Unis offrent une diversité de population très intéressante. Pendant toute la durée de mon séjour américain, une chaîne de solidarité s'est créée pour que je sois hébergé quasiment chaque nuit que ce soit dans les grandes villes ou dans les villages, loin des axes routiers. Parfois grâce à mes contacts pour les conférences, parfois via les sites HC et CS ; ou encore, lorsque l'un de mes hôtes me confiait l'adresse d'un ami, en le prévenant. Chaque fois, j'étais attendu, reçu et fêté comme un proche. L'hospitalité américaine a indéniablement rendu mon parcours plus aisé… Comme n'importe quel être humain, ma forme est proportionnelle à la qualité de mes nuits et je ne pouvais me permettre de dormir à l'extérieur tous les soirs pendant cette tournée.

Parmi les exemples d'hospitalité m'ayant le plus marqué, je ne peux oublier Scott, ce jeune membre d'HC dans le Colorado. Il ne me connaissait qu'à travers mon site Internet. Pourtant, il m'a laissé la clé sous le paillasson, me laissant vivre seul dans son appartement pendant trois jours jusqu'à son retour. Bel exemple de confiance ! Ou encore Sheila, à Boston, fille adorable recevant chaque semaine deux à trois invités, idéalement des étrangers, « par passion » des rencontres m'a-t-elle expliqué. Parfois aussi, j'ai échangé une chambre d'hôtel contre deux heures de travail. Ainsi, à Key West, en Floride, j'ai nettoyé une piscine contre un lit confortable dans un motel. Il m'est arrivé également par deux fois, plus pour l'expérience que la nécessité, de trouver refuge dans les dortoirs de l'Armée du Salut, au milieu de pauvres créatures, *homeless*, chômeurs longue durée ou ex-drogués. Dans ces endroits ouverts à tous, les âmes et corps en détresse y trouvent un peu d'amour, une impression d'exister qu'ils ne retrouvent pas dans la rue, et surtout un matelas avec parfois une couverture. Mais toutes mes nuits ne furent pas douillettes durant cette année, loin de là. Je n'oublierai jamais certaines d'entre elles…

Ainsi, en avril 2005, il est trois heures du matin quand j'arrive à Minneapolis. Sac sur le dos, j'erre au milieu des gratte-ciel. La ville dort et j'aimerais bien en faire autant. Non loin de moi, un parc municipal semble calme et propre. Cela fera l'affaire pour quelques heures. En m'y rendant, je croise la route de clochards « *pousse caddies* » se réchauffant à l'alcool. Ici se retrouvent les exclus du rêve américain et de la prospérité. Ma présence ne semble pas les déranger. Peut-être sont-ils déjà trop saouls pour vraiment me remarquer. Je trouve un carton, le déchire en morceaux et m'installe confortablement dessus, l'ayant étalé sur un banc public derrière un grand arbre qui me sert de cachette. *Living the American dream* !

Deux heures plus tard, alors que je suis paisiblement dans les bras de Morphée, je me fais réveiller en sursaut par des policiers, torche dans la figure, me priant de déguerpir au plus vite sous la menace de leur matraque. Il me faut rapidement me remettre sur pied et m'excuser de ma présence indésirable. Douze heures plus tard, je dois retrouver bonne apparence et parler, devant une centaine de Rotariens, de la misère dans le monde !

Si je garde un souvenir plutôt amusé de cette nuit agitée dans le Minnesota, ce n'est pas le cas d'une autre, passée dans l'Indiana, l'une des plus effrayantes de mon tour du monde.

Me voilà coincé entre deux autoroutes, endroit à la fois interdit et dangereux. Mon précédent conducteur allait à droite, j'allais à gauche. Il m'a planté là. Il est 18 heures. Déjà une heure que j'attends et que j'agite mes bras dans tous les sens, mais personne ne semble s'intéresser à ma présence, ni à mon panneau «*next gas station*». Le crépuscule montre le bout de son nez et me rend nerveux. Trouver une voiture, de jour, sur une autoroute est difficile. De nuit, ce sera mission impossible. Rapidement, sous l'effet de la pénombre, ma silhouette disparaît, se confondant avec le paysage ; les automobilistes me devinent, plus qu'ils ne me voient, et klaxonnent à ma hauteur. Sans doute veulent-ils me signifier que je n'ai rien à faire au bord de la route à cette heure, même si je prends mes précautions pour éviter l'accident. J'allume mon ordinateur, écris sur un document Word «*Gas station please*», mais pas une voiture ne s'arrête pendant les 40 minutes que supporte ma batterie. Je n'insiste pas, d'autant que quelques jours plus tôt, une situation assez similaire s'est produite et les policiers sont venus me sortir de l'autoroute, sans doute alertés par une automobiliste.

Me voilà donc condamné à passer la première nuit de ma vie au bord d'une autoroute, par –10°, au milieu de plaques de verglas, sans tente ni sac de couchage. Mes seules protections contre le froid pénétrant sont un pull et une grosse veste. Mon lit me manque, tout à coup ! J'enjambe la barrière de sécurité, déplie ma serviette sur un talus, suffisamment loin de la bande d'asphalte pour être en sécurité, mais assez près pour pouvoir compter les véhicules passant à 110 km/h en grelottant. Dormir m'est interdit avec une telle température, je pourrais ne jamais me réveiller. Je m'apprête à découvrir cette sensation de vulnérabilité face aux conditions que connaissent les sans-abri à travers le monde.

Le temps passe, avec une cruelle lenteur. Il n'est que 6 h 30. « Votre durée de vie en bord d'autoroute est de 20 minutes », rappelle-t-on en France. Plus de 13 heures que je lutte pour ne pas fermer l'œil. Jamais une nuit ne m'a paru aussi longue ! Je puise dans l'énergie du désespoir. Je n'en peux plus. Enfin survient la délivrance : le soleil montre le bout de son nez ! C'est la fin de mon supplice. Je me relève avec indolence, les cheveux gelés, le visage déformé par la fatigue et d'immenses cernes sous les yeux. J'enjambe à nouveau la barrière de sécurité et peux enfin reprendre le stop. Je suis de nouveau visible ; l'aventure peut continuer. Elle aurait très bien pu s'arrêter là.

Pour Noël 2004, je me trouve à Washington. La ville s'apprête à célébrer la nativité du Christ. Loin du Noël alsacien avec ses marchés traditionnels, ses chants sacrés et une cuisine riche et sophistiquée, je vais découvrir le Noël russe chez Andreï et Kira, deux voyageurs rencontrés en Argentine. En attendant, il est 18 heures et j'agite mes bras au bord de la route, de plus en plus rapidement et même de façon désespérée, tentant d'arrêter un conducteur. Anniversaire du petit Jésus ou pas, personne ne fait œuvre de charité à mon égard ! Il fait –5° et je commence déjà à imaginer mon premier Noël passé au bord de la route lorsque soudain, le père Noël s'arrête et me permet d'arriver juste à l'heure pour le repas. Un bien beau cadeau de Noël que m'a offert cet automobiliste, *in extremis*.

Le froid ! Il fut mon pire ennemi pendant quelques semaines, mais c'est dans le Grand Nord canadien qu'il atteindra des records. En ce 23 janvier 2005, je décide de rallier le village de Waskaganish, très haut au-dessus de Montréal, pour rencontrer la communauté amérindienne crie, cousine des Inuits. L'objectif de ma visite dans ce coin si reculé est précis : je souhaite découvrir l'une des rares communautés amérindiennes à avoir remporté un combat contre une multinationale, ce qui en fait par conséquent l'un des rares peuples indigènes dans le monde pouvant être considéré comme « riche ».

Vivant dans une zone abondante en eau douce, la communauté crie a gagné en 1993 un procès contre la société Hydro-Québec souhaitant construire des barrages hydroélectriques et des lacs artificiels, en prouvant que ces lacs coupaient la route des caribous qui les nourrissaient, et que les poissons, infestés de mercure, n'étaient plus consommables. Outre la visite des barrages, je souhaite voir à quoi peut ressembler la vie « d'Indiens riches ». Comment ont-ils utilisé l'argent récolté ? Est-ce que les sommes reçues les ont aidés à préserver leur culture et traditions ?

La route jusqu'à Waskaganish est très peu fréquentée et ses abords quasi inhabités. Pour trouver mes conducteurs, j'utilise principalement les stations d'essence, espacées de plusieurs centaines de kilomètres. Je me retrouve parfois seul au milieu des forêts de pins, sur des routes gelées, sans trafic, faisant mine de fumer sans cigarette et occupant les périodes d'attente en m'exerçant au patinage ou en observant les troupeaux de caribous. Le thermomètre peut descendre sous les –40°. À ces températures le nez gèle instantanément, et le pouce est comme anesthésié.

–42 degrés au bord d'une route gelée
dans le nord québécois au mois de janvier.
Mes doigts s'en souviennent encore...
[Baie James, Québec]

Dans ces conditions, chaque minute compte pour une heure et chaque portière qui s'ouvre a des allures de sauvetage en haute montagne. Heureusement, les automobilistes en sont conscients et ils ont tendance à se montrer davantage compatissants envers les autostoppeurs. Le premier camion s'arrêtant pour me faire monter a besoin de plus de 500 mètres pour marquer complètement l'arrêt. La course-poursuite sur glace qu'il me faut effectuer pour le rejoindre oscille entre épreuve d'endurance et démonstration de patinage artistique !

Au village cri que j'atteins enfin, la nouvelle de la présence d'un « globe-stoppeur » parvient rapidement aux oreilles du chef de village qui m'accueille en pick-up. Il me permet de rester quatre jours chez le prêtre de la communauté.

Obésité, alcoolisme, drogue, chômage, acculturation, perte d'identité, suicide chez les jeunes… J'obtiens malheureusement réponse à mes questions assez rapidement. Non, les problèmes des Amérindiens ne semblent pas se résoudre avec l'argent, bien au contraire.

La réalité est cruelle. Le beau peuple indien de mon enfance, que j'imaginais à cheval, scrutant le bleu de l'horizon depuis les pitons rocheux des westerns d'Hollywood, appartient au passé. L'intégration s'est transformée en désintégration ! Une affiche sur un mur attire mon attention au moment de quitter la communauté : « Lorsque le dernier arbre aura été abattu, que la dernière rivière aura été empoisonnée, que le dernier poisson aura été capturé, vous vous rendrez alors compte que l'argent ne se mange pas. » Une déclaration incroyablement visionnaire de *Chief* Seattle, chef indien d'Amérique du Nord en 1854 !

Mais le Canada d'aujourd'hui ne se résume bien évidemment pas aux Amérindiens.

En arrivant à Montréal, je me méprends à m'exclamer : « Quel plaisir d'être arrivé au Canada ! » Mon hôte, David, jeune nationaliste québécois à l'image d'une frange non négligeable de la population, me reprend aussitôt :

> « Ici, on n'est pas au Canada, on est au Québec. Ce n'est pas la même chose ! On n'a pas la même culture, pas la même langue, pas les mêmes traditions… vraiment pas grand-chose en commun… »

Cette remarque m'impressionne, même si je me suis déjà rendu dans la province par le passé. Durant la totalité de mon séjour québécois, j'observerai à plusieurs reprises cette volonté de se singulariser, de montrer sa différence. À commencer par la langue…

Entouré de plus de 300 millions d'anglophones, le Québec cherche coûte que coûte à préserver la langue française en son territoire. J'observe notamment avec amusement l'application de la loi 101, interdisant les écriteaux plus gros en anglais qu'en français. Ainsi, il n'y a qu'au Québec où l'on peut manger du poulet frit chez PFK (traduction française «*Poulet frit de Kentucky*» de l'enseigne internationale KFC), boire un café chez «*Café Starbucks Coffee*», commander un hambourgeois au McDonald's ou s'arrêter au panneau «ARRÊT», traduction du «STOP» que nous connaissons en France. On me reprend dès lors que j'utilise les mots «*home cinéma*», «*milk-shake*», «*parking*», «*camping-car*» ou «*faire du shopping*», mais on me demande si je peux me «*squeezer en voiture*», si le «*meeting a été cancellé*», si je veux un «*lift*» ou si je veux «*checker la game à la télévision*». Quoi qu'il en soit, entendre parler français deux ans après mon départ de l'Hexagone me réjouit d'autant que l'accent si particulier de cette province enchante mes oreilles.

«Faire du pouce», c'est ainsi qu'est appelé l'autostop au Québec, fonctionne plutôt bien au Canada. Si la langue commune et la solidarité franco-québécoise ont dû jouer un rôle non négligeable pour mon expérience personnelle, force est de constater que l'on croise plus d'autostoppeurs au bord des routes canadiennes que dans d'autres pays. L'autostop est quelque part un reflet de la société.

De l'extérieur, l'image du Canada est celle d'un pays où il fait bon vivre, où les cultures cohabitent en harmonie et la méfiance envers autrui est relativement faible. Outre le fait que l'on m'accepte généralement assez facilement à bord des véhicules que j'approche, je reste bouche bée de voir les conducteurs souvent laisser les clés sur le contact, laisser la porte ouverte lorsqu'ils vont prendre un verre ou les maisons qui ne sont pas fermées à clé, même lorsque personne n'est dedans. Peu probable en Europe, cette réalité canadienne ne me laisse pas insensible.

Seuls des policiers me donneront du fil à retordre à la sortie de Montréal lorsque, bloqué, je me vois obligé de traverser l'autoroute; une pratique qui ne me réjouissait guère. Sans doute alertés par un automobiliste, je me vois dans un premier temps en état d'arrestation au bord de l'autoroute avant de pouvoir expliquer mon parcours. Compatissants, ils m'amèneront finalement à la prochaine station avec en prime une casquette de la police québécoise en cadeau…

Montréal, Québec, Saint-Sauveur, Val-David, Amos, Rouyn-Noranda, Matagami, Waskaganish, Ottawa, Toronto, Vancouver… Mon double passage au Canada (permettant également de renouveler mon visa des États-Unis) n'est que bref mais intense. J'y découvre le skidoo-stop et des centaines, voire des milliers, de kilomètres de pistes enneigées, la pêche sous glace, la production d'un excellent sirop d'érable, l'imposante poutine, des hommes parlant aux loups (Michel Pageau à Amos, www.refugepageau.ca) et des villes multiculturelles où il semble faire bon vivre, grand froid mis à part. Vancouver notamment est souvent classée parmi les villes les plus agréables à vivre au monde. Y passer quelques jours permet de comprendre pourquoi…

Les joies de l'hiver et du stop en skidoo-stop.

Mon séjour canadien de deux mois n'aura été qu'une mise en bouche. Peut-être un jour aurais-je l'opportunité d'y rester pour un plat de résistance en découvrant cet immense pays plus en profondeur ?

Routes gelées, routes isolées, routes généreuses. Mon périple reprend aux États-Unis, de conférence en conférence, d'État en État et toujours le pouce en l'air. Je n'oublierai jamais cet homme, près de Savannah, dans l'Alabama, s'arrêtant à mon niveau pour m'offrir un parapluie voyant que j'étais seul, le pouce tendu, en train de me faire tremper par la pluie battante. Je n'oublierai pas non plus ce couple, entre Milwaukee et Chicago, me proposant spontanément de venir partager la dinde de *Thanksgiving*, ni cet homme dans l'Iowa se mettant à genoux au pied d'une pompe à essence pour prier, demandant au Saint-Esprit de veiller sur ma personne. Mais ma plus belle histoire de stop restera celle de cet homme s'approchant de moi au volant de son vieux pick-up à la sortie de Key West :

« Où allez-vous ? me demande-t-il.

— Je marche jusqu'à la sortie de la ville, il me faut trouver une station d'essence. Je chercherai ensuite une voiture pour aller à Miami.

— Montez, j'ai un peu de temps, je vous emmène ! »

La quarantaine, une légère obésité, mal rasé, l'air fatigué, je comprends rapidement que l'homme a envie et besoin de parler. Tour à tour, nous nous présentons. Il m'explique qu'il habite sur un bateau, car l'immobilier est trop cher à Key West, et commence à me parler de ses problèmes financiers. Sa voiture, comme tant d'autres, a été achetée à crédit. Ses dettes sont nombreuses. À la sortie de la ville, l'homme se propose de m'emmener plus loin. Il souhaite parler davantage. J'accepte sa proposition tout en lui faisant savoir que la station qui se présente justement à notre hauteur me conviendrait parfaitement.

Il insiste et reprend de plus belle l'inventaire de ses problèmes qui sont passés du domaine financier au domaine sentimental.

Partant du principe que «la nature nous a donné deux oreilles et une bouche pour écouter le double de ce que l'on dit», je me contente d'écouter et de poser quelques questions. En somme, de jouer le rôle de psychologue, une fois encore. Je sens l'homme heureux de s'exprimer. Tellement heureux qu'il m'emmènera finalement jusqu'à Miami, soit un détour de six heures aller-retour ! Incroyable ! En sortant de son véhicule, je le remercie vivement pour ce voyage et cet immense détour, le plus grand de mon tour du monde. Se produit alors l'incroyable. Au moment de lui serrer la main, l'homme prend la mienne, me regarde droit dans les yeux puis me dit :

«Ludovic, c'est à moi de te remercier. Je dois t'avouer que j'ai fréquemment des pensées suicidaires et d'avoir rencontré un jeune comme toi, avec des objectifs dans la vie, me redonne goût à l'existence. De plus, c'est la première fois que je viens avec ma voiture à Miami. C'est pour moi une grande réalisation. Je te remercie vivement ! »

J'ai peine à croire ce que je viens d'entendre. Je n'ai pourtant quasiment rien fait, hormis présenter brièvement mon projet et écouter un homme sans ami. C'est vrai qu'en général, comme je suis juste de passage dans leur vie, les rapports avec les conducteurs me prenant en stop sont très forts, intenses et authentiques. Nous ne perdons ni de temps, ni de salive en faux-semblants ou en courbettes inutiles. Chacun s'exprime, se confie, s'extériorise selon l'envie du moment, sous la seule dictée de son cœur ou de ses entrailles. L'échange s'imprègne alors de sincérité, dans une ambiance souvent joyeuse. Pourquoi taire tel événement, tel point de caractère ou telle opinion puisque de toute façon, on ne se reverra certainement pas ? Cette manière de se comporter fait qu'au bout de quelques heures, nous avons l'impression de nous connaître depuis déjà bien longtemps. Toutes ces expériences humaines formidables me récompensent bien au-delà de tous les efforts fournis pour mener à bien mon projet. Les années et les kilomètres passent mais ma passion pour le stop ne s'amenuise pas, bien au contraire…

Toutefois, ces expériences positives ne sauraient cacher la réalité du stop dans ce pays. Avec 800 voitures pour 1 000 habitants, on pourrait croire que le stop est plus facile aux États-Unis que dans d'autres endroits où les gens se déplacent davantage en transport en commun ou à vélo. Or, ce n'est pas le cas. Si se déplacer en stop reste possible partout à travers le pays et que la plupart des gens rencontrés sont sympathiques, force est de constater que sa pratique est plus difficile qu'en Amérique latine. Là-bas, j'étais un « gringo », un Blanc. On me considérait même comme un riche malgré mon petit budget et on m'embarquait sans trop poser de questions. Ici, lorsque je lève le pouce, je ne suis plus qu'un marginal, une épave, un pauvre dans une société qui n'a officiellement pas de pauvres. Le stop pâtit, aux États-Unis, d'une très mauvaise image. Dès que j'endosse la condition d'autostoppeur, on m'associe à celui qui fait la manche, à l'assisté, au branleur, au profiteur voire au bandit paumé. Je deviens alors objet d'exclusion. Malgré ma présentation toujours impeccable, on me craint, on m'évite, on m'insulte parfois :

« Bonjour, monsieur.

— Je ne suis pas intéressé,

— Mais… je n'ai rien à vous vendre.

— Tant pis, laissez-moi tranquille, ça ne m'intéresse pas… »

Et l'homme de refermer violemment sa portière devant moi sans que je puisse lui parler du but de mon approche.

Ou encore :

« Casse-toi de ma station-service, tu vas faire fuir les clients !

— Mais je reste poli, je ne dérange personne…

— Va-t'en, je t'ai dit ! Que je ne te revoie plus. »

Aux États-Unis plus qu'ailleurs, j'ai dû affronter ce genre de réaction à maintes reprises. Près de Raleigh, en Caroline du

Nord, un groupe de jeunes, Budweiser à la main, ralentit, ouvre la fenêtre et m'adresse quelques injures accompagnées du doigt pointé en l'air :

«Prends le bus, connard.

— Achète une voiture comme tout le monde.»

Six fois, au cours de mon périple mondial, des gens m'ont montré le «doigt d'honneur» qui porte si mal son nom. Six fois, dont cinq aux États-Unis et une en Australie. Que faut-il conclure ? Ces gens ont-ils oublié le temps des pionniers, ces hommes et ces femmes de condition modeste, en chemin pour bâtir la nation américaine ? Je n'ose y croire.

Ces viles insultes semblent symptomatiques de la société nord-américaine actuelle. Doigt d'honneur au stoppeur, doigt d'honneur à celui qui ne possède pas de voiture... Je «n'ai» pas, donc je ne suis pas. Il faut posséder pour exister et être respecté. Triste constat.

Dans l'État de Virginie, je me suis livré à une expérience à la fois amusante et effrayante. Alors que j'attendais, le pouce tendu depuis une bonne heure, regardant les conducteurs m'éviter du regard, je me suis posé une question : et si je jouais au mort, s'arrêteraient-ils ? Pour le savoir, il me fallait tenter l'expérience. Dix minutes durant, je me suis allongé, les bras écartés, sans bouger. Une bonne centaine de voitures sont passées. Aucune ne s'est arrêtée. Morale de l'histoire : mieux vaut ne pas subir une attaque cardiaque en bord de route aux États-Unis !

Je prends généralement toutes ces situations avec calme, philosophie, et si possible humour. Je sais très bien que les insultes ne sont pas adressées à Ludovic Hubler, mais à l'autostoppeur, au marginal que je représente, alors que je suis au bord de la route par choix et non par besoin. Néanmoins, ces expériences m'ont amené à me poser la question du devenir de l'autostop dans la société actuelle.

Stop interdit dans la majorité des États américains,
cela ne m'arrête pas...

Au cours de ma tournée américaine, je n'ai rencontré que deux autres stoppeurs. Ils ont abouti à la même conclusion que la mienne : l'autostop semble être actuellement au creux de la vague aux États-Unis du fait notamment d'une omniprésente culture de la peur. Combien de fois ai-je vu des automobilistes remontant la vitre au moment où je m'apprêtais à leur adresser la parole ? On vit ici dans la suspicion permanente, la peur de l'autre contamine les consciences et pousse au retranchement, à l'isolement dans les carapaces roulantes.

« Mais, monsieur, on ne peut plus faire confiance à personne de nos jours, le monde est trop dangereux depuis le 11 septembre », affirme un homme démarrant son moteur après avoir refusé de m'embarquer.

Plus possible de faire confiance à un inconnu de nos jours ? Mon parcours témoigne de l'inverse ! Sans doute ne vis-je pas sur la même planète que cet homme. Ce genre de réflexion, entendue des milliers de fois, m'attriste profondément. C'est comme cela que naissent les incompréhensions, puis les conflits. Les médias, amateurs de sensationnalisme, portent une lourde responsabilité dans l'évolution de cette société peureuse. Durant la totalité de ma tournée américaine, j'ai profité de la singularité de mon tour du monde pour contribuer chaque fois que possible à changer l'image de l'autostop dans les médias et à insister sur le côté pédagogique de la démarche – peu reconnu en tant que tel aux États-Unis. NBC, CBS, ABC… De *talk-shows* en émissions radio, les principaux médias ont, en général, donné un écho positif à mon projet. Cependant, un certain nombre de journalistes ont eu des réactions surprenantes… Pour ne pas dire atterrantes. Au Texas, par exemple, un rédacteur du principal quotidien, le *Houston Chronicle*, n'a pas hésité à me lancer :

«Nous ne voulons pas donner de mauvaises idées à nos lecteurs.» La «mauvaise idée» de visiter le monde ? De pratiquer l'autostop ? Cette phrase restera à jamais gravée dans mon esprit. Sans doute aurait-il été plus judicieux de dire : «Nous ne voulons pas donner d'idées à nos lecteurs, nous ne voulons pas qu'ils pensent !»

Un voyageur au long cours doit répondre aux médias en gros chiffres. Donner le nombre de pays traversés, le nombre de kilomètres parcourus, moult détails sur les situations les plus terrifiantes, si possible lorsque ma vie fut en danger. «Combien de fois t'es-tu fait agresser ? Combien de fois es-tu tombé malade ?» Les dangers rencontrés les attirent malheureusement souvent plus que les apprentissages. Dans la ville d'Indianapolis, je demande à un journaliste pourquoi il insiste tellement sur les problèmes et si peu sur les apprentissages de la route. Sa réponse est éloquente :

«Il faut des scoops, des histoires d'agression, sinon ça ne vend pas.»

Bienvenue dans le «*media-business*», un monde où faire peur est une activité rentable…

Si la culture de la peur, de l'individualisme et la mauvaise image du stop rendent la pratique de ce moyen de transport plus difficile, le stop dispose d'un autre ennemi aux États-Unis : la loi. Au pays de la liberté, plus de la moitié des États l'interdisent ! En d'autres mots, il est absolument interdit de demander à un inconnu le droit d'embarquer dans sa voiture. Liberté tout ce qu'il y a de plus contrôlée ! Tout semble être régulé dans ce pays aseptisé, il ne reste plus de place pour la différence. De ce fait, mes expériences avec la police dans ce pays furent mi-figue, mi-raisin. En 10 mois de stop, j'ai compté 23 arrêts de policiers à mon niveau. Si la majorité, une fois le projet expliqué, m'a laissé en paix, ce ne fut pas le cas de tous. L'exemple de ce policier rencontré en Floride en novembre 2004 en atteste.

Autoroute Tallahassee-Orlando, 14 heures. Pour une fois, la station se trouve en bord de route, ce qui facilite grandement la tâche – les stations américaines sont généralement implantées à l'écart des grands axes. L'endroit semble parfait pour que je trouve rapidement mon bonheur. Conscient de l'interdiction de pratiquer le stop dans cet État, je m'éloigne des pompes dès lors que j'aperçois une voiture de shérif. Ce jour-ci, pas de chance, un policier me surprend en pleine action :

« Que fais-tu là ? Le stop est interdit en Floride. Soit tu prends un taxi, soit je t'emmène en prison… »

Chapeau de cow-boy vissé sur le crâne et Coca-Cola format maxi à la main, l'homme se fiche royalement de mon tour du monde. Sa loi, c'est la loi, et mon petit doigt me dit qu'il adorerait me jeter au cachot. N'ayant aucune envie de prendre le taxi qui ruinerait mon défi, je m'apprête à visiter une prison américaine quand, coup de chance, l'homme auprès de qui je formulais ma demande, ayant suivi la discussion, me propose de me déposer au prochain village.

Ma bonne étoile est avec moi. Je crois naïvement être tiré d'affaire quand deux minutes plus tard, à peine déposé dans le village, une, puis deux... puis trois voitures de police se garent précipitamment autour de moi en soulevant un nuage de poussière. Les sirènes hurlent, les freins crissent. Une porte s'ouvre, puis une deuxième, je ne sais plus où regarder. Je suis encerclé. Starsky et Hutch ont trouvé leur victime : Ludo, le «*serial stopper*» !

«C'est vous l'autostoppeur qui était dans une station sur l'autoroute ?

— Oui, c'est bien moi.»

Intimidé par ces trois voitures autour de moi, je ne bouge pas, hésitant à lever les bras. Va-t-on me tirer dessus ? Me demander de me mettre à terre les mains sur la tête ? À ma grande surprise, contrairement à son collègue de l'autoroute, le shérif semble intrigué par mon histoire de tour du monde et se montre attentif. Aussi, je commence à lui raconter quelques aventures, les moments forts comme les galères. Soudain, il me demande :

«Où allez-vous ?

— Orlando, sir.

— Montez ! Je vous emmène dans un meilleur endroit.»

Comme dans un feuilleton, le policier m'enferme à l'arrière de la voiture noire et blanche, puis me dépose, quelques instants plus tard, dans une station-service sur la bonne route.

«Bon voyage», me souhaite-t-il en français, avant de me saluer et de repartir.

Voilà qui me réconcilie avec la gent américaine... Et l'agent américain !

Au-delà de l'interdiction du stop, ma vie de piéton est un enfer, au pays de l'oncle Sam. Rien n'est prévu pour un malheureux bipède sans voiture. Dans des villes comme Indianapolis, je me rends compte qu'il n'existe absolument aucun transport en commun pour se rendre en banlieue. À la frontière entre le Canada et les États-Unis, il me faut attendre trois heures pour trouver un homme acceptant de me faire traverser, en voiture, un pont de cinquante mètres interdit aux piétons. C'est tout simplement effarant.

Voyager en stop m'offre l'opportunité de confronter mes points de vue avec les gens locaux sur des sujets d'actualité. En cet automne 2004, le peuple américain vient de réélire George Bush. Le sujet m'obsède. Dans les voitures, ces élections et la guerre en Irak alimentent nombre de mes conversations. Je cherche à comprendre comment il est possible d'avoir réélu, avec un si grand nombre de voix un homme connu en France pour son fanatisme religieux, sa pauvreté intellectuelle et son inculture, un homme détesté à travers toute la planète. Dans les États rouges, on m'avance sa fermeté face aux terroristes, ses valeurs morales, son côté « sympa », le type d'homme avec qui on irait bien « boire une petite bière ». Dans les États bleus, on me… demande pardon pour la mauvaise image que cette réélection donne au pays. Dans les voitures de conservateurs pro-Bush et « va-t-en guerre », je vis des moments particulièrement difficiles, forcément, déchiré entre l'envie de dire mes quatre vérités et la nécessité de rester diplomate si je veux rester sur le siège passager. Combien de fois ai-je regardé la vitre embuée, me demandant s'il valait mieux rester planté au bord d'une route déserte dans le froid ou entendre des discours élogieux sur l'universalité et la bonté des valeurs américaines, sur la primauté américaine dans le monde et sur le bienfait de la guerre en Irak ?

Si j'ai pris l'habitude de rire aux blagues pas drôles de mes conducteurs ou d'écouter des histoires sales ou peu intéressantes, m'habituer à écouter les partisans de l'unilatéralisme s'exprimer avec tant d'arrogance péremptoire s'avère beaucoup plus difficile… C'est l'un des inconvénients de l'autostop, mais je dois accepter de confronter ma vérité à celle des autres pour me forger une conviction. J'assume et je prends sur moi.

Évidemment, ma nationalité n'est pas faite pour m'aider ! En cet automne 2004, l'image de la France est mise à mal aux quatre coins du pays du fait de sa position contre la guerre. Les *french fries*, les «frites», se sont transformées en *freedom fries*, «frites de la liberté». La marque de moutarde French's s'est vue obligée d'apposer sur ses produits des slogans proguerre pour éviter la dégringolade des ventes. Le boycott des produits français est encouragé. En clair, Il ne fait pas bon être français à cette époque dans certains coins des États-Unis. Et encore moins être autostoppeur français !

À l'arrière de certains véhicules, des autocollants du type *Fuck France* ou encore *Iraq first, France next* ! ne m'encouragent guère à approcher les conducteurs... Si les plaques d'immatriculation, dans de nombreux pays, furent des indicateurs précieux pour orienter mes priorités et connaître mon niveau d'espoir, aux États-Unis, ce sont davantage ces autocollants apposés à l'arrière des véhicules qui me renseignent. Ainsi, je sais que mes chances de succès sont plus importantes avec des autocollants du type *Be nice to the US or we'll bring democracy to your country, Bush terrorist number 1 ou encore God bless the whole world*, plutôt que d'autres supportant la guerre, du type *We support our troops* – très nombreux – ou encore les signes ultranationalistes tels que : *I'm proud to be American, Standing tall* ou le classique *God bless America*[17]. Dans un autre registre, j'ai remarqué que les conducteurs arborant l'autocollant du poisson – en référence à la bible – acceptaient moins souvent de m'embarquer que la moyenne. La formule «aide ton prochain» ne semble pas convenir pour les autostoppeurs !

17. «Sois sympa avec les États-Unis ou nous apporterons la démocratie dans votre pays», «Bush, terroriste numéro 1», «Dieu bénisse le monde entier», «Nous supportons nos troupes», «Je suis fier d'être Américain, Je suis grand», «Dieu bénisse l'Amérique».

*« Nous supportons nos troupes », « Dieu bénit l'Amérique ».
Tout comme les autocollants « Fuck France » ou « Iraq first, France next », ces stickers, souvent présents sur les voitures en ces temps de relations tendues entre la France et les États-Unis, veulent souvent dire pour moi une probabilité moindre d'être embarqué...*

Dans le Nebraska, c'est uniquement dans la voiture qu'un homme se rend compte de ma nationalité :

« Quoi ! Tu es Français ? Français de France ? Le pays de Jacques Chirac ? »

D'un coup, son ton change :

« Pourquoi ne nous avez-vous pas suivis ? Vous êtes des ingrats. Nous étions venus vous aider en 1944, pourquoi vous nous laissez tomber ? [...] Vous ne comprenez rien ou quoi ? Saddam Hussein est un terroriste, c'est sûr qu'il a des armes de destruction massive. Et puis, ce n'est pas vous qui avez été attaqués le 11 septembre 2001, il nous fallait réagir. *God Bless America* ! Heureusement que nous avons George Bush au pouvoir ! »

La défiance est de mise, la diplomatie s'impose…

Observer et analyser les gens qui prennent et ceux qui ne prennent pas en stop est une activité passionnante, une étude sociologique formidable. L'une des constatations principales fut que les gens des minorités – notamment noires et latines – ainsi que les conducteurs les plus « pauvres » me font presque toujours une place dans leur vieille auto, souvent bondée. Les personnes « blanches » et « riches », accrochées à leur téléphone dans des SUV (4×4 américaine) climatisés, détournent en revanche très souvent le regard quand je m'approche. Différence de mentalité, autre ouverture d'esprit !

Sachant que les Latinos, aujourd'hui premier groupe ethnique minoritaire du pays, seront, à l'horizon 2040, le groupe ethnique majoritaire, cette nouvelle est positive pour l'avenir de l'autostop…

Dans les États du Sud, je rencontre nombre de ces Mexicains parvenus clandestinement aux États-Unis. Ils s'occupent souvent des travaux ne demandant que peu de qualification pendant que les riches propriétaires terriens jouent au golf sur les pelouses que ces mêmes travailleurs entretiennent sous la chaleur accablante. On ne peut s'empêcher de penser à un tableau d'esclavage moderne. Pendant mon séjour, un film fait fureur dans la communauté hispanique : *Un dia sin Mexicanos*, ou comment serait la vie aux États-Unis si du jour au lendemain les Hispaniques devaient disparaître du paysage. Résultat : une catastrophe à bien des niveaux. Un film plein d'humour avec de nombreux messages.

À San Francisco, une autre minorité m'accueille avec gentillesse et sensibilité : je passe trois jours chez un couple homo.

Mes logeurs sortent ensemble depuis plus de cinq ans. Main dans la main, ils m'emmènent découvrir Castro, secteur *gay* de la ville. Pantalons de cuir, T-shirt serré, casquette sur la tête, l'ambiance est très « *Village People* ». Des membres « des trois sexes » aiment y vivre leurs différences. Un monde que je n'ai pas l'habitude de fréquenter et que je découvre à leurs côtés.

Ma tournée américaine se termine par la Californie. Déjà un an que je tourne. Un an de rencontres et de partage aussi bien dans les foyers m'ayant accueilli que dans les différentes institutions dans lesquelles je me suis rendu. Ce temps, je l'ai donné à une idée, à un idéal. Je suis heureux d'avoir accompli ce joli parcours du combattant, mais je ressens à présent le besoin de repartir pour de nouvelles aventures. La tendance à se transformer en robot répétant sans cesse et machinalement les mêmes réponses aux mêmes questions est grande. La pause qui s'annonce sera la bienvenue…

En quittant les États-Unis en 2001, j'envisageais de venir vivre au pays de l'Oncle Sam gardant l'image de salaires attrayants et de nombreuses opportunités de travail. Cette année passée en parallèle de la société m'a permis d'avoir une vue plus complète sur les États-Unis et de reconsidérer ma position. Si nombre d'aspects de ce pays continuent de me fasciner – recherche constante de l'excellence, efficacité inégalable, ascension sociale davantage possible que nulle part ailleurs sur terre…–, il me sera dorénavant difficile de penser à la plus grande puissance du monde sans y associer aussi les images de ces Sioux célébrant l'*antithanksgiving* – célébration dénonçant le traditionnel *Thanksgiving* du mois de novembre –, de ces nombreux « *pousse caddies* » vomissant dans les égouts, de ces récits de déshérités à l'Armée du Salut me racontant leurs graves blessures non soignées faute de moyens ou encore bien entendu tous ces « va-t-en-guerre » ne connaissant pas grand-chose du monde extérieur, mais convaincus de détenir l'unique vérité. Cette Amérique-là est cruelle, elle ne me parle pas…

Débute à présent une nouvelle période de bateau-stop. Objectif: rejoindre l'Australie, située à... 13 000 kilomètres de là! Une fois de plus, il me faut arpenter les pontons et de nouveau, je me heurte à une saison peu propice aux grands départs.

San Francisco, Los Angeles, San Diego, Cabo San Lucas, Puerto Vallarta... Les marinas se succèdent, les réponses négatives aussi. Toutes les solutions sont envisagées pour pouvoir me rendre de l'autre côté : j'étudie d'abord la possibilité d'un passage à pied par le détroit de Béring, en Alaska, d'où sont venus les premiers habitants du continent. Celui-ci gèle en hiver et je pourrais me retrouver en Russie en deux temps trois mouvements. Problème : si la traversée me semble jouable, être soudain sur le bord de l'immense forêt de Sibérie orientale ne m'aiderait guère. Aucune route ne rejoint le reste du pays et je ne me sens pas capable de traverser plus de 1 000 kilomètres de forêt à pied par –50°. Pas sans préparation ni matériel spécifique, en tout cas. Ce serait une véritable expédition. J'y renonce, naturellement.

Autre solution: redescendre toute l'Amérique centrale et rejoindre Panama, point de convergence des voiliers partant vers le Pacifique. Bien que peu enthousiaste à l'idée de retraverser plus de quatre mille kilomètres en arrière, à zigzaguer et louvoyer entre les nids-de-poule et les enfants qui s'amusent sur les routes, j'opte pour cette stratégie. Au pas de charge, cette fois. Je bondis d'une frontière à une autre, d'une station-service à une autre. La descente est vertigineuse. Les journées sont éreintantes, la chaleur lourde et humide. Au terme d'un marathon de cinq jours «non-stop», j'arrive poisseux mais bien vivant à Panama City. Une nouvelle étape de mon parcours peut commencer, et non des moindres : je m'apprête à traverser le Pacifique.

Chapitre 11

L'ENFER AU PARADIS

Traversée du Pacifique

« La mer. Il faut l'imaginer, la voir avec le regard d'un homme de jadis : comme une barrière étendue jusqu'à l'horizon, comme une immensité obsédante omniprésente merveilleuse énigmatique... À elle seule, elle est un univers, une planète. »

Fernand Braudel

Tous les professeurs le disent : le mental est très important dans la guérison des patients. Quelqu'un qui ne cherche pas à lutter contre la maladie s'affaiblira bien plus rapidement qu'un autre fermement décidé à s'en sortir. Les enfants doivent prendre leur guérison comme une épreuve à surmonter, une sorte de défi personnel, non choisi certes, mais qu'il faut absolument gagner.

Faire un tour du monde en stop et vaincre une terrible maladie n'ont, à première vue, pas grand-chose en commun. L'un représente la réalisation d'un rêve, l'autre est une bataille contre un cauchemar qui s'est mué en dure réalité. Cependant, les enfants et moi partageons plusieurs points communs : le fait de vivre une aventure sortant de notre quotidien ordinaire, la poursuite d'un défi, la nécessité d'être patient, de ne jamais abandonner, de ne jamais perdre notre courage et de se surpasser, mais aussi l'attente de la bonne nouvelle. Ils l'attendent depuis leur lit, je l'attends au bord de la route, sur les pontons des marinas. Ces bonnes nouvelles n'ont, bien entendu, rien en commun, mais le fait qu'il me faut parfois attendre des semaines avant de trouver un moyen de locomotion, que je n'abandonne pas et que je finis systématiquement par y parvenir, leur montre que l'optimisme et la persévérance paient toujours. Ce sera une nouvelle fois vrai pour la traversée du Pacifique…

Après six semaines de recherches infructueuses, je tombe enfin sur Kevin, un Néo-Zélandais sexagénaire étonnant. Passionné de voile depuis sa plus tendre enfance, il s'était promis qu'un jour il achèterait un catamaran dans les Caraïbes et le revendrait en Nouvelle-Zélande, visitant en chemin plusieurs des îles « sous le vent », le canal du Panama et l'océan Pacifique. Aujourd'hui, son rêve est en train de devenir réalité. Je le rencontre sur le ponton de la marina de Colón.

« Génial ! exulte-t-il. Ma femme ne voulait pas que je traverse le Pacifique seul. Je suis ravi de t'accueillir comme équipier. Nous partons dans une dizaine de jours. »

Je m'apprête à parcourir avec cet homme plus de 13 000 kilomètres, soit le plus long trajet de mon tour du monde ! Seul petit « hic » : Kevin n'a aucune expérience de traversée océanique et son livre *La voile pour les nuls*, posé sur la table du carré, n'est pas fait pour me rassurer. Si ma traversée de l'Atlantique m'a enseigné les bases pour m'en sortir avec les drisses et autres écoutes, mon niveau est encore bien loin de celui d'un skipper !

« T'inquiète pas, nous apprendrons sur le tas », me dit-il avec un bel optimisme…

En attendant de vivre les émotions du grand large, je profite de ces moments avec mes amis panaméens pour sortir et découvrir la vie nocturne. 11 septembre 2005 ; c'est aujourd'hui mon anniversaire et Andreina, jeune demoiselle rencontrée quelques mois auparavant pendant ma remontée, me propose d'organiser une petite fête pour l'événement. Une dizaine de personnes sont conviées. Parmi elles, je remarque instantanément une jeune fille métisse, type très latin, pleine de vie et de charme, répondant au doux prénom de Marisol. Elle porte une robe bleue moulante, échancrée. Sa peau est couleur brun foncé, ses cheveux noirs, soigneusement peignés. Comportement exquis, amabilité sans faille, toujours souriante… Je suis rapidement conquis ! Autour d'une table, nous passons de longues heures à discuter, puis décidons de nous revoir le lendemain pour mieux nous connaître…

Le plus dur, dans un tour du monde en stop, ce ne sont pas les heures d'attente au bord des routes, aussi longues soient-elles, mais la solitude affective. Le fait de ne jamais recevoir l'amour que prodigue une mère ou une petite amie s'est parfois révélé pesant pendant mes années de voyage. Ma situation de globe-trotter, ne restant rarement plus d'une semaine dans la même ville, se prête aux rencontres superficielles qui ont pour objectif de compenser ce manque d'amour, mais cela reste partiel. Ma vie de nomade est faite d'éternels « au revoir » et je me suis habitué à prendre la distance nécessaire pour ne jamais m'attacher affectivement, sous peine de rendre la suite de mon parcours plus difficile. Mais là, c'est différent, je le sens.

Les jours passent… Chaque soir, je retrouve Marisol au Causeway, l'un des endroits que j'apprécie le plus dans la capitale panaméenne : un bras de terre dans l'océan offrant une vue imprenable sur les nombreux gratte-ciel de la ville. Marisol travaille dans l'un d'entre eux. Avocate depuis quelques années, elle envisage de venir réaliser une maîtrise en Europe afin de prendre davantage de responsabilités, découvrir un continent qu'elle ne connaît pas et, si possible, apprendre une nouvelle langue. Le français semble lui plaire…

Face à l'océan, nous passons de longues et délicieuses heures à parler de tout et de rien, de nos vies, de nos objectifs, de notre vision du monde. Le « courant » passe, c'est indéniable. Une complicité semble même s'installer. Je n'ose cependant songer à l'idée que cette rencontre pourrait venir jouer une nouvelle musique dans mon esprit. Je m'étais mentalement préparé à l'éventualité de rencontrer une fille pour laquelle j'éprouverais des sentiments, mais je me l'étais promis : le tour du monde d'abord, la possibilité d'une relation ensuite ! À vouloir tout faire en même temps, on finit par ne plus rien faire correctement. Si le destin veut que l'on se revoie, on se reverra. Pour le moment, ma préoccupation, c'est le Pacifique.

Le 18 septembre 2005, c'est le « grand jour ». Je m'en vais vers un autre monde, elle retourne à son travail. Courte mais poignante cérémonie d'adieu, après ces quelques jours qui auront fait palpiter mon cœur, une sensation des plus agréables que j'avais oubliée depuis trop longtemps. J'ignore quand et si nous allons nous revoir. « Donne-moi des nouvelles de la traversée », me dit-elle… Nous nous promettons de rester en contact…

Peu à peu, je sors de mon état mélancolique pour reprendre contact avec la réalité. Le Vénus s'apprête à sortir du port et à déployer ses voiles. Si tout se passe bien, j'arriverai en Nouvelle-Zélande dans trois mois environ, en comptant quelques arrêts dans les îles. Tout cela se présente bien et j'aborde avec une relative sérénité cette traversée que j'attends depuis si longtemps. Outre la formidable expérience sportive, j'appréhende quand même un peu l'expérience humaine : vivre trois mois en tête à tête avec un homme que je ne connais quasiment pas s'annonce être un défi intéressant.

14 h 30. Je monte la grand-voile, Kevin éteint le moteur. L'océan Pacifique, immense, plus grand que toutes les terres du monde réunies, s'ouvre à nous. Les meilleures conditions semblent être réunies pour nous assurer une traversée calme et sans histoire. Je me refamiliarise avec les commandes et les manœuvres puis, une fois celles-ci terminées, m'en vais me caler à l'étrave.

Pendant mes traversées des grandes villes, je rêvais souvent à ces moments passés à l'avant du bateau avec le vent me caressant délicieusement le visage. Quel bonheur de laisser l'agitation du monde urbain derrière moi et d'entendre à nouveau les vagues frapper contre la coque et le claquement des voiles dans le vent ! Moment de plaisir intense…

Comme pour tempérer mon enthousiasme, les ennuis techniques commencent dès notre première nuit en mer. Alors que je m'apprête à dormir, j'entends Kevin s'énerver. Le pilote automatique est cassé et nous n'en avons aucun de secours. Il faudra le faire réparer dans les îles Galápagos. Nous l'avions pourtant testé à plusieurs reprises avant de partir, mais la technique réserve toujours son lot de surprises. En attendant, il nous faut rester à la barre à tour de rôle, jour et nuit, pour maintenir le bon cap. C'est épuisant.

Comme si cela ne suffisait pas, le baromètre s'effondre brutalement et le Pacifique n'a plus de Pacifique que le nom. Des vents violents s'abattent sur nous, les tempêtes s'accumulent les unes après les autres. Nous recevons de gros paquets d'eau dans la figure et quand je ne barre pas, je dois assumer les nombreuses manœuvres, qui deviennent de plus en plus difficiles au fil de la dégradation de la météo. Lors de chaque grain, Kevin et moi nous attachons au bastingage et serrons les dents en attendant que ça se calme. Quinze jours durant, nous serons ballottés dans tous les sens, ne dormant que par tranches d'une ou deux heures, tout en accumulant les problèmes techniques et déboires divers. Cette quinzaine restera dans ma mémoire comme l'un des passages les plus éprouvants de mon périple.

J'ai cependant appris, au contact de mes filleuls à Strasbourg, et de tous les gens rencontrés ces derniers mois, luttant au quotidien pour leur survie, à considérer mes jours difficiles comme des jours simplement moins faciles que les autres. Je m'efforce ainsi de ne jamais me plaindre, même lorsque je suis très fatigué. Ma vision du mot « galères » évolue au fil du temps… Cela dit, celles-ci existent tout de même comme en témoigne cet événement du 2 octobre 2005, un jour à marquer d'une croix noire…

La nuit qui s'annonce promet d'être belle. Quelques étoiles commencent à scintiller et, bientôt, il est aisé de reconnaître les constellations qui me sont chères. La constellation du Scorpion, le Triangle Austral et surtout la Croix du Sud qui, plus qu'une constellation, est une amie fidèle qui nous indique sans cesse la voie à suivre. J'enfile mon ciré. Il est minuit et je dois relayer le pauvre Kevin qui n'en peut plus. Moi non plus… Mais c'est à mon tour de barrer. Nous attendons l'arrivée des îles Galápagos sous peu où nous pourrons prendre un peu de repos tandis que l'on réparera notre pilote. Il est 3 heures du matin. Kevin dort à poings fermés. Malgré les vagues qui me viennent en pleine figure, je lutte pour rester éveillé. Devant moi, le noir le plus complet. On ne distingue rien, pas le moindre bateau à l'horizon. Il y a une heure, lors de mon précédent contrôle sur la carte, notre position se trouvait suffisamment loin des côtes pour vraiment s'inquiéter.

Écoutant sur mon lecteur MP3 le *best of* de Vivaldi et Mozart, je tourne paisiblement la barre au rythme de ce que m'indique le compas. Il me faut rester au plus près du cap à 200 degrés, ce qui nous permettra de rejoindre le port sous peu. Soudain, surgissant de nulle part, à seulement quelques mètres de moi se dresse une immense falaise à l'assaut de laquelle les vagues se ruent. Nom d'un chien ! Qu'est-ce que cette falaise vient faire ici ? Comment ai-je pu m'approcher si près des côtes sans même m'en être rendu compte ? Le bateau file à sept nœuds, droit dans le mur. S'il s'écrase de tout son poids, il n'en restera rien…

Je tourne la barre de toutes mes forces vers la gauche en espérant pouvoir l'éviter. Je m'étais préparé psychologiquement à tout : aux vagues, au vent, au démâtage, aux mouvements les plus violents, au chavirage même, mais sûrement pas à une falaise devant l'étrave. L'image est accrochée à mon esprit pour l'éternité ! Coup de chance, j'arrive à l'éviter d'un cheveu, mais heurte violemment plusieurs petits rochers juste à côté. C'est la catastrophe. Kevin est brusquement extirpé de son sommeil. Le réfrigérateur s'est déboîté de son espace, toute la vaisselle s'est écrasée par terre. Les vagues, terminant leur course, se cassent violemment sur la coque et poussent le catamaran complètement hors de l'eau.

Sans m'adresser un seul reproche, Kevin sort et constate l'improbable : le bateau est perché sur des rochers plats. Il reprend les commandes du bateau qui ne répond plus de rien. J'affale la voile pendant qu'il tente d'allumer le moteur. Comme toujours dans ces cas-là, celui-ci tousse et refuse d'abord de démarrer. Puis, miracle, il fonctionne à nouveau. Mais l'hélice tourne à l'extérieur de l'eau. Le stress est à son maximum. À chaque instant, je m'attends à le voir exploser.

Kevin est stoïque. Il me demande de regarder où il faudrait nous diriger. Malgré les étoiles dans le ciel, je ne vois rien, à part l'écume et la roche bavante. Rien ne nous éclaire, pas même la lune tandis que de nouvelles vagues cassantes nous remettent tour à tour à nouveau sur l'eau puis hors de l'eau. Chacune d'entre elles est un uppercut en pleine face qui nous étourdit et malmène la coque.

Voilà 10 minutes que nous sommes trimballés dans tous les sens et que nous tentons d'amener coûte que coûte le bateau, là où les rouleaux et les rochers ne pourront plus le massacrer, mais rien n'y fait, nous n'arrivons pas à passer ces satanées vagues. Les quilles souffrent. *Venus* menace à chaque seconde de se briser. Ce manège épuisant, à la fois physiquement et mentalement, se poursuit pendant une longue vingtaine de minutes jusqu'à ce qu'enfin, le catamaran retrouve le calme au-delà de la cassure des vagues.

D'instinct, je me précipite aussitôt à l'intérieur, m'attendant à trouver une voie d'eau béante, mais seul un filet d'eau entre dans le bateau. Miracle ! Je me mets à pomper tout en faisant l'inventaire des dégâts avec Kevin : les deux pièces du gouvernail sont cassées, les quilles endommagées, la coque tribord a souffert. Je me sens plus bas que terre. J'aimerais me cacher au fond du

Pacifique ! Malgré ma tristesse, je n'y suis pour rien : mon capitaine m'explique qu'il a mal réglé le GPS, d'où l'erreur de navigation.

Au petit matin, très éprouvés par l'accident, nous louvoyons d'une manière approximative entre les falaises et les récifs, avec le port en ligne de mire. Nous arrivons dans les formidables îles Galápagos, un paradis où les raies géantes bondissent hors de l'eau comme des dauphins, où les phoques s'ébattent en liberté sur des rivages encore protégés et où les manchots viennent nous rendre visite. Le merveilleux décor a vite fait de nous remonter le moral.

Décor de rêve dans ces îles faisant sans aucun doute partie des plus belles au monde…

Les Galápagos sont légendaires et on comprend pourquoi, en les voyant ! Par leur beauté irréelle, elles semblent hors du temps, comme une sorte d'Atlantide oubliée des cartes, accessible seulement aux voyageurs perdus. Pendant six jours, nous arpentons ces paysages à couper le souffle, où vivent les seuls iguanes marins du monde, et d'immenses tortues centenaires voire séculaires, ayant probablement rencontré Charles Darwin en personne lorsqu'il développa sur ces îles la fameuse théorie de l'évolution des espèces.

*Tortue centenaire dans les îles Galapagos...
sans doute a-t-elle dû rencontrer
Darwin en personne.*

Le bateau réparé, nous appareillons à nouveau. Cette fois, il s'agit de rallier la Polynésie, à quatre semaines de mer d'ici.

Avant de larguer les amarres, je poste une lettre de 60 pages à Marisol. Un véritable journal dans lequel je décris la première partie de la traversée jour après jour, ainsi que tout un tas d'états d'âme et une tonne de questions attendant des réponses. Cette lettre marquera le début d'une longue correspondance qui totalisera plus de 1 000 courriels.

Une fois reparti sur les flots, je reprends aussi mes échanges de courriels avec les enfants de l'hôpital, via la connexion satellite de Kevin. Moi au milieu du Pacifique à décrire des histoires d'océan ; eux, coincés au fond de leur lit dans une chambre stérilisée. La technologie n'arrêtera jamais de me surprendre !

Les journées se succèdent. Les problèmes techniques ne nous lâchent pas – batterie montrant de nouveaux signes de faiblesse, grand-voile qui s'effondre toute seule… – mais nous avançons à bonne allure, entre huit et douze nœuds, et gardons un bon moral. Jour après jour, je prends un peu plus conscience de l'immensité de cet océan. Sous mes pieds, plus de 6 000 mètres de profondeur.

Autour de moi, aucun cargo et des milliers de kilomètres à la ronde sans la moindre île. Le sentiment de vulnérabilité est extrême. Qui viendrait nous chercher ici en cas de pépin ? Cet océan est si vaste que j'ai l'impression d'évoluer sur un tapis roulant liquide qui défilerait sous moi à l'infini. L'impression de faire du surplace. Le temps est si long qu'il s'abolit.

Les distances sont incommensurables, à tel point qu'elles cessent de se mesurer en termes strictement humains. Bien sûr, un coup d'œil à nos cartes marines et au GPS nous permet de nous situer, mais ces notions mathématiques n'ont pas de correspondances perceptibles. Quelles périodes de doute ont dû traverser les explorateurs sans carte ni GPS !

J'aime profiter des moments de calme pour m'isoler à l'avant du bateau, surtout le soir. Je n'entends alors que la « respiration » légère des vagues, le claquement des voiles dans le vent. Mes pensées se perdent en regardant l'horizon. Rêveries qui divaguent, rebondissent, s'entremêlent rapidement puis font place à la réflexion. J'apprécie ces moments de solitude, essentiels pour faire le point, prendre du recul sur ma vie et les événements. Cet isolement volontaire n'est pas celui d'un homme qui désespère, mais plutôt une manière de prendre un peu de temps pour soi. Dans la vie que nous menons en Occident, rares sont les moments de répit. Nous sommes souvent pris par le quotidien et la liste de toutes ces choses « à faire ». Avec les événements s'enchaînant les uns aux autres, on a souvent tendance à parer au plus pressé sans vraiment prendre le temps de penser, d'analyser. C'est amusant de se rendre compte que lorsque l'on est à la maison, au milieu du flot d'informations, d'attractions, notre cerveau a du mal à complètement déconnecter.

Il y a toujours quelque chose à faire et quand on n'a rien à faire, on allume la télé, on appelle un copain, on joue aux cartes… On s'invente une activité, on s'occupe, on ne laisse pas notre esprit vagabonder. Lorsque je suis sur la route, c'est un peu la même chose. Quels sont les sites à visiter dans le coin ? Quelle est l'histoire du pays dans lequel je me trouve ou celui dans lequel je vais ? Où vais-je loger ? Où vais-je donner une conférence ?

Qui dois-je contacter ? Ai-je donné des nouvelles à mes proches récemment ? Et ainsi de suite. Tant de questions qui occupent l'esprit à plein temps. Il est si appréciable de pouvoir relativiser et de se libérer de ces inquiétudes ! Le voyage, surtout en mer, permet de prendre cette distance avec les événements. La liste des « choses à faire » est, pour une fois, absolument vide.

Malgré l'accident, Kevin et moi faisons preuve d'une grande complicité. Nous avons des caractères faciles à vivre et enthousiastes, notre entente est parfaite. Allongés sur les lattes vernissées du pont, nous commentons chaque jour les nombreux livres que nous lisons et refaisons le monde lors de chaque repas. Tout y passe : problèmes politiques, sujets de société, philosophie de vie, bonheur, malheur, Dieu, le paradis, les démons… Nous avons le temps d'aborder tous les sujets et de les approfondir jusqu'au dernier argument. Nos points de vue se rejoignent sur de nombreux sujets et aucun de nous ne hausse jamais le ton.

21 octobre 2005. J'inscris dans mon carnet de bord : « J'entame mon millième jour de voyage depuis mon départ de

France. Pour fêter l'événement, je m'offre un petit gâteau acheté au Panama et ouvre une nouvelle conserve. [...] À force de rester assis, je prends du poids, pour la première fois depuis mon départ. [...] La pêche n'est plus possible à l'allure à laquelle nous avançons, il faudrait souffler dans les bronches des poissons pour qu'ils aillent plus vite ! »

Le 3 novembre, je sens la Polynésie avant même de la voir. Ce matin, le vent m'apporte une odeur de terre fraîche qui se mélange au sel de la mer. Une odeur extraordinaire. C'est fou ce que l'odorat se développe quand on navigue ! On « sent » les tempêtes, on sent les baleines à leur haleine de poisson... La terre aussi a une odeur. Peu après, j'aperçois, au loin, les premiers palmiers des îles Tuamotu. Après quatre semaines de traversée depuis les Galápagos et une courte halte dans les îles Marquises, Rangiroa, second plus grand atoll du monde, se présente à moi. La mer change de couleur, passant progressivement du bleu foncé au bleu clair, d'une limpidité exceptionnelle. Les eaux de l'atoll m'annoncent l'arrivée dans un nouveau paradis. Après le paradis beige du Sahara, le paradis vert d'Iguaçu, le paradis blanc de l'Antarctique, le paradis bleu foncé des océans, voici l'un de ces décors de carte postale que l'on affiche dans ses toilettes pour rêver.

Tout en naviguant calmement, fine brise dans le visage, observant au loin les femmes polynésiennes, fleur sur l'oreille, sortir les perles noires sur des plages de sucre blanc, je décide d'allumer la radio, histoire d'écouter le son du ukulélé. Soudain, un flash de *France Inter*, le premier que j'entends depuis des mois, annonce : « Émeutes dans les banlieues françaises. Des milliers de voitures brûlent aux quatre coins du pays. [...] Les conséquences d'un tel mouvement sont aussi imprévisibles que dangereuses. »

Venus sorti des eaux...

Une information difficile à imaginer lorsque l'on se retrouve dans un tel décor !

17 novembre 2005. Carnet de bord : « Bora-Bora, Huahine, Tahiti, Moorea. Les îles se succèdent mais ne perdent pas en splendeur. Nous découvrons les trois types qui composent la Polynésie française : volcaniques, atolls et mixtes. [...] Les locaux sont accueillants et chaleureux. [...] L'autostop fonctionne à la perfection sur chacune de ces îles. [...] Malgré ses angoisses initiales, Kevin prend progressivement goût à découvrir chaque île en levant le pouce. [...] Visiter la Polynésie en voilier est parfait. Bien plus pratique, moins cher et moins polluant que l'avion. Nous ne dépensons quasiment pas un centime – à l'inverse

des nombreux touristes dont le budget pour deux semaines est supérieur au mien pour deux ans –, nous visitons les trésors de ces endroits magiques et nous octroyons d'excellents repas grâce à notre pêche quotidienne et aux cadeaux de dame nature. Une vie simple comme je l'aime. Entre mes séances de plongée en compagnie des plus beaux poissons, de lecture et d'écriture sur le sable blanc, je me rappelle la chance que j'ai de pouvoir vivre ces moments uniques. Je suis aux anges ! »

De la nourriture fraîche trouvée dans le Pacifique.

La traversée reprend, alternant moments calmes et désillusions. Sur Aitutaki, dans les îles Cook – mon île préférée – *Venus* subit une nouvelle avarie. C'est assez sérieux, là encore. S'étant aventuré trop près des récifs en pleine nuit, Kevin s'y est accroché. Résultat : nous passons une nuit mémorable, bloqués sur les récifs, avant de nous faire secourir le lendemain matin par une quinzaine de locaux. Une dizaine de jours d'immobilisation supplémentaire pour réparations et d'autres grosses dépenses imprévues pour le capitaine qui avait préféré ne pas assurer son catamaran avant le départ, trouvant que c'était trop cher. Toujours trop cher quand tout va bien. Maigre consolation pour le pauvre Kevin : la photo de l'accident est publiée en première page du journal local et de nombreux journalistes l'interrogent sur les conditions de l'accident. Difficile de faire mieux pour recevoir un bon accueil !

*Quelques jours après s'être écrasé sur les rochers des îles Galapagos, **Venus**, notre catamaran se retrouve perché cette fois-ci sur les récifs de l'île d'Aitutaki dans les îles Cook. Paradoxe du destin, celle-ci est l'une des plus belles du monde. L'enfer au Paradis !*

Nous repartons après avoir passé de délicieux moments et remis le bateau en état. Les îles Tonga se présentent désormais à l'horizon. Un événement marque notre approche : le passage de «*l'international date line*», ligne marquant la séparation entre les longitudes est et ouest, entre hier et demain sans passer par aujourd'hui. Je la traverse le 6 décembre 2005 à une heure du matin et me retrouve instantanément propulsé au 7 décembre à la même heure. Le 6 décembre 2005 n'aura donc quasiment pas existé dans ma vie ! Heureusement qu'aucun rendez-vous n'était prévu…

Je me retrouve exactement à l'opposé de l'Europe. Je vais à présent entamer la deuxième moitié de mon tour du monde. Depuis un moment déjà, je pense à cet instant où la distance à parcourir deviendra plus courte que la distance parcourue, ce point où je cesserai de m'éloigner de mon objectif, du moins d'un point de vue géographique, et je commencerai à m'en rapprocher. Je ne suis cependant pas pressé et le trajet compte bien plus que la destination. La première moitié du monde était formidable. J'espère que je pourrai en dire autant de la seconde…

Des îles Tonga, outre l'hospitalité d'un peuple au sourire posé en permanence sur les lèvres, je retiendrai ma rencontre protocolaire avec le roi Taufa'ahau Tupou IV, suite à la parution d'articles sur mon parcours dans la presse locale. Un monarque qui régnait sur les îles depuis 1965 et qui décédera malheureusement quelques mois après notre entrevue.

Le 15 décembre 2005, après quatre mois de traversée, *Venus* arrive enfin dans les eaux territoriales néo-zélandaises. Retour à la civilisation occidentale, efficace et rationnelle, mais un peu froide. Nous étions prévenus et ne sommes donc pas surpris : nous voilà soumis à un contrôle sanitaire draconien. Aucun « équipet », aucune étagère, aucun placard n'est épargné par l'investigation pointilleuse d'un petit chef local, aussi autoritaire que susceptible. Pas mêmes les soutes du catamaran qui sont, à leur tour, passées au peigne fin. Bien inspirés, nous avions heureusement anticipé en terminant les réserves alimentaires risquant d'être confisquées. Le butin des douaniers reste cependant conséquent : nous devons nous séparer d'une trentaine de boîtes de conserve venues d'Amérique latine, de deux pots de miel et de lait en poudre. On ne rigole pas avec l'hygiène en Nouvelle-Zélande !

Une fois libéré de toutes les formalités administratives, je me sépare de Kevin. Un homme que je n'oublierai pas, tant pour sa bienveillance que pour l'aventure fabuleuse que nous avons partagée. Nos difficultés nous ont unis et notre expérience nous a rendus complémentaires. Au fil des milles marins parcourus, nous avons appris à nous comprendre et à savoir ce que chacun avait à faire sans échanger un mot. Nous nous quittons sur une accolade bien virile et promettons de nous revoir.

Ce n'est pas fini pour moi : si son aide fut inestimable, la traversée du Pacifique n'est pas terminée. Il me reste encore 2 000 kilomètres de navigation à travers la mer de Tasman, avant de rejoindre le pays des kangourous. Une nouvelle recherche de bateau s'annonce, et naturellement, une nouvelle fois à la mauvaise saison ! Mais avant de contacter skippers et capitaines, je m'en vais découvrir ce pays, souvent considéré comme le paradis des autostoppeurs.

La Nouvelle-Zélande est un jardin grandeur nature, un parc national à elle toute seule. De l'île de Jade, au sud, à l'île fumante du nord, je me délecte d'une diversité de paysages grandiose : plages vierges, fjords profonds, volcans élancés, pics enneigés, geysers sauvages, lacs, collines douces… Un véritable bonheur pour les amoureux de la nature !

Émaillée d'agréables rencontres, ma traversée néo-zélandaise me réservera une jolie surprise. En plein milieu de l'île du Sud, pouce en l'air, un couple me dépasse puis s'arrête un peu plus loin. Ils descendent de voiture avec des cris d'enthousiasme et les bras ouverts en marchant dans ma direction. Qui peut bien me connaître et réagir ainsi aux antipodes de ma terre natale ? Je n'en ai aucune idée. Je plisse mes yeux puis, rapidement, reconnais un jeune couple qui m'avait déjà pris en stop au Canada deux ans auparavant ! La coïncidence est incroyable. Quelle est la probabilité pour qu'un tel événement se produise ? Chacun son tour, on se demande ce que l'autre fait ici. Bien sûr, ils m'embarquent et nous parcourons un bout de chemin ensemble…

Au cours de ma tournée néo-zélandaise, un petit événement apparemment anodin va venir perturber ma vision du monde. Affichée sur la vitrine d'un petit commerce, j'aperçois une carte du monde… vue depuis la Nouvelle-Zélande, c'est-à-dire un planisphère à l'envers de la carte habituelle où la Nouvelle-Zélande se trouve non seulement « en haut », mais aussi au centre du monde. Mes repères sont bousculés. Je prends conscience ce jour-là que le nord n'est pas forcément en haut et le sud en bas, et que la carte Mercator avec laquelle j'ai grandi est plus politique qu'il n'y paraît.

Quelques semaines plus tard, un événement similaire viendra à nouveau me prouver que j'ai encore à gagner en ouverture d'esprit lorsque je découvrirai l'existence de la « *Peter's map* », la carte du monde montrant le monde respectant la superficie de chaque pays. Amusante sensation de regarder le monde d'un nouvel œil…

Février 2006. Il se confirme que le plus difficile, dans un tour du monde en stop, ce n'est pas l'autostop, mais le bateau-stop. L'un est une question d'heures d'attente, l'autre se compte en semaines. À Auckland, une bonne vingtaine de jours assortis d'une centaine de refus sont nécessaires avant de trouver le précieux sésame pour rejoindre l'Australie… Mais quel sésame ! Un cargo… Pour embarquer, la constitution d'un dossier complet s'impose, comprenant lettre de motivation, CV, dossier de presse, proposition de réalisation d'un film, le tout agrémenté de longues périodes de négociations. Tour du monde en stop, recherche d'emploi : même combat !

Cette première expérience positive de cargo-stop se déroule comme dans un rêve. À peine arrivé sur le navire, je suis accueilli par le capitaine qui m'offre la chambre du premier officier : une

DÉPART
JANVIER 2003
FRANCE - ESPAGNE

Le grand jour est arrivé.
Après plusieurs mois de préparation,
je peux enfin lever ma carte du monde.
Destination : l'aventure.
Plus de 170 000 km à travers
59 pays m'attendent à présent…

[VAL-D'ISÈRE, 1er JANVIER 2003, 21 H 30]

FÉVRIER – MARS 2003
MAROC – MAURITANIE
SÉNÉGAL – CAP-VERT

Un nouveau monde s'ouvre à moi. Il me faut à présent apprendre à manger avec les doigts, roter à la fin du repas, chercher à comprendre une mentalité bien différente de la mienne.

Ici, un excellent tajine.

BATEAU-STOP
ÎLES CANARIES– CAP-VERT

Après deux mois
de recherches, *Théva*,
le bateau providentiel…

JUIN-NOVEMBRE 2003

Brésil-Argentine

De São Paulo à Téhéran, en passant par Los Angeles, Shanghai ou Bombay, sortir des villes en stop est toujours un challenge.
Ici, séquence de stop à São Paulo, 19 millions d'habitants. Il me faudra plusieurs heures pour m'extirper de l'incroyable jungle urbaine.

DÉCEMBRE 2003

À 3 heures du matin…

JANVIER – MARS 2004

Remontée côte Pacifique
Chili, Pérou, Équateur, Colombie

Policier colombien m'aidant à trouver un véhicule.

AVRIL – SEPTEMBRE 2004
Amérique centrale

Que ce soit par la pauvreté côtoyée, les passeurs d'espoir rencontrés, la violence ou la ferveur religieuse observée, mon séjour en Amérique centrale restera à jamais gravé dans ma mémoire. À coup sûr, il y aura dorénavant dans ma vie un avant et un après Amérique centrale.

Tikal, joyau maya du Guatemala, car l'Amérique centrale n'est pas que misère.

SEPTEMBRE 2004 – AOÛT 2005
Amérique du Nord

« La liberté n'est pas gratuite. » États-Unis, Canada

« L'émotion est la porte de la conscience. » Les 600 premiers jours de voyage m'ont fortement enthousiasmé, mais ont également secoué ma conscience écologique et sociale. Arrivé au pays de l'Oncle Sam, je décide de profiter de l'originalité de mon parcours pour me lancer dans une tournée de conférences d'une année, à travers les États-Unis et le Canada.

SEPTEMBRE – DÉCEMBRE 2005
Traversée du Pacifique
Îles Galapagos, Polynésie française,
Îles Cook, Île Tonga, Nouvelle-Zélande

Avec Kevin, le bienfaiteur avec qui je suis resté le plus longtemps… 4 mois. Mieux vaut bien s'entendre, aucune possibilité de s'échapper… Le plus difficile dans un tour du monde en stop n'est pas l'autostop, mais le bateau-stop. L'un est une question d'heures d'attente et de recherche. L'autre de semaines. Ma recherche de bateau pour le Pacifique viendra le confirmer.

PROJET PÉDAGOGIQUE

CHU Strasbourg

Dessin de Marie-Claire
lorsque j'étais dans l'Atlantique.

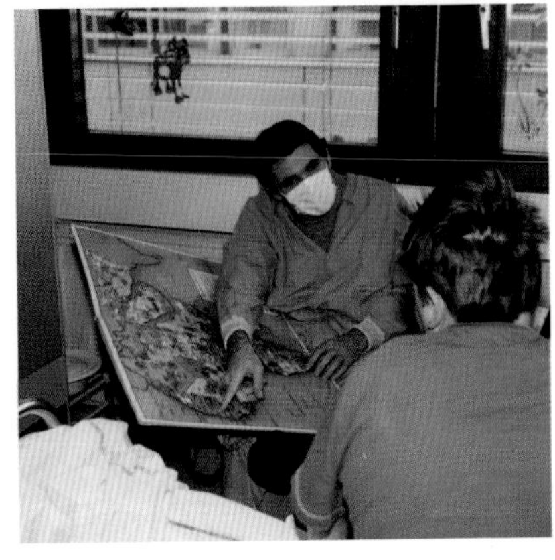

Voyager était mon rêve,
partager mon moteur.
Afin de ne pas être le seul bénéficiaire
des apprentissages de ce tour du
monde, je m'étais engagé, avant
de partir, avec le CHU de Strasbourg
pour un projet pédagogique devant
permettre aux enfants de voyager
à mes côtés par procuration.

La présentation du parcours avant mon
départ fut un moment particulièrement
émouvant.

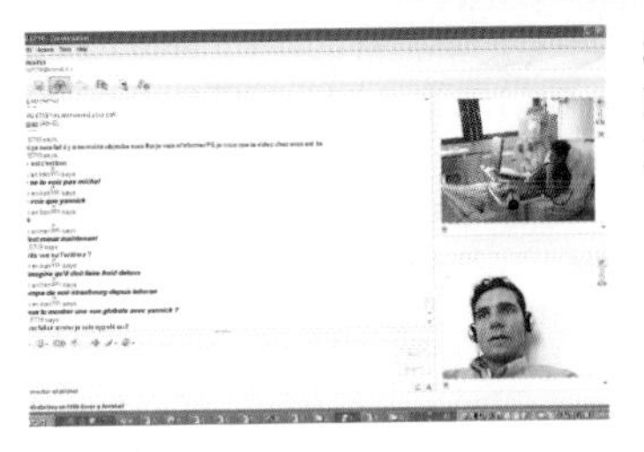

Suivi du parcours par Internet.
L'un dans son lit, l'autre à l'opposé du globe.
Merci, la technologie.

Hôpital de Lahore, Pakistan

Enfants malades du cancer à l'hôpital de
Lahore au Pakistan s'apprêtant à discuter, via
webcam, avec mes filleuls strasbourgeois.

Dessin de Roxanne
lorsque j'étais en
Antarctique.

CONFÉRENCES

Vietnam

Allant régulièrement toquer aux portes des écoles afin de partager mon parcours et engager un dialogue interculturel, j'ai eu l'opportunité de rencontrer de nombreux étudiants de tous les horizons.

Inde

Afghanistan

Communauté tibétaine en Inde

SE FAIRE COMPRENDRE

Se faire comprendre, lorsque l'on fait du stop à travers le monde, est indispensable. Document magique, classeur photos, carte plastifiée… Plusieurs outils m'ont été particulièrement utiles durant ces cinq années de voyage.

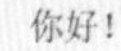

你好！

我的名字叫路德维奇（Ludovic）。

我来自法国。

我今年 29 岁。

从 2003 年 1 月 1 日，我开始搭乘环游世界。

我的挑战目标是只通过搭便车的方式（不使用飞机，的士，公交）完成 周游世界。

现在我打算去。。。。。。。。。

如果你正好也往这个方向走的话，请在路边的任何一个加油站把我放下。

非常感谢你的帮助。

对不起，我不会讲汉语。

非常感谢！

AUSTRALIE
JANVIER – MAI 2006

Déjà la moitié du monde parcourue, je laisse éclater ma joie devant les monts Olgas.

Après 4 mois d'une traversée du Pacifique mouvementée, l'Australie et ses grands espaces, sa faune, les aborigènes m'accueillent.

SEPTEMBRE – DÉCEMBRE 2006

Singapour – Malaisie – Thaïlande – Birmanie – Cambodge – Laos – Vietnam

Pongsa
et ses compères

DÉCEMBRE 2006
– FÉVRIER 2007

Chine

Je les imaginais froids, au garde-à-vous, austères. Je les ai découverts accueillants et chaleureux. Une des grandes joies du voyage est de casser un à un les stéréotypes...

FÉVRIER 2007

Corée du Nord – Pyongyang

Anniversaire de Kim-Jong-Il.

FÉVRIER– MARS 2007
Tibet

Voyager dans l'illégalité n'est pas ma tasse de thé, mais c'est la condition sine qua non pour pouvoir continuer mon périple à travers le Tibet et rejoindre ainsi le Népal. Ici Lhassa, plus grande ville du Tibet.

MARS – OCTOBRE 2007
Sous-continent indien
Népal – Inde

Calcutta, ville des derniers hommes-chevaux au monde.

OCTOBRE – NOVEMBRE 2007
Pakistan – Afghanistan
Trois mois de barbe et une Shalwar Kameez pour passer inaperçu…

NOVEMBRE – DÉCEMBRE 2007
Dernière ligne droite
Tadjikistan - Ouzbékistan - Turkménistan - Iran - Turquie - UE

« Les États-Unis subiront une sévère défaite ».
[mur de Téhéran, Iran]

cabine d'une dizaine de mètres carrés avec douche – à l'eau de mer dessalée –, bureau, lit et… trois bouteilles de vodka.

« Nous n'avons pas beaucoup de loisirs à vous offrir, mais vous pourrez partager quelques soirées avec nous, si vous le souhaitez », me propose-t-il aimablement avec un accent russe prononcé.

Je n'en demandais pas tant. Dès la première soirée, les membres de l'équipage, tous Ukrainiens ou Russes, me confirment la réputation de goût pour l'alcool. La présence d'un petit Français à bord constitue la distraction de la semaine. Ils souhaitent me tester… Et gagnent la partie sans forcer. Quelques verres couplés avec quelques vagues signent bien rapidement mon « arrêt de mort ». Ces marins vivent huit mois par an sur le navire. Huit mois durant lesquels leur unique distraction sont les soirées trop arrosées devant des vidéos vues et revues des dizaines de fois et la rencontre de prostituées dans chaque port. Comme me le confie Vladimir, le chef mécanicien, qui deviendra mon principal ami pendant la traversée :

« Mieux vaut aimer la mer et l'isolement pour exercer un tel métier. »

Certes ! De mon côté, pas question de m'ennuyer. On me réquisitionne régulièrement pour participer aux tâches courantes : un coup de peinture par ici, un coup de marteau par là… Me voilà maintenant mousse ! Le reste du temps, je filme et édite sur mon portable le reportage promis au directeur de la compagnie maritime.

Je garde de cette traversée un certain nombre d'images fortes. Celles des manœuvres magistrales permettant d'arriver dans le port et de le quitter – escale en Nouvelle-Calédonie – que j'ai pu suivre depuis la cabine de pilotage du cargo. Impressionnant ! Celles des repas de spécialités ukrainiennes où j'apprenais quelques mots de russe. Surprenant, sous de telles latitudes ! Enfin, celles d'une conférence donnée aux 25 membres de l'équipage, traduite de l'anglais au russe par le capitaine. Bel esprit, et belle aventure !

Après 10 jours de traversée, le navire se rapproche des côtes australiennes. Le 20 février 2006, j'exulte littéralement en arrivant au port de Brisbane. Une dizaine de dauphins saluent ce moment important à mes yeux, puisqu'il signifie à la fois le succès de cette traversée mythique en stop, celle que je considérais comme la plus difficile, mais aussi la perspective de découvrir à présent la belle Australie, une terre que je souhaitais connaître depuis bien longtemps.

Welcome down under!

Chapitre 12

DIALOGUES AVEC LA PRÉHISTOIRE

Australie

«Les Blancs changent sans arrêt le monde pour l'adapter à la vision fluctuante qu'ils ont de l'avenir. Les Aborigènes mobilisent toute leur énergie mentale pour laisser le monde dans l'état où il était.

En quoi cette conception est-elle inférieure ?»

— Bruce Chatwin, *Le chant des pistes*

Une nouvelle fenêtre sur l'extérieur vient de s'ouvrir pour les enfants de l'hôpital de Strasbourg : ils ont désormais accès à Internet haute vitesse depuis leur lit. Le détail a son importance : ils n'ont plus besoin de se rendre dans la salle de jeux, déplacement peu pratique, pour envoyer leurs messages. Tous semblent d'accord : Internet leur permet de mieux vivre l'enfermement et la solitude. «Un médicament contre la déprime, sans effet indésirable», estime Michel, instituteur. Et je les alimente, par ce biais, en informations sur le vaste monde.

Romain, par exemple, peut discuter tous les jours via MSN avec ses amis qui ne peuvent lui rendre visite. Jonathan préfère les jeux en réseaux qui lui permettent d'oublier qu'il se trouve coupé du monde dans une chambre stérile. Cyril, quant à lui, s'amuse à effectuer des recherches sur les pays situés sur mon parcours et me propose quelques visites qui lui semblent intéressantes. L'envoi des photos de ces sites, par la suite, le remplit de joie.

Depuis quelques semaines, les ordinateurs des enfants sont équipés d'une *webcam*. Malgré la distance qui n'a fait qu'augmenter entre nous, cette caméra nous rapproche. Amusante sensation pour les enfants de parler en direct, depuis leur lit, avec leur ambassadeur personnel au bout du monde. Laura, 13 ans, luttant contre un terrible cancer, apprécie particulièrement nos discussions par ce biais. Elle me confie parfois ses sentiments et notre relation est forte. Elle me dit aimer recevoir mes photos et histoires du monde qui lui permettent de rêver, d'imaginer, de penser à autre chose que sa maladie. Son esprit positif m'impressionne, elle ne se plaint jamais et donne à tous les bien portants de grandes leçons de courage ! On peut en dire autant de Virgile, un jeune garçon hospitalisé après avoir perdu sa petite sœur dans un accident où il a été gravement blessé. Pour accepter ce terrible destin, il décide d'écrire un livre dans lequel il fait revivre et voyager sa sœur à travers le monde. Mes visites l'inspirent.

« Un jour, j'organiserai une rencontre entre ma sœur et toi, me dit-il. Il nous suffira simplement de trouver l'endroit idéal… »

Peut-être cet endroit sera-t-il l'Australie ? Ce pays fait rêver les enfants – et les adultes ! – avec ses immenses espaces, ses adorables koalas, ses surprenants kangourous. Rares sont les contrées développant autant l'imaginaire que cet immense désert, grand comme quatorze fois la France. Petit, je rêvais moi aussi à ces wallabies bondissant dans la savane infinie transportant les bébés dans leur poche, à ces koalas grignotant sagement leur eucalyptus, à ces Aborigènes maintenant leurs traditions et jouant du *didjeridoo*[18]. Mais loin de tout cela, la première image que m'offre l'Australie est celle de la… bière ! À peine arrivé, logeant chez le propriétaire d'un bar, je mesure l'abîme séparant les soirées

18. Instrument de musique à vent.

arrosées européennes des beuveries australiennes. Ici, la « cuite » totale et l'oubli de soi-même sont de mise. Un peu comme au Texas, les hommes, les « vrais », sont ici de grands buveurs, des durs qui tapent dans le dos des filles en s'esclaffant. Au bord des comptoirs, les discussions sont souvent faites de banalités et de propos xénophobes contre les Aborigènes. Première déception…

La deuxième déception viendra peu après : la réputation du stop est encore pire ici qu'aux États-Unis. La grande majorité des Australiens a peur d'embarquer les « pouceux ». Personne ne semble avoir oublié les histoires du tueur en série Ivan Milat qui, dans les années 90, fut condamné à la prison à vie après de multiples agressions sur la route. Une bien mauvaise publicité pour l'autostop que les années ne semblent pas avoir effacé. Pour ne rien arranger, ma traversée de l'Australie coïncide avec la sortie de *Wolfcreek*, un film très populaire retraçant l'histoire d'agressions commises par, ou sur, des autostoppeurs. Malheureusement, l'histoire d'un jeune homme faisant un tour du monde en stop sans se faire agresser aurait sans doute beaucoup moins de succès au cinéma ! Peur ou pas, je me débrouille tout de même pour me faire embarquer, généralement en moins d'une demi-heure.

Brisbane, Cairns, Sydney, Canberra, Melbourne, Adelaïde… Les villes australiennes se succèdent. Hormis Sydney, aucune ne m'emballe réellement, mais j'ai retrouvé avec plaisir mon costume de conférencier reproduisant à l'identique ma tournée américaine. Je partage mon temps entre rencontres dans des écoles et universités ultramodernes et visites de toute sorte. Parmi celles-ci, les immenses barrages hydroélectriques de Snowy Mountains, dans l'État de Victoria, considérés comme l'une des plus grandes merveilles d'ingénierie du monde, à l'instar du canal de Panama ou du barrage des Trois-Gorges en Chine. D'impressionnantes réalisations ayant nécessité 25 années de travail et plus de 100 000 travailleurs du monde entier !

Près de Mildura, à l'endroit le plus ensoleillé d'Australie, je visite aussi le projet pharaonique de tour solaire qui, à terme, pourrait devenir un exemple mondial de production d'énergie : un système ingénieux permettant la production de 200 mégawatts, soit suffisamment d'électricité pour 200 000 logements ! Mais si la vision de ce projet m'emballe, il ne me fait pas oublier la réalité écologique de ce pays. On ne le sait pas toujours, mais l'Australie est le plus gros consommateur d'énergie par personne au monde. C'est aussi un pays dont les richesses sont probablement vouées à disparaître à cause de l'appétit financier du gouvernement et des compagnies minières ou immobilières locales.

Comment ne pas mentionner les projets démesurés de développement immobilier avec vue sur la jungle au centre même du parc de Daintree, la déforestation forcenée de la forêt primitive de Tasmanie, le lancement d'une campagne de forages pétroliers sur la grande barrière de corail du Queensland, le démarrage de forages gaziers sur la barrière de corail du parc national du Ningaloo au nord de Perth, ou encore la poursuite de l'exploitation des mines d'uranium du parc national de Kakadu ?

Rien ni personne ne semble en mesure d'arrêter ces désastreux rouleaux compresseurs. Ni l'opposition des populations aborigènes, même lorsque celles-ci sont propriétaires des terres concernées, ni celle des administrations en charge des parcs nationaux, ni, enfin, celle de l'UNESCO qui gère le patrimoine mondial de l'humanité et sur la liste duquel figure la totalité de ces sites. Autant de projets amenant à réfléchir sur l'avenir de ce pays et de notre terre…

Le 19 avril 2006, « le » voilà, « il » se dessine devant moi, majestueux, impressionnant, immense. Je l'attendais avec impatience. On dirait qu'il n'a pas changé depuis des millions d'années. J'aime ce qui rend un pays unique et nul doute que ce qui y contribue grandement en Australie, c'est l'*outback*, ces immenses étendues désertiques s'étendant vers l'infini. Bondissant d'un Bagdad café à un autre et d'un véhicule à l'autre, je traverse ce désert, une nouvelle fois enthousiasmé par l'immensité, par le silence absolu de l'éternité, rompu seulement par le hurlement des dingos et toutes sortes d'insectes. Malgré le nombre de déserts traversés pendant ce tour du monde, je ne m'en lasse jamais, ni ne les trouve monotones, contrairement à ce que pensent bon nombre d'Australiens. L'*outback* change d'aspect en permanence dans ses reliefs, sa végétation, sa faune et ses incroyables couleurs mêlant l'ocre, le jaune, le cramoisi, le vert eucalyptus et le bleu émeraude de l'horizon. Un vrai délice.

Me faire embarquer dans ces contrées reculées prend, faute de trafic, plus de temps. Tant mieux. Chaque période d'attente me donne l'occasion d'observer au plus près la vie de la savane : tantôt d'immenses pyramides construites par des termites, tantôt des serpents ou des scorpions sortant de leurs terriers et avec lesquels je m'amuse ; tantôt des mini tornades de poussière, colonnes tournoyantes dansant comme des fantômes à la surface du désert. La réalité se rapproche du rêve. Les kangourous viennent parfois me rendre visite au bord des routes. J'ai bien essayé le kangourou-stop, cherchant à intégrer la poche du marsupial, mais sans succès. Sans doute a-t-il peur, lui aussi ! Même sans leur aide, je parcours des milliers de kilomètres de terres vierges dominées par le règne animal, végétal et minéral.

Ces territoires concentrent une faune variée, visible au quotidien : wallabies, cacatoès rosalbin, lézards, araignées, sauterelles, serpents… Il existe en Australie 170 espèces de serpents dont 20 parmi les plus venimeuses de la planète. L'un d'entre eux me fait d'ailleurs une grosse peur lorsque, allongé au bord de la route en pleine nuit, près de Tennant Creek, dans l'attente d'un hypothétique véhicule, il vient me voir de très près. Mon instinct me pousse à prendre une pierre pour le tuer, puis je me ravise. Cette bête ne demande qu'à vivre tranquillement. Mais l'animal le plus fréquemment rencontré demeure toutefois… la mouche ! Partout présente dans le *bush*[19], elle est un véritable fléau

---

19. Formation végétale adaptée à la sécheresse, constituée d'arbustes serrés et d'arbres bas (déf. *Petit Larousse*).

pour l'autostoppeur. La mouche australienne, qui se déplace en groupes compacts, est d'une ténacité incroyable. Elle affectionne particulièrement les narines, les oreilles ou la bouche. Au bord des routes, la lutte est infernale. Une main pour arrêter les voitures, l'autre pour chasser les mouches. Il m'arrive même de devoir faire du stop la tête dans le T-shirt, tant elles me pourchassent…

De temps à autre, d'immenses *road-trains* me passent devant à toute allure. Ces impressionnants camions pesant plus de 100 tonnes, sont capables de tirer jusqu'à 6 remorques. Ils soulèvent des tonnes de poussière, m'obligeant à me cacher le visage sous le T-shirt et à abriter mon sac pour éviter qu'il ne s'envole. Quand l'un d'entre eux accepte de s'arrêter à mon appel du pouce – chose assez rare lorsqu'ils sont lancés –, il me faut courir plus de 500 mètres avant de le rattraper.

De mes heures passées dans les *road-trains*, je me souviendrai notamment des périodes de vérification des roues – plus d'une centaine à passer en revue ! – de la concentration constante nécessaire au chauffeur – un petit coup de volant peut avoir de graves conséquences à l'arrière – mais surtout d'animaux voltigeant à notre passage : kangourous, serpents, émeus… Tout y passe. Pas de sentiments. L'homme impose sa marque, l'animal n'a qu'à s'écarter. Nous avons heureusement réussi à éviter les dromadaires…

Il est des villages dans ce monde qui ne ressemblent à aucun autre. C'est le cas de Coober Pedy, un trou perdu au milieu de l'*Outback*, rempli d'aventuriers cherchant de l'opale. Curieux, je m'approche de l'un d'entre eux en plein travail. Heureux de pouvoir transmettre son savoir, Ken me prendra sous sa cape et me logera pendant deux jours dans son appartement souterrain, un concept apportant fraîcheur et bien-être. Amusante expérience qui m'a permis d'imaginer, et quasiment de revivre, l'époque des chercheurs d'or au siècle dernier ou des actuels chercheurs d'or guyanais.

Environ 700 kilomètres de désert séparent Coober Pedy d'Alice Springs. Je les couvre avec deux jeunes Danois voyageant autour du pays dans un pick-up aménagé, leur permettant de dormir à l'arrière et de sortir la plaque chauffante pour cuisiner. Ils font partie de la grande armée des «*backpackers*» sillonnant le pays d'est en ouest, que je retrouverai un petit peu plus tard dans le nord du pays.

S'il est une ville étrange aux multiples facettes, il s'agit bien d'Alice Springs. Côté pile : des touristes emballés dans leur tenue de brousse en partance pour le rocher d'Uluru – ex-Ayers rock –, des dizaines de boutiques de souvenirs et d'artisanat aborigène, – tenues par les Blancs –, de nombreuses terrasses ombragées, quelques bâtiments historiques remontant à peine à la seconde moitié du 19e siècle. Côté face : errant dans les rues marchandes du centre-ville, agglutinés devant les supermarchés d'alcool ou affalés aux abords du lit asséché de la rivière Todd, les survivants, enguenillés et ivres, d'une civilisation aujourd'hui à l'agonie : les Aborigènes.

Depuis mon arrivée en Australie, j'attendais cette rencontre avec impatience. De nombreuses conversations avec les autochtones et plusieurs lectures m'avaient préparé à cette vision dépravée de la plus ancienne civilisation encore vivante. Mais la réalité dépasse mes pires cauchemars. La vision de ces êtres désœuvrés, main mendiante, le regard inquiétant et absent, me fiche la nausée. Comment ces hommes ayant réussi à survivre pendant plus de 50 000 ans dans l'un des environnements les plus hostiles de la planète peuvent-ils finir de cette façon ?

Ébranlé par la découverte d'une facette de l'Australie souvent totalement ignorée à l'étranger, voire jusque dans les grandes agglomérations australiennes où les Aborigènes se font rares, je souhaite en savoir plus. Qu'en est-il en dehors des grandes villes ? Arrivent-ils à maintenir un semblant de tradition, d'identité ? Pour le savoir, je décide de me rendre dans une communauté aborigène du désert.

Problème : ces communautés sont généralement fermées aux étrangers de passage. Volonté de les préserver des effets pervers du tourisme de masse ? D'éviter l'effet « zoo humain », trop visible dans certains endroits à travers le monde ? De cacher un spectacle désastreux ? Toutes les raisons sont plausibles. Quoi qu'il en soit, la porte n'est pas tout à fait fermée aux voyageurs individuels motivés et bien intentionnés.

Après de multiples démarches, je finis par entrer en contact avec Frank, un Néerlandais étonnant vivant au contact des Aborigènes depuis près de quarante ans. Il s'occupe d'une petite mine à proximité du village de Yuendumu, à 350 kilomètres au nord-est d'Alice Springs. Il m'invite à loger chez lui pendant trois semaines. À l'électricien qui m'y dépose, je demande :

« Qu'allez-vous faire à Yuendumu ? Sa réponse est éloquente :

— Je vais faire des réparations pour ces putains de citoyens de seconde catégorie qui ne savent rien faire d'autre que de boire et d'attendre l'argent du gouvernement ! »

Tout comme les descendants des Incas en Amérique latine et de nombreux autres peuples racines à travers le monde, les Aborigènes sont victimes d'un véritable ostracisme et leur réputation auprès des Blancs australiens est souvent très mauvaise. Malgré leur triste sort, j'éprouve personnellement un grand respect pour ces hommes. Ils me passionnent parce qu'ils sont dépositaires de traditions ancestrales toujours actives et parce qu'ils nous offrent un lien privilégié avec notre passé. Leur disparition annoncerait la fin du lien primordial qui unit l'homme à sa planète. Il me semble que préserver leur héritage, c'est un peu nous préserver nous-mêmes.

Au-delà d'une salutaire diversité culturelle, ne nous y trompons pas : en laissant disparaître les peuples racines et leurs cultures millénaires sans même les connaître, c'est sans doute notre tombe que nous sommes en train de creuser, car nous laissons perdre les principes de vie dont ils sont porteurs et nous détruisons les derniers espaces dans lesquels ces peuples peuvent encore vivre libres.

Ce «problème aborigène», très complexe, remonte à 1788, date à laquelle les colons britanniques ont pris possession des lieux et réduit à l'esclavage les autochtones, qui vivaient jusqu'alors heureux, de chasse et de traditions spirituelles. Atroces exécutions en séries, traitements inhumains à répétition, génération volée... Les ancêtres britanniques n'y sont pas allés de main morte avec ces natifs arrivés à pied sec d'Asie, il y a environ 50 000 ans, profitant d'une baisse du niveau des mers entre l'Asie et l'Australie.

Depuis 1967, date d'un référendum sortant enfin les indigènes de la rubrique «faune et flore» pour les placer dans la rubrique «êtres humains», leur donnant les droits civiques de base, les Australiens ont retourné leur veste. Ils sont rentrés dans l'époque du «politiquement correct». Aujourd'hui, les traitements inhumains sont abolis, même si de nombreux rustres continuent de les comparer à des primates. On compatit davantage, on regrette le passé, on commence même à s'excuser. Le nouveau Premier ministre a finalement lâché le fameux mot «*sorry*», que son prédécesseur John Howard avait toujours refusé de prononcer.

Malheureusement, à l'image de nombreux autres pays ex-colonisateurs, c'est avec de l'argent que le gouvernement cherche aujourd'hui à réparer l'irréparable. Des sommes considérables sont allouées pour aider ces indigènes, pour qui les objectifs de vie ont complètement changé depuis leur contact avec l'homme blanc. Hier, ils chassaient pour survivre et ne se demandaient pas si leurs conditions de vie étaient bonnes. Aujourd'hui, il leur faut trouver du travail et gagner de l'argent pour vivre...

La situation est très compliquée mais, pour autant, pas désespérée. Au-delà de la désintégration et de l'intégration, il appartient aux jeunes de se remémorer leur histoire, par la connaissance des vertus de leur culture, par l'accès à une conscience d'humanité planétaire. Ils doivent utiliser des institutions démocratiques pour retrouver des droits et bénéficier de «porte-voix» dans les parlements. Il appartient aussi aux jeunes de changer le cours des choses et de faire en sorte que leur évolution les éloigne de l'alcool, de la drogue et des innombrables violences conjugales. Ma lueur d'espoir vient de la rencontre avec des Aborigènes – souvent des femmes – bien déterminés à faire survivre leur culture. J'espère que ces femmes bien intentionnées trouveront écho dans leur communauté et bénéficieront du soutien du gouvernement australien pour mener à bien des projets sociaux allant dans ce sens.

Du côté des Blancs, il leur appartient, je crois, de chercher à aller au-delà des stéréotypes et de faire le nécessaire pour améliorer la communication et la connaissance de leurs frères et, avant tout, de les rendre fiers de leur différence.

« À celui qui veut dialoguer avec la préhistoire, le temps est désormais parcimonieusement compté. » Ces mots du sociologue Michel Anselme résonnent dans mon esprit au moment où Frank me propose un rapide tour de la communauté.

Première surprise : j'ai l'impression d'être de retour en Afrique. Autour des maisons, des détritus de toute nature s'empilent jusqu'à constituer de véritables décharges. Ici, un enfant nu vagabonde dans la boue et les ordures. Là, vautré à même le sol, un groupe d'anciens ingurgite son alcool quotidien. Ici encore, à l'intérieur d'une maison, un brasier se consume, noircissant les murs. Partout, des ordures, des voitures dévorées par la rouille, des chiens galeux, des hommes et des femmes terrassés par l'alcool et la « sniffe », des enfants rongés par la crasse, des odeurs répugnantes. En venant dans cette communauté, je pensais que le problème de l'alcool était moins visible qu'en ville ; je m'aperçois qu'il n'en est rien…

Deuxième surprise : chaque habitation est équipée d'une antenne parabolique. Leur émission favorite regardée tous les jours : le célèbre *talk-show* américain d'Oprah Windfrey, à regarder de préférence avec une bouteille de Coca-Cola à la main et un T-shirt de Britney Spears sur les épaules.

Troisième surprise : les 5 % de Blancs qui peuplent le village sont quasiment les seuls qui travaillent. Ils occupent les postes

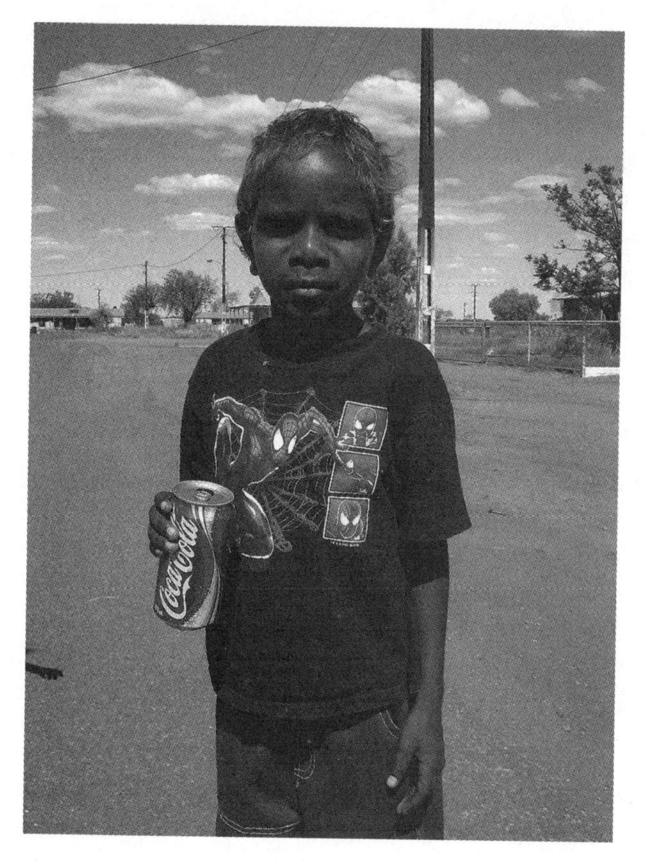

T-shirt de Spiderman sur les épaules, Coca-Cola à la main, bienvenue à Yuendumu, communauté aborigène retirée du milieu de l'Australie.

[Australie]

de professeurs, de gérants de petits commerces ou encore de policiers. Comme je pouvais m'y attendre, les Aborigènes vivent uniquement avec l'argent alloué par le gouvernement ; le concept du travail n'est pas ancré dans leur culture. Ils sont assis à longueur de journée devant leur maison, sur leur lit placé à l'extérieur. Ils discutent, jouent aux cartes, regardent la télévision ou dorment. Certains peignent des toiles – leur principal moyen d'expression –, d'autres – rares – continuent à chasser le kangourou. La pancarte lue quelques jours auparavant indiquant : « *Don't feed the dingoes, for their own sake*[20] », me revient à l'esprit. Sans doute pourrait-elle être appliquée au peuple aborigène…

Quatrième surprise : Les églises sont omniprésentes à travers la communauté. Les Aborigènes n'ont pas échappé aux missionnaires venus des quatre coins du monde chrétien. Méthodistes, baptistes, adventistes et « l'église universelle de Dieu » ont investi Yuendumu, comme tous les autres villages de brousse. À l'instar des Africains, ils tentent de se créer une identité spirituelle en mélangeant ce qu'il reste de leurs croyances millénaires avec les coutumes chrétiennes.

Cinquième surprise : dans les allées du village, on me demande mon « groupe d'appartenance » plutôt que mon prénom. Ici, les rapports entre les gens sont basés sur un système complexe dictant la façon de se comporter par rapport au groupe d'appartenance de chacun. Tel groupe ne peut communiquer avec des membres de tel groupe et doit se marier obligatoirement avec un membre issu de tel groupe. Façon d'éviter la consanguinité…

Les différences culturelles sont nombreuses : ici, pour connaître l'heure on regarde généralement le soleil plus que sa montre, on donne les directions en utilisant les points cardinaux, on ne regarde jamais personne dans les yeux, on n'interrompt jamais la parole, on observe les traces de pas pour savoir où est partie telle ou telle personne… S'adapter au mode de vie aborigène prend un certain temps… Mais se révèle passionnant.

Les jours passent… Partageant leur quotidien, j'éprouve d'étranges sensations. Leur façon de vivre et de considérer la vie me frappe. Souvent abrutis par la misère et l'alcool – malgré les interdictions de boire dans les communautés – ils ne cessent d'évoquer le passé et se désintéressent totalement de l'avenir. Comme si la disparition de leur culture et identité était inéluctable

20. « Ne pas nourrir les dingos pour leur bien-être personnel. »

et qu'il ne fallait dorénavant plus que survivre et s'adapter, autant que possible, à la culture des Blancs.

Mes rencontres dans les écoles sont particulièrement symptomatiques des difficultés actuelles. Élèves comme professeurs me semblent complètement perdus. Les uns ne savent pas trop quoi enseigner, les autres ne savent pas trop ce qu'ils doivent apprendre, déchirés entre le monde moderne et la tradition. Les professeurs rencontrés me font part de leurs difficultés. Ils se demandent s'ils doivent pousser les jeunes à apprendre un métier pour vivre de leurs propres ailes ou les laisser dépendre de l'assistanat, en espérant qu'ils gardent derrière un semblant de traditions. On leur enseigne des bases de mathématiques, d'anglais et de géographie sans savoir si c'est la bonne chose à faire.

« Il faut bien leur enseigner quelque chose », me dit un professeur envoyé par le ministère de l'Éducation pour deux années.

Un véritable casse-tête pour ces pauvres enseignants souvent pleins de bonne volonté. Moi-même, j'hésite sur le comportement à adopter en face des élèves, avant de me rendre compte que ces jeunes ont finalement la même soif de connaître le monde qui les entoure que tout un chacun. Les questions posées portent surtout sur mes expériences avec les animaux du monde et sur les difficultés qu'il m'a fallu surmonter pour mener à bien mon défi.

Au fur et à mesure de mon séjour dans la communauté, je mesure l'abîme séparant les jeunes des anciens. J'en discute avec Frank.

« Ce n'est pas un fossé, mais un canyon générationnel », estime-t-il. Autant les anciens ont l'équivalent d'un doctorat dans leur propre culture, connaissant légendes, traditions et techniques de survie sur le bout des doigts, autant les jeunes, nourris à la télévision américaine et à l'assistance financière, et n'ayant jamais connu le nomadisme, semblent complètement déconnectés de leurs anciens. Ils sont pris entre deux mondes, sans véritablement n'appartenir à aucun d'eux…

Tout au long de mon séjour à Yuendumu, je cherche à rencontrer un maximum d'anciens. J'aime rencontrer ces « vieux » qui portent sur leur visage ravagé les histoires douloureuses communes à toute l'humanité. Ils ont en eux ce savoir qu'ils s'apprêtent à emporter dans leur tombe et qui laissera un grand vide dans la connaissance collective. Quand un de ces anciens disparaît en Afrique, on dit que c'est une bibliothèque qui brûle. Là aussi, je pense. Des heures durant, je les écoute, inlassablement, partager fièrement leur savoir, me raconter avec conviction et dignité les mythes, légendes et différentes versions de l'origine de la vie et de l'univers. Chaque rocher a son histoire, chaque plante a son utilité. Frank, assurant la traduction à la fois linguistique et culturelle, me permet de mieux comprendre et je prends à chaque instant davantage conscience de la richesse que représente cette autre façon de penser, d'appréhender le sens de l'existence.

Je suis encore plus admiratif, et surpris, en rencontrant Jappaljarri, un homme se souvenant de son premier contact avec l'homme blanc. C'était aux alentours de 1930. L'homme me raconte ses émotions lorsqu'il vit pour la première fois des traces de voitures sur le sable :

« Je croyais que c'était un dragon ou le grand serpent arc-en-ciel se déplaçant en couple – légende aborigène –, j'avais très peur », me raconte-t-il.

Il se souvient également de l'époque où sa maman lui ordonna pour la première fois de mettre un vêtement sur le dos ; il avait 10 ans. Ou de ce jour où il vit le premier avion de sa vie :

« On se demandait si c'était un oiseau géant faisant un drôle de bruit ou un instrument utilisé par une autre tribu, m'explique-t-il en riant à cette évocation.

Après trois semaines au cœur de la culture aborigène, je quitte Yuendumu avec une pointe de nostalgie, conscient que je fais partie des derniers témoins d'un monde en train de disparaître. Je ne peux m'empêcher de repenser à mon expérience dans le Grand Nord canadien où certains grands-pères, nés dans des igloos, regardaient leurs petits-fils surfer sur le Net. C'est dans ces moments que l'on perçoit véritablement à quel point le monde est en train d'évoluer…

Je reprends la route en direction de Darwin – quel symbole que cette allusion géographique au darwinisme en cet instant ! – à l'extrême nord de l'Australie. Une ville, à l'image d'un Ushuaia ou d'un Waskaganish, évoquant pour moi, par son formidable isolement et ses conditions climatiques, un de ces bouts du monde. Sur la route, une nuit mémorable m'attend, bloqué au carrefour Threeways. L'endroit symbolise à lui seul toute l'Australie : à l'est, au sud et au nord, des milliers de kilomètres de lignes droites. À l'ouest, le néant. Pendant une soirée complète, le centre névralgique des territoires du nord m'appartient. Le propriétaire de l'unique station d'essence située à proximité m'y accueille plus que froidement :

« Je n'aime pas les autostoppeurs. Je vais fermer la station dans quelques minutes. Que je ne t'y vois pas trop près sinon j'appelle la police ! »

Hum… Ce charmant « Monsieur peureux » aurait plus vite fait de sortir sa carabine plutôt que son téléphone, si tant est qu'il en ait un… Je passe une bonne heure assis sur la route, au milieu de ce carrefour sans trafic. Une heure à réfléchir sur la vie, le monde, la planète. Je pense à mes proches. Tous me manquent même si plusieurs sont venus me voir.

Il y a quelques jours, mon ami Éric m'a envoyé un message m'apprenant qu'il allait se marier. Il regrettait que je ne puisse participer à la fête. Une semaine auparavant, c'était Gerald, un autre ami d'enfance, qui me faisait savoir qu'il allait être papa d'une petite Elsa. L'année dernière, j'apprenais avec tristesse le décès de ma grand-mère. Tant d'événements importants que je rate. Mes amis construisent actuellement leur carrière professionnelle. Ils gagnent bien leur vie et deviennent peu à peu propriétaires de leurs logements. Et moi, qui viens de vivre trois semaines avec les Aborigènes, me voilà assis, seul, au fond du désert australien. À droite, à gauche, devant, derrière : rien !

Lorsqu'on voyage, le sentiment de détachement existe. J'ai parfois cette impression d'appartenir au monde entier, d'être ami avec tout le monde mais en même temps, de n'appartenir à personne, d'être un électron libre. Mes amis ne m'attendent pas pour continuer leur vie. Ma famille, non plus. Ils se sont tous habitués tant bien que mal à mon absence. Ils me savent heureux, cela suffit à leur bonheur. Je vis bien cette longue séparation avec mes proches, avant tout parce que je poursuis un véritable but, une vraie destination, et que je n'oublie jamais les raisons qui m'ont poussé à partir. Le voyage se fait avec plus de joie lorsque l'on a un véritable but. La fatigue, l'effort, la souffrance y prennent alors tout leur sens.

« As-tu déjà pensé à abandonner ? » J'ai entendu cette question des milliers de fois. Si les moments de fatigue et de solitude existent, la question de l'abandon ne s'est jamais posée, non. L'arrivée à bon port est, à mes yeux, la seule fin possible. D'abord parce que je me suis engagé vis-à-vis des enfants et que le partage est primordial pour moi. Ensuite, parce que, naturellement, je regarde toujours devant et jamais derrière. J'ai supprimé le mot « abandonner » de mon vocabulaire. Sans doute, dois-je être né avec cette faculté de me dire que je finirai toujours par trouver mon bonheur…

En ce 3 juin 2006, après plus de 15 000 kilomètres à travers un nombre incalculable de parcs nationaux et de grands espaces, sous des températures allant souvent au-delà des 40°, j'arrive enfin dans la ville de Darwin où s'achève cette tournée australienne. De l'autre côté des vagues : l'Asie. Encore un continent aussi désirable que désiré !

Sachant d'expérience qu'il me faudra plusieurs semaines avant de dénicher un bateau, je trouve un emploi d'homme de ménage dans une auberge de jeunesse : deux heures par jour à laver les toilettes, changer les draps et passer un coup de balai contre un logement gratuit, le temps de mes recherches. J'ai toujours apprécié le principe de l'auberge qui, à la différence de l'hôtel, ne cloisonne pas les individus, ne les isole pas dans leur chambre. Les auberges de jeunesse du monde entier favorisent les échanges, les contacts, l'ouverture d'esprit et je m'y suis fait de nombreux amis.

Au port, aucun voilier n'est en partance. Et pour cause : les prévisions météo annoncent l'arrivée imminente de l'ouragan Monica, de force 5, dont les vents pourraient dépasser les 350 km/h, soit le plus puissant de l'histoire australienne ! Jour après jour, heure après heure, nous suivons l'évolution de la grosse masse via les photos satellites et flashs à la radio. La ville tremble. Tout indique que l'œil du cyclone va toucher Darwin et causer des dommages majeurs. Employés de l'auberge et voyageurs sont sur le pied de guerre. Chacun se prépare comme il le peut. Nous clouons des bouts de bois sur les fenêtres, achetons des provisions pour tenir une semaine, repérons les endroits où nous pourrons nous abriter si besoin, puis… attendons.

Les premiers coups de vents se font sentir, de plus en plus fort. Les arbres commencent à plier, les pluies à s'intensifier, les briques à se casser. Quelques semaines plus tôt, en passant dans la ville d'Innisfail, dans le nord-est du pays, j'ai pu me rendre compte du potentiel de destruction d'un ouragan. Ce jour-là, les vents de Larry n'étaient pourtant « que » de 290 km/h. Soudain, le poste radio annonce la bonne nouvelle : Monica a eu la bonne idée de dévier sa course au dernier moment et d'échouer dans le bush. Cri de joie général ! Nous subissons une sorte de grosse tempête mais évitons le pire.

Le calme à peu près revenu, après six longues semaines de prospection, le propriétaire d'un petit bateau à moteur transportant des meubles en teck me propose d'embarquer pour une île appelée

Yamdena en Indonésie. Malgré un objectif situé plus à l'est, j'accepte sa proposition qui me rapprochera considérablement. Je frémis d'impatience, comme un coursier derrière la ligne de départ, à l'idée de découvrir le continent asiatique…

Chapitre 13

EN QUÊTE D'UN DIALOGUE INTERCULTUREL

Indonésie

« Le plus difficile au monde est de dire en y pensant ce que tout le monde dit sans y penser. »

— Alain

Je ne suis pas fan des passages de frontières ! Même s'ils se passent généralement sans problème, ils sont autant de freins potentiels à la poursuite de mon parcours. Si le continent américain m'avait épargné l'utilisation de visas – aucun visa nécessaire dans quasiment tous les pays pour des séjours de moins de trois mois – l'Asie m'offre une tout autre réalité. Il me faudra dorénavant, dans la majorité des pays, obtenir le précieux sésame dans l'ambassade du pays précédent. Un chemin semé d'embûches.

La première d'entre elles survient dès mon arrivée en Indonésie. Malgré le visa obtenu depuis Darwin, le policier m'accueillant sur le bateau ne veut rien savoir : je ne suis pas autorisé à poser pied à terre et mes histoires de tour du monde n'y changeront rien. Son argument : la petite île de Yamdena, sur laquelle j'aimerais descendre, n'est pas un port d'entrée dans le pays – qui compte 17 000 îles. Selon ce fonctionnaire, pour venir à Yamdena, je devrai d'abord obtenir le « tampon d'entrée » dans l'une des 10 îles dotées d'un bureau d'immigration. Or, le plus proche bureau se situe à Kupang, dans le Timor occidental, 700 kilomètres plus à l'ouest ! Mon argument, en réponse, est que l'ambassade à qui j'ai posé la question m'a fait savoir que mon arrivée sur Yamdena ne poserait pas de problème.

De toute manière, mon capitaine n'allant pas plus loin, la situation est complètement bloquée. À écouter le fonctionnaire, il serait prêt à me faire nager les 700 kilomètres, sacs sur le dos, pour que j'obtienne le tampon ! Alors que les heures passent et que je sens poindre l'impasse, un supérieur monte sur le bateau. Ma présence l'intrigue : Yamdena ne reçoit quasiment jamais de visiteurs étrangers et ma visite est, selon lui, un honneur. Les hommes du monde ne finiront jamais de me surprendre…

En deux temps, trois mouvements, il me trouve une solution « intermédiaire » : une autorisation écrite de la police qu'il me faudra montrer aux douaniers lorsque j'arriverai à Kupang pour obtenir mon coup de tampon réglementaire. Fin du premier épisode kafkaïen. La route de l'Indonésie peut enfin s'ouvrir…

Dès les premiers hectomètres parcourus dans ce nouveau pays, c'est l'enchantement, proche de la béatitude, devant tant de nouveautés à découvrir du regard, de pouvoir apprécier de tous ses sens la réalité d'un nouveau pays qui s'ouvre. C'est la première fois que je me rends en Asie. Chaque détail m'interpelle… les maisons sur pilotis, le regard intimidant des enfants attendant une réaction de ma part pour savoir s'ils doivent sourire ou partir en courant…

Je n'ai absolument aucune idée de l'endroit où je vais loger ce soir mais me dirige avec confiance vers le centre du village. Je le sais, je finirai par trouver un endroit où m'allonger. Trois ans et demi de voyage m'ont permis de gagner une grande confiance de ce côté-là. Seul problème du jour : me voilà muet comme une carpe congelée. On m'a coupé la langue. Pour la première fois depuis le début de mon périple, je ne peux m'exprimer, ni même me faire comprendre. Ils ne pratiquent pas l'anglais et encore moins le français ou l'espagnol. La barrière de la langue se dresse, impitoyablement, symbolisant au mieux mon statut d'étranger.

Les habitants de Yamdena, bien que résolument asiatiques, sont un curieux mélange entre les types aborigène, mélanésien et polynésien. Ils sont plutôt petits, très bruns et mats de peau. Si les femmes portent de jolis *sarongs*, les hommes sont habillés à l'occidentale, avec des jeans troués et des T-shirts déchirés. Ils n'ont pas beaucoup d'argent mais cela n'entame aucunement leur nature généreuse. C'est avec chaleur et une sincère gentillesse qu'une famille rencontrée dans un restaurant populaire m'offre l'hospitalité, sans que je demande quoi que ce soit !

La nouvelle de la présence d'un Blanc fait rapidement le tour de la communauté. En moins d'une heure, tous les voisins se rassemblent en congrégation autour de moi, peu habitués à voir des Occidentaux. Je suis dévisagé de toute part. Les enfants me regardent avec de grands yeux noirs, me touchent, cherchant à comprendre pourquoi ma peau est moins mate que la leur et mes yeux moins tirés. Le grand-oncle paraît fasciné par mes poils. Malgré ses 70 ans bien tassés, il n'en a jamais vu de sa vie ! Avec ce même sourire de tendresse et de compassion qu'on arbore en caressant un petit chimpanzé au zoo, il m'ausculte puis, rieur, m'en arrache un, qu'il souhaite garder en souvenir. Éclat de rire général.

Malgré une grande pauvreté matérielle sur l'île, il y a de la joie sur Yamdena. L'air est purifié par les sourires et toutes les personnes que je croise s'emploient entièrement à rendre mon séjour le plus agréable possible. Le soir venu, je rejoins le dortoir commun dans une cabane en bois. Après avoir déroulé un tapis au sol, qu'ils ont eux-mêmes tissé, mes hôtes le recouvrent d'une vaste moustiquaire suspendue au plafond. Puis, grands-mères, parents, oncles, tantes, cousins, enfants… tout le monde se glisse en dessous et s'entasse les uns à côté des autres. Avec de grands gestes et des sourires, on m'invite à me joindre au groupe. Je m'endors, paisiblement, au milieu d'un véritable nid humain, la tête de la grand-mère sur l'épaule et les fesses d'un enfant pour oreiller, ému, une nouvelle fois, de l'accueil reçu par des gens qui non seulement ne connaissent rien de moi, mais qui ne possèdent pas grand-chose et spontanément, le partagent.

Cette sensation de pouvoir se faire accepter partout à travers la planète est formidable et renforce une fois de plus mon sentiment d'appartenir à l'univers, d'être plus que jamais « citoyen du monde ». Au fil des pays et continents que je traverse, je me crée progressivement une vision d'ensemble de l'humanité. Le sens du mot « étranger » s'amenuise autant que disparaît la notion de race. Chaque découverte de nouvelles ethnies me renvoie aux mouvements de population des pionniers et me ramène à l'évidence : notre origine est la même, nous sommes tous frères de sang. Si la conclusion peut paraître évidente pour l'homme ouvert, elle ne l'est pourtant pas pour la majorité de la population mondiale. Les innombrables conflits ethniques en attestent, malheureusement. Quel gâchis !

Si cette hospitalité est formidable, je ne souhaite surtout pas en abuser. Mon objectif est de trouver un bateau pour continuer mon parcours. Problème : aucun bateau n'est sur le départ. Si faire du bateau-stop après le passage d'un ouragan n'était déjà pas évident, cela l'est encore moins lorsque le port est… absolument vide ! Aux dires du chef du port, un bateau partant pour le Timor occidental pourrait venir dans deux ou trois semaines, mais rien n'est jamais sûr par ici. Me voilà bloqué pour de bon ! Il me faut prendre mon mal en patience.

J'en profite pour apprendre intensivement la langue locale, le *bahasa indonesia*, à l'aide d'un petit manuel et d'autochtones toujours heureux de m'aider dans mon apprentissage. Chacune des phrases apprises par cœur déchaîne des tornades de rires. Cette langue, créée pour unifier le pays, à l'image de l'hindi en Inde, a été conçue pour que son apprentissage par le peuple soit très facile et rapide. Ainsi, elle n'a ni pronoms, ni pluriel, ni temps, un alphabet latin et, par-dessus tout, des sons tout ce qu'il y a de plus mélodieux. Bref, exactement ce qu'il me faut. Elle compte aussi de nombreux emprunts étrangers, notamment hollandais du fait de la colonisation ou sanscrits du fait de l'indianisation de l'archipel. L'Hexagone n'a pas été oublié. Exemples de mots empruntés au français : *trotoar* pour « trottoir » ou encore *payet* pour « paillettes » ! J'apprendrai aussi qu'orang-outan signifie « homme de la jungle », l'un des rares mots indonésiens connus à travers la planète !

Apprendre les langues est pour moi indispensable. Si l'anglais est une base nécessaire, il n'est pas suffisant. Partager une langue commune, c'est non seulement pouvoir échanger au-delà du « comment t'appelles-tu ? », « quel âge as-tu ? », mais c'est surtout un moyen d'appréhender la culture des pays traversés. La langue n'est pas que le mode d'expression de la pensée, elle la modèle également.

Pendant ce tour du monde, j'ai pris grand plaisir à étudier l'origine des mots. C'est même devenu peu à peu une vraie passion. J'ai appris ainsi qu'il y a des mots qui nous paraissent incontournables mais qui n'existent pas dans certaines langues, comme le concept de liberté, en chinois classique. La liberté n'est pas une valeur en Chine, puisqu'elle évoque l'individualisme considéré comme « haïssable ». En arabe et en turc, le verbe « avoir » est remplacé par l'expression « il y a ». Il en résulte, par rapport à l'Européen, un sens de la propriété moindre. La contrepartie est un droit de la propriété peu développé.

D'une langue à l'autre, un même mot peut prendre un sens différent. Ainsi, en français « imiter » veut dire « copier » alors qu'en japonais et en chinois il signifie « apprendre ». L'expression « se regarder le nombril » évoque en Occident une personne trop préoccupée d'elle-même. Elle a, en Asie, exactement le sens contraire, comme le montrent les statues des Bouddhas et les *bodhisattvas*[21] en méditation. En effet, le nombril est un symbole bouddhique d'humilité : il rappelle que la vie nous a été donnée par une autre personne. La nature a placé ce signe, bien visible au centre du corps, pour contrecarrer la tendance humaine à s'accorder trop d'importance. Dès que l'on traduit un mot ou une expression d'une langue à l'autre, on en altère le sens. Car c'est non seulement quitter un vocabulaire, mais aussi une sensibilité et un mode de pensée.

Au fil du temps, je m'intègre à la vie locale, enrichissant mon vocabulaire de jour en jour. On m'invite à toutes sortes de célébrations, de l'anniversaire de la fille du maire à la répétition de la chorale du village. Ma présence est un point de focalisation constant. Dans les rues, hommes et femmes se retournent à mon passage. Chaque fois que j'approche d'une école, je suis l'objet de toutes les curiosités. Je le sais, de mon attitude dépendra l'image qu'ils garderont de l'Occidental. La méfiance engendre la méfiance, alors qu'au sourire répond un sourire. Ma responsabilité de voyageur est grande. Je l'assume pleinement et essaye de m'en montrer digne.

Après trois semaines sur l'île, un ferry antédiluvien à la coque rongée par la rouille m'emmène enfin vers le Timor occidental. Je conclus un pacte avec le capitaine : deux heures de cours d'anglais par jour contre un trajet gratuit jusqu'à Kupang. Je dors dans la cabine du capitaine, à ses côtés, à même le sol. Un luxe quand on sait qu'en bas, des centaines d'Indonésiens s'entassent les uns sur les autres au milieu des poules et des chiens.

On dort où on peut bien s'étendre, à même le sol ou au hasard d'un hamac abandonné au coin d'un mur. La salle de bain collective consiste en un large évier de ciment servant aussi bien pour la vaisselle que pour l'hygiène corporelle. Dans les toilettes, un petit lavabo permet de me laver les dents à condition de me

21. Désigne celui qui a formé le vœu de suivre le chemin indiqué par le Bouddha Shākyamuni.

boucher le nez. Petit à petit, je commence à prendre la mesure de ce qu'est le continent asiatique…

J'en ai un nouvel aperçu avec le deuxième épisode de mon problème de visa. Le bureau d'immigration de Kupang est un bâtiment massif en marbre, surmonté d'un drapeau national dont un lambeau effiloché flotte au vent. Un panneau métallique, particulièrement oxydé, est censé réconforter le voyageur : « *Welcome to Indonesia.* » Derrière une table branlante et une machine à écrire probablement abandonnée par des Européens après la Seconde Guerre mondiale, peut-être même la première, un type hirsute, mal rasé, chassant d'un air absent les mouches qui l'assaillent, m'interroge. Avec sa mine sombre, il ne semble pas très engageant. En prime, il ne parle pas anglais et je n'ai que trois petites semaines d'apprentissage de *bahasa indonesia* derrière moi pour lui faire comprendre que je souhaite qu'il me tamponne mon passeport, ce qui aurait dû être fait à mon entrée dans le pays. Pas facile à expliquer.

Après 10 bonnes minutes de bruitages absurdes et de gestes grandiloquents, l'homme semble enfin comprendre puis, se redressant sur sa chaise et replaçant sa casquette, se rend compte que je suis en Indonésie depuis trois semaines sans tampon d'entrée ! Dans un anglais des plus approximatifs, l'homme m'annonce, péremptoire, essayant de m'impressionner :

« Vous êtes illégal sur notre territoire. Je vais devoir vous mettre en quarantaine et vous renvoyer dans votre pays. »

Trop heureux de tromper l'ennui, les responsables de la sécurité m'entourent en se comportant comme s'il s'agissait d'une affaire d'État. Mes explications ne semblent ni les convaincre, ni même les intéresser.

« Comment les autorités françaises réagiraient-elles si un immigrant indonésien débarquait sur une côte française, puis allait se balader pendant trois semaines avant d'avoir l'autorisation d'entrer sur le territoire ? »

Je les laisse s'énerver jusqu'à ce qu'ils se rendent compte par eux-mêmes que cela ne sert à rien. Je reste stoïque, me contentant d'excuses et jouant la carte de l'ignorance. Après plusieurs heures de palabres, on me demande finalement de revenir le lendemain pour rencontrer le supérieur. Je m'exécute et reviens à l'aube, espérant bien récupérer mon passeport avec un tampon d'entrée en bonne et due forme. De prime abord, cela s'engage mal, le supérieur se montre inflexible. La situation semble dans l'impasse et le renvoi en France inéluctable. Pourtant, après discussion, on me fait comprendre qu'en lâchant 15 dollars en liquide, on pourrait s'arranger.

En règle générale, je n'accepte jamais de payer quoi que ce soit sans que me soit délivré un reçu officiel ; c'est l'un de mes principes de base. Cette fois-ci cependant, la situation n'étant vraiment pas en ma faveur, j'accepte de passer à la caisse en échange de mon passeport enfin tamponné. L'aventure peut continuer…

L'idée de me rendre dans le Timor oriental pour pratiquer le portugais et découvrir un nouveau pays, indépendant depuis 2002, est contrecarrée par la fermeture de la frontière pour cause de guerre et son cortège d'atrocités. Je dois y renoncer et prends la direction de l'île de Florès où je retrouve les routes et par-là même, l'autostop, dont je n'avais pas usé pendant plus de deux mois. Au bord des routes, plusieurs problèmes se posent simultanément. Un, le trafic est extrêmement faible. Deux, le concept du stop est totalement inconnu de la population indonésienne. Trois, mon niveau d'indonésien est encore trop faible pour me faire comprendre. Quel est le plus frustrant : des semaines à accumuler des refus pour trouver un bateau en pouvant s'exprimer, ou des heures sans pouvoir se faire comprendre ? J'hésite…

Les débuts ne sont pas évidents mais je ne me décourage pas. Au contraire, face à ces difficultés, une excellente idée me vient à l'esprit, qui me sera fort utile pour la suite de mon périple. À Maumere, je trouve un indonésien anglophone à qui je demande de me traduire le texte suivant :

« Bonjour, je m'appelle Ludovic. J'ai 28 ans. Je suis Français. Depuis le 1er janvier 2003, j'effectue le tour du monde en stop. Mon défi est de faire le tour du monde en stop (n'utilisant ni train, ni avion, ni bus, ni taxi). Je souhaite me rendre dans la direction de… (destination). Allez-vous par hasard dans cette direction ? Si oui, est-il possible de me déposer un petit peu plus loin ? Merci beaucoup. Désolé, je ne parle que très peu indonésien. »

Instantanément, le texte est imprimé puis plastifié. Je viens d'inventer le premier « document magique » de ce tour du monde, premier d'une longue liste qui me permettra de me faire comprendre à travers toute l'Asie. Grâce à lui, avec mon album photos et ma carte du monde, je parviens enfin à me faire comprendre des conducteurs. Un plaisir particulièrement apprécié… Et un gage d'efficacité. Mon pouce « ressuscité » me fait ainsi traverser l'île de Florès puis me rapproche d'un point d'embarquement vers Komodo. Cette île, dont la plus grande partie est couverte par la forêt tropicale, est le pays du varan, le plus grand lézard du monde. J'ai toujours été fasciné par ce reptile, pouvant atteindre plus de trois mètres, capable d'assommer une chèvre d'un coup de queue et de dévorer un buffle. Grâce à un pêcheur local, je parviens à rejoindre l'île tant attendue.

Pour prévenir le marcheur du danger qu'il encourt dans le parc, une série de panneaux rappellent que les « dragons » sont dangereux et qu'une morsure peut être mortelle, avec les dispositions à prendre en cas de rencontre inopportune. Avec ces conseils de prudence en tête et mes sens en éveil, je me lance à la recherche des varans. Soudain, en voilà un qui surgit à l'orée d'un bois, à quelques dizaines de mètres de moi. De son regard de tueur, le reptile m'observe, immobile. Moment unique, instant d'éternité.

Le dragon de Komodo
sur le point de me mordre...

Retenant mon souffle, je sors discrètement l'appareil photo afin d'immortaliser la rencontre. Je me concentre. Petite mise au point, clic-clac, la photo est superbe, je suis sûr que les enfants de Strasbourg adoreront ! Mais à peine ai-je le temps de lever les yeux de l'appareil que le varan est juste là, face à moi. Sa longue langue fourchue frôle mes jambes. Manifestement, la bête n'attend plus que me mordre. Instantanément, je file comme un dératé, à la vitesse de la lumière. Ne pas se retourner… Je me retourne : le dragon me suit.

Bon sang, il n'y a que moi pour me faire courser par un animal préhistorique ! Un frisson me parcourt l'échine, une indicible peur me fouette. Je saute par-dessus les touffes, coupe les courbes du sentier, soufflant comme une locomotive. Surtout, ne pas tomber. La moindre chute et c'est la fin. Je fais attention où je pose mes pieds, la peur me porte, tout défile autour de moi.

Je me retourne à nouveau : il n'est plus là. Je l'ai semé ? Énorme soupir de soulagement. Sans doute n'avait-il pas besoin de dessert aujourd'hui ou la course était trop fatigante. Quoi qu'il en soit, j'ai gagné le droit de rester vivant… Et une superbe photo de mon animal favori.

Dans la vie, peu de visions provoquent des émotions à couper le souffle. Ma rencontre avec le dragon de Komodo fut de celles-là. Pendant plusieurs nuits ayant suivi cet épisode, j'ai rêvé que je me battais contre le dragon et qu'il me mangeait tout cru. L'image me hante encore mais maintenant je souris à chaque fois que j'y repense. De même, tout cela a bien fait rire les enfants à Strasbourg, imaginant ma course folle, le dragon aux fesses !

Sumbawa, Lombok, Bali… Les îles se succèdent mais ne perdent pas en splendeur. Je me rends de l'une à l'autre en restant dans les camions qui s'engouffrent dans les ferries. Généralement, les locaux ne comprennent pas ce qu'un Occidental fait au bord de la route, tout seul, dédaignant manifestement les transports publics alors que ceux-ci ne coûtent quasiment rien. Mais la lecture de mon « document magique » provoque larges sourires et hochements de tête en signe d'approbation du projet.

Près de Denpasar, j'échange un sourire avec une grand-mère de passage. Cinq minutes plus tard, je la vois revenir avec trois bananes et quatre mangues. Non seulement cette brave dame vient de m'apporter mon repas de la journée, mais en plus, elle me remercie d'accepter son offrande. Merveilleuse Indonésie…

Cette traversée du quatrième pays le plus peuplé au monde est rythmée par la Coupe du monde de football. Dans les villages, le maillot bleu acheté dans la rue, suite aux bons résultats de la France, provoque des « *Zidane, bagus*[22] et aide à me faire

22. « Zidane, super ».

embarquer. Je suis stupéfait de voir le nom de notre ex-numéro 10 à l'arrière des bus locaux. Trouver des chaussures à mon pied n'est pas aussi facile. Impossible de dénicher une paire de chaussures pointure 46 dans ce pays. Je dois donc me contenter d'un 43. Mes pieds en souffrent encore…

À l'entrée de Java, il est un passage obligé : le volcan Bromo. L'un des plus beaux endroits qu'il m'aura été donné de découvrir pendant ce tour du monde. Cette merveille de la nature me laissera des souvenirs impérissables. Après trois heures d'ascension, dès trois heures du matin, je découvre un panorama à 360 degrés tout simplement divin. La photo au centre de ce livre résumera mieux cette vision sublime que de longs discours. Totalement envoûté par la beauté du site, je reste deux bonnes heures à m'en imprégner les rétines avant de redescendre. Une seule attitude s'impose : le silence. Depuis ma découverte du volcan Paricutín au Mexique – seul volcan au monde dont l'être humain ait vu la naissance en 1943 –, puis mon séjour aux îles Galápagos, je m'intéresse particulièrement aux volcans. Ces phénomènes naturels me fascinent surtout lorsqu'ils sont en éruption.

Près de la ville de Jogjakarta, au centre de l'île de Java, je peux observer le volcan Merapi libérer le feu de ses entrailles. Il crache des tonnes de scories et vomit des torrents de lave, montrant ainsi au monde toute la furie dont il est capable. Les villageois sont priés de quitter leurs habitations prêtes à être recouvertes de lave. Un des spectacles naturels les plus impressionnants qui soient. Heureusement, malgré les années qui passent et ces découvertes qui se succèdent, je conserve intacte ma capacité à l'émerveillement. On me demande souvent si je deviens blasé à force de voir tant de beauté. Mon regard sans cesse nouveau – mais plus éduqué – sur les choses m'en empêche : chaque nouvelle découverte est tout aussi passionnante que la précédente. J'entends bien garder à jamais cette capacité à m'émerveiller et à me révolter, les deux mamelles de l'humanisme.

Rencontre avec le peuple baduy
[Indonésie]

En ce 15 juillet 2006, je reprends le fil de la route et me rapproche progressivement de la capitale indonésienne. Juste avant, je souhaite marquer un arrêt dans l'univers des Baduy, un peuple particulier s'efforçant de maintenir un mode de vie traditionnel et de rejeter toute influence extérieure. Lors de mon séjour en Pennsylvanie en 2004, j'avais eu la chance d'être invité à partager le quotidien d'une famille amish vivant de façon simple, à l'écart de la société moderne et dont le mot d'ordre était : « Tu ne te conformeras point à ce monde qui t'entoure. »

Outre ma première expérience de *buggy-stop* vécue à leurs côtés, j'avais découvert un monde particulier où l'électricité était interdite au même titre que l'utilisation d'engrais et de matériel « moderne » comme le tracteur. Les *Baduy* suivent la même logique, en plus extrême. Ils ont pour principe, par exemple, de ne jamais détourner une rivière, de toujours replanter une plante cueillie et de ne jamais couper un arbre. Sachant que l'Indonésie déforeste l'équivalent de 300 terrains de football par heure

– notamment pour la production d'huile de palme – et que, de ce fait, l'extinction des orangs-outans semble inéluctable, cela donne à réfléchir.

Poignée de main à l'orang-outan.
[Indonésie]

Dans une hutte construite entièrement avec des matériaux naturels, je discute longuement avec le jeune Agung, qui m'affirme :

« Nous ne vivons pas ainsi parce que nous n'arrivons pas à nous développer. Nous choisissons ce mode d'existence car nous sommes convaincus qu'il est essentiel de respecter l'équilibre de la planète. Or, le développement actuel du monde ne le permet pas.

Je prends acte. Fort de cette rencontre, je mets le cap sur Djakarta, joli contre-exemple du mode de vie baduy. Comme un plongeur se jetant à l'eau, je ferme les yeux, me bouche le nez puis me lance dans un enfer de béton et d'acier. Ma traversée du Pacifique, de l'Australie et des îles indonésiennes m'avait fait oublier l'existence des villes chaos du tiers-monde, de leur trafic anarchique et de la pollution insoutenable qui les plombe. Ma mémoire s'était rincée à l'eau salée. Le réveil est brutal ! Le petit masque posé sur mon nez, initialement blanc, devient rapidement noir, prouvant son utilité. Selon l'OMS, la pollution atmosphérique tue plus de 500 000 personnes par an en Asie. Mais au-delà de la pollution, de la pauvreté et du trafic de la capitale indonésienne, c'est le bruit qui m'impressionne dans cette ville.

Si l'Asie est bien moins dangereuse que l'Amérique latine, elle est beaucoup plus bruyante. Les Indonésiens semblent disposer d'un avertisseur sonore principalement pour s'amuser… Et ils en abusent. Les bruits me cognent, me renversent. Je deviens fou. Il me faut fermer les yeux et me concentrer sur la plage des îles Cook pour retrouver un zeste de sérénité.

Je loge chez Irma, une jeune Indonésienne musulmane. C'est mon site Internet qui l'a poussée à accepter ma demande d'hospitalité. Pour la première fois, un homme vient dormir seul chez elle. Dans la chambre séparée, tout se passe au mieux jusqu'au troisième jour, quand un voisin frappe à la porte et explose :

« Il n'est pas tolérable qu'une jeune fille musulmane célibataire héberge un étranger qui n'est pas son mari. Le responsable du quartier souhaite vous voir à 18 heures ! »

Agitation dans le quartier, ma présence devient le sujet de conversation de tout le voisinage. J'imagine l'exclusion immédiate de chez Irma et probablement du secteur, sanction apparaissant la plus logique compte tenu des circonstances. Erreur : 100 000 roupies indonésiennes feront l'affaire. Les lois coraniques s'achètent pour sept euros !

Là encore, mon séjour à Djakarta me donne l'occasion de prendre le pouls des nombreuses ONG de la capitale. La plupart d'entre elles réalisent un travail de qualité et il convient de saluer leurs actions qui tendent à combattre les maux de l'Indonésie. Cependant, au gré des discussions avec des gens du métier, des journalistes et d'autres personnes sur le terrain, j'apprends que les actions ou le bilan de quelques-unes s'avèrent critiquables. Ma naïveté en la matière est mise à rude épreuve. Pour une poignée d'organisations peu scrupuleuses, sous couvert d'humanitaire, le « marché du pauvre » se révèle être un vrai *business*. Facile alors d'attirer, pour la bonne cause, les généreux capitaux étrangers. Démarche révoltante. L'absence de contre-pouvoir rend la dérive aisée.

Qui aurait l'extrême audace de condamner publiquement une ONG ? Vigilance, mère de toutes les vertus… Heureusement, l'honorabilité de la majorité d'entre elles compense largement la dérive de certaines. Comment déterminer les bonnes et les mauvaises ? Tel sera l'un des principaux sujets abordés lors de la deuxième journée de rencontre que j'organise dans la capitale indonésienne, à laquelle participent 31 personnes issues de 17 associations.

Si l'événement fut intéressant, je n'oublierai jamais la période d'organisation : attentes et relances, patience et impatience, nombreux allers-retours, inspiration et expiration devant le manque d'efficacité. Travailler dans un pays en voie de développement comme l'Indonésie est une véritable école de patience !

Ces rencontres avec les ONG de Djakarta m'en auront fait voir de toutes les couleurs, mais m'auront surtout permis de prendre conscience de l'évolution de la société indonésienne, pays qui, à l'image du monde entier, est en train de se transformer en profondeur, du fait notamment d'une urbanisation très importante et d'une affirmation de l'identité musulmane. Dans la banlieue de Cilincing, j'ai à nouveau l'occasion de vivre dans un bidonville. Pendant plusieurs jours, je partage le quotidien de populations très pauvres et découvre par ce biais l'existence de nombreuses ONG dont le but n'est autre que de réislamiser la société par l'action sociale.

« Notre objectif est de rendre les gens plus croyants, d'affirmer leur identité religieuse, afin de leur permettre de mieux supporter leurs conditions de vie… », m'explique Putri, responsable de l'une de ces structures.

Si l'expérience de vivre dans un bidonville me rappelle mon séjour chez Gerardo au Honduras, ces ONG me rappellent quant à elles les organisations évangélistes qui profitaient de la perte de repères des nouvelles populations urbaines pour développer leur réseau d'influence. Autres latitudes, mêmes objectifs !

L'Indonésie possède une population musulmane plus importante que n'importe quel autre pays au monde. Quelque 88 % de ses 230 millions d'habitants sont musulmans. Cependant, à l'inverse de son voisin malaisien, l'Indonésie n'est pas une république islamique. Aucune référence à l'islam n'est faite dans la constitution et le pays est officiellement considéré comme plurireligieux, car né du désir de populations culturellement et religieusement diverses de construire une seule nation.

Au cours de mon séjour indonésien, la question des relations entre monde musulman et non-musulman est souvent revenue, que ce soit au cours de mes conversations ou dans des situations dans lesquelles je me suis retrouvé. Sur le trajet entre l'île de Yamdena et le Timor occidental, je fais étape dans l'archipel des Moluques, plus précisément dans la ville d'Ambon. Entre 1999 et 2002, cette ville fut le théâtre d'une terrible guerre de religion entre chrétiens et musulmans, rappelant les croisades de l'an mille. Les uns attaquant les autres par peur d'être « islamisés », les autres y répondant par un *djihad*[23] des plus sanglants. Résultat : plus de 5 000 personnes massacrées et le déplacement de plus d'un demi-million d'autres.

23. « Guerre "sainte". »

Si les affrontements ont aujourd'hui cessé, la tension reste palpable. Autre événement marquant : le 12 juillet 2006, dans la ville de Medan, sur la très musulmane île de Sumatra, j'assiste au journal télévisé indonésien indiquant le début d'un nouveau conflit entre Israël et le Hezbollah, au Liban. Dans les rues de la troisième ville du pays, les réactions sont immédiates ; ici et là, des groupes de jeunes musulmans, certains portant un T-shirt de Ben Laden, se forment pour brûler des drapeaux israéliens et exprimer leur rage contre le « grand Satan américain », par solidarité envers leurs frères du Proche-Orient. Début d'un nouvel épisode de haine…

Manifestement, la Terre est ronde, mais tout ne tourne pas rond pour autant ! La vision de la guerre et ces témoignages de haine mettent à mal mon idéalisme et ma naïveté tout autant que la vision de la misère. Durant la totalité de ce tour du monde, comprendre les origines des guerres et des violences fut une préoccupation constante. Profitant de ma position d'électron libre accepté de tous et de mes nombreuses rencontres avec les diverses communautés, j'ai souvent interrogé les gens sur leur ressenti face à « l'autre ». Comment perçoivent-ils celui qui pense différemment ? Bien évidemment, les réponses diffèrent d'un pays à l'autre, d'une communauté à l'autre, d'une personne à l'autre. Une constante, cependant : la haine puise souvent son origine dans l'ignorance, terreau de l'intolérance, source de tout fanatisme, et dans la peur de « l'autre ». Chacun vit dans sa bulle : les chrétiens avec les chrétiens, les musulmans avec les musulmans, les Noirs avec les Noirs, les Blancs avec les Blancs…

Combien de chrétiens vont partager des fêtes musulmanes pour mieux connaître la religion de leurs voisins ? Combien de musulmans vont étudier le mode de vie des hindouistes pour mieux les accepter? L'avenir de notre planète repose largement sur notre capacité à apprendre à vivre ensemble. Toutes mes expériences à travers le monde m'ont fait comprendre l'impérieux besoin de renforcer le dialogue avec d'autres civilisations, d'autres cultures et d'aboutir à de véritables échanges d'idées, de valeurs et de styles de vie.

À l'époque de la mondialisation et de la disparition des frontières, il devient désormais vital, comme le dit l'excellent Barack Obama, de « casser les murs entre les cultures pour construire des ponts entre les hommes », de prendre du recul face aux préjugés auxquels nous sommes confrontés, d'apprendre à mieux nous connaître et à vivre les uns avec les autres, et non plus au sein de communautés repliées sur elles-mêmes.

Une entente entre tous les peuples du monde est-elle possible à terme ou est-ce totalement utopique? La question a traversé les siècles et continuera certainement de se poser pendant bien longtemps. Comme le dit Benjamin Disraeli: « Ce ne sont pas les événements qui façonnent un homme mais les hommes qui décident des événements. » La fatalité n'existe pas, le monde de demain sera ce que nous en ferons et chaque individu a un rôle à jouer pour que cette paix mondiale devienne une réalité, un jour.

Fort de cette certitude, à mon humble niveau, je décide de me lancer un nouveau défi. Conscient de la mine d'or que représente mon tour du monde pour approcher les écoles et m'exprimer devant les jeunes générations, celles qui décideront ou non de la paix de demain, je décide d'aller frapper aux portes des écoles islamiques avec plusieurs objectifs en tête : un, partager mon tour du monde, en insistant sur l'importance de faire de ses rêves des réalités. Montrer que rien n'est impossible pour une âme décidée. Deux, expliquer clairement pourquoi je voyage et pourquoi je cherche à comprendre d'autres cultures, car je vois bien que le concept de voyage est inconnu dans la plupart de ces communautés. Trois, offrir une certaine ouverture sur le monde, développer une certaine curiosité de l'ailleurs et de l'autre. Quatre, aboutir à cet échange interculturel si important pour la stabilité de notre monde. Cinq, faire comprendre à ces jeunes musulmans que nous sommes frères et sœurs quelle que soit notre religion, culture, couleur de peau, nationalité. Tous dans le même bateau !

Tel le professeur Kesting, dans le film *La Société des poètes disparus*[24], qui faisait monter ses élèves sur la table afin d'élargir leur horizon et qu'ils voient le monde autrement, je veux inciter les jeunes auxquels je m'adresserai à regarder le monde depuis la lune pour constater que les frontières n'existent pas de là-haut, leur faire comprendre que l'humanité n'est qu'une – le communautarisme est très fort dans le monde musulman –... En bref, semer les graines de la paix et de l'entente entre les peuples. Vaste programme !

À Medan, je mets mon plan à exécution. Avec l'aide de mon hôte musulman, qui sera mon traducteur, je choisis une école islamique dans la banlieue de la ville, du nom de Miftahussalam. Le directeur me reçoit dans son bureau désuet. Mobilier en bois patiné, murs défraîchis, ventilateurs de plafond aux pales démesurées. Accrochés au mur, un drapeau blanc et rouge effiloché et un vieux portrait de Sukarno, premier président de la république d'Indonésie. Le décor me paraît digne d'un film sur l'époque coloniale. Néanmoins, monsieur Bustami est intéressé par ma démarche. Selon lui, « la base de la paix dans le monde réside dans le dialogue. L'islam n'est pas une religion de guerre. Le Coran est contre la violence. Nous devons apprendre à mieux nous connaître. »

En deux temps, trois mouvements, il rassemble plus de 200 étudiantes, voilées de haut en bas, dans l'auditorium du lycée. Toutes m'observent sans vraiment comprendre ce dont il s'agit. Ma qualité de français a pour conséquence d'affliger les visages d'un air de gravité qui laisse tout le monde sans voix. À coup sûr, je suis

24. En France, le titre du film est *Le Cercle des poètes disparus.*

le premier Européen qu'elles aient vu ailleurs qu'à la télévision ! Je m'amuse en silence de la situation tout en étant quelque peu intimidé par une telle assistance. Si j'ai pris l'habitude de me retrouver en face de larges assemblées, elles étaient jusqu'alors relativement proches de ma culture. Là, je saute dans l'inconnu ou presque.

Quelques mots de présentation en indonésien provoquent les premiers éclats de rire et me permettent de casser la glace. Rieuses, timides et espiègles, ces adolescentes s'embarquent avec joie sur mon tapis volant qui les conduit, une heure durant, aux quatre coins de la planète. Grâce à un diaporama et à une présentation que je ne cesse de retravailler sur mon ordinateur au fil de mon voyage, nous parcourons ensemble les montagnes de l'Antarctique, rencontrons les Indiens des Andes, les tortues des Galápagos et découvrons quelques-unes des religions de la planète. Je sens les jeunes demoiselles réellement intéressées ; le sourire se lit désormais sur toutes les lèvres. Commencent alors la valse des questions et la salve des réponses. Après quelques-unes touchant à mon parcours, le thème de la religion, au centre de leurs préoccupations, est abordé :

« Monsieur, j'ai entendu que dans votre pays, les filles n'ont pas le droit de porter le foulard à l'école. Est-ce vrai ? Pourquoi ? »

Le sujet fâche dans le monde musulman et le besoin de comprendre se fait ressentir. J'explique ce qu'est la laïcité qui caractérise la société française, que la France a décidé de séparer la religion des affaires publiques, réservant la première à la sphère privée. Les questions se succèdent sur le sujet.

« Pouvez-vous nous en dire plus sur la laïcité ? C'est quoi au juste ?

— Monsieur, il paraît qu'en Europe, les gens ont peur de l'islam, c'est vrai ? Pourquoi ? »

Le dialogue interculturel tant attendu est lancé, il ne s'arrêtera qu'une heure plus tard. Répondre à toutes ces questions sans heurter la moindre sensibilité ressemble à un exercice d'acrobatie périlleux. Je choisis chaque mot avec précaution et le pèse avant de le prononcer, en espérant qu'il soit traduit correctement ce qui n'est pas toujours évident. Mon objectif aujourd'hui est de fraterniser, de construire des ponts, d'apprendre les uns des autres dans un contexte amical. Certainement pas de froisser quelqu'un ou d'imposer ma vision des choses.

La conférence se termine. Aussitôt les mots de remerciement du principal terminés, de nombreuses étudiantes viennent me voir pour me poser davantage de questions, parfois sur mon voyage, parfois sur d'autres sujets. À ma grande surprise, plusieurs d'entre elles sortent leur téléphone portable-appareil-photo et me mitraillent. D'autres sortent des bouts de papier pour que je leur écrive quelques mots en français ainsi qu'une signature. Tout en répondant à leurs demandes, je ressens une forte sensation de bien-être, non pas de signer des autographes, la reconnaissance m'importe peu, mais parce que je prends plus que jamais conscience qu'à travers mon défi de tour du monde en stop, je suis en mesure de faire passer un certain nombre de messages positifs et importants. Du fait de la différence de religion, je doutais que je puisse être le bienvenu dans une école coranique, je me rends compte que ce n'est pas le cas. Cela me réjouit au plus haut point !

Riche de ces constatations, je prends en ce jour une décision qui me suivra jusqu'à la fin de mon périple : désormais, dans chacune des villes que je traverserai, j'irai me présenter aux portes des écoles et expliquerai mon projet directement, soit au professeur d'anglais s'assurant de la traduction, soit au directeur de l'école pour ensuite pouvoir m'exprimer devant leurs élèves. Je contacterai également tous les membres d'Hospitality Club et de Couchsurfing des villes traversées pour me mettre en contact avec toutes sortes d'institutions éducatives.

En ce 14 août 2006, mon tour du monde s'apprête, une nouvelle fois, à prendre une autre direction que celle que j'avais initialement empruntée… Je quitte Medan empli de bonnes vibrations et d'optimisme. Avant de rallier Singapour puis la Malaisie, je souhaite me rendre dans la province d'Aceh, à l'extrême nord de Sumatra, et notamment dans sa capitale, Banda Aceh, tristement célèbre pour avoir été détruite par le terrible tsunami du 26 décembre 2004 – plus de 200 000 morts dans la ville et ses environs. Je m'en souviens très bien. Je me trouvais alors aux États-Unis, en pleine tournée de conférences. Particulièrement ému par ce désastre et le formidable élan de solidarité qu'il avait suscité, je m'étais promis d'apporter ma petite pierre à l'édifice de la reconstruction une fois que je serais sur place. L'heure est venue de mettre mes bras à disposition. Je prends contact avec Yves Dantin, directeur de l'ONG allemande FIG, spécialisée dans la reconstruction d'habitations et d'écoles. Alors que je lui demande en quoi je peux me rendre utile pendant les six semaines que je me suis réservées, il me répond du tac au tac :

« S'investir dans une mission demande plus que six semaines et travailler dans l'humanitaire ne s'improvise pas. Merci pour tes bras mais je préfère faire travailler des personnes locales. En revanche, serais-tu prêt à aller dans toutes les écoles de la région, dans les orphelinats, pour parler de ton voyage, intéresser les gosses, les faire rire et rêver ? Rien de plus important que le rêve pour ces enfants qui ont tout perdu : parents, sens de la vie, raison de vivre. Les rêves sont les ingrédients de base de l'espoir et nombre d'entre eux n'en ont plus aucun. Avoir des objectifs pour se reconstruire est vital pour eux. Il faut leur apprendre à regarder devant plutôt que derrière. C'est une tâche considérable. Serais-tu prêt à y contribuer ? »

La proposition d'Yves m'emballe et me propulse dans une nouvelle tournée de conférences, d'un autre type. Expérience formidable qui m'en rappelle une autre, vécue quelques semaines plus tôt dans les bidonvilles de Djakarta.

Banda Aceh offre aujourd'hui le visage d'une ville aux sourires tristes. Elle a enterré ses morts et effacé nombre de ses ruines. Les fleurs ont repoussé et de nombreuses maisons ont été reconstruites, mais rien n'a été oublié de cette journée noire. Chaque discussion avec les autochtones m'apporte son lot de témoignages déchirants. La phrase de mon hôtesse, Eka, sauvée des eaux grâce à une branche, me restera en tête :

« Depuis le 26 décembre 2004, je ne ris plus. Il m'arrive de sourire, tout au plus... »

Mes interventions dans les écoles et orphelinats me font découvrir des villages côtiers complètement ravagés. Je croyais avoir saisi l'ampleur de la destruction au travers des images de la télévision. En me rendant sur place, je me rends compte que je n'avais rien vu : c'est encore bien pire. Un bel espoir est né par contre : le tsunami a permis d'arrêter la guérilla qui sévissait entre le gouvernement et des rebelles séparatistes. Un guérillero rencontré à Meulaboh en est persuadé :

« Nous ne reprendrons pas les armes. Le tsunami était un message de Dieu pour nous pousser à faire la paix... »

Après cette pause de six semaines ponctuées de toutes ces fabuleuses rencontres, heureux d'avoir pu apporter un peu de rêve à ces gamins déboussolés, je reprends le fil de mon voyage, vers Singapour. Pour cela, il me faut retraverser en partie Sumatra, la sixième plus grande île au monde. Succession ininterrompue de villes et villages tous plus crasseux et encombrés les uns que les autres.

Comme ce fut le cas en Amérique latine, je compte régulièrement sur les barrages de police pour trouver des véhicules.

Là aussi, ils ont l'air de grands ados boutonneux. Leurs baraques deviennent parfois mes dortoirs pour la nuit, comme les cabines des routiers ou les tapis moelleux des mosquées. Tous les endroits sont bons pour me reposer. De l'autre côté des vagues, Singapour m'attend, que je m'apprête à rejoindre grâce à un dernier coup de ferry-stop…

Chapitre 14

PLONGÉE AU CŒUR DU BOUDDHISME

Singapour – Malaisie – Thaïlande – Birmanie –
Laos – Cambodge – Vietnam

« Mon action est mon seul bien, mon action est mon héritage, mon action est la matrice qui me fait naître, mon action est ma race, mon action est mon refuge. »

— Bouddha

Je viens d'atteindre la presqu'île de Singapour après avoir pu embarquer sur le dixième et dernier bateau de ce tour du monde. Me voilà à présent sur le continent eurasiatique : le parfum du retour commence à se faire sentir. En ce mois de septembre 2006, je prends une décision hautement symbolique : je bouclerai très précisément ce tour du monde le 1er janvier 2008, soit cinq années, jour pour jour, après mon départ de France. J'aime les comptes justes…

Le centre-ville de Singapour est à lécher par terre, si propre et reluisant que j'hésite presque à marcher sur les trottoirs ! Pas un papier sur le sol, pas de tags sur les murs, ni de traces sur la chaussée. Pas de cris ni de vrombissements non plus. La pollution sonore est, elle aussi, éradiquée. Quel contraste avec l'Indonésie ! Le jour et la nuit… Les habitants, par une discipline naturelle stupéfiante, confèrent à la ville une tenue irréprochable. Pas un pied qui dépasse, pas une tête en l'air, pas un mot de trop. Changement radical de monde. La seule chose qui manque, c'est la fantaisie. On m'assure que Singapour n'est pas représentatif de l'Asie. C'est heureux pour celle-ci, car les Singapouriens me paraissent ternes et leur mode de vie insipide gravite autour d'une seule occupation : le shopping. On ne lèche pas les vitrines, on y reste collé. C'est la consommation en perfusion directe. La ville bat au rythme de l'ouverture des magasins.

« Tu fais quoi ce week-end ?

— Du shopping, quelle question ! »

La réponse est quasiment évidente pour tout bon Singapourien qui se respecte…

Singapour donne tout de même un avant-goût du plus fabuleux et du plus vaste des continents. Kaléidoscope de mouvements, de couleurs, d'odeurs, un vaste et fourmillant marché, une foule d'îlots verdoyants, une foison de boutiques pleines à craquer… Chinois débonnaires, Malais au sourire immuable, Indiens secs et réservés, Européens distants, hindouisme, confucianisme, taoïsme, bouddhisme, mais aussi christianisme et islam : voilà le curieux mélange de Singapour, à l'architecture tout aussi diverse. L'autostop y est interdit. Je ne connais pas la sanction, mais nul besoin de braver la loi : la presqu'île est une ville, je peux donc emprunter le bus urbain jusqu'à la frontière malaisienne.

L'autoroute reliant Singapour à Kuala Lumpur est flambant neuve. Le goudron lisse et noir, dans un ronronnement paisible de caoutchouc, défile sous les roues de ma conductrice : une musulmane seule, coiffée de son foulard, qui m'a fait la bonne surprise de s'arrêter près du poste-frontière. Pendant les 500 kilomètres qui nous séparent de la capitale, nous nous lançons dans des discussions passionnées autour de la fraternité mondiale, de la modernisation de l'islam, de la place de la femme dans le monde musulman. Amira m'explique que la Malaisie est le pays musulman le plus moderne et le plus prospère au monde. Elle souhaiterait qu'il devienne une référence pour les autres nations musulmanes. Pour illustrer son propos, elle m'emmène découvrir la « rue de la tolérance » à Kuala Lumpur. On y trouve, pour ainsi dire côte à côte, un temple bouddhiste, un autre hindouiste, une grande église et une mosquée.

« La liberté de religion existe ici, tu en as la preuve devant tes yeux », me dit-elle.

Sur le coup, la théorie me plaît, cela ressemble fort à notre tolérance laïque républicaine. J'apprendrai par la suite, en discutant avec des Malaisiens d'origine chinoise – environ 25 % de la population – que la réalité est parfois moins idyllique. Malgré tout, je suis ravi de découvrir un pays musulman prospère et moderne.

Je profite de mon séjour dans la capitale malaisienne pour organiser un rassemblement des membres d'Hospitality Club et Couchsurfing. Mon implication dans ces deux sites Internet grandit chaque jour un peu plus. Ils me sont d'une aide inestimable, à la fois pour le logement, l'organisation de conférences, la rencontre avec les ONG et les relations avec les médias. Organiser une réunion, c'est se faire instantanément une foule de nouveaux amis pour partager, échanger et apprendre les uns des autres. Idéal quand on arrive en territoire inconnu !

Djakarta, Hanoi, Shanghai, Pékin, Bombay, Islamabad, Téhéran… Ces meetings ont fait partie intégrante de mon tour du monde. Au centre de Kuala Lumpur, la réunion rassemble une quinzaine de personnes, pour la plupart âgées de moins de 35 ans. Les profils sont variés : l'un est professeur dans un lycée privé, un autre travaille à la comptabilité dans une ONG, un autre dans une compagnie pétrolière… Un Néerlandais et une Anglaise de passage dans la ville se joignent à nous. Tous ont en commun la passion du voyage, l'utilisation d'Internet et la pratique de la langue anglaise, ce qui permet de communiquer et ne pas rester sur des relations superficielles.

Nos discussions abordent tous les sujets : la politique, la découverte, la paix, les religions… Dans les yeux de ces jeunes, je vois une volonté de mieux comprendre le monde qui les entoure, une envie de sortir de leur pays pour découvrir, apprendre. Malheureusement, le voyage à l'étranger reste, faute de visas et de moyens financiers, un privilège d'Occidentaux : plus de 90 % des routards rencontrés sur les routes du monde viennent de pays développés. Mais cela est en train de changer progressivement et ces deux sites participent à la démocratisation du voyage et de l'échange.

Convaincu du bienfait de ces structures Internet qui constituent une révolution dans le milieu du voyage, j'ai fréquemment profité de mon aventure pour en assurer la promotion. Le concept étant relativement nouveau en Asie, les médias lui ont donné un écho très positif. À Djakarta, une page entière dans le premier quotidien du pays avait présenté à la fois ma façon de voyager en stop et celle de loger chez les habitants, notamment grâce à ces sites. Le résultat avait été immédiat : le nombre de membres dans le pays avait doublé du jour au lendemain ! L'expérience se renouvelant dans d'autres villes asiatiques, les deux sites m'ont décerné le titre d'ambassadeur itinérant. Un joli titre nomade…

La famille Sahid, que je rencontre à Penang, dans le nord du pays, incarne parfaitement l'esprit de ces sites. Leur histoire fait partie de celles m'ayant le plus inspiré pendant mon tour du monde.

« Nous sommes pauvres, pas assez d'argent pour voir le monde, alors c'est le monde qui vient chez nous ! » résume Azahar, le père de famille.

Lorsqu'un matin de juin 2004, il découvre l'existence d'Hospitality Club, il comprend tout de suite que ce site va permettre à ses trois enfants d'améliorer leur anglais et surtout leur ouvrir l'esprit sur le monde. Et ça ne rate pas ! Dès le premier invité, un Tchèque, les enfants sont conquis : ils l'assaillent de questions, positionnent le pays sur une carte et testent leur anglais sans complexe. Deux ans et 22 invités plus tard, c'est à mon tour d'être l'hôte de la famille.

La maison est simple, avec un grand salon recouvert de tapis d'Orient, meublé d'un canapé et d'une télévision. Deux autres petites pièces servent de chambre aux parents et aux enfants. L'invité dort sur le canapé du salon. Nadia, Farah et Adhi sont âgés respectivement de 5, 9 et 11 ans. Dans leur chambre, une grande carte du monde est couverte de punaises marquant la provenance des invités précédents : Brésil, Australie, Russie…

« Tu viens de France ? Super ! sourit Adhi. T'es le premier invité venant de là ! »

Une nouvelle punaise est ajoutée sur la carte.

« Dis-moi, pourrais-tu venir dans mon école présenter ton pays ? Notre professeur aime recevoir nos invités pour qu'ils nous parlent de leurs coutumes et traditions.

— Bien sûr ! »

À mes yeux, la famille Sahid est parfaite. Elle incarne la générosité et le courage qui exaltent la nature humaine. Azahar est un père de famille exemplaire. Dans un monde si complexe, devenu si égoïste, accueillir les étrangers de passage comme s'ils étaient des frères ou des fils, et leur permettre d'aller présenter leur pays et leur culture à d'autres enfants, mériterait qu'on lui décerne le prix Nobel de la paix parce qu'il participe activement aux relations interculturelles dont le monde a tellement besoin. Je souhaite à cet homme de vivre longtemps et de faire partager ses valeurs à la terre entière.

M'organiser suffisamment pour identifier des points de chute dans les villes, mais pas trop pour laisser la place à l'aventure et aux rencontres fortuites : telle pourrait être ma devise. Entre chaque étape, je continue de laisser le destin dicter mes rencontres et lieux d'hébergement.

J'avance ainsi, de rencontre en rencontre, de découverte en découverte, au milieu de ce continent mystérieux et sensuel. En Thaïlande, le problème de la langue se pose avec d'autant plus d'acuité que l'alphabet est différent du nôtre et que je ne parle pas un mot de *thaï*, langue particulièrement compliquée à apprendre. Qu'à cela ne tienne, je trouve rapidement une technique pour me faire héberger sans pour autant demander directement l'hospitalité, pratique ne me plaisant guère.

Toujours avec l'aide d'autochtones anglophones, je réalise un nouveau type de « document magique », expliquant cette fois-ci, non seulement les bases de mon tour du monde, mais demandant également si les lecteurs connaissent un endroit dans les alentours où je pourrais m'allonger pour la nuit en toute sécurité. La technique est infaillible : neuf fois sur dix, mon document provoque d'abord un éclat de rire puis, après un peu d'humour et de discussion, on me propose de venir me joindre à la famille, tantôt sur les planches nues d'une case, tantôt au milieu de cochons ou de poules gloussant toute la nuit.

Quand il y a de la place pour 10, il y en a pour 11 ! On se pousse volontiers pour me céder quelques centimètres carrés. Au petit matin, il n'est pas rare que les villageois viennent attendre avec moi au bord de la route et obligent les voitures ou camions à s'arrêter. À l'évidence, la barrière de la langue ne constitue pas un obstacle infranchissable… Les langages du cœur et du sourire valent tous les visas.

Au fil de l'Asie, ces documents deviennent indispensables. S'ils me demandent un certain travail de préparation, le retour sur investissement est immédiat : les expériences qu'ils me permettent de vivre sont formidables. J'en profite même parfois pour faire passer des messages. Ainsi, dans plusieurs pays asiatiques, j'écris que je souhaite, à travers mon périple et la réalisation de mon rêve, contribuer à la promotion de la paix sur la planète et montrer que nous sommes tous les mêmes.

À la lecture de ces quelques lignes, la réaction de la plupart des gens est pleine de sympathie. Que penser des analphabètes ? Il y en a beaucoup dans ces zones rurales, parmi lesquels un certain nombre de conducteurs, mais il y a toujours un jeune dans les alentours qui se fait un plaisir de courir pour traduire à haute voix et montrer qu'il sait lire.

Je reste un mois en Thaïlande, le pays du sourire. Un mois de visites entre villages aux rizières verdoyantes où les éléphants domestiques servent au transport de bois, fabuleux sites historiques – Ayutthaya, Sukhothai…–, mais aussi villes engorgées, grouillantes de motos et *tuk-tuk*[25] où prostitution et esclavage infantile restent une triste réalité.

À Bangkok, le commerce du sexe est une banalité. Les rabatteurs, chauffeurs de taxi ou de tuk-tuk proposent constamment des adresses de prostituées ou salons de massages. Près de Kao-san-road, la Mecque du routard, un homme me chuchote :

« Tu veux une femme ? J'en ai de tout âge, certaines ont 10 ans. » Que faire ? Lui mettre mon poing dans la figure… pour m'attirer des problèmes ? Situation délicate dont profitent nombre d'Occidentaux de tout âge, fraîchement débarqués des quatre coins du globe qui, loin des regards accusateurs de leurs pays, semblent se croire tout permis. Il m'arrive parfois d'avoir honte de mon occidentalité…

Mais Thaïlande rime surtout avec bouddhisme, et pas seulement avec prostitution et forte sensualité. C'est là une nouvelle religion que je découvre dans mon tour du monde des croyances. En réalité, je comprends rapidement que le bouddhisme est plutôt une philosophie, un art de vivre dont les bases sont la sagesse, la compassion, la tolérance, l'humilité, le détachement. Mongolie, Tibet, Népal, Ladakh…

À travers l'Asie, je rencontre de nombreux bouddhistes. Tous semblent partager une certaine joie de vivre, paraissant plus légers, plus souriants, plus ouverts et humanistes que les adeptes d'autres religions. Leur tolérance, leur aptitude à

25. Triporteurs à moteur.

vivre l'instant présent et leur insouciance les rendent même, souvent, très attachants.

Les Ladakhis chantent sans arrêt. Les Thaïlandais sont réputés pour leur souplesse, leur gentillesse, leur absence de tension psychologique. Les Népalais sont pacifistes, contrairement à leurs voisins indiens. L'enseignement du Bouddha les a modelés au point qu'il imprègne complètement leur vie. Philosophie et vie quotidienne ne sont pas distinctes. Pour eux, elles forment bel et bien un ensemble, une unité.

J'apprécie particulièrement cette religion basée sur l'expérience personnelle et non sur l'adhésion à des croyances ou à des dogmes. Elle décrit mais ne décrète pas, révèle ce qu'est la réalité ici et maintenant, non ce qu'il faut croire. Rien n'est plus étranger à la mentalité asiatique que cette notion de dogme qui fige une fois pour toutes ce qu'il faut penser. Bouddha affirmait : « Ne croyez pas ce que je vous dis parce que je suis votre maître, faites-en l'expérience. Si une chose que vous avez expérimentée est bonne pour vous, alors c'est une chose juste. » Cette priorité donnée à l'expérience amène même le dalaï-lama à considérer le bouddhisme comme une science humaine.

En arrivant en Thaïlande, je m'étais promis de vivre, l'espace d'une dizaine de jours, le quotidien des bonzes, en me retirant dans un monastère, afin d'en savoir plus sur cette croyance. Cette expérience, je parviens à la vivre dans une communauté reculée au milieu de la forêt, à 70 kilomètres de la ville de Chiang Mai. L'homme qui m'accueille dans le temple et me sert de guide s'appelle Pongsa. Ayant compris le sens de ma démarche, il la commente ainsi :

« Ton tour du monde me fait penser à l'histoire de Siddhârta devenu ensuite Bouddha. Il a vécu dans les habits du prince durant les 30 premières années de sa vie, puis a cherché à se défaire de sa carapace de riche pour endosser les vêtements du pauvre et renaître de nouveau. Sois le bienvenu parmi nous. »

L'histoire de Pongsa n'est pas banale : professeur de commerce international reconnu, en poste dans une université américaine, il a brusquement décidé de changer sa vie du tout au tout, ressentant un besoin de revenir dans son pays et de se retrouver avec lui-même. Fini la vie matérielle et les femmes, bonjour la « pauvreté » et la chasteté. Loin des fastes du capitalisme, Pongsa vit aujourd'hui dans une cabane en bois, en toute simplicité. Sa vie est faite de prières, de bonnes œuvres, d'études et d'ascétisme au sein de son monastère.

Pongsa et ses compères.
[Asie du Sud-Est]

La rencontre avec ce personnage est pour le moins surprenante mais enthousiasmante. Mon caractère ne me permettrait pas de l'imiter, toutefois j'admire cet homme ayant su renoncer au confort pour aller chercher ailleurs une paix intérieure, une tranquillité divine, une certaine forme de bonheur serein, détaché des contingences matérielles.

« L'important dans la vie est d'être en harmonie avec soi-même, d'être heureux. Chacun trace son chemin pour y arriver. Le monde du capitalisme ne répondait plus à mes attentes. Trop de stress, de compétition, de coups bas. J'ai souhaité retrouver la simplicité et me rapprocher de l'au-delà pour retrouver une certaine raison de vivre », me précise-t-il.

Chaque matin, aux aurores, nous partons quêter la nourriture dans un village environnant. Scène typique, s'il en est, de cette région du monde. Rien n'a changé depuis des centaines d'années : munis d'un grand bol noir, tous les lamas se rassemblent pour obtenir des villageois leur nourriture de la journée. Ces derniers espèrent que ces quelques poignées de riz leur feront gagner leur ciel. La culture thaïlandaise donne une place très importante aux bonzes qui sont considérés comme la réincarnation de Bouddha sur terre. S'inscrivant dans la reconnaissance de la primauté du spirituel sur le matériel, l'aumône matinale faite aux bonzes dans le village restera pour moi un moment chargé de symboles et d'émotions.

Pendant 10 jours, Pongsa va me permettre d'entrevoir ce qu'est le bouddhisme, le contrôle de l'esprit, l'élévation du niveau de conscience et l'abandon de l'ego. Des leçons de sagesse qui m'aident à mieux comprendre pourquoi tant d'Occidentaux reviennent transformés d'un séjour en Asie, pourquoi nombre de personnes disent que l'Occident a tant à apprendre de l'Orient. Leçons qui me seront précieuses pour le restant de mes jours… J'apprends aussi, à ses côtés, les bases de la méditation. Nous la pratiquons avec d'autres lamas assis en tailleur, qui m'acceptent parmi eux au milieu de la forêt. Chacun de leur rite est mis en œuvre avec gravité, sérénité et douceur. C'est passionnant ; je savoure ces moments de recueillement mais ne tiens pas en place.

La méditation incarne la voie opposée de mon voyage qui est bouleversement constant, excitations, joies ou colères extrêmes. Ici, il me faut rester calme, tempérer mes réactions afin de découvrir ma force mentale et la mener à son point culminant. Peu à peu, j'entrevois une infime partie de ce que peut être la méditation. Je commence aussi à comprendre le concept d'illumination qui m'était complètement étranger.

Alors que je m'apprête à quitter le monastère, Pongsa me fait savoir qu'il aimerait venir en stop avec moi dans la ville de Chiang Mai. S'il m'arrive, de temps à autre, de pratiquer le stop accompagné de routards rencontrés au hasard de la route, c'est la première fois que l'opportunité de le partager avec un bonze se présente. À peine arrivé au bord de la route, je suis littéralement mystifié : l'arrêt des voitures est immédiat à son appel de la main. Cela me donnerait presque envie de me raser la tête et de revêtir une longue robe pour voyager dans ces contrées !

Les expériences humaines s'accumulent et me poussent peu à peu à plus d'introspection. Mes schémas de pensée, issus de ma culture judéo-chrétienne, sont chaque jour un peu plus bousculés, pour mon plus grand bonheur. Mon esprit s'ouvre et se remplit de la formidable diversité de modes de pensées qu'offre la planète. Mes certitudes s'en trouvent parfois contrariées. Ainsi, avant de partir, je pensais naïvement que le monde entier vivait en 2003. Je réalise qu'ici nous sommes en 2599 et qu'en Iran nous sommes en 1385. Je croyais que l'homme urinait debout, la femme accroupie, qu'on mangeait avec fourchette, couteau, et mains sur la table, qu'il n'y avait rien de choquant à embrasser une fille dans la rue… autant de certitudes qu'il me faut quotidiennement remettre en question.

De Thaïlande, plusieurs solutions s'offrent à moi pour rejoindre la France. Première option : traverser la Birmanie qui me conduirait vers le Bangladesh puis l'Inde. Autre possibilité : me rendre dans le nord de la Thaïlande ou du Laos puis rejoindre la Chine. Dernière option : aller jusqu'au Vietnam puis remonter vers la Chine.

La première option est éliminée d'entrée. Malgré mon désir de découvrir ce pays mystérieux, j'apprends qu'une traversée de la Birmanie par voie terrestre n'est pas possible. Dans ce pays dirigé d'une main de fer par la junte militaire, seuls sont permis les circuits officiels au départ de Rangoon, bien encadrés et dans des zones contrôlées. N'ayant aucune envie de prendre l'avion pour me rendre dans la capitale, je me résigne donc à oublier la visite de ce pays. J'apprends toutefois que le gouvernement autorise les voyageurs à visiter la ville frontière pendant une journée. Pour cela, il faut laisser son passeport le matin et le récupérer le soir. Je m'exécute. Difficile de voir beaucoup de choses en une journée, juste suffisamment pour stimuler ma curiosité et souhaiter revenir un jour afin de découvrir ce pays aux richesses multiples…

Souhaitant découvrir un maximum de pays dans la région, j'opte finalement pour la troisième option. Se présente ainsi devant moi une boucle de l'ancienne Indochine française : Laos, Cambodge, Vietnam.

Mon entrée au Laos se passe sans heurt mais sous une pluie violente. Les routes, non goudronnées pour la plupart, sont envahies par la boue, et je me fais souvent asperger par les voitures. Rien à voir cependant avec les inondations vécues quelques jours auparavant dans la ville de Sukhothai, lors desquelles il m'a fallu faire du stop avec de l'eau jusqu'aux genoux puis embarquer dans la première voiture… par la fenêtre ! Bien pratique, parfois, d'être longiligne…

Le Laos semble figé dans un autre temps. Englué dans sa bureaucratie communiste, il ressemble à une Thaïlande où l'histoire se serait arrêtée il y a 30 ans, où les touristes ne seraient pas encore arrivés. La convivialité y est reine, l'authenticité de mise. Au détour des chemins, je suis systématiquement salué, voire acclamé et invité par des villageois surpris par ma présence au bord de la route.

Enfant laotien travailleur.
[Laos]

Repas chez des villageois au bord de la route.
[Asie du Sud-Est]

Comme le trafic est quasiment inexistant, les périodes d'attente sont longues. Chacune me donne une excuse pour aider un villageois à bêcher sa terre, partager une banane avec une maman, enseigner des bases de géographie aux mômes ou me transformer en médecin de fortune. Jamais autant qu'au Laos je ne me suis posé la question de l'impact de ma venue et du tourisme en général sur les populations. En dévoilant la couleur de ma peau, la longueur de mon nez et ces poils qui les intriguent tant, j'ai parfois l'impression de violer leur intégrité, leur identité. Quel souvenir garderont-ils de mon passage ?

Ces questions sont encore plus vives au moment de visiter des endroits comme Luang Prabang ou Vang Vieng au centre du pays. Il y a à peine plus d'une vingtaine d'années, Luang Prabang vivait au rythme des carrioles à cheval, telle une ville française il y a deux siècles. Aujourd'hui, des projets d'urbanisation sont en cours et le tourisme de masse s'installe petit à petit. Cent mille touristes s'y rendent chaque année, soit cinq fois plus qu'il y a 10 ans. Le choc est brutal. Les premiers «*rebelles fashion victims*» *bodybuildés* et tatoués commencent à arriver. La contagion est en marche. Puisse cette charmante ville, inscrite depuis 1995 au patrimoine mondial de l'UNESCO, éviter les dérives de *Khaosan Road*[26] à Bangkok !

Et que dire de Vang Vieng située un peu plus au sud dont la rue principale est elle aussi le théâtre d'un bouleversement à la thaïlandaise ? Des bars à karaoké, des restaurants équipés d'écrans plats retransmettant des séries B américaines, des cybercafés, des boutiques de souvenirs et des agences de voyage organisant des excursions dans les grottes voisines, des randonnées à dos d'éléphant ou des descentes de la Nam Song River ont remplacé les échoppes traditionnelles. En se métamorphosant ainsi, Vang Vieng a déjà rejoint la longue liste de ces villes et villages de notre planète qui, pour coller à l'occidentalisation du monde, ont accepté de perdre leur âme.

26. Quartier des routards.

Au Cambodge, la poussière a remplacé la pluie pour me recouvrir de ses fines particules. Les pistes sont tout aussi cahoteuses qu'au Laos, l'humidité en moins. À chaque fois qu'un camion passe, c'est le même scénario : je disparais dans un nuage épais pour réapparaître couvert d'une belle couche ocre. Rapidement, à force de baptême de terre, j'adopte la couleur locale et deviens méconnaissable. Je rêve d'un authentique bain, de mousse et de savon. Me laver pour de vrai. Une toilette complète. Un décrassage en bonne et due forme !

Plus préoccupant : d'innombrables mines sont encore enfouies sous terre ou disséminées un peu partout dans les campagnes. Nombre de panneaux au bord de la route invitent à s'en méfier. Il ne faudrait pas que mes pauses pipi dans la nature m'estropient à vie comme c'est le cas de milliers de victimes innocentes chaque année. Les statistiques nous rappellent que dans le monde, une mine tue ou blesse une personne toutes les 15 minutes. Au Cambodge, le Cambodian Mine Action Centre – CMAC – estime que le pays compte aujourd'hui entre 4 et 6 millions de mines et de bombes qui attendent toujours qu'un de ces enfants ou paysans mettent le pied dessus pour exploser. Plus de 40 000 Cambodgiens ont été amputés et 40 % des victimes sont de jeunes garçons. Le témoignage du petit Chan, rencontré dans une école de Phnom Penh, m'a beaucoup touché. Il dit qu'il a longtemps cru que sa jambe allait repousser, jusqu'au jour où il s'est rendu compte que ce n'était pas possible.

Parcourir le Cambodge constitue un véritable saut dans l'histoire. Si la visite des incontournables temples khmers d'Angkor m'a emballé, c'est mon séjour à Phnom Penh qui m'a le plus retourné. La capitale cambodgienne fait partie de ces villes où l'histoire récente et dramatique se lit ou se devine encore à peu près partout. Pas un immeuble, un temple ou une école qui ne porte les stigmates ou ne dégage une atmosphère se rapportant directement aux années de guerre civile ou à celles de la révolution des Khmers rouges.

Quand on l'aborde sous l'angle de son histoire récente, Phnom Penh est bouleversante. Arpenter ses rues aujourd'hui encombrées, c'est se souvenir qu'il y a 30 ans, elles furent foulées par des millions d'individus contraints d'abandonner en 48 heures leurs maisons pour obéir aux ordres d'évacuation sans retour des Khmers rouges. Pénétrer dans ses monastères, c'est se remémorer les massacres qui y furent commis au nom de l'éradication du bouddhisme. Visiter ses écoles et ses universités, c'est penser à tous ces « intellectuels », ingénieurs, cadres, médecins, fonctionnaires, musiciens, artistes, professeurs et étudiants qui furent anéantis pour « collaboration » supposée avec la CIA.

Découvrir le parc de l'ambassade de France, c'est se rappeler que plusieurs milliers de Cambodgiens, amis de notre pays, employés de l'ambassade, proches du roi Sihanouk ou du gouvernement déchu de Lon Nol, y cherchèrent refuge avant d'être remis à leurs bourreaux sous la menace d'une intervention armée. Comme 2 à 3 millions d'autres Cambodgiens, ils furent immédiatement déportés ou exécutés. Plonger dans la prison de Tuol Sleng, une ancienne école primaire transformée en camp de la mort, c'est faire un pas dans l'horreur d'un enfer où périrent près de 20 000 détenus prétendument contre-révolutionnaires, sommairement exécutés par les hommes de main de Douch, le « boucher » de Tuol Sleng, après des semaines, voire des mois d'incarcération arbitraire, d'humiliations, d'interrogatoires et de tortures quotidiennes.

Ces visites m'ont fait froid dans le dos, elles m'ont même parfois amené à me poser un certain nombre de questions sur la nature humaine, mais je ne souhaite pas garder uniquement ces images de mon passage dans la capitale cambodgienne. Mon séjour à Phnom Penh fut jalonné de nombreuses rencontres pleines d'espoir : la formidable ONG française PSE tout d'abord, que je visite près de l'immense décharge publique. Grâce à elle, plus de 3 000 jeunes hommes et femmes peuvent envisager un autre avenir que celui de chiffonniers. De cette visite, deux visages resteront gravés dans ma mémoire : ceux de Sinoun et Srey. Nées sur les tas d'ordures et devant se nourrir de déchets jusqu'à l'âge de 8 ans, ces deux jeunes filles pleines de vie ont aujourd'hui des rêves pleins la tête et parlent couramment anglais et français. Formidable !

Autre rencontre émouvante : à proximité de la capitale cambodgienne, je fais la connaissance de Sophia, la petite filleule dont ma mère finance les études depuis cinq ans. Elles ne se sont jamais rencontrées, mais s'écrivent de temps à autre. Une goutte d'eau dans l'océan de la misère, mais une jolie goutte... Enfin, autre preuve que l'espoir existe dans ce pays à travers sa jeunesse : ma rencontre avec le groupe *Friends initiative of change*. Soucieux de comprendre les relations conflictuelles avec le voisin vietnamien, ce groupe d'une trentaine de jeunes Cambodgiens rencontre une fois par mois un groupe identique de l'autre côté du Mékong. Au programme, discussions constructives et calmes sur le passé mouvementé des deux pays, conférences d'anciens combattants pour comprendre le point de vue de l'autre, organisations d'événements en commun dans l'un ou l'autre pays, naissance de nouvelles amitiés. En bref, écriture d'une nouvelle page pour la construction d'une paix durable. Après tout ce sang qui a coulé, c'est rassérénant.

Les rencontres porteuses d'espoir ne se limitent pas à la capitale. À huit heures de route, sur des pistes toujours plus cabossées, je découvre un projet me tenant à cœur depuis déjà plusieurs mois : OLPC – Un portable par enfant. L'objectif de Nicholas Negroponte, intigateur de la démarche, est simple : permettre aux enfants des pays en voie de développement et en âge d'aller à l'école d'accéder à la connaissance en leur fournissant un portable capable d'être connecté à Internet. Cet ordinateur, appelé XO, est conçu avec des programmes éducatifs destinés à ce que les enfants puissent apprendre par eux-mêmes et laisser ainsi exprimer leur potentiel, souvent laissé en friche, faute de professeurs ou d'infrastructures adéquates. Très simple d'utilisation, sa fabrication coûte 100 dollars et sa distribution est assurée gratuitement par les gouvernements qui les ont adaptés aux programmes scolaires locaux. Fin 2008, plusieurs millions d'exemplaires ont déjà été distribués dans le monde. Beaucoup fonctionnent à l'énergie solaire ou en remontant une petite manivelle pour charger la batterie.

Le 29 novembre 2006, à Reaksmey, village-pilote du projet OLPC, j'éprouve un réel sentiment de bonheur en observant ces enfants, dont les parents ont souffert le martyre avec les Khmers rouges, pianoter sur leur nouveau jouet. Sourire aux lèvres, ils veulent apprendre, comprendre, connaître, comme tous les enfants sur terre. Il y a quelques mois encore, le mot « ordinateur » leur était complètement inconnu. Aujourd'hui, ils ont compris qu'un monde d'opportunités et d'apprentissages s'ouvre à eux. Pour la petite histoire, je restituerai trois anecdotes liées à ce projet : le premier mot appris en anglais par les élèves fut « google » ; chaque enfant sait utiliser Skype, mais aucun n'a jamais utilisé de téléphone ; le XO est… la principale source de luminosité de la maison ! Les parents sont donc tout aussi ravis que leur progéniture.

Devant l'école du village, je reprends ma pratique du stop. Les élèves ont terminé les cours et une trentaine d'entre eux souhaite attendre avec moi l'arrivée d'une voiture. Au bout d'une demi-heure, la première se présente. Tous les enfants se placent en travers de la route et imposent l'arrêt au pauvre conducteur qui se demande ce qui se passe. Une fois le véhicule arrêté, les enfants foncent sur l'automobiliste et insistent pour qu'il me prenne. Avec des enfants sortant de tous les côtés, il n'a d'autre choix que d'accepter l'autostoppeur à ses côtés. Nous démarrons en direction du Vietnam.

Hô Chí Minh-Ville n'est distante que de 250 kilomètres, je les parcours dans une vieille voiture menaçant à chaque seconde de se disloquer. Je passe brusquement de l'Asie brune à l'Asie jaune. Le contraste est saisissant entre le peuple khmer, d'origine indienne, et les peuples du Vietnam, influencés par la Chine. Les décors changent aussi : sur le flanc des collines s'étalent les rizières en terrasse, des marches sinueuses que chaque génération continue de gravir pour se nourrir. De jolis chapeaux coniques ressortent d'un vert éclatant : vert foncé des bananiers, vert acide des jeunes pousses avant le repiquage.

Là aussi, rapidement, je ressens ces décennies de guerre qui ont marqué ce peuple, et cette paranoïa communiste qui divise le territoire entre un Nord prude et d'obédience confucianiste et un Sud privilégiant l'ouverture et le néocapitalisme. Je passe ma première semaine dans la capitale économique vietnamienne à suivre une véritable cure de musées – de la guerre, de l'armée, de la révolution, prisons françaises et américaines dispersées dans la ville –, témoignant de l'héroïsme du peuple, du courage de ses dirigeants, tout en soulignant la pusillanimité des ennemis impérialistes. Dommage, pour la vérité historique, que les crimes de guerre commis par les Vietcongs soient passés sous silence. Passionnant, cela étant, de découvrir un autre point de vue que celui dispensé en Occident. Passionnantes aussi sont mes rencontres avec la jeunesse vietnamienne.

Loin des images de jeunes communistes des années 70, tous semblent aujourd'hui vouloir profiter de l'ouverture économique du pays pour assouvir leur désir de liberté. Les invitations à venir partager mon parcours dans les écoles pleuvent. Il existe ici une véritable frénésie pour tout ce qui touche à l'Occident et à la démocratie. La question la plus fréquemment posée est la suivante : quel est le meilleur moyen pour venir faire des études en Europe ? Tout le pays semble vouloir suivre la trace du « grand oncle », le fondateur Hô Chí Minh, mort il y a quasiment 40 ans, qui était venu étudier en France avant de lancer la révolution…

Hoi An, Hue, Hanoi, Baie d'Halong… Depuis la capitale économique, je remonte progressivement le pays et découvre les trésors et curiosités de ce pays de 80 millions d'habitants. Entre autres, la *rou rang*, liqueur de cobra que me fait goûter ma famille d'accueil à Hanoi. Pour la servir, il faut puiser avec un verre dans un bocal où macèrent depuis de longs mois le reptile ainsi que des plantes. J'en avale une gorgée : ça ne pique pas… ça brûle ! Des larmes jaillissent de mes yeux et je cherche à reprendre une respiration normale tandis que ma famille d'accueil pleure… de rire ! L'Asie du Sud-Est m'aura gratifié des nourritures les plus indigestes de mon tour du monde : sauterelles et criquets en Thaïlande, serpent au Laos – caoutchouteux – ou encore tarentules frites au Cambodge, dont le goût est proche des brochettes de scorpions testées en Chine. J'ai refusé le chat – tenu en laisse pour éviter les vols et la revente aux restaurants –, le chien et l'oiseau au Vietnam, et je n'ai pas eu le courage d'ingurgiter la soupe de cafards à la frontière birmane. Les dieux de la gastronomie me le pardonneront.

Brochette de scorpion…
Yammy !
[Chine]

Pour rester dans le monde des animaux, c'est un éleveur de coqs de combat qui me permet de rejoindre la frontière chinoise.

« Mon coq est le meilleur, il est imbattable. Il est connu dans toute la région pour ses performances. Nous allons maintenant participer à une nouvelle compétition », m'annonce-t-il fièrement.

J'aperçois au loin le drapeau chinois. Grâce au coq, le tigre peut laisser la place au grand lion ! Quant à moi, dans ce recueil sur les bêtes, ma cinquième et dernière année de doctorat de la route va débuter. Toujours pas fatigué, encore moins blasé, je m'apprête à traverser certains des pays les plus importants pour la stabilité – et donc l'avenir – du monde en ce 21e siècle : la Chine, la Corée du Nord, l'Inde, le Pakistan, l'Afghanistan ou encore l'Iran. C'est donc le cœur empli d'émotion et les yeux grands ouverts que je me présente aux services d'immigration chinois, prêt à vivre de nouvelles aventures.

Chapitre 15

CHANGEMENT D'ÉCHELLE : BIENVENUE AU 21e SIÈCLE

Chine

« Quand la Chine s'éveillera, le monde tremblera. »

— Alain Peyrefitte

Un nouveau tampon vient s'écraser sur une page de mon passeport. Tel un automate, un petit bout de femme aux yeux plissés, vêtue d'un costume vert fort élégant, surligné de rouge et brodé d'or, me souhaite la bienvenue dans son pays avec un timide sourire.

Trois mois ; tel est le temps que je me réserve pour découvrir les différentes facettes du pays le plus peuplé au monde. Je veux tout voir : ses richesses historiques – la Grande Muraille, l'armée en terre cuite à Xi'an, la Cité interdite...–, ses projets pharaoniques illustrant au mieux la puissance retrouvée du dragon – l'immense barrage des Trois-Gorges, le Maglev, « *magnetic levitation* », train atteignant 431 km/h entre le centre et l'aéroport de Shanghai, le Bund à Shanghai... Mais je veux surtout rencontrer son peuple : ses étudiants, ses paysans, ses ouvriers, ses chefs d'entreprise, ses politiciens… Tout cet ensemble humain qui forme l'empire du Milieu.

Première destination, Nanning, à 160 kilomètres de la frontière. Sur ma carte routière nouvellement acquise, indiquant les villes à la fois en anglais et en mandarin, le point est insignifiant. J'imagine une ville minière provinciale, probablement de la taille de Strasbourg. La réalité est tout autre. J'ai du mal à croire ce que je découvre à travers la vitre embuée de la toute première voiture chinoise dans laquelle un autochtone m'a convié à prendre place ! Des bâtiments modernes immenses, sièges de multinationales ou d'entreprises locales ; des enseignes lumineuses aux néons tapageurs indiquant la présence de nombreux hôtels de luxe ; d'innombrables centres commerciaux et magasins vendant téléphones portables et autres gadgets plus perfectionnés les uns que les autres ; d'immenses boulevards envahis par des milliers de voitures ; des grues qui balafrent l'horizon à droite, à gauche, devant moi, partout. Les rues sont propres, droites, sans artifice, fonctionnelles. Je viens à peine d'arriver en Chine et j'ai déjà la tête qui tourne.

« Hé, hé… *China good, developed country… No third world !* »

Baragouinant quelques mots d'anglais, mon conducteur s'amuse de me voir le nez collé à la vitre, ébahi. Bien sûr, mes différentes lectures et la télévision m'avaient préparé à voir un pays en transformation. Bien sûr, j'imaginais des villes comme Shanghai ou Pékin, voire Shenzhen ou Canton, emplies de gratte-ciel… Mais Nanning… Qui a déjà entendu parler de Nanning ? Je suis épaté, pétrifié, impressionné. Où sont passés les centaines de milliers de vélos que mon professeur de géographie me montrait lorsque j'avais 12 ans, en 1989 ?

Sitôt « en ville », j'entre dans l'une de ces salles de marché dernière génération, à l'ambiance tamisée, que l'on retrouve un peu partout à travers le pays. Le Chinois est joueur : parier ses économies en Bourse fait partie de ses activités favorites. Sur un écran géant, hommes et femmes de tout âge viennent ici observer la variation de leurs actions. Mon regard se fixe sur l'un d'entre eux dont le visage ressemble à une pomme ridée. Quel âge peut-il bien avoir : 70, 80 ans ? Confortablement assis sur un siège en velours beige, il prend des notes à chaque changement de données, puis se rend régulièrement au comptoir pour solliciter de nouvelles opérations. J'observe la scène avec amusement. Mao doit se retourner dans sa tombe ! Sa chère couleur rouge ne sert aujourd'hui qu'à indiquer la baisse d'une action.

Comble de l'ironie, le portrait du fondateur de la République populaire de Chine apparaît sur le mur. Ce vieux spéculateur a sans doute vécu la Révolution culturelle, la lutte des classes, le Grand Bond en avant, peut-être même la Longue Marche. Il y a peu, sans doute, économisait-il encore sou par sou, et le voilà maintenant en train de s'adonner aux joies de la spéculation, regardant les chiffres de l'avenir avec sagesse et sérénité. Quelle première image impressionnante pour ma découverte de ce curieux pays ! Je sens déjà que je ne suis pas au bout de mes surprises…

Dans les rues, je ne reconnais rien, pas même l'emplacement des cybercafés. Les caractères chinois sont très décoratifs, certes, mais parfaitement incompréhensibles pour le néophyte que je suis. Sensation amusante mais déstabilisante d'être, culturellement, complètement perdu ! Dans les restaurants populaires, je ne comprends rien à la carte qui m'est présentée. Ma première expérience de choix au hasard s'avère douloureuse : je me retrouve avec un bout de viande à l'odeur bizarre entouré d'énormes bouts de gras ; peut-être du chien ? Guère appétissant. Depuis cette mésaventure, je regarde ce qu'ingurgitent les autres clients autour de moi et je désigne le plat que je désire, ou même, je vais carrément en cuisine soulever les couvercles.

Cette sensation d'être perdu culturellement, je vais la ressentir tout au long de mon séjour chinois, car au-delà de la langue, les différences culturelles sont grandes entre la Chine et l'Occident. Les gestes, par exemple, sont différents des nôtres. Pour signifier « manger », il faut placer une main en creux, en forme de bol de riz, à la hauteur de la poitrine, et de deux doigts tendus, imiter les baguettes. Le signe 10 consiste à croiser les deux index à la hauteur des genoux. L'index en l'air, manifestant chez nous la volonté de prendre la parole, symbolise ici le chiffre un. Le V de la victoire indique le chiffre deux, quant à notre deux, qu'on peut exprimer du pouce et de l'index, il signifie huit. Il en va de même pour tous les autres chiffres. Enfin, le pouce tendu veut dire ici : « OK, tout va bien. » Quand je tends le pouce pour arrêter un véhicule, les automobilistes me renvoient instantanément ce signe de satisfaction sans même ralentir. Amusant, mais pas très efficace ! On ne dit pas merci à table sous peine de passer pour... un mal élevé ; par contre, cracher sur la table ou par terre pendant qu'on mange est parfaitement acceptable. Pour ce qui est du dessert, il se sert au milieu du repas et la soupe... en conclusion.

À travers le monde, j'ai souvent dû adapter mes gestes aux cultures locales pour arrêter les voitures. Selon les pays, le pouce tendu peut représenter une insulte – Iran –, ne rien vouloir dire du tout ou simplement « OK ». La culture de l'autostop est elle-même très différente d'un pays à l'autre ; en l'occurrence, en Chine. Mon approche, totalement inhabituelle, déroute les locaux. Pourquoi un Occidental veut-il entrer dans ma voiture ? Que me veut-il ? Lorsque je n'ai pas mon « document magique », les situations d'incompréhension sont parfois impressionnantes.

Je n'oublierai jamais ce 19 décembre 2006, lorsque, sur la route de Yichang, à un péage, un homme a embarqué mon document, croyant que je lui donnais un prospectus. J'ai bien tenté de lui courir après, mais deux jambes, aussi longues soient-elles, ne vont pas aussi vite qu'un véhicule se lançant sur une autoroute. Ce jour-là, j'ai atteint les sommets de l'incommunicabilité et ressenti une solitude immense. Malgré des centaines de voitures autour de moi et des efforts insensés de prononciation, personne ne parvenait à comprendre ni ce que je voulais, ni ma destination, ni même mon identité. Résultat, je suis resté cinq heures au péage jusqu'à ce qu'enfin, un chauffeur de camion accepte de m'emmener.

En Chine encore plus qu'ailleurs, mon « document magique » efface la barrière de la langue. Précieux compagnon de route, il m'aide à être compris et à me rendre où je souhaite. Il ne me permet cependant pas de comprendre ce qu'on me raconte lorsque l'on m'explique une direction ou autre. Dans ces cas-là, l'enchaînement des événements est souvent le même : on me parle comme si j'étais Chinois. N'y comprenant rien, je réponds par gestes, en souriant, que je ne parle pas le mandarin. L'interlocuteur, ne comprenant pas que je ne comprenne pas, car peu habitué à rencontrer un étranger, me répète la même chose en plus fort, croyant que « j'entendrai » mieux.

Il sort ensuite un bout de papier, écrivant avec des idéogrammes ce qu'il essaie de me faire comprendre oralement, pensant que je dois être sourd. L'air désolé, je lui montre que je ne comprends toujours pas. L'air encore plus désolé, il me fait comprendre qu'il ne peut rien pour moi, mais qu'il me souhaite bon courage… Et je me retrouve à nouveau seul.

Dans les voitures, même chose, les quiproquos s'enchaînent. Je crois que le conducteur va vers la droite ? Pas de chance, il tourne vers la gauche. Je pense que le panneau en face de moi indique la bonne direction ? Et non, je confonds des idéogrammes qui se ressemblent – à mes yeux – et nous partons dans le mauvais sens. Résultat, je me retrouve à rebrousser chemin pendant des heures, dans le froid. Mieux vaut avoir un moral d'acier pour faire du stop en Chine…

Face à ces difficultés, une aide m'est particulièrement utile : celle des policiers. Loin des stéréotypes et préjugés, la police chinoise se montre très prévenante. Traditionnellement, c'est à la sortie de péages ou au bord des routes que je leur montre mon « document magique ». La réaction est quasiment toujours la même : un sourire puis une volonté de me donner un coup de main en parlant aux conducteurs. De temps en temps, on me fait signe d'attendre sagement dans le poste, qu'arrive l'une des voitures de patrouille traversant la province d'un côté à l'autre. Je me retrouve alors à manger avec des policiers puis à patrouiller avec de nouveaux amis.

Autre aide de taille, les médias. À Shanghai, Sunni Yuh, journaliste au *Shanghai Morning Post* veut faire la promotion de mon aventure car, dit-elle : « C'est un moyen indirect d'inciter les jeunes Chinois à s'ouvrir sur le monde. Beaucoup de journalistes aiment relayer ce type d'aventures pleines de messages indirects et non censurés ». L'article paraît le lendemain. Il aura des conséquences inimaginables. Le jour même, le *China Daily* – premier quotidien anglophone du pays – met ma photo en première page aux côtés de celles de Benoît XVI et de Barack Obama ! Ensuite CCTV, première chaîne chinoise, réalise un reportage de trois minutes sur mon parcours. Le soir même, plus de 100 millions de personnes apprennent l'existence d'un globe-stopper français sur les routes du pays.

Immédiatement, on me reconnaît jusque dans les stations-service les plus perdues. Les gens rigolent en me voyant et me font comprendre qu'ils savent qui je suis en mimant le petit écran. Désormais, on m'embarque facilement et on m'invite volontiers. Cette médiatisation soudaine m'ouvre également de nombreuses portes intéressantes. Près de Shanghai, on me propose d'aller visiter une entreprise de production de chaussettes : vision impressionnante de plus de 1 000 employées, les unes à côté des autres, répétant inlassablement les mêmes gestes. De l'homme au robot, il n'y a qu'un pas !

Dans le Sichuan, c'est une association souhaitant que je relaie son appel au plus grand nombre qui me contacte : le Bear Rescue Center. Son objectif est de donner une seconde vie aux ours détenus depuis de nombreuses années dans des cages minuscules. Certains y sont cloîtrés depuis 22 ans ! ! ! La raison de leur enfermement ? Leur bile est récupérée par des paysans puis revendue et utilisée pour la médecine naturelle chinoise. Je découvre cette triste réalité avec effarement. Mais cela n'est rien, comparé à l'horrible spectacle auquel j'assiste dans un quartier de Shijiazhuang, dans la province du Hebei : un véritable massacre en pleine rue, sous le regard de nombreux passants absolument pas concernés, de furets et de renards, dont les peaux seront revendues pour la fabrication de manteaux. Vision atroce de véritables barbares avides de récupérer quelques sous. Absolument révoltant !

Tianjin, Qingdao, Qinhuangdao, Shenyang, Guangzhou, Wuhan… L'une après l'autre, je visite ces villes immenses qui dépassent souvent les 5 millions d'habitants. Chaque jour qui passe, je prends un peu plus la mesure de ce qu'est la Chine d'aujourd'hui : un bulldozer que rien ne semble pouvoir arrêter. Dans l'ensemble du pays, les quartiers anciens sont systématiquement rasés et remplacés par des bâtiments modernes, effaçant ainsi en quelques mois des milliers d'années de patrimoine historique. Ce qui choque le plus en parcourant le pays, c'est le rythme affolant de ces transformations, probablement jamais égalé dans l'histoire de l'humanité, sinon dans l'Europe renaissant de ses cendres après la Seconde Guerre mondiale… Et encore. La transformation est visible partout, dans les villes bien sûr, mais aussi dans les villages reculés du sud du Guangxi où les pittoresques maisons en bois des minorités ethniques sont progressivement remplacées par des habitations modernes plus confortables, en brique, recouvertes de tuiles blanches. C'est là le nouveau style chinois.

Le développement de « l'empire du Milieu » est au cœur de nombre de mes discussions avec les étudiants et expatriés. Aujourd'hui, le jeu à la mode semble être de trouver « le » chiffre qui va mettre KO debout son interlocuteur, pour montrer le gigantisme et le potentiel de développement inimaginable de ce pays. Pêle-mêle, j'en note quelques-uns sur mon calepin : « Plus de 100 villes de plus d'un million d'habitants, près de 400 prévues à l'horizon 2025 avec l'arrivée de 300 à 500 millions de nouveaux urbains ; 30 000 nouvelles voitures par mois dans les rues de Pékin ;

80 nouvelles universités depuis 1992 formant plus de 50 000 étudiants MBA chaque année. » Dans la ville de Wuhan, j'assiste à l'Intel Fair, concours organisé par la multinationale, destiné à récompenser les meilleurs étudiants ingénieurs à travers le monde. Outre un événement parfaitement organisé, je retiendrai de cette journée une statistique particulièrement édifiante : le nombre de finalistes sélectionnés aux États-Unis est de 65 000. Le nombre de Chinois est de… 6 millions.

Certes, les critères de sélection ne sont pas tout à fait les mêmes entre les candidats américains et chinois, et il est difficile de comparer des oranges et des citrons. Mais tout de même, 6 millions !!! Impossible de sortir de Chine sans se poser des questions sur les conséquences pour la planète d'un tel développement…

Je continue à frapper aux portes des écoles et universités. Les trois quarts du temps, les directeurs acceptent que j'intervienne dans leur établissement. Je peux ainsi m'exprimer devant des auditoires allant de 10 à 1000 élèves, selon les cas. Dans un collège de Nanjing, mon arrivée à l'aube me permet d'assister à un curieux spectacle, commun en Chine : le *morning stretch*. Plus de 2 000 élèves en rang serré, presque au garde-à-vous, s'étirent tout en écoutant des chants patriotiques, puis chantent l'hymne national. Un rituel obligatoire avant d'entrer en salle de classe.

Même si l'excès de nationalisme m'effraie, écouter des enfants chanter l'hymne national avant d'entrer en classe ne me surprend plus vraiment, je l'ai vu dans de nombreux pays, notamment aux États-Unis. Ce qui m'impressionne ici bien davantage, c'est la discipline des étudiants : pas un pied de travers, pas une remarque mal placée, pas un mot au-dessus des autres. Je n'ai jamais vu l'armée chinoise à l'œuvre, mais la vision de ces jeunes hommes et femmes me permet d'imaginer à quoi cela doit ressembler.

Dans la ville de Wuhan, il m'est donné de vivre une autre expérience impressionnante et amusante : je participe à un cours au milieu d'élèves chinois d'une douzaine d'années. Difficile de ne pas comparer à ce que je vivais à leur âge. Dans ma classe, il y avait alors des bavardages, des commentaires et toutes sortes de pitreries qui faisaient rire la galerie. Là, pas un gosse ne bouge une oreille. Pas un signe de déconcentration ni d'effronterie : du travail, du travail et encore du travail. On apprend par cœur, puis on répète les leçons au professeur. Les méthodes d'enseignement n'ont visiblement pas beaucoup changé depuis l'époque de Mao.

Petits ou grands, la faculté de travail des Chinois m'impressionne. Dans ce pays – tout comme en Inde – les parents ne cessent d'encourager leur progéniture à devenir ingénieurs ou médecins, à étudier à l'étranger – plus de 50 000 étudiants aux États-Unis en 2005 –, à combler leurs lacunes linguistiques – preuve en est l'incroyable développement des instituts enseignant la langue de Shakespeare à chaque coin de rue. Il fut une époque où nos parents nous disaient :

« Finis ton assiette, il y a des Chinois – ou Indiens – qui aimeraient avoir la chance de manger ton repas. » Aujourd'hui, sans doute conviendrait-il davantage de dire : « Finis tes devoirs, il y a des Chinois – ou Indiens – qui aimeraient prendre ton travail ! »

L'éducation à la chinoise se résume à une discipline de fer, un travail acharné mais, il faut bien le reconnaître, un intérêt plus que limité pour les sujets d'actualité et pas vraiment de formation de l'esprit critique. L'un des objectifs principaux de ce tour du monde est justement de connaître et mieux comprendre les points de vue des habitants sur des thèmes d'actualité me tenant à cœur. Ainsi, dans chaque pays que je traverse, je choisis un thème me paraissant important et interroge la population locale afin de connaître son ressenti sur la question. Aux États-Unis, j'interrogeais régulièrement les conducteurs, hôtes et autres personnes rencontrées, sur la réélection de George Bush à la présidence, et sur la guerre en Irak. En Australie, je cherchais à comprendre comment les Aborigènes étaient perçus par les Blancs ; en Thaïlande, ce que les gens pensaient du roi ; en Inde, ce sera sur le système de caste et les relations entre hindouistes et musulmans. En Afghanistan, sur l'intervention américaine de 2001... À chaque pays son thème d'actualité ! En Chine, je choisis le sujet sensible des « 3 T » : Tibet, Taiwan, Tian'anmen. Pas de grande surprise, la plupart des gens n'en pensent pas grand-chose, officiellement :

« Un problème tibétain ? Quel problème ? Le Tibet est chinois, je ne vois pas où est le problème... »

Quand un interlocuteur se prononce un peu plus, ce qui est rare, il explique généralement que le dalaï-lama est un ennemi du gouvernement chinois, donc du peuple.

Pour mieux comprendre l'environnement dans lequel évoluent les Chinois, je me rends dans l'un des mégacybers d'une ville, véritable usine d'ordinateurs dans laquelle la jeunesse passe son temps à se faire la guerre sur des jeux en réseau type *Counter strike*. Là, j'y tente l' « expérience google » souhaitant voir ce que donne une recherche sous les mots « Tian'anmen », « Taiwan », « Tibet », « dalaï-lama », « droits de l'homme », « démocratie », ou encore « liberté d'expression ». Résultat : censure totale. « Désolé, la page n'existe pas » répond l'ordinateur dès que je clique sur un des rares sites disponibles. Même chose pour les photos, aucune de Sa Sainteté, ni de chars sur la place Tian'anmen n'est disponible. Sans commentaire.

> *« Pour être une superpuissance, il faut la puissance humaine, ils l'ont ; la puissance militaire, ils l'ont aussi ; la puissance économique, ils l'ont encore. Mais il leur manque un élément décisif, c'est l'autorité morale. L'image de la Chine continue de souffrir du déficit des libertés ».*
>
> — Dalaï-lama.

Les Chinois sont pourtant des gens généreux et hospitaliers. Ils me le prouvent chaque jour. Sur la route de Chengdu, j'arrive en pleine nuit, éreinté, à une station-service. Il fait –5° dehors et je viens de marcher une quinzaine de kilomètres au bord de l'autoroute. J'entre. Le gérant, en pleine comptabilité, me salue et nous entamons une discussion tout en sourires et gestes. Je lui montre quelques-unes de mes photos et glisse :

« Je cherche un endroit où dormir, je suis fatigué, je reprendrai la route demain pour Chengdu. »

Sans hésiter une seconde, l'homme me fait entrer dans un petit local accolé à la station et me propose – toujours par gestes – de m'installer sur son lit, sous les couvertures. J'accepte non sans plaisir et le remercie chaleureusement pour cette offre généreuse qui me permet de terminer la nuit confortablement. Quelques minutes plus tard, il revient me voir avec une tasse de thé pour s'assurer que je suis bien réchauffé. Sur son bureau, à côté du lit, se trouvent plusieurs billets de banque. La question de la confiance ne se pose pas, à ma grande surprise et satisfaction…

Quelques jours plus tard, c'est un paysan, bien loin des fastes du développement chinois, qui m'embarque dans son vieux camion puis m'accueille dans son humble demeure : une petite pièce absolument vide de meubles. Seuls y trônent quelques coussins et un petit four autour duquel se pressent la femme et le fils unique, pour repousser le froid. Pour dîner, l'homme, sourire aux lèvres, me propose un bout de pain à la vapeur de jus de riz et un verre d'eau chaude. Je le remercie vivement. Je passe la nuit en position du fœtus sous ma veste, grelottant. Les crises de toux du père, secouant ses poumons caverneux, m'empêcheront de fermer l'œil de la nuit.

La Chine n'offre pas de demi-mesure. Si la beauté des paysages m'émerveille et le nombre considérable d'habitants adorables me surprend, toutes mes expériences chinoises ne sont toutefois pas idylliques. Dans les repaires de camionneurs où je me rends fréquemment, les mêmes ingrédients rythment mes nuits : des gens extrêmement bruyants, qui se battent, claquent les portes, s'invectivent, écoutent la télévision à son volume le plus élevé et rient fort même à des heures indues. La tête sous l'oreiller, il me faut alors m'armer d'une bonne dose de patience et puiser en moi des trésors de tolérance.

Et que dire de l'hygiène ? Un jour, sur la route de Xi'an, j'utilise, comme tout le monde, les toilettes publiques. À l'intérieur, une bonne dizaine d'hommes sont accroupis, flanc à flanc, au-dessus d'une petite rigole où coule de l'eau. Je m'installe à une place vide entre deux d'entre eux. Le premier lit le journal, l'autre, cigarette au bec, rotant entre chaque bouffée, partage allégrement sa constipation avec les voisins, dans l'indifférence générale.

Mais le plus incommodant n'est pas là. La grande particularité des Chinois est de cracher sans cesse et en tout lieu. Au bureau, au restaurant, dans les cybercafés, à la maison, dans la rue… Rien ne les arrête ! La Chine est un immense crachoir, un véritable empire du crachat. Ça racle, ça monte, ronfle, gonfle, roule, chuinte, s'enfle et s'expulse dans l'air humide pour retomber n'importe où, avec un bruit mat. Les murs des chambres et les sols des salles de bain des routiers sont souillés de glaires plus jaunes et grasses les unes que les autres. Un profond dégoût m'oblige à faire particulièrement attention aux endroits où je mets les pieds, et à me boucher les oreilles. Chaque matin, ces raclements de gorge protocolaires prometteurs de crachats font office de réveil. Ces sons qui ont rythmé mes journées pendant trois mois font véritablement partie de l'identité chinoise. Sincèrement, la Chine m'a offert le pire exemple d'hygiène de ce tour du monde.

Dans un autre registre, les situations agressives et les bagarres auxquelles j'assiste sont nombreuses. Un exemple particulièrement marquant se produit le 16 janvier 2007, sur l'autoroute, en direction de Pékin ; c'est le jour du premier accident de la route de mon voyage. Alors que « mon » camionneur accumule paisiblement les kilomètres en pleine nuit tandis que son copilote fume cigarette sur cigarette, je me repose sur la couchette arrière, l'espace de quelques heures. La route est lisse, mon sommeil profond.

Tout d'un coup, l'explosion soudaine de la vitre du copilote me réveille brutalement. Mon pouls bat à 100 à l'heure. Je sens des bouts de verre partout sur moi, et le copilote semble légèrement touché. Le camion ondule vers le ravin, revient vers la route, avant de s'arrêter sur le bas-côté. Ouf ! Que s'est-il passé ? À peine ai-je le temps de me poser la question qu'un routier surgit de nulle part en hurlant et en menaçant mon conducteur avec une barre en fer. Accroché au rétroviseur de notre camion, l'homme menace de détruire toutes les vitres. Je ne comprends rien à ses propos, mais ses gestes sont explicites. Mon conducteur, stoïque et choqué de s'être rabattu trop tôt, descend finalement du camion, évite quelques coups de barre de fer, tel Jackie Chan, puis réussit finalement à maîtriser cette dangereuse boule de nerfs. Plus de peur que de mal…

20 janvier 2007, Pékin. La qualité de l'air se dégrade au fur et à mesure que la ville approche. Malgré l'absence de nuages, le ciel a perdu sa couleur bleue. Le soleil est voilé de particules qui estompent la netteté des ombres et gomment la distinction des contours. Selon la Banque mondiale, 16 des 20 villes les plus polluées au monde sont en Chine. Pékin en fait bien évidemment partie, mais quelle ville !

Je la visite de long en large, ébahi, et y reçois une excellente nouvelle : le gouvernement de Corée du Nord vient d'accepter ma demande de visa. Grande joie de pouvoir bientôt fouler le sol du « *Jurassic Park* » du communisme, le pays le moins visité au monde ! Départ le 13 février prochain… Je dispose donc de 24 jours à combler, avec la nécessité de sortir du territoire chinois pour pouvoir y rentrer de nouveau avec un autre visa. Où aller ?

Chez Huang, mon hôte, je feuillette un livre sur le mode de vie des nomades dans le désert de Gobi. Et si je traversais le plus grand désert d'Asie ?

« Ludo, t'es vraiment pas raisonnable, c'est de la folie furieuse de vouloir traverser le Gobi au mois de janvier. Il fait moins 30 là-haut. Non seulement, tu vas te geler mais tu ne trouveras personne pour te prendre ! »

L'idée n'enthousiasme pas Huang mais moi, elle m'emballe ! À tel point que le soir même, j'ai déjà étudié la carte routière, acheté gants et collants au marché populaire et bouclé mon sac.

Dès demain, je pars pour Oulan-Bator, capitale de la Mongolie, à 1 700 kilomètres de Pékin.

Chapitre 16

LA FOLIE GOBI

Mongolie

« Le fou est celui qui a tout perdu, sauf la raison. »

— Gilbert Keith Chesterton

La Mongolie n'est pas un pays comme les autres. Avec moins de 3 millions d'habitants pour un territoire représentant trois fois la France, elle possède la plus faible densité de population au monde – 1,7 hab./km². Seules 3 % des routes sont goudronnées et le nombre de voitures y est très faible. La terre de Gengis Khan est une terre de cavaliers. Sans doute eut-il été plus élégant de sillonner la steppe la botte à l'étrier et la bride à la main, mais acheter un cheval n'est ni dans mon budget, ni dans mes envies du moment. On va donc tenter le stop.

À l'aube, je quitte Pékin engoncé dans plusieurs couches de vêtements et parcours, petit à petit, les 900 kilomètres qui séparent la capitale chinoise de la frontière mongole, aux côtés de routiers tous plus alcooliques les uns que les autres. Chaque jour qui passe me confirme la relation étroite entre le froid et l'alcool. Il paraît que la Mongolie est encore bien pire que la Chine. Je n'ose imaginer à quoi cela va ressembler !

À Zamyn Uud, la frontière sino-mongole, je me retrouve entouré de yourtes, ces tentes blanches typiques, fabriquées en bois et en feutre, dans lesquelles habitent 40 % des Autochtones. Rien que pour les voir, je ne regrette pas d'être venu.

À la sortie du «village», la route s'arrête brutalement pour laisser place à des milliers de kilomètres de steppe. Le trafic est quasi inexistant vers ce néant et je comprends vite que je vais passer de nombreuses heures à attendre l'arrivée hypothétique d'un véhicule. En effet, les heures passent; pas les voitures. Il fait –31°. Je gèle sur pied. Et la nuit s'apprête à tomber. C'est la première fois en quatre ans que j'attends une journée entière sans voir un seul véhicule.

Malgré mes allures de *bibendum*, le vent me cingle le visage. Mes joues sont dures comme du marbre, mon nez produit des stalactites, mon jean, par-dessus un gros collant, est complètement gelé, dur comme du bois. J'ai tellement froid que je n'arrive pas à avoir faim malgré mon ventre vide. Huang avait raison, c'est une folie que de vouloir traverser un désert en stop par un temps pareil.

Je me réchauffe en dansant au rythme des musiques mongoles enregistrées sur mon lecteur MP3. J'adore associer un endroit à la musique locale. Mais à la nuit tombée, je dois me rendre à l'évidence: la traversée des steppes n'est pas pour aujourd'hui et je dois absolument trouver un abri pour la nuit; dormir dehors par de telles températures signerait mon arrêt de mort. Dans le village, j'aborde quelqu'un en plaçant mes deux mains jointes contre ma joue, essayant de lui faire comprendre que je cherche un endroit où je pourrais me réchauffer et passer la nuit.

Bingo! Trois minutes plus tard, me voilà sous sa yourte feutrée, entouré de la famille entière, assise sur un vieux canapé râpé. Ils me dévisagent tous de leur figure tout droit sortie d'un dessin animé: pommettes anguleuses, front lisse et large pour les femmes, nez rouge pour les hommes. Par politesse, j'accepte le premier verre de vodka qui m'est offert en espérant éviter les suivants… sans y parvenir. Dans de grands éclats de rire, les verres se succèdent inexorablement, se vidant aussi rapidement qu'ils se remplissent.

Il me faut ensuite rendre grâce au mouton, le mets d'honneur, cuisiné pour fêter mon passage. Mais pas n'importe quelles parties du mouton : oreilles, yeux (!), abats, cœur, tendons, et surtout les… testicules dans lesquelles il me faut croquer pour montrer à quel point je mesure l'accueil qui m'est réservé. Qu'est-ce qu'on ne ferait pas pour dormir au chaud ! L'expérience est douloureuse. La vision de ces deux boules qu'on me présente dans une coupole me dégoûte. Elles me font penser aux miennes et rien que d'imaginer croquer dans mes propres testicules me rend malade.

Je suis partagé entre la volonté de vivre une nouvelle expérience culinaire, celle de ne pas décevoir des hôtes m'offrant l'hospitalité, et mon écœurement à l'idée d'ingurgiter un mets particulièrement repoussant. Devant mon hésitation, la famille entière me regarde. Voilà une vingtaine d'yeux en train d'attendre que je mette la première « pièce » dans la bouche puis que je montre ma satisfaction. Le moment est difficile. J'ouvre la bouche et y fourre le testicule, sous le regard satisfait du groupe qui me propose un nouveau verre de vodka pour « pousser ».

Un frisson me parcourt l'échine, je suis dégoûté et j'aimerais sortir pour recracher cette horreur instantanément, mais je fais mine d'apprécier ce plat, considéré ici comme une pièce de choix. Pour l'anecdote, j'irai le rendre à la nature au milieu d'une nuit gelée, mais magnifiquement éclairée par la pleine lune… En tout cas, j'améliore chaque jour mes talents de comédien qui me vaudront bien, un jour, un rôle à Hollywood !

Le lendemain matin, je reprends ma marche vers le nord. Comme d'autres ont crié « terre », je me lance à moi-même : « une bagnole ! » lorsque j'aperçois enfin le panache de poussière du premier véhicule roulant dans ma direction. Tellement heureux de le voir, je m'agite et me mets en travers de la route pour forcer l'arrêt. C'est une vieille jeep des années 60. Son conducteur, étonné, accepte de m'embarquer. C'est parti pour un nouveau désert…

Autour de nous, de vastes plaines s'étendent à l'infini. Pas un arbre pour uriner ou se pendre. Dans de telles immensités, la progression est une navigation : on avance du matin jusqu'au soir sans que le moindre obstacle n'entrave la course. La prairie est un océan. Les yourtes sont des îles dont les archipels s'échelonnent à intervalles réguliers. *Aoul* après *aoul*[27], j'avance et ne rate jamais la moindre occasion de nouer des contacts avec les nomades que je croise. Souvent accompagnées de chameaux, de chevaux, de chèvres et de moutons, ces populations me fascinent.

Leur mode de vie est très éloigné du mien… Et en même temps si proche, en cette période de ma vie où je sillonne la planète. Leur environnement est en mutation perpétuelle, leurs voisins jamais les mêmes. Le mouvement est pour eux une nécessité. Peut-être qu'un jour, ces nomades disparaîtront dans les grandes villes, comme disparaissent progressivement tous les nomades du monde. En attendant, nos rencontres sont souvent empreintes d'émotion. Nous ne parlons pas la même langue, nos modes de pensées diffèrent en profondeur, mais eux, mieux que quiconque, semblent comprendre ma démarche itinérante. Lorsque je les approche, que ce soit pour leur demander une direction ou un toit, ils me reçoivent généralement les bras grands ouverts et me traitent comme un fils, me montrant toute la panoplie de leurs traditions : la goutte de vodka à offrir au Dieu lorsque l'on trinque, le tour de la yourte en famille en signe de bienvenue, le lait dans les chaussettes au moment du départ pour souhaiter bon voyage. Ces gens font battre mon cœur.

27. Village de yourtes, de tentes de nomades, de huttes coniques.

Jeune Mongole s'essayant au stop.

Il est difficile d'imaginer que ce peuple affable et paisible, occupé tout le jour à tirer le lait de ses animaux, ait donné corps, jadis, à l'une des forces impériales les plus sanguinaires de toute l'histoire de l'humanité. Dire que l'on craignait les razzias mongoles de l'Empire céleste jusqu'en Occident ! Finalement, il en va des peuples comme des hommes : ils connaissent leur jeunesse, leur âge mûr puis leur déclin. Beaucoup ne sont plus que le reflet moribond de ce qu'ils ont été. Et chacun, dans l'histoire, a connu son siècle de gloire. Les Italiens et les Espagnols au 16ᵉ, les Français et les Hollandais au 17ᵉ. Les Mongols, eux, ont fait trembler le 13ᵉ siècle.

Le grand guerrier Gengis Khan est redevenu, aujourd'hui, le héros de tout un peuple et la base de l'identité mongole. Pas un supermarché qui ne vende une vodka à son nom, pas un foyer sans son affiche, pas un village sans sa statue. Gengis Khan, c'est le cœur, l'esprit, la fierté du peuple mongol.

Famille d'accueil.
[Mongolie]

Ainsi, à peine suis-je arrivé dans la capitale, Oulan-Bator, qu'un journaliste me met dans le bain dès sa première question :

« Monsieur Hubler, vous voici maintenant dans le pays du grand Gengis Khan, le plus grand conquérant que l'humanité ait connu. Pouvez-vous m'expliquer ce que vous ressentez d'être à présent arrivé dans le territoire de ce grand monsieur ? »

Voilà une question surprenante ! Je suis atterré par sa prétention. Je réponds avec mon cœur, du tac au tac :

« Mes héros sont des gens qui ont apporté quelque chose à l'humanité, comme le dalaï-lama, Nelson Mandela, Gandhi, Paul Harris ou tous les passeurs d'espoir que j'ai rencontrés pendant mon tour du monde, et qui participent à la création d'un monde uni et fraternel. Désolé, mais je n'ai pas la moindre admiration pour les faiseurs de guerre comme

Gengis Khan. En revanche, je suis heureux de constater que le peuple mongol est aujourd'hui un peuple pacifique et hospitalier.

Son visage se décompose. Son monde s'écroule. Il baisse les yeux sur la couverture de son cahier aux couleurs du héros, puis les relève en me reposant la question :

« Mais… Mais… Vous êtes sûr ? Gengis Khan est le héros de la Mongolie, vous savez. C'est notre identité. Il a tout de même conquis cinq fois plus de territoires que votre Napoléon. »

L'identité ! Je me suis souvent interrogé sur ce sujet pendant mes cinq années de tour du monde. Loin de moi l'idée de vouloir tirer des conclusions hâtives, mais il semblerait qu'à l'heure où les frontières s'effacent, où les pays se rassemblent en unions, où les monnaies s'uniformisent, où les entreprises fusionnent, où les langues s'évaporent, où les diversités culturelles s'atténuent, où les individus du monde rural s'entassent dans des villes bondées, où les peuples se métissent, où les peuples racines disparaissent, les questions « qui suis-je ? », « qu'est-ce qui fait que je suis différent de toi ? » ou encore « de quoi est faite mon identité culturelle ? » se posent avec de plus en plus d'insistance à travers la planète, parfois de façon inquiétante.

Mon tour du monde a aussi été un tour du monde des besoins d'identité, observant, parfois avec amusement, des peuples cherchant à se distinguer les uns des autres en se raccrochant à des héros historiques ou en fondant leur identité sur la religion ou l'idéologie. Pour moi, ce tour du monde m'a aidé à me forger quelque part une identité mondiale, me permettant de regarder au-delà des couleurs de peau, des religions et des patries. Je reste cependant attaché à la France et à ses valeurs. L'un n'empêchant pas l'autre…

Oulan-Bator. Un nom, tel Titicaca, Honolulu ou Ouagadougou, qui surgit de ma mémoire enfantine. Un nom exotique qui me faisait rêver, mais la réalité de cette ville m'apporte son lot de désillusions. Oulan-Bator est sans doute la ville la plus laide que j'ai jamais vue. Il règne ici une ambiance morose. Les bâtiments ont accumulé des décennies de poussière et de crasse, et rappellent clairement l'ère soviétique. Alcool, tristesse et froid sont les trois mots que j'emploie spontanément dans mon carnet de bord pour décrire l'ambiance dans la cité. Et ce n'est pas l'appartement « sovietoïde » de mon hôte, Olyugan, qui rajoute de la gaieté. Situé au fin fond d'une cité de banlieue, il n'est accessible qu'en montant neuf étages à pied, avec des paliers sombres et sales. Déprime assurée. Au temps de l'URSS, à l'époque où le rêve de chaque citoyen était d'accéder à un appartement chauffé, on nommait ces sinistres HLM les « quartiers du progrès » ! De la fenêtre, je compte les bâtiments gris qui se succèdent et se ressemblent… puis repars tambour battant.

Après une descente vertigineuse de 1 700 kilomètres en quatre jours – toujours aussi peu de trafic dans le sens inverse –, j'arrive à Pékin exténué mais ravi.

Devant moi : la mer Jaune.

De l'autre côté : le dernier bastion du communisme stalinien : la Corée du Nord…

C'est parti pour un voyage dans une autre époque…

Chapitre 17

SÉJOUR DANS LE PAYS LE MOINS VISITÉ AU MONDE

Corée du Nord

« La pire des démocraties est de loin préférable à la meilleure des dictatures. »

— Duarte Barbosa

J'avais 17 ans, en 1994, lorsqu'à la télévision, je découvris un peuple en pleurs. Kim Il Sung, le « leader suprême » de la dernière dictature stalinienne au monde venait de mourir, laissant derrière lui un pays orphelin, complètement traumatisé, effondré. Sortant à peine de l'adolescence, je me souviens avoir regardé, consterné, ces rares images envoyées par la Corée du Nord. Des hommes à terre pleurant toutes les larmes de leur corps ; des journalistes, effondrés, micro à la main ; des gigantesques parades plus ordonnées et impressionnantes les unes que les autres. Partagé entre surprise et incompréhension, je me demandai comment un peuple pouvait à ce point être attaché à son dirigeant. Je ne savais pas grand-chose de ce pays, à l'époque, mais ma perception première se rapprochait davantage de celle d'un asile de fous qu'autre chose.

Pendant ce temps, le monde entier se réjouissait secrètement de la mort d'un des pires dictateurs que la planète ait connus. Les chefs d'État pariaient tous alors sur l'implosion imminente du dernier territoire stalinien au monde. Le pays avait déjà tenu trois ans après l'éclatement de l'Union soviétique et de l'idéologie communiste. C'était déjà pas mal…

Treize années ont passé depuis. Je connais à présent un peu mieux le monde, mais la Corée du Nord reste toujours un véritable mystère pour moi. Comment se fait-il qu'un peuple puisse se laisser traiter de la pire des façons sans jamais chercher à se rebeller ? Comment est-il possible qu'au 21e siècle, à l'heure où les moyens de communication sont si développés, qu'un petit pays situé entre deux voisins modernes puisse rester coupé du monde extérieur, la grande majorité de la population n'ayant même jamais entendu les mots « Internet », « téléphone portable », « démocratie » ou « McDonald's » ?

Pour tenter d'obtenir quelques éléments de réponses, j'ai décidé de me rendre sur place. Problème, la Corée du Nord ne laisse pas entrer les autostoppeurs sur son territoire. Elle ne laisse d'ailleurs entrer personne librement. Chaque voyageur potentiel doit suivre un parcours du combattant, un véritable marathon administratif qui, si le gouvernement nord-coréen l'accepte, lui permettra une visite très encadrée du pays le plus fermé au monde, accompagné de deux personnes jouant à la fois le rôle de « guide » et de garde du corps. Tout contact avec la population locale est interdit et les deux « gorilles » y veilleront.

Avant de me lancer dans le cauchemar bureaucratique, j'ai étudié toutes les options possibles, souhaitant vraiment tenter le stop en Corée du Nord.

Traverser illégalement la frontière avec la Chine ? Me rendre de l'autre côté clandestinement n'est pas impossible, la frontière n'est pas bien large. Mais attention, les derniers soldats staliniens au monde ont ordre de tirer à vue et sont généralement suffisamment disciplinés pour obéir aux ordres. N'ayant rien d'un suicidé, ni aucune envie de me retrouver au camp de travail forcé pour le restant de mes jours, il m'a fallu finalement, la mort dans l'âme, abandonner mes projets d'autostop en Corée du Nord. La pensée de demander à faire du stop avec mes deux «sbires» m'a bien effleuré... Mais juste effleuré. Je doute du sens de l'humour du gouvernement.

J'ai donc dû passer par une agence spécialisée pour obtenir mon visa. Le voyage aller se fera en avion, le retour en train. Puisqu'il s'agit d'un aller-retour depuis Pékin, cette exception ne remet pas en cause mon défi de tour du monde intégralement en stop. Reste tout de même deux problèmes à régler avant de me lancer :

Tout d'abord, le prix ! Voyager en Corée du Nord coûte cher, très cher. Un séjour de 5 jours représente l'équivalent de 130 jours de mon budget habituel. Malgré mon budget serré, l'indéniable magnétisme qu'exerce sur moi le pays de Kim Il Sung m'a poussé à franchir le pas. Pour 5 jours, je m'apprête donc à abandonner les nuits à la belle étoile pour des hôtels de luxe, seuls endroits où le visiteur est autorisé à séjourner. Je me prépare pour un séjour aux antithèses de mon périple.

Ensuite, l'éthique. Est-ce bien raisonnable de faire un tel voyage et ainsi donner de l'argent au gouvernement nord-coréen ? N'est-ce pas aider quelque part la dictature ? La question m'a traversé l'esprit un certain nombre de fois. Après réflexion, ma conclusion finale rejoint celle de nombreux experts internationaux estimant que le tourisme est une source d'ouverture d'esprit, à la fois pour les locaux et pour les voyageurs. Je me donne également bonne conscience en songeant que le problème nord-coréen n'est pas suffisamment évoqué dans les médias occidentaux et que rédiger un chapitre dans mon livre pourra contribuer à une certaine prise de conscience de la situation sur place, condition nécessaire pour que ce pays puisse sortir progressivement de son isolement.

13 février 2007, aéroport de Pékin. Je range mon pouce pour montrer patte blanche. Après 50 minutes de vol, à bord de la compagnie nationale Koryo, je passe de l'empire de la surconsommation au royaume des « surrestrictions ». Avec une réelle excitation, je pose le pied dans ce pays aussi mystérieux qu'intrigant. Jamais une contrée n'aura engendré chez moi une telle envie de connaître, de comprendre et de découvrir !

Ma première rencontre est surprenante. À la douane, j'attends dans la file derrière un Noir. Surpris de voir un homme de couleur au pays de Kim Jong-il, j'engage la discussion ; l'homme m'explique :

« Je m'appelle Selemani. Je suis directeur du comité de soutien au régime de Kim Jong-il en Tanzanie. Je viens pour célébrer l'anniversaire du cher leader Kim Jong-il. »

À peine ai-je le temps de me remettre de l'existence d'un « comité de soutien au régime de Kim Jong-il » en Tanzanie, qu'une dame me tend la main :

« Bonjour, je m'appelle Meya, je suis directrice du comité de soutien du régime de Kim Jong-il aux Philippines. »

La douane n'est pas encore passée que je suis déjà éberlué. Je me hasarde à demander pourquoi ces comités existent. Les deux me répondent en chœur :

« La Corée du Nord est le dernier paradis au monde. Il faut le protéger. »

Les images que j'ai en tête de ce pays ressemblent davantage à celles de l'enfer qu'à celles d'un paradis. À tort ou à raison, j'ai toujours considéré les habitants des pays communistes comme les moins heureux du monde. Interdiction d'entreprendre, interdiction de s'exprimer, interdiction de toute pratique religieuse, interdiction d'avoir des objectifs individuels, interdiction – ou presque – de penser… Et essayer de vivre avec ce qu'il reste. Alors, paradis ou enfer ? La douane prend la relève.

« Est-ce que vous possédez avec vous un téléphone portable, un ordinateur portable, un lecteur de musique, des cassettes, une radio, des livres, des magazines… ? »

Dix minutes de fouilles pour s'assurer que rien de tout cela ne figure dans mon sac fortement allégé à Pékin. Un homme trouve mon caméscope.

« Journaliste ?

— Non, touriste. »

Un coup d'œil vers le chef de douane. Ouf, ça passe ! Le pays le moins visité au monde m'ouvre enfin ses portes…

On ne va pas en Corée du Nord comme on irait en Provence. La veille de notre départ, une réunion « Do's and don'ts » (choses à faire et à ne pas faire) avait été organisée par l'agence. On nous y avait asséné la liste des – rares – choses autorisées et des – nombreuses – interdictions. Pas le droit de faire le guignol devant la statue de Kim Il Sung, de prendre une photo sans autorisation, interdiction de déchirer ou d'écraser un journal, car cela abîmerait l'image du grand monsieur qui apparaît dans tous les journaux. Bienvenue à *paranoïa-land*!

La Corée du Nord me reçoit dans une ambiance morose. Le ciel est gris et il fait très froid. Je cherche autour de moi un premier sourire… en vain. Je dois me contenter de soldats au garde-à-vous, regard austère et rude. Ça ne doit pas rigoler tous les jours par ici. Une fois sorti de l'aéroport, l'envie de tendre le pouce me démange. Je ressens comme une contraction au bras qui me pousserait presque à délaisser mes compagnons de voyage et partir seul de mon côté. La raison m'en empêche. Sans doute suis-je trop raisonnable !

Statue Kim-Il-Sung.

J'embarque dans un bus des années 50 crachant une fumée noire. Moi qui ai toujours éprouvé de l'aversion pour les voyages organisés, me voilà embrigadé dans un groupe de 18 personnes. Coup de chance, tous sont des voyageurs de mon espèce et tous auraient aimé voyager différemment qu'en petits chiens devant suivre leurs deux maîtres. Lesquels n'ont de maître que leur badge, étant tout autant chiens que nous, devant obéir au doigt et à l'œil au seul grand maître des lieux, un tyran ayant perdu la raison depuis bien longtemps : Kim Jong-il, fils du défunt Kim Il Sung. Aucune critique n'est tolérée. La Corée du Nord est chaque année le cancre au classement des libertés d'expression et de presse.

Je m'installe à l'avant à côté de Kim – presque tout le monde s'appelle Kim en Corée du Nord –, le guide senior. J'ai été prévenu : je n'ai pas le droit de remettre en cause ses paroles, même si elles contredisent parfaitement tout ce que j'ai appris à l'école. Je promets que je ferai de mon mieux. Je ne veux cependant pas rater une miette des discussions et des choses à voir. Je ne passe que cinq jours ici et je veux voir le maximum ; comprendre aussi. Par où commencer ? Malheureusement, je ne pourrai avoir d'échange avec personne.

Je n'aurai le droit qu'au discours officiel, celui de Kim et Sujin, les deux guides qui, l'un comme l'autre, ne semblent guère croire dans les paroles qu'ils débitent, mais ne s'autoriseraient pas à dire autre chose.

À peine quelques kilomètres parcourus, première surprise : il n'y a quasiment aucun véhicule sur les routes, pourtant belles, qui mènent à la capitale. La route est le royaume des piétons en Corée du Nord. Kim Jong-il a décidé que marcher était bon pour la santé. Étrange sensation. Comme si la vie s'était arrêtée après un cataclysme ! Les rares voitures que nous finissons par croiser sont réservées, pour la plupart, aux cadres du parti. Une chose est sûre, ce n'est pas la Corée du Nord qu'il faut blâmer concernant le réchauffement climatique !

Ces 50 minutes d'avion nous ont renvoyés 50 ans en arrière. La machine à remonter le temps existe bel et bien. Plus je regarde autour de moi, plus j'ai l'impression d'avoir fait un plongeon dans un livre d'histoire et de me retrouver dans l'Union soviétique à l'époque de Staline. Le dépaysement est total, déroutant. Nous sommes revenus en pleine guerre froide. Rapidement, j'aperçois les premiers panneaux de propagande, grotesques, qui diabolisent l'impérialisme américain et encensent le régime en place. Peu après, des fresques guerrières et idéologiques, puis des monuments à la gloire des dirigeants. Kim Il Sung et Kim Jong-il se partagent tous les coins de rue. Le culte de la personnalité est omniprésent. Pour nous, Occidentaux, ce sont des vestiges d'un autre âge. Ici, c'est la norme, l'environnement quotidien. Selon le *Pyongyang Times* que j'ai lu dans l'avion, nous ne sommes pas en 2007 en Corée du Nord, mais en l'an 96, l'an zéro correspondant, bien évidemment, au jour de naissance du « *great* » *leader*.

Affiche de propagande anti-États-Unis dans la rue.

Au centre-ville, des militaires rigides, sans expression, surveillent les allées et venues des camarades communistes. D'autres effectuent d'interminables rondes dans les rues de la ville. La Corée du Nord compterait 1,5 million de militaires pour une population de 22 millions. Les hommes y effectuent cinq années de service militaire, les femmes trois.

La Corée du Nord manque cruellement d'énergie. À chaque carrefour, les feux de signalisation sont éteints, remplacés par les plus belles femmes du pays, chargées de réguler la circulation. Sans doute, que cela coûte moins cher ! Leurs gestes sont précis, mécaniques. On dirait des automates. Ce balai est le symbole d'un monde lisse et ordonné que rien ne peut déranger. Tout semble sous contrôle à Pyongyang. Personne ne se rebelle, pas un papier par terre. Je pensais que la Suisse était le pays le plus propre au monde, j'avais tort ! Et pour cause : en Corée du Nord, chaque individu est investi d'une mission. Chaque individu sait ce qu'il doit faire. Et il a intérêt à marcher droit, car chacun surveille l'autre.

Du haut de la tour Juche qui surplombe toute la ville, Pyongyang, complètement détruite puis reconstruite après la guerre de 1951, nous montre ses tristes « charmes ». À l'image d'Oulan-Bator, elle aligne sans fantaisie ses gros cubes poussiéreux et ses larges avenues à la mode soviétique. Je ne suis jamais allé en Tanzanie, ni aux Philippines mais ma vision du paradis diffère de celle de Selemani et Meya, qui semblent avoir atteint ici leur « Graal » !

Passionné de politique et de géopolitique, lucide des mécanismes de propagande, j'analyse chaque détail. Tous mes sens sont en alerte. Pas besoin de parler la langue coréenne pour comprendre l'idéologie. Elle se résume en un mot : « Juche ». S'il faut connaître un mot pour comprendre la Corée du Nord, c'est bien celui-là, on le retrouve à tous les coins de rue. *Ju* veut dire « maître », *che*, « corps ». « Maître de son corps. » En résumé, « nous sommes autosuffisants, nous n'avons pas besoin du reste du monde pour nous développer. » La théorie est belle. Dans la réalité, la situation est bien différente. Le pays a connu de terribles famines qui ont tué, dans les années 90, plus de 2 millions de personnes ! La Corée du Nord se met à genoux pour recevoir chaque année l'aide internationale. C'est aujourd'hui l'un des pays les plus assistés au monde et il ne pourrait survivre sans l'aide humanitaire du programme alimentaire mondial qui fournit annuellement un million de tonnes de vivres, nourrissant ainsi plus de 6 millions de personnes. Un cas de conscience se pose dès lors que l'on est un peu sensé : faut-il continuer à maintenir sous perfusion occidentale un pouvoir qui a définitivement basculé dans l'irrationnel ? Chacun se fera son propre avis sur la question.

À la nuit tombée, j'observe depuis ma fenêtre une ville noire, sans vie. Aucune lumière ; mais pour éclairer qui ? Il n'y a pas un chat dans les rues. Un horizon aussi sombre que celui qu'offre la philosophie Juche. Le manque d'énergie est un problème majeur pour de nombreux Coréens souffrant du froid dans des habitations qu'ils ne peuvent chauffer. On raconte que nombre de personnes âgées restent bloquées dans leur appartement en haut des immeubles, ne pouvant plus utiliser les escaliers et faisant les frais d'ascenseurs en mal d'électricité. Vu du ciel, c'est encore plus impressionnant. Les photos satellites montrant la Corée du Nord de nuit témoignent d'un pays isolé, comme perdu au milieu d'autres pays illuminés. La comparaison entre les deux Corées est particulièrement impressionnante. Par contre, les innombrables fresques et effigies du « père de la nation », elles, ne s'éteignent jamais !

À l'aube, des nuées d'enfants en uniforme rejoignent leur école en écoutant des airs patriotiques ou en entonnant des chants antiaméricains. Dans ce pays, on est endoctrinés dès la maternelle et ceux qui ne se soumettent pas aux lois de la propagande sont envoyés dans des camps de redressement et torturés. Les paysans partent pour les champs et les ouvriers rejoignent les usines à petits pas pressés. Les « fourmis » marchent d'un pas d'automate, là encore.

L'occasion nous est donnée de rendre visite à un atelier de confection. À l'intérieur, une centaine de femmes, toutes habillées de la même façon, travaillent derrière leurs machines, sans même nous jeter un regard. Ici, on assemble les manteaux et c'est au micro que le chef d'atelier donne les consignes de la journée. Il leur demande visiblement de travailler plus vite et mieux que la veille et de ne jamais parler avec leur voisine. Pour motiver les ouvrières, un petit air patriotique passe en boucle. Nous ne restons qu'une dizaine de minutes, suffisamment pour subir trois coupures de courant. À l'issue de chacune d'entre elles, le chef d'atelier demande d'accélérer encore la cadence pour compenser la perte de productivité. La découverte du pays s'avère aussi intrigante et intéressante qu'imaginée. Aussi désespérante, aussi.

Les visites s'enchaînent les unes aux autres. Musée de la vie de Kim Il Sung, pendant la première partie de sa vie, puis la seconde, la troisième… Du Kim Il Sung à longueur de journée. J'aimerais tellement voir un magasin, voir où et comment les Coréens mangent, voir davantage de la Corée rurale… Comme je le craignais, on ne nous montre que ce qu'on veut bien nous montrer.

Durant la visite du métro, construit à 90 mètres sous terre et servant d'abri antiatomique, je m'éloigne un petit peu du groupe pour « sentir » un peu mieux l'atmosphère. J'observe les gens. Les Coréens portent sur leurs visages tristes les stigmates d'une vie difficile. Les petits sourires que j'envoie ici et là restent sans réponse. C'est vrai que cela ne veut pas dire grand-chose : aurais-je plus de chance dans le métro parisien ? Mes éloignements du « troupeau » ne durent jamais bien longtemps, on me rappelle rapidement à l'ordre comme on rappellerait un enfant de 12 ans ayant lâché la main de sa maman.

Environ 220 kilomètres séparent la capitale, Pyongyang, du poste-frontière de Panmunjom, lieu où la Corée est divisée en deux parties. Impressionnante visite que cet endroit où le Nord et le Sud se regardent les yeux dans les yeux, face à face, sans le moindre mot. De chaque côté, les soldats s'envoient des regards menaçants. C'est probablement l'un des endroits les plus tendus de la terre, l'un des plus pathétiques aussi. J'observe avec tristesse ces soldats ayant ordre de faire feu au moindre incident. Ils ont probablement un arrière-grand-parent commun et pourtant, ils seraient prêts à s'entre-tuer, simplement parce qu'ils ont grandi d'un côté ou l'autre d'un mur qui les sépare depuis plus d'un demi-siècle. Peut-être qu'au fond d'eux, préféreraient-ils aller boire ensemble une *sik-hye* – boisson traditionnelle – et se raconter quelques bonnes blagues… Malheureusement, la politique les a menés sur le chemin tortueux de la haine.

En regardant ces hommes, je ne peux m'empêcher de repenser à ce mois d'octobre 1962, mois de la crise des missiles de Cuba, qui plaça le monde au bord de la guerre nucléaire. Il s'en fallut d'un cheveu pour que l'Union soviétique ne balance son premier missile, qui aurait à coup sûr été le début de la fin pour des millions d'êtres humains à travers la planète. Le monde a changé depuis ; ce poste-frontière est un vestige d'un autre âge, mais les risques d'une guerre nucléaire n'ont certainement pas pour autant disparu. Espérons que le monde puisse en tirer les enseignements qui s'imposent. Carton jaune ! Il paraît que l'homme est l'animal le plus intelligent sur terre et que les moineaux ont la plus petite cervelle. Face aux deux soldats, je lève les yeux au ciel et observe ces charmants volatiles, passant d'un côté à l'autre de la frontière sans avoir à montrer patte blanche. Je rêve d'être un jour réincarné en oiseau…

Ce 16 février 2007 est un grand jour. « Le » grand jour. C'est l'anniversaire de Kim Jong-il. Les Coréens considèrent cette date comme plus importante que leur propre anniversaire ou celui de leurs parents ou enfants. Ma présence en cette journée n'est pas tout à fait le fruit du hasard : je me suis débrouillé pour qu'il en soit ainsi. Le pays est en ébullition et les Coréens sont venus en masse afin de célébrer le « Dieu vivant » qui s'apprête à souffler sa 65e bougie.

Tradition oblige, jeunes et moins jeunes viennent d'abord déposer des gerbes de fleurs et se prosterner auprès de l'immense statue de Kim Il Sung, le « père de la nation », celui qui a « vaincu les forces du mal ». C'est une sorte de pèlerinage obligatoire imposé dès le plus jeune âge. Une démarche indispensable pour devenir un bon communiste. En les regardant se prosterner, je ne peux m'empêcher de me poser des questions. Sont-ils libres ou contraints, lèche-bottes ou de bonne foi ? Le font-ils parce qu'ils n'ont pas le choix ? Difficile de répondre. La sincérité semble se lire sur leurs visages. Si ce n'est pas le cas, ce sont d'excellents acteurs. Quelques jours plus tôt, j'ai appris que les Nord-Coréens se réfèrent à leur leader plusieurs fois par jour, notamment avant de passer à table, en le remerciant de ses « bienfaits », alors qu'on sait très bien que le quotidien de ces gens est fait de tickets de rationnement et parfois de famine ! Quel endoctrinement !

Du Kim à profusion...

Nous nous joignons à la « fête ». À notre tour, nous nous voyons obligés de nous prosterner et d'apporter des fleurs à l'un des plus ignobles dictateurs de la planète. Prochaine étape, la place du peuple. Pour nous y rendre, nous empruntons la Victory Street puis la Glory Street et passons devant d'innombrables monuments célébrant la « grande victoire de la Corée sur les États-Unis ». Des milliers de Coréens sont rassemblés en un ballet de danses synchronisées dont ils ont le secret. Tout est parfaitement organisé, aligné, coordonné. Je regarde fasciné ces milliers de figurants célébrant leur grand leader.

Photo de famille devant le « dear leader » et le « great leader » !

Pour une fois, ils semblent ravis, leurs visages apparaissant aussi flamboyants que les couleurs de leurs superbes costumes traditionnels. Je découvre un nouveau visage de la Corée. Pourraient-ils être heureux ? Fait rare, on nous propose de nous joindre aux danses. Un pas en avant, un pas en arrière. À notre tour de célébrer Kim Jong-il en musique ! Soudain, le chef de cérémonie annonce la fin des festivités. Les slogans fusent dans la mêlée pour célébrer une dernière fois le « cher leader ». Je regrette de ne pas parler coréen. Un petit sourire pour ma compagne de danse et en moins de deux minutes, comme un seul homme, des groupes d'une centaine de personnes parfaitement alignés se forment puis marchent les uns derrière les autres avant de disparaître à l'horizon. Je n'ai jamais vu un peuple aussi insupportablement discipliné…

Au fil des jours et des kilomètres, mon guide Kim devient presque mon ami. Son devoir de réserve l'empêche de répondre à nombre de mes questions, mais sa froideur initiale a laissé place à une attitude plus ouverte. Guide depuis une dizaine d'années, il a rencontré un certain nombre de voyageurs et il connaît fort bien la réalité du monde extérieur. Lorsque je lui raconte que la Corée du Nord est le seul pays au monde où le stop est impensable, il n'en croit cependant pas ses oreilles. Je lui demande quelle aurait été la réaction des soldats si j'avais tenté le passage en force. Il me répond en mimant le geste d'un pistolet pointé vers moi. Mon choix fut donc le bon…

Kim me pose des questions sur le monde extérieur, mais aussi sur un livre qu'il a vu dans mes mains : *1984*, célèbre roman de George Orwell traitant de l'absence des libertés et du « grand frère » qui ne cesse de regarder. Lire cet ouvrage en Corée du Nord me paraissait particulièrement approprié. Je l'ai offert à Kim après l'avoir lu, mais je crains que dans son cas, la réalité ne dépasse la fiction !

Je ne peux me résoudre à quitter la Corée du Nord sans tenter le stop, ne serait-ce que quelques minutes. Lors d'une pause de l'autobus sur la route reliant Pyongyang à Kaesong, je quitte discrètement le groupe parti se ravitailler, puis lève le pouce, tout excité. Dix minutes plus tard, nous devons repartir. Aucune voiture n'est passée.

Sur le chemin du retour, nous découvrons quelques scènes de vie rurale ; une autre Corée du Nord, absolument interdite aux étrangers. Dans les champs, les paysans utilisent les outils des siècles passés, en témoignent ces pioches semblables à celles des enluminures du Moyen Âge et ces carrioles aux roues en bois. Les enfants sont réquisitionnés pour toutes les tâches agricoles.

Avant de nous déposer à la gare, Sujin, la guide junior encadrant son tout premier groupe, se confie un peu. Elle espère que nous avons aimé la Corée du Nord et nous demande d'être équitables et objectifs sur le point de vue que nous transmettrons à l'extérieur. Objectif, je veux bien essayer, même si on ne l'a jamais été avec nous, ne nous montrant que la version officielle et autorisée de la réalité. Ce que j'en retiens, honnêtement, outre les sempiternels slogans à la gloire des leaders nord-coréens, c'est une agriculture dépourvue de vigueur, archaïque, n'atteignant même pas l'autosuffisance, qui utilise ses rares tracteurs pour transporter les gens des campagnes. C'est un système « à la ramasse » qui fait souffrir ses habitants. C'est une prison à ciel ouvert qui n'accorde pas la moindre liberté à son peuple. Bien difficile d'aimer un pays qui développe des armes atomiques alors qu'une partie de la population meurt de faim. Un pays dont la stratégie consiste à souffler le chaud et le froid et à rompre, les uns après les autres les accords de désarmement dans le seul but d'obtenir l'aide alimentaire. Par contre, malgré tout le dégoût que j'ai de ce régime et ma compassion envers ce peuple en souffrance, je ne me suis jamais lassé de découvrir le tableau vivant d'un monde révolu. Je continue ainsi d'explorer l'espace et le temps !

Après un examen des passeports et une fouille méticuleuse du compartiment par les militaires, le train s'ébranle lentement en direction de la Chine. Pendant mon séjour, j'ai pris un certain nombre de photos interdites. Dieu merci, ils n'ont pas contrôlé mon appareil, contrairement à ceux d'autres membres du groupe, contraints d'effacer nombre d'entre elles. Par contre, ils s'intéressent à mon carnet de notes. Le militaire chausse ses lunettes et tente de déchiffrer mon écriture. Je souris intérieurement : même un Français aurait du mal à me comprendre ! Heureusement, car mes annotations sont bien loin de dresser une apologie du système…

J'éprouve un grand soulagement en franchissant la frontière chinoise. La vie me semble enfin reprendre son cours normal. La visite de la Corée du Nord fut, certes, passionnante, mais terriblement frustrante. J'espère pouvoir y revenir un de ces jours dans d'autres conditions. Je me surprends à crier *freedom* dans mon compartiment lorsque j'arrive à Dandong, première ville chinoise qui, elle, pousse comme un champignon.

Il est clair qu'en arrivant de Corée du Nord, le concept de « liberté » prend tout son sens ! « Il faut avoir vécu l'enfermement pour apprécier la liberté », m'a dit un jour Vanessa, une petite fille de l'hôpital de Strasbourg, soulagée d'être enfin guérie après avoir passé plusieurs mois dans une chambre stérile. Comme elle a raison ! Mes cinq jours passés en Corée du Nord m'ont permis d'apprécier pleinement ma chance d'être né dans un pays démocratique et libre. Vive la France !

Pendant le parcours, j'ai régulièrement interrogé mes conducteurs sur le concept de liberté. Pour un ex-prisonnier américain rencontré à Los Angeles, être libre signifiait ne plus avoir à demander la permission pour aller pisser. Pour une jeune afghane rencontrée à Kaboul, la liberté c'était de pouvoir enfin étudier et travailler, ce qui était interdit avant 2001. Pour une femme indienne rencontrée à Bombay, la liberté consistait à pouvoir se déplacer sans avoir de comptes à rendre à son mari. Pour un jeune Cambodgien rencontré à Phnom Penh, la liberté, c'était avoir de l'argent, beaucoup d'argent pour réaliser ses rêves les plus fous. Ma liberté, c'est d'effectuer ce tour du monde en stop !

Soucieux de découvrir les conditions de vie de ceux qui ont réussi à fuir le régime, je termine mon expérience nord-coréenne par une visite dans le quartier de Wangjing, à Pékin, où se retrouvent nombre de réfugiés, presque tous en attente de visa pour la Corée du Sud. Grâce à mon ami chinois Vinny, je parviens enfin à échanger librement avec une Nord-Coréenne dans un restaurant populaire.

« Pensez-vous que le régime tiendra longtemps ?

— Oui, il tiendra encore longtemps, aussi longtemps que vivront Kim Jong-il et ses descendants. L'amour pour le grand leader est réel en Corée du Nord. Nous sommes élevés en apprenant à adorer les dirigeants. Personne ne pense donc à les critiquer, encore moins à les renverser. La plupart des gens, en Corée du Nord, ignorent ce qu'est la liberté. Même si on la leur offrait, ils ne sauraient pas quoi en faire. Ils se sentiraient perdus. J'ai eu pour ma part beaucoup de mal à m'habituer à un style de vie où il me fallait apprendre à penser par moi-même. »

Mon séjour en Extrême-Orient touche à sa fin. À présent, mes pensées s'envolent vers l'un des endroits les plus mythiques au monde, vers l'un des passages les plus aventureux et complexes de ce tour du monde : le Tibet. Pour cela, il me faut traverser de nouveau toute la Chine, en diagonale, cette fois-ci. Je m'y emploie au plus vite.

Chapitre 18

INTERDICTION DE STOPPER

Tibet

« L'impossible recule devant celui qui avance. »

— Ella Maillart

Je me souviens... Quelques semaines avant mon départ autour du monde, je me revois, agenouillé sur la carte du monde déployée au sol, le derrière en l'air, rêvant comme un gamin sur mon itinéraire. Mon doigt suit l'Australie, rebondit sur l'Indonésie, traverse l'Asie du Sud-Est, la Chine, puis se bloque à l'entrée du Tibet. Une grande énigme se pose alors : comment faire pour rejoindre le Népal puis l'Inde situés de l'autre côté ? La question est épineuse. Quiconque tente de gagner en stop Lhassa depuis Chengdu se heurte à quatre problèmes d'envergure :

Un, l'interdiction formelle de pratiquer le stop au Tibet.

Deux, l'obligation de disposer d'un permis extrêmement coûteux, délivré uniquement sur présentation d'un titre de transport, train, avion ou bus.

Trois, les deux routes depuis Chengdu sont interdites aux étrangers pour cause de « bases militaires » ; il paraît que l'armée chinoise teste ses nouveaux « jouets » dans le coin.

Quatre, les Chinois : intraitables. Depuis que les « fils du ciel » contrôlent le pays, qu'ils ont « libéré » à coups de fusil en 1950, ils en régentent l'accès de façon extrêmement stricte. Les plus touchés par ces restrictions sont les voyageurs isolés, ces satanés *free-lances* du voyage, qui s'obstinent – c'est tout à fait mon cas – à fourrer leur nez partout, à sympathiser avec les opprimés et, au grand dam des dictatures, à en témoigner, une fois rentrés chez eux.

J'ai élaboré tous les scénarios possibles pour parvenir à Lhassa, située à 2 500 kilomètres de Chengdu. Seul face à la Chine, il apparaît que ma seule chance d'atteindre la ville sainte des bouddhistes tibétains, puis de rejoindre le Népal en stop, est d'entrer illégalement au Tibet. Cette perspective ne me réjouit guère – mon objectif est de découvrir, pas de jouer les héros – mais je n'ai pas le choix. Hors de question que j'abandonne mon défi. Hors de question de ne pas rejoindre le Népal puis l'Inde. Hors de question de ne pas découvrir l'endroit le plus mythique et mystique au monde. Je le sais, les chances de succès d'une telle entreprise sont faibles vu le nombre d'uniformes verts qui sillonnent le « toit du monde », mais je me dois de tenter le coup. Mieux vaut avoir des remords que des regrets…

Le mur de l'Himalaya se dresse dès mon arrivée dans le Sichuan juste après Chengdu, la capitale régionale. Il sera mon fidèle compagnon pendant plus de 4 000 kilomètres, jusqu'à la frontière indienne. Au fil des kilomètres que je parcours en direction de la plus grande chaîne de montagnes du monde, je retourne vers l'hiver. Les bourgeons se rétractent peu à peu, les feuilles se fripent et se raréfient, les conifères apparaissent. La route devient impraticable et dangereuse. Les camions dans lesquels j'embarque se bloquent régulièrement dans la neige, et chaque virage me vaut de grosses frayeurs. Je comprends que les Tibétains soient pieux : on a vraiment envie de prier à chaque instant pour s'en sortir vivant !

En ce 25 février 2007, je franchis le plus haut col de ce tour du monde, le Chola Pass, à plus de 5 300 mètres d'altitude. Je ne suis pas encore au Tibet, mais le spectacle est déjà dantesque. Pour en profiter pleinement, je demande parfois aux conducteurs de me déposer en haut des cols. Je me retrouve alors seul et peux prendre le temps nécessaire pour écouter le claquement des drapeaux de prière dans les rafales, pour respirer l'air pur himalayen, ô combien tonifiant, pour admirer les imposantes arêtes montagneuses dépassant souvent les 7 000 mètres.

Je me sens lilliputien devant tant d'immensité. L'Himalaya me ramène à la petitesse de mon existence.

La petite cité de Degé, renommée pour son imprimerie à *sutras*, marque le bout de la Chine. Terminus, tout le monde descend ! La route qui s'en échappe vers l'ouest n'est pratiquée que par une poignée de militaires et de rares véhicules chinois ou tibétains. Mon conducteur ne va pas plus loin. Il me dépose devant un dortoir rudimentaire aux lits grinçants où la nuit me coûtera la modique somme de 25 yuans – 2,50 euros. Me voilà maintenant seul, face à moi-même, face à la montagne tibétaine, face au risque d'entrer en situation irrégulière sur un bout de territoire administré par la Chine où l'on ne rigole pas vraiment avec ce genre de formalités. Je m'endors la boule au ventre…

Arrive le jour du « grand bond en avant ». Déjà plus d'une demi-heure que le réveil a sonné et je n'arrive pas à sortir des couvertures. Courbatures, fièvres, nausées, violent mal de crâne : le mal de l'altitude se fait pleinement ressentir ce matin. Je n'ai pas souvenir d'un réveil aussi difficile, malgré mes quatre années de voyage. Mais ce n'est pas ma condition physique qui me cloue au lit. Je suis angoissé, presque pétrifié. À partir de maintenant, les policiers et soldats ne seront plus mes amis. Il me faudra m'en méfier comme de la peste. Un seul échange de regard et mon aventure tibétaine sera terminée, compliquant sérieusement la suite de mon parcours. Angoissé aussi à l'idée de me retrouver face à une route bloquée par la neige, ce qui impliquerait un détour de plus de deux mille kilomètres. Je me calme en effectuant quelques inspirations et expirations longues et lentes les yeux fermés puis me lève d'un pas décidé. « Quand faut y aller, faut y aller ! »

Il est 6 h 15. L'aube répand doucement sa lumière pâle. Le thermomètre affiche –5°, ce matin. Une température de Côte d'Azur comparée à celle endurée dans le Gobi ! La ville dort encore, seules quelques voitures de police patrouillent. J'aurais préféré qu'elles restent au garage… Engoncé sous cinq couches de vêtements qui m'enveloppent comme du papier-cadeau, je me dirige vers le *no man's land* à la sortie de la ville. Sachant pertinemment que les périodes de solitude seront nombreuses durant ce voyage, j'ai fait quelques provisions dans une échoppe de Degé : quatre jours de viande de yak séchée lestent ma besace.

Franchir le poste-frontière s'annonce périlleux. Si les fonctionnaires ne contrôlent ni les passeports, ni les biens, ils vérifient soigneusement les autorisations et filtrent de manière drastique les passages vers le Tibet. Un échec à ce stade m'obligerait à tenter de nouveau ma chance en passant par la ville de Golmud… à plus de 2 000 kilomètres d'ici. Les fesses serrées, le cœur battant, je me fais tout petit à l'arrière du 4×4 rempli de Chinois. Coincé contre la vitre, derrière le conducteur, j'ai des fantasmes d'homme invisible. Je donnerais n'importe quoi, à ce moment, pour changer mon apparence l'espace de quelques minutes : perdre 20 centimètres, avoir les yeux bridés et les cheveux lisses.

Le soldat approche, jette un rapide coup d'œil dans la voiture. Je m'attends à chaque instant à croiser furtivement son regard. Non, ça passe, il ne m'a pas vu ! Grand, très grand soulagement. Le territoire tibétain s'ouvre à moi. Je savoure intérieurement l'instant, excité de pénétrer dans ce royaume chargé d'histoire et de spiritualité.

Hélas ! Mon soulagement n'est qu'éphémère. À peine arrivé à Qu'nyda, première ville tibétaine sur mon parcours, à une centaine de kilomètres de la frontière, je prends véritablement conscience du défi dans lequel je me suis lancé : le nombre de policiers patrouillant la ville a doublé par rapport à Degé ! À droite, à gauche, des uniformes verts partout, souvent au volant de 4×4 dernière génération. Si cette présence s'explique davantage par une volonté de contrôler le peuple tibétain que par une volonté de refouler un cinglé d'Européen qui se serait aventuré par là, cette concentration de fonctionnaires n'est pas faite pour me rassurer. Je ne m'éternise pas et reprends rapidement la route.

Pèlerins bouddhistes rencontrés sur la route.
[Tibet]

Dès la sortie de la ville, je me trouve confronté à un autre problème d'envergure : le passage des points de contrôle. Parfois policiers, parfois militaires, ils vont jalonner ma route jusqu'à la frontière népalaise. Il y en aura une quinzaine jusqu'à Lhassa puis une dizaine d'autres, de la capitale jusqu'au pont de l'Amitié que je souhaite rejoindre dans environ trois semaines. Comment les franchir sans me faire arrêter ? Si mon conducteur accepte de traverser le point de contrôle avec moi, il suffira de me cacher, sous des couvertures à l'arrière d'un camion par exemple, puis d'attendre patiemment de me retrouver de l'autre côté de la barrière. Sinon, je lui demanderai de me déposer un à deux kilomètres avant le point de contrôle. Je le contournerai alors par la campagne, ou tenterai de passer, tête baissée, en croisant les doigts pour qu'on ne me repère pas. En cas d'échec, si la sanction sera sans doute moins brutale qu'en Corée du Nord, elle me vaudra tout de même une exclusion du territoire accompagnée d'une belle amende et sans doute d'un court séjour en prison. En somme, une fin prématurée de mon aventure tibétaine, et des ennuis en perspective.

Je m'approche discrètement du premier point de contrôle. Ce que je vois ne paraît guère réjouissant : chaque camion est minutieusement fouillé, les jeeps sont vidées de leurs occupants et les papiers d'identité vérifiés avec attention un par un. J'opte pour un détour par la plaine puis retrouve quelques kilomètres plus loin le chemin rocailleux et sinueux, de l'autre côté du barrage. Les fonctionnaires ne semblent pas m'avoir repéré. Pourvu que ça dure…

Sur le plateau, la perspective s'ouvre, offrant à mon regard un désert de sable qui s'étend dans une plaine ocre, sous un ciel bleu profond. Silence. Seul le vent siffle. Le trafic est quasiment inexistant. Un véhicule par heure, en moyenne, se rend dans ma direction. Alors je marche, pendant des heures. Et comme la majorité des conducteurs sont Chinois et que ce sont parfois des policiers en civil, je me méfie. À l'issue de ma première journée de stop et de marche, j'arrive dans le village de Toba, au milieu d'un splendide paysage d'Altiplano.

Jomla, village traditionnel tibétain.

Les ruelles regorgent d'enfants au crâne rasé, le visage sale, engoncés dans un étrange accoutrement à base de laine de yak. Surpris par la nuit, je suis accueilli par une famille tibétaine qui assiste à une cérémonie religieuse – *puja* – dans la salle commune de la petite ferme d'élevage. L'assistance entoure un moinillon qui chasse les démons à coups de tambour. Le thé, dont ne désemplissent pas nos bols, chauffe sur un poêle qui nimbe le moine d'un halo de fumée. Une vieille femme, à la peau plus ridée qu'un *lapiaz*, fait tourner son moulin pour que jamais les dieux ne restent sans attention. Une autre file sa quenouille. Une troisième dit son chapelet : trois mouvements perpétuels inscrits dans l'ordre circulaire du monde. Le moulin, le rouet, le tambour, la prière, le thé sans cesse servi : le temps est parfaitement empli, maîtrisé, ponctué, contenu, vaincu, car contraint de s'écouler en ronde.

À l'issue de la cérémonie, je profite de l'ambiance spirituelle pour sortir la « surprise du chef ». Je m'empare de mon inséparable classeur de photos et en sors une du dalaï-lama, imprimée sur feuille A4, cachée derrière le cliché d'un bateau. Ce cadeau est le plus beau qu'on puisse offrir à un bouddhiste tibétain. Exilé depuis 1959, le chef de la religion bouddhique représente l'incarnation de la divinité, mais il symbolise aussi l'identité du peuple tibétain, réprimé et bafoué par les colons chinois. J'ai quitté Chengdu avec une quinzaine de ces clichés, dont la possession est strictement interdite au Tibet – au point où j'en suis... Mon intention est de les distribuer tout au long du parcours. Une façon de remercier à la fois mes hôtes et les nomades, pèlerins, moines ou bergers croisés en route ; tous ces gens qui n'ont rien, sinon leur sagesse himalayenne. Une façon aussi de contribuer, à mon modeste niveau, à la préservation de la culture tibétaine. L'effet est foudroyant : le regard de toute la famille s'illumine et leurs mains se joignent tout naturellement à hauteur de la poitrine. Je ne comprends pas leurs commentaires, mais perçois manifestement dans leurs yeux une grande joie. Une vieille femme s'empare de la photographie, s'agenouille, la plaque sur son front puis, se relevant, l'appose sur mon front. *Om mani padme oum*. Je l'écoute marmonner, heureux que ce cadeau soit autant apprécié. La photo terminera accrochée au mur.

Les jours et les kilomètres se succèdent dans un décor gigantesque, entre hauts plateaux et très hauts sommets. Parfois sous un grand ciel bleu, parfois dans des bourrasques glaciales, j'alterne entre périodes de marche, camions brinquebalants et voitures déglinguées ; quelques rutilants 4×4 me prennent aussi de temps en temps. Les villages que je traverse font partie des plus beaux rencontrés jusqu'à maintenant, de véritables carrousels colorés me prouvant que pauvreté et laideur ne vont pas forcément de pair. J'en suis ravi, le vrai Tibet n'a pas encore été tout à fait dévoré par le dragon géant.

Dans les plus grandes villes en revanche – que je visite d'un pas lent et prudent, tête baissée, sans un regard pour personne – l'expansion de la civilisation chinoise est plus avancée : grandes avenues rectilignes dans le plus pur style chinois, bâtiments dépourvus d'âme et de charme, fresques de la vie ouvrière à la mode marxiste-léniniste sur les murs publics, haut-parleurs beuglant des slogans célébrant les vertus du travail dans le plus pur esprit de la propagande chinoise des années 60… Le grand voisin impérialiste impose sa marque, voire sa griffe. Combien de temps pourra survivre ainsi la culture tibétaine ?

Je mène dans l'Himalaya une existence sage et modeste, comme ceux qui y passent leur vie, me nourrissant chaque jour de *tsampa* – plat traditionnel à base d'orge grillée – ou de viande de yak séchée. Mes rencontres au bord des routes sont aussi nombreuses que variées. Un berger, sidéré de voir un étranger se baladant seul, m'invite pour un thé sous sa tente. Non loin de son habitation, mon regard est attiré par un rassemblement de vautours dans le ciel. Le signe d'un enterrement. En me rapprochant, je découvre les restes d'un homme emporté par les charognards. Vision surprenante d'une tradition tibétaine voulant que les corps soient rendus à la nature…

Plus loin, c'est avec un *drong*, le plus grand yak sauvage, que je tombe nez à nez. Ce bovidé peut atteindre deux mètres au garrot ! L'animal me dévisage, immobile, à une dizaine de mètres au milieu de la route. Il semble me dire : « si tu veux continuer ton chemin, il va falloir me passer dessus. » Je n'avais encore jamais vu une telle bête de si près. Je rêvais d'un tel face à face.

Me remémorant mon expérience en Indonésie avec le dragon de Komodo, je garde mes distances pour le photographier puis tente de l'inciter à bouger. L'énorme yak ressemble à une peluche mais je me débarrasse aussitôt de l'idée d'aller le caresser… S'il chargeait, j'en serais quitte pour l'hôpital le plus proche… à deux jours de route de là ! Sans compter que je ne suis pas censé me trouver ici, sans document officiel. Cinq minutes plus tard, le drong me montre avec un certain dédain son arrière-train, puis s'éloigne en dandinant. Ma route peut continuer…

Le même jour, je rencontre des pèlerins tibétains, troupes en guenilles qui cheminent vers le levant, en direction du Jokhang, le temple le plus sacré du Tibet. Je reste ahuri devant la foi démesurée que vouent certains Tibétains à Bouddha. Ces hommes, qui effectuent parfois ce trajet incroyable depuis plus de 1 000 kilomètres, avancent en se laissant tomber de tout leur long, face contre terre. À l'endroit où leur front a touché le sol, ils posent leurs pieds et se jettent de nouveau par terre. Et ainsi de suite.

Avant chaque prosternation – *chakshal*, en tibétain –, ils touchent leur front de leurs mains jointes, puis la gorge et le cœur. Triple contact qui symbolise l'esprit, la parole et le corps. Ces paysans singuliers ont protégé leurs cuisses et leur ventre par des morceaux de pneus retenus par des ficelles. Leurs mains sont en sang, leur front aussi… Quelques yaks transportant leur viatique s'ajoutent à ce tableau. Leur voyage vers la ville sainte durera des mois. Ces pèlerins, avec qui je partage parfois un bout de chemin sur quelques kilomètres, effectuent ce voyage pénible dans l'espoir de laver leurs péchés accumulés dans le passé, et de développer leur conscience mystique. Cela leur garantira une meilleure renaissance durant leur prochaine vie. Les privations et les souffrances du présent sont en quelque sorte échangées contre un futur meilleur.

Mon appareil photo mitraille avec joie et sans pudeur… Et mes victimes s'en réjouissent ! Pour la plupart, ils n'en ont jamais vu et ils sont ravis de voir apparaître leur visage sur le petit écran.

Les nattes enroulées de leurs cheveux s'entremêlent de colliers d'ambre, de médaillons de turquoise et de pièces d'argent. Ce ne sont pas des costumes d'apparat, mais des parures de tous les jours. Dans cette foule colorée et joyeuse, les militaires détonnent, avec leurs casquettes Mao, leurs vareuses verdâtres et leurs pantalons gris. À chacune de mes attentes dans les coins perdus, des familles entières de Tibétains déguenillés, telles des hordes de gitans, viennent m'entourer, me dévisager, me toucher. Les gamins ont les cheveux collés par une pâte de bouse de yak amollie par la saleté venue s'y mêler. Les paysannes pissent debout sans relever les épaisseurs de leurs habits. Les bouches sont édentées jusqu'au dernier chicot, les chevelures parées de bijoux précieux, les peaux fripées, couleur de suif, noircies au beurre de yak. Et ça crache. Et ça se dégage le nez, à grands coups de raclements de gorge ! De quoi écœurer un oto-rhino-laryngologiste…

Chaque nuit, il me faut trouver un endroit où dormir. S'allonger à l'extérieur, c'est prendre le risque de mourir de froid. À 850 kilomètres de Lhassa, je pousse la porte en bois d'un monastère dominant un village. Perché comme sur un balcon avec une bordure de moraine semblable à celle des amphithéâtres, il surplombe majestueusement le bras d'une rivière. J'y suis accueilli par plusieurs moines qui m'hébergent volontiers, indifférents à ma nationalité. Je m'endors dans la salle des prières et suis réveillé le lendemain par des moines en transe entonnant le mantra « om » sous le regard de jeunes lamas. Des bougies à la graisse de yak – animal à tout faire du royaume des neiges – éclairent faiblement le lieu de culte. Des *thangkas*[28] ornent les murs couleur suif. Ils illustrent la vie du Bouddha à tous les stades de son illumination. Le maître des lieux honore ma présence par un voile de tulle qu'il me dépose autour du cou en guise de bienvenue, puis me bénit avec le lama du sanctuaire.

Personne ne parle anglais mais la conversation s'engage sur des sourires amicaux ; nous « parlons » avec les mains, je mime

28. Étoffes peintes vieilles de plusieurs générations.

ma traversée du Tibet en stop et leur explique qu'il me faut éviter les policiers chinois pour rejoindre Lhassa. Ma situation provoque tornades de rire et pouces levés en signe d'approbation. À l'image de tant d'autres rencontrés pendant mon tour du monde, ils ont cependant du mal à comprendre que je puisse voyager pour le plaisir. Ici, on ne se déplace qu'à l'occasion d'un pèlerinage ou d'un échange commercial.

J'obtiens des moines des indications précieuses sur l'emplacement des prochains points de contrôle. L'information m'est très utile car elle me permet à la fois d'anticiper ma technique de passage et de me préparer psychologiquement. Cependant, cette préparation ne me dispense pas des montées d'adrénaline. En chemin les jours suivants, j'aperçois une barrière rouge en travers de la route, gardée par deux hommes en uniforme. Marchant à 5 km/h sur la piste poussiéreuse après qu'une voiture m'ait déposé un kilomètre plus tôt, mon cœur palpite. Je ne vais pas pouvoir contourner ce barrage, car il se trouve à l'entrée d'un pont. J'ai un mauvais pressentiment, mais avec un peu de culot, je compte leur passer au nez et à la barbe… qu'ils n'ont pas.

Les policiers sont armés de kalachnikovs et vêtus de gilets pare-balles bleu marine. J'imagine déjà mon entrée dans la prochaine ville, menottes aux poignets, avant d'être conduit en prison ou expulsé du territoire. Ils m'ont repéré depuis une centaine de mètres et semblent m'attendre calmement, cigarette aux lèvres. Je continue de marcher sans changer de rythme afin d'éviter d'éveiller leurs soupçons. De toute façon, je n'ai aucune alternative : ça passe ou ça casse.

Au 8e siècle, un grand maître bouddhiste indien a dit : « Face à une situation désespérée ou tragique, dites-vous cela : s'il y a un moyen de la surmonter, pas besoin de s'angoisser. S'il n'y a aucun moyen de la surmonter, s'angoisser ne sert à rien. Il faut accepter. » Cette façon de penser m'est d'un très grand secours pour garder mon calme. Je repense aussi aux récits de voyageurs s'étant fait emprisonner au

Tibet puis aux réponses que j'apporterais s'ils devaient m'arrêter. En cas de problème, j'ai réalisé à Chengdu plusieurs documents qui pourraient m'être utiles : des photos de policiers chinois avec lesquels je pose le pouce tendu et une mention : « Les policiers m'ont beaucoup aidé pour mener à bien mon défi. »

Des articles de presse en chinois, expliquant mon parcours, et une capture d'écran de mon apparition au journal de CCTV. Parvenu à leur hauteur, m'efforçant d'avoir l'air aussi assuré que possible, je contourne la barrière, adresse un signe amical aux gendarmes et continue ma route, sans ralentir ou presque. Visiblement peu habitués à recevoir la présence d'étrangers sur cette route, les deux policiers semblent hésiter sur la conduite à tenir. À mon grand bonheur, ils optent pour une nouvelle bouffée de leur cigarette et me laissent continuer mon chemin… « Ouf ! »

Puis, 200 kilomètres plus loin, mon cœur manque à nouveau de s'arrêter quand un militaire, curieux de ma présence en bord de route, s'arrête à mon niveau. Coiffé de la casquette à l'étoile rouge, il me demande de monter dans sa voiture ; direction… je ne sais où ! Notre impossibilité de communiquer me fait imaginer toute sorte de scénario. Me prend-il en stop ou m'emmène-t-il vers de sérieux problèmes ? La question se pose tout au long du voyage et encore davantage lorsque j'aperçois, au loin, un nouveau barrage où il s'arrête pour prendre la relève. Je m'imagine à nouveau les menottes aux poignets. Surprise : il me dépose et me souhaite bon voyage ! Incrédule, je reprends ma route. Je suis pourtant persuadé que les étrangers sont rigoureusement interdits sur cette route. Ma bonne étoile – pas rouge pourtant – semble me protéger…

Chaque point de contrôle constitue une histoire à part entière, avec son lot d'inquiétude. Certains sont plus difficiles à franchir que d'autres. Parfois, il suffit de me tenir discrètement à l'arrière du véhicule, en faisant mine de dormir ou en évitant simplement le regard des fonctionnaires. D'autres fois, je dois attendre la nuit et contourner l'obstacle par la campagne.

La route est encore longue avant d'arriver au Népal, mais je commence à croire en la réussite de mon pari. Malgré mon statut de clandestin, je sens un bonheur ineffable m'envahir, comme une ébauche de conquête, une amorce de victoire. Il y a, dans ce type de situation, une certaine exaltation qui se dégage. Ce risque de me faire arrêter, cette montée d'adrénaline à chaque barrage m'angoissent, mais me réjouissent en même temps. Comme un gosse bravant l'interdit, je tremble, me réjouis, et surtout continue d'apprendre sur moi et sur notre vaste monde…

Jour après jour, j'avance. J'atteins Nyingchi. Entre Lhassa et moi, il ne reste que trois postes de contrôle tenus par l'armée chinoise, et deux autres surveillés par la police, sur une distance d'environ 500 kilomètres. Cela fait neuf jours que j'ai quitté Chengdu. Neuf jours que je n'ai pris la moindre douche. Je découvre des odeurs dont je ne soupçonnais même pas l'existence ! Malgré la crasse, je parviens à maintenir une apparence acceptable en changeant régulièrement de vêtements au bord de la route. Cela m'est sans doute utile au moment où j'arrête un groupe de jeunes Chinois, ingénieurs pour China mobile. Le crédit illimité dont dispose leur téléphone me permet d'appeler mes proches afin de les rassurer et de leur donner signe de vie, ce qu'ils attendaient depuis longtemps.

Nous parcourons 200 kilomètres ensemble, puis ces jeunes ingénieurs me proposent aimablement de partager leur chambre d'hôtel avant de m'emmener vers Lhassa le lendemain. Une offre qui ne se refuse pas ! Seul hic, mais de taille : il est absolument interdit aux étrangers de passer la nuit dans un hôtel sur cette route. N'en déplaise au gouvernement, je parviens à m'octroyer une confortable nuit de repos et une douche réparatrice grâce à ces jeunes Chinois qui me font passer tête baissée parmi eux, comme si j'étais l'un des leurs, devant le manager qui n'y voit que du feu.

Malgré un anglais approximatif, nous parvenons à communiquer et à discuter, entre autres, de la colonisation du Tibet par la Chine.

À l'image de la grande majorité des Chinois, anesthésiés par la propagande, mes quatre nouveaux amis sont sincèrement convaincus que la mission de « civilisation » menée par Pékin est une cause juste et louable :

« Nous leur construisons des routes, des hôpitaux, des écoles… Les Tibétains devraient nous remercier pour nos efforts. De plus, le Tibet faisait partie de la Chine au 14e siècle, nous n'avons fait que le récupérer. »

À travers mes différentes discussions sur le sujet, je me rends surtout compte que de nombreux désaccords entre Occidentaux et Chinois sont attribuables à des malentendus. La plupart des Chinois sont persuadés que l'Occident demande l'indépendance du Tibet, alors que la majorité des Occidentaux qui s'expriment sur le sujet souhaitent avant tout un respect des droits de l'homme et que s'établisse un dialogue constructif avec le dalaï-lama. Différence notable ! Malheureusement, du fait de la barrière linguistique, mes discussions avec les Tibétains sur ce sujet se sont résumées à des sourires et mimiques sans fin…

12 mars 2007. La lumière diminue d'intensité, le soleil rougit et le ciel revêt un voile ambré. J'approche de Lhassa tandis qu'un panneau de propagande dressé sur le bord de la route annonce l'avenir radieux que promet le gouvernement chinois au peuple tibétain. On peut y lire :

« *With the opening of Qinghai-Tibet railway, Lhassa will enjoy a better future.* » Et de l'autre côté du panneau : « *Thanks a lot for central government's help and support*[29]. »

Mon arrivée dans la cité céleste en fin d'après-midi provoque un double sentiment. Une grande satisfaction d'abord : celle d'avoir réussi à traverser une des parties les plus difficiles de mon

29. « Avec l'ouverture de la ligne de chemin de fer Qinghai-Tibet, Lhassa s'ouvre sur un meilleur avenir », puis « merci au gouvernement central pour son aide et son soutien ».

parcours. À partir de maintenant, je ne serai plus illégal que pour deux raisons : l'interdiction de stopper et l'absence de permis, la route allant vers le Népal n'étant pas interdite aux étrangers.

Satisfait, mais terriblement frustré : l'entrée dans cette ville que j'attendais tant me laisse un goût amer. Elle confirme tristement mes craintes et j'essaie de cacher ma déception, aux côtés de mes nouveaux amis.

Là encore, le rouleau compresseur chinois a balayé l'architecture traditionnelle pour tracer ses grandes avenues trop parfaitement rectilignes, trop ordonnées pour être plaisantes. Lhassa est aujourd'hui une ville moderne chinoise avec tout ce qui la caractérise : des grues qui construisent de plus en plus haut, des rues piétonnes, temples de la consommation pour la nouvelle classe moyenne, des karaokés, des restaurants chinois.

Triste constat... Incontournable évidence... Lhassa n'est plus ! Les superbes images du film *7 ans au Tibet* n'existent plus que dans nos mémoires. Seul subsiste un petit quartier tibétain qui ne cesse de se rétrécir comme peau de chagrin, grignoté par les « rongeurs » urbanistes du gouvernement chinois.

Même le Potala, fameux palais des dalaï-lamas, n'est plus qu'un sombre musée vide et sans âme, rempli de gardiens chinois chargés de canaliser *manu militari* le flot des touristes. Pourtant, l'imposante façade suscite toujours autant le respect et l'admiration, nous rappelant le temps où régnaient ici la splendeur et la sérénité. Il n'empêche, à l'intérieur, la froideur des lieux est effrayante. La sérénité de l'endroit laisse place à une atmosphère on ne peut plus glaciale et sans âme, rappelant l'ambiance d'un bateau abandonné.

Point de répression visible, ni de coups de force, les dernières étapes de la colonisation se font sans bruit, par wagons d'immigrés chinois et de petites négations d'une civilisation qui appartiendra bientôt au passé. Les agences touristiques sont gérées par les Chinois, les magasins sont chinois, les taxis sont chinois. Les

Tibétains, eux, sont balayeurs, exécutants, relayés à des travaux subalternes, à la solde du nouvel occupant. Après avoir longtemps utilisé les armes pour soumettre le Tibet, les Chinois recourent aujourd'hui aux investissements massifs et aux flux de migrants. La conclusion est implacable : l'ordre et le fric sont en train de mettre le Tibet à genoux.

On objectera que c'est un mal pour un autre, car le Tibet des dalaïs-lamas était une théocratie aux mains d'un clergé corrompu qui opprimait le peuple. Certes. Mais au moins, l'ensemble était plus esthétique. On y voyait des moines en tenue d'apparat, des ermites avec un pied dans l'autre monde, et les villes ressemblaient à des décors de théâtre carnavalesques. Ça valait mieux que cette sinistre architecture coloniale pékinoise qui peuple le ciel himalayen de ses façades en faïence, aussi blanches que les salles de bain des princes saoudiens. On n'était ni plus libre, ni plus riche autrefois, mais cette vie-là avait une autre allure.

Au Jokhang, le centre sacré de Lhassa, nœud cosmogonique, tellurique et géomantique du pays, ainsi que je me l'étais promis, j'allume un cierge, pour beaucoup de raisons qui ne regardent que moi et me retiennent une heure entière dans la pénombre du temple, dans un état de contemplation.

J'observe notamment la file d'attente. D'un côté, des touristes chinois venus en petits groupes, dont les visages sont littéralement grimés à l'aide de cosmétiques achetés, sans doute, dans quelque grand magasin de Shanghai. De l'autre, des flots de Tibétains déguenillés à la peau recuite, semblant sortir d'une gravure ancienne avec leurs vestes en peau de mouton, leurs turquoises et leurs moulins à prières. Les uns brûlent de l'encens pour obtenir un bon contrat, un diplôme ou une meilleure santé. Les autres prient pour la paix dans le monde et la libération de tous les êtres sensibles. Différences de cultures, d'intentions, de visions pour l'humanité… Le Chinois rêve de posséder, le Tibétain ne possède pas grand-chose et l'accepte. Depuis 40 années, on lui a presque tout volé. Il lui reste l'espoir et le rêve. L'espoir que le dalaï-lama quitte un jour à cheval la ville indienne de Dharamsala, où il s'est réfugié et, franchissant les montagnes, revienne dans son pays. Le rêve qu'il réintègre le Potala et règne à nouveau, d'une façon ou d'une autre, sur le Tibet.

Pourtant, pas mal de « cols blancs » chinois « tibétophiles », viennent chercher au Tibet un peu d'exotisme et de spiritualité. Les monastères grands comme des villes, les enseignements ésotériques du tantrisme, les lamas « réincarnés », les « Bouddhas vivants »... Tout ce qui est propre au bouddhisme tibétain semble exercer une certaine attraction sur la nouvelle *middle class* chinoise. Une source d'espoir ?

Je mets à profit les quelques jours de repos que je m'octroie à Lhassa, où je suis logé dans un monastère, pour visiter les écoles de la ville. Malheureusement, toutes mes tentatives se soldent par de retentissants échecs : aucun des directeurs contactés, souvent chinois, ne me laissant partager mon tour du monde avec les élèves tibétains. Je n'insiste pas et reprends la route en direction du Népal.

Le dernier tronçon de mon périple tibétain doit me faire traverser la « *friendship highway* », qui s'étire sur plus de 1 000 kilomètres à travers les plus hautes montagnes du monde, pour rejoindre Katmandu, la capitale du Népal. En fait, cette route n'a pas grand-chose d'une « *highway* » et absolument rien de « *friendship* », d'autant qu'il me faut continuer de jouer au gendarme et au voleur avec les autorités. Toujours en situation irrégulière mais toujours aussi ébahi : la « *friendship highway* » est l'une des plus hautes routes du monde et à n'en pas douter, l'une des plus belles. Quel plaisir de faire du stop au pied de l'Everest, entre des pics de 7 000 à 8 000 mètres d'altitude ! Les voitures restent rares, mais les attentes et les marches sont époustouflantes. J'ai l'impression de me rapprocher du ciel, d'avaler des morceaux de nuage.

Les forces de gravitation m'attirent désormais vers le Népal, qui se présente à moi comme un sas de décompression entre la Chine et l'Inde. À peine le pont de l'Amitié et la frontière traversés, le changement de monde est saisissant. Je laisse derrière moi les uniformes verts, propres, repassés, des soldats au garde-à-vous, droits comme des « I » majuscules, n'affichant aucune émotion, pour rejoindre des policiers débraillés, sourires aux lèvres. Les billets de banque à la gloire du dictateur Mao vont bientôt faire place à ceux du pacifiste Gandhi. Autant la Chine est monolithique, quasiment un seul peuple, les Hans – 95 % de la population –, une seule écriture et – presque – une seule langue, autant l'Inde se présente comme un modèle de diversité : plus de vingt langues officielles, une bonne dizaine d'écritures différentes, presque autant de religions, de groupes ethniques et de castes. Les yeux bridés s'évanouissent de ma mémoire, les Sherpas, anciens Gurkhas ou autres *sâdhus*[30] m'ouvrent la voie. Changement de décor, changement d'ambiance, changement de monde. La mystique Inde se présente à moi…

30. Homme de bien, saint homme.

Chapitre 19

DORMIR AVEC LES INTOUCHABLES

Inde

« La religion n'est instituée que pour maintenir les hommes dans l'ordre et leur faire mériter les bontés de Dieu par la vertu. »

— Voltaire

Mars 2007. Ainsi que je le redoutais, après trois semaines si agréables passées dans le calme de l'Himalaya et une traversée rapide du Népal, l'Inde m'accueille dans une véritable pagaille. À la frontière népalo-indienne, dromadaires, ânes, chèvres, buffles, chevaux, scooters, motos, tricycles, voitures, camions, piétons… déambulent pêle-mêle sur la chaussée poussant, tirant, klaxonnant, hurlant dans une cacophonie indescriptible. Couchées à l'intersection des routes, des vaches sacrées matérialisent d'invisibles ronds-points. Entre deux siestes, elles se chargent, à grands coups de langue, du nettoyage municipal. Goutte de sagesse dans ce monde de brutes !

Pratiquer l'autostop au milieu de ce tintamarre est une pure folie. Je ne sais ni par où, ni comment commencer. Aucun chauffeur ne s'étonne de ma présence au bord des routes. Je ne suis qu'un parmi tant d'autres. Rester pouce tendu n'a ici aucun sens. Les vendeurs ambulants sont tellement nombreux que les chauffeurs ne regardent plus les agitations de quiconque. De plus, ce geste ne veut rien dire ici. Et puis qui arrêter ? L'homme assis sur sa carriole aux roues de bois commandant avec habileté son buffle attelé ? Le dromadaire ou l'éléphant qui passent sous mon nez ? J'opte pour la seconde solution et demande au cornac, ce conducteur installé sur son pachyderme, si je peux me joindre à lui pour quelques kilomètres. Hilare, il accepte ma demande et me fait monter, non sans mal, sur sa montagne de viande. Première expérience d'éléphant-stop ! De tout là-haut, la vue est magnifique. J'observe les nombreux marchés au bord des rues où se vendent des chèvres fraîchement égorgées, où s'activent des tailleurs qui pédalent sur leur machine à coudre et des femmes qui pétrissent des bouses, qu'elles font sécher sur des troncs d'arbres pour fabriquer du combustible. L'Inde ne pouvait m'offrir une meilleure entrée en matière !

Il m'apparaît rapidement que le stop n'est pas le meilleur moyen pour parcourir le pays. La Mongolie était le pays des cavaliers, l'Inde est le pays des trains. L'Indian Railway, premier employeur civil au monde compte plus de 1,6 million d'employés permanents (le premier employeur privé et Walmart avec environ 1,5 million d'employés). Je m'en tiens pourtant à mon projet et me lance dans un nouveau périple ambitieux : 15 000 kilomètres que j'entends bien parcourir uniquement à la force du pouce ; un tour complet du nord et du sud du pays, suivi de l'organisation d'une nouvelle journée de rencontre entre ONG à New Delhi, avant de repartir pour le Pakistan et d'aborder l'Asie centrale.

Premier objectif : Calcutta, troisième plus grande ville du pays, dans le Bengale occidental. Pour m'y rendre, il me faut traverser l'État du Bihar, le plus pauvre de l'Inde, mais surtout l'Uttar Pradesh, le plus peuplé. Là, 170 millions de personnes s'agglutinent sur un territoire grand comme la moitié de la France. J'ai l'impression qu'il y a un Indien sous chaque feuille ! Rapidement, je prends la mesure de ce que sera le stop dans ce pays : une véritable épreuve de stoïcisme. Si les Indiens sont généralement charmants, ils ont aussi la particularité d'être très curieux, pour ne pas dire franchement collants. Leur passe-temps favori semble être d'observer, de dévisager, de toucher l'étranger qui passe. Résultat : impossible d'être seul au bord des routes. Impossible de lever le bras sans que le pays tout entier lève la tête. Chaque fois que je me trouve près d'un village, je suis aussitôt cerné et encerclé par une multitude d'Indiens qui me lèchent du regard comme une vitrine. Et rien n'y fait pour écarter les badauds :

« Messieurs, s'il vous plaît, j'ai besoin d'être seul pour pouvoir arrêter les véhicules…

— *Yes, mister, yes…* »

Et les Indiens, toujours plus nombreux, de rester figés, le regard interrogateur ou vide… Dans les stations, même chose : on me fixe du regard, on me suit, on m'écoute parler aux conducteurs, ce qui a pour effet de les faire fuir. Quand je vais uriner, on vient regarder la taille de mon appendice. Je vais changer de vêtements ? On m'observe encore. Jamais un pays ne m'est apparu aussi oppressant.

Mais la marée humaine croisée sur les routes n'est en rien comparable à celle qu'on rencontre dans n'importe quelle grande ville indienne. À cet égard, je n'oublierai jamais mon arrivée à Calcutta, à 4 heures du matin, à bord d'un camion transportant trois tonnes de légumes pour le marché local. Vision dantesque : à droite, à gauche, des milliers, peut-être même des dizaines de milliers d'hommes, de femmes, d'enfants, allongés au bord de la route les uns à côté des autres, avec pour toute couverture leur *lungi*[31] ou de légers *saris*, sans même un bout de tissu ou de carton à mettre en dessous. Des vaches, des chiens s'intercalent entre eux. La vision tient du cauchemar. Qu'ont-ils fait dans leur vie précédente pour mériter un tel traitement ?

---

31. Vêtement porté autour de la taille.

Calcutta, née il y a trois siècles d'un village entouré de marécages, a été développée par les Anglais, principalement pour l'utilisation de son port naturel sur le delta du Gange. Ce premier comptoir a permis aux Britanniques de coloniser par la suite tout le sous-continent indien. Aujourd'hui, la ville est devenue l'une des plus pauvres d'Inde.

Mon chauffeur me dépose sur une longue avenue. Me voilà maintenant seul, à marcher devant ce qui est probablement l'un des spectacles les plus impressionnants que j'aie jamais vus. L'impression d'arriver le lendemain d'une grande catastrophe humanitaire, sauf qu'ici le naufrage est quotidien. Je pensais avoir côtoyé la misère en Amérique latine ou en Asie du Sud-Est, je n'avais rien vu ! Dans cette fourmilière où la vie et la mort se croisent à chaque coin de rue, c'est la cohue permanente. Des odeurs de charogne prennent à la gorge, la saleté hérisse le poil.

Calcutta, ville des derniers hommes-chevaux au monde.

[Inde]

Les rues sont jonchées de pourriture, de boue, de rats. On y croise des centaines de personnes squelettiques, à demi nues, harcelées par des chiens errants qui leur disputent des tas d'ordures. Des *coolies*, ces derniers « hommes chevaux » de la planète, attelés aux barres de bois des rickshaws, tentent de gagner quelques *roupies* pour manger. Devant les commerces se traînent des mendiants, parfois culs-de-jatte faisant l'aumône à plat ventre. Où trouvent-ils la force et le désir de vivre dans une société si indifférente à leur sort ?

Épuisé, je décide de m'installer sur un bout de trottoir inoccupé, entre deux familles. Rien de tel qu'une nuit sur un trottoir indien, là où plus de la moitié de la population naît, vit et meurt, pour appréhender ce pays. Malgré ma discrétion, une dame se réveille, toute surprise d'avoir un *sahib*[32] s'installant à ses côtés. Avec un grand sourire, elle dépoussière un coin et me fait de la place puis réveille son mari qui, à son tour, réveille son voisin. Bientôt, une dizaine de « compagnons de chambre » se réveillent pour observer l'étranger venant s'allonger à leurs côtés afin de partager leur quotidien. J'imagine que cela ne doit pas arriver tous les jours… On se souhaite mutuellement bonne nuit et je m'endors sous la voûte céleste, cachée par un voile de pollution. Ce soir, je ne suis qu'un pauvre hère, qu'un miséreux de plus sur les routes de ce pays comptant plus de 900 millions de personnes vivant en dessous du seuil de pauvreté.

À l'aube, l'hilarité atteint son paroxysme. Chacun y va de son commentaire sur ma présence. Une trentaine de sourires édentés sont là pour me souhaiter la bienvenue dans le monde des Intouchables, ces hommes qui n'ont même pas le droit de s'approcher des membres des castes supérieures, de peur qu'ils ne polluent l'air que ceux-ci respirent. Bien loin d'être hostiles, ils me traitent comme un roi. Une vieille femme, pieds nus, vient m'apporter le petit-déjeuner au lit : un *chaï* – thé traditionnel –

32. Mot de l'hindi ou du bengalî signifiant « monsieur », « maître » ou « seigneur », à l'origine.

servi dans une tasse de terre. Un homme vient me proposer son bout de bois pour me laver les dents.

Puis les premières prières – *puja* – débutent. Les femmes se savonnent de la tête aux pieds sans dévoiler un centimètre carré de leur peau. D'autres préparent des galettes. Des hommes s'apprêtent à rejoindre leur *rickshaw*. Après une dernière photo de groupe, je laisse mes nouveaux amis et me dirige vers le centre-ville. Là, je frappe à la porte des missionnaires de la Charité pour rencontrer « sœur Jeanne d'Arc », l'une des deux religieuses françaises, sœur d'un ami français. Je viens jouer le rôle de messager et dans le même temps en savoir davantage sur l'œuvre de l'illustre Mère Teresa. C'est en effet ici le centre névralgique de son action qui s'étend aujourd'hui à travers plus de 700 centres, dans 123 pays. Sœur Jeanne d'Arc me parle des mouroirs et du travail extraordinaire qui s'y déroule puis me demande :

« Pourquoi ne viendrais-tu pas te joindre aux volontaires ? Je suis sûre que l'expérience sera intéressante pour toi. »

La proposition me tente. Disposant d'un visa de six mois, je décide de m'engager pour quatre semaines. Tôt le lendemain matin, je reviens sur place pour participer à une réunion d'information et découvre avec surprise plus d'une centaine de volontaires venus du monde entier, de tous horizons sociaux. Certains, initialement « de passage », décident de rester plusieurs mois ou années. Un couple de Français vient de sortir d'une école d'ingénieurs et s'accorde plusieurs mois pour donner un coup de main ; un croyant américain a quitté son poste de consultant pour répondre à l'appel de Dieu ; une Norvégienne athée souhaite voyager et se rendre utile en même temps. Des Latins, Asiatiques et Africains complètent un panorama regroupant tous types de profil et de motivation. Me voilà à présent volontaire au chevet de ceux que Mère Teresa appelait « les plus pauvres d'entre les plus pauvres ».

Après une courte réunion expliquant les règles de base du centre, je me rends à Prem-Dan, l'un des sept centres de Calcutta. Sur le chemin, je traîne les pieds, le ventre noué d'appréhension.

Comment la mort se manifeste-t-elle ici ? Je n'ai pas le temps de me poser davantage de questions que déjà on me passe un tablier, on me demande de me laver les mains puis le service commence. D'autres volontaires ou des sœurs me conseillent et me dirigent vers les mourants. Certains sont en phase terminale de tuberculose, d'autres du SIDA, d'autres encore ont contracté des maladies inconnues. Rapidement, je suis dans le bain. La timidité, la peur et l'égoïsme sont écrasés par la masse de travail qu'il faut fournir. Les hommes et les femmes sont allongés sur des lits de camp dans deux pièces différentes mais communicantes.

Accroupi près d'un lit, je nourris un tuberculeux qui n'a plus la force d'ouvrir les paupières. Les mouches tournent autour de son visage. Par petites bouchées, il avale la pastèque que j'essaie de lui faire manger en lui soutenant la tête. Vient ensuite l'heure de la toilette. Il nous faut porter les corps nus et décharnés, les savonner, les rincer puis les habiller. Nous communiquons généralement par gestes et par sourires. Grâce aux travailleurs sociaux, les contacts s'établissent plus facilement. Malgré l'état de délabrement de la majorité des patients, l'ambiance est assez gaie.

Je passe également du temps au dispensaire, où les malades viennent se faire soigner gratuitement. Nous traitons des blessures infectées, gangrenées, voire vermineuses. Les volontaires désinfectent des plaies parfois immenses qui n'ont pas été traitées depuis plusieurs mois. Un homme vient avec un pied énorme, empli de larves de mouche. Une à une et avec la plus grande patience, la volontaire les lui enlève à l'aide d'une pince à épiler. Un autre consulte pour une plaie sur le crâne. Plus de peau, plus de chair, l'os apparaît, des vers sortent du crâne, par centaines. Je retiens mon souffle. Parfois, il nous faut amputer des doigts de pieds pourris à l'aide de simples ciseaux ! Pas de plainte, personne ne pleurniche, on accepte son destin. Impressionnant !

Un bébé handicapé arrive au centre. Il vient d'être trouvé dans une poubelle publique. La maman, vivant dans la rue, ne pouvait plus s'en occuper, elle l'a donc jeté à la poubelle. Cela paraît presque évident ici. Un homme l'a entendu crier et l'a amené au centre. Aux volontaires, à présent, de s'occuper de lui… Peu après, on me demande d'accompagner un homme mourant à Prem-Dan. Ce conducteur de *rickshaw* est allongé sur son bout de bois. Il ressemble davantage à un squelette qu'à un être humain, diminué au point d'avoir du mal à ingurgiter le peu d'eau que j'essaie de lui donner. Il semble attendre patiemment que la mort vienne le chercher sans même essayer de lutter. La vision me désespère.

Non loin, quelques sœurs et volontaires prient et chantent pour soulager un agonisant. L'ambiance est sereine. L'homme meurt dans un climat de paix. Offrir une mort digne, tel fut l'objectif principal de Mère Teresa, à qui une femme avait un jour confié avant d'expirer : « Mère, j'ai vécu comme un chien et grâce à vous, je meurs comme un ange. »

Cette recherche de dignité, j'ai également pu la voir lors de la visite de la léproserie organisée pour les volontaires, dans la grande banlieue de Calcutta. Une journée terriblement forte émotionnellement. Rejetés de tous, ces gens meurtris, sans autre avenir que la souffrance, ne comprennent pas très bien pourquoi des Occidentaux viennent vers eux. Ils nous réservent cependant un merveilleux accueil, nous procurant un grand sentiment d'humilité. Considérés comme impurs, ils ne joignent pas les mains devant eux comme le font les autres Indiens. Tout le monde nous dit bonjour avec des moignons de main ; leurs pieds aussi sont abîmés. La lèpre, terrible maladie, transforme l'homme en une créature hideuse.

Il existe aujourd'hui tous les médicaments nécessaires pour soigner cette maladie. Encore faut-il que le malade suive le traitement pendant longtemps, sinon toute la vie. Et ce n'est pas dans la mentalité indienne. Beaucoup succombent aux rechutes. La lèpre ronge et détruit les nerfs. Les doigts de pieds et des mains s'atrophient et disparaissent peu à peu, les paupières se bloquent, et à plus ou moins longue échéance, le malade perd la vue car il ne peut plus protéger ses yeux des agressions extérieures. Le nez s'enfonce dans le visage et s'aplatit, les joues se creusent. On meurt lentement, parfois en une vingtaine d'années.

Souvent, les lépreux qui guérissent préfèrent rester travailler là car, même guéris, ils restent toujours d'anciens lépreux et le retour dans la société indienne s'avère presque impossible en raison des stigmates que laisse la maladie. Ils se remarient entre eux. Ici, les lépreux font pratiquement tout eux-mêmes. Les moins atteints jouent le rôle d'infirmiers. Le centre permet aujourd'hui à plusieurs centaines de malades de vivre dans des conditions dignes et de gagner leur vie par le travail en fabriquant les vêtements et draps pour les autres centres d'accueil.

Je sors profondément bouleversé de ces quatre semaines de bénévolat. Je pensais trouver la mort mais c'est l'amour que j'ai rencontré. Le dévouement des sœurs et des volontaires, luttant pour amoindrir la misère de leur entourage, est extraordinaire ; l'humilité et la gentillesse des patients émouvantes. Nicolas Bouvier avait raison : « *On ne fait pas un voyage en Inde, c'est l'Inde qui vous fait et vous défait. Elle vous invente.* »

Mais l'Inde est immense. Si mon séjour à Calcutta et la vision de l'extrême misère m'ont bouleversé, il convient de dépasser ces premières images, car le pays ne se limite pas à ces armées de pauvres. Bien au contraire, il s'apprête à devenir une superpuissance prête à jouer un rôle majeur sur la scène internationale. Une croissance exceptionnelle de plus de 8 % par an depuis une quinzaine d'années a permis l'émergence d'une classe moyenne de plus de… 350 millions de personnes, généralement anglophones. Au cours de mes six mois passés en Inde, j'ai eu l'occasion d'être logé par une trentaine de *yuppies*, ces jeunes gagnant souvent, à 25 ans, bien davantage que leurs parents approchants de la retraite.

Pour découvrir cette nouvelle Inde, c'est surtout dans le sud du pays qu'il faut se rendre et notamment dans la ville de Bangalore, capitale mondiale de la sous-traitance – *outsourcing* – appelée par certains la « Silicon Valley indienne » du fait des ingénieurs, plus nombreux qu'en Californie. Dans cette ville où les bâtiments en verre poussent comme du chiendent, j'ai découvert un grand nombre d'exemples de sous-traitance à la fois enthousiasmants, stupéfiants, parfois même, avouons-le, terrifiants.

L'exemple illustrant au mieux la « nouvelle Inde » fut la visite de l'entreprise Brickwork India et la rencontre avec Sunitha. Cette jeune femme d'une trentaine d'années exerce un métier qui pourrait fortement se développer dans le futur. Son statut ? *Remote personal assistant*. En d'autres termes, secrétaire à distance pour un cadre supérieur aux États-Unis. L'Inde étant aux antipodes de l'Oncle Sam, Sunitha peut exercer son travail le jour pendant que son patron passe une nuit tranquille. Dès le réveil, le travail du col blanc est dans sa boîte de réception et la roue peut tourner. Mieux, devant mes yeux, une secrétaire à distance travaillant le soir répond au téléphone à des appels émanant de Boston à destination de New York. Avec de grands yeux ronds, je la regarde donner la direction à suivre à un client souhaitant se rendre… au bureau à New York puis réserver une table côté fumeur dans un restaurant new-yorkais branché, pour son patron. Tout ça depuis l'autre côté du monde, sans jamais s'être rendue aux États-Unis !

« Tout ce qui peut être sous-traité le sera, m'assure Mohan, l'un des responsables de l'entreprise, un brin rieur. Les cartes sont en train d'être redistribuées. Le monde ne sera bientôt plus dirigé par l'Occident. »

« L'aplatissement du monde », dû notamment à la révolution technologique, est un tournant décisif de notre histoire, comme l'invention de l'imprimerie par Gutenberg, la montée en puissance des États-nations ou la révolution industrielle. Mieux vaut vous y préparer, les jeunes Indiens sont avides de travail.

Parmi ses nombreux services, Brickwork India propose aussi aux étudiants américains de réaliser leur thèse ou leurs devoirs à prix réduit. Incroyable ! Je veux profiter de mon séjour dans le sud pour tout voir et tout savoir sur l'Inde de demain et la révolution technologique qui se trame ici. Les visites s'enchaînent : centres d'appels immenses où j'observe des milliers de jeunes Indiens régler à distance les problèmes informatiques des foyers américains. Infosys, Tata technologies...

Grâce à mes hôtes, je me rends dans les bâtiments ultramodernes des grandes entreprises de création de logiciels et futurs géants mondiaux. Avant de quitter le sud, je veux absolument visiter un cours de « neutralisation de l'accent », concept dont j'avais appris l'existence dans l'excellent livre de Thomas Friedman *The world is flat* (traduit en français sous le titre *La terre est plate*). Je parviens à vivre l'expérience à Chennai – ex-Madras –, quatrième ville du pays. À l'intérieur du centre *winspire*, une trentaine d'étudiants se trouvent face à un professeur leur inculquant l'art de déguiser leur accent indien en lui substituant des intonations américaines, canadiennes ou britanniques, selon la partie du monde avec laquelle ils seront en relation, ou tout simplement à le neutraliser. On cherche à mieux articuler, à atténuer la prononciation des « r », en d'autres termes, à paraître moins Indiens. Cette image de neutralisation de l'accent restera dans mon esprit comme l'une des plus marquantes de la mondialisation et quelque part, de l'uniformisation des sociétés. La question de la préservation de la culture indienne me taraude. L'Inde parviendra-t-elle à se moderniser sans pour autant s'occidentaliser ? La réponse de mon hôte, Rakesh, me plaît bien :

« Ludo, ce n'est pas parce qu'on se modernise qu'on va forcément s'occidentaliser. Ne va surtout pas croire que nous allons abandonner nos valeurs simplement parce que nous regardons davantage la télé et que nous nous connectons à Internet. Nous sommes très attachés à notre culture, c'est notre identité, nos racines. Tu as sans doute pu voir par toi-même ce que « fierté indienne » signifie. Malgré le développement de l'Inde, les femmes gardent leur sari, toujours propres, même pour les plus pauvres, soit dit en passant, les parents continuent de faire le *puja* le matin, nous continuons à manger du curry et des chappattis tous les jours, nous gardons nos valeurs traditionnelles familiales.

« Tout cela n'est pas près de changer. Je crois au contraire que du fait de la modernisation, la culture indienne s'est renforcée. Regarde MTV par exemple. Les Américains ont voulu imposer leur style de musique et leurs stars. Cela n'a pas tenu trois semaines. On a adapté notre MTV avec nos stars et notre musique. Maintenant, ça marche. Pareil pour *Indian Idol.* C'est vrai que c'est le même style d'émission qu'*American Idol – Star Académie* locale – mais elle s'est adaptée au style Bollywood que nous aimons. Ne t'inquiète pas, Ludovic, nous n'allons pas nous faire bouffer par la culture américaine. Nous prenons ce qui est bon et rejetons le reste ! On appelle cela la "glocalisation". Profiter du global, tout en restant local ! L'avenir passe par là. Évidemment, on peut trouver anormal qu'il faille renoncer à son accent pour jouer au grand jeu de la mondialisation, mais les jeunes ont tellement envie de s'élever dans la société qu'ils acceptent bien volontiers de payer ce prix. Les entreprises multinationales ? Nous les adorons. Elles nous permettent d'avoir un plan de carrière, des formations payées, une assurance pour toute la famille et elles nous paient généralement dans les temps, à l'inverse des entreprises locales. Le salaire correct qu'elles nous versent nous permet aussi de ne plus avoir à émigrer aux États-Unis. Nous restons donc près de nos familles, de nos amis, de notre culture… Qu'elles continuent à s'installer ici ! »

Hyderabad, Chennai, Surat, Bombay, Udaipur… Dans toutes les villes que je traverse, je continue de frapper aux portes des écoles et de mettre à contribution les membres d'HC-CS pour rencontrer les élèves et étudiants. Je rencontre aussi de nombreux rotariens, souvent très actifs pour leur communauté : des médecins prenant une journée par semaine pour soigner gratuitement des enfants défavorisés, des ingénieurs aidant à la construction de fontaines d'eau, des avocats défendant gratuitement les plus démunis… Au fil des jours et des rencontres, je découvre avec plaisir que malgré le système de castes toujours vivace, et l'importante corruption qui persiste dans le pays, la solidarité existe bel et bien, davantage qu'en Chine où les Rotary Clubs sont quasiment inexistants et l'initiative individuelle trop rare.

Dans la ville d'Ahmedabad – 5 millions d'habitants –, je suis logé par Garvit, un ophtalmologiste rotarien passant tous ses samedis dans les immeubles en construction de la ville pour tester et corriger la vue des enfants d'ouvriers souvent très pauvres. Grâce à cet homme, je concrétise un projet qui me trotte dans la tête depuis plusieurs semaines : organiser une discussion via webcam entre les enfants malades du cancer de l'hôpital de Strasbourg et ceux de l'hôpital d'Ahmedabad. Problèmes techniques résolus, un après-midi durant, les enfants indiens et français, sortant de leur lit d'hôpital, se retrouvent face à face par écrans interposés. La communication n'est pas évidente car il faut traduire du français à l'anglais pour finir en *gujarati* et inversement. Mais pour la première fois, les enfants peuvent voir d'autres enfants, atteints du même mal que le leur, de l'autre côté de la planète. Ils parlent des animaux locaux, des saisons dans leur pays respectif, des différences de culture. Des échanges basiques mais visiblement appréciés de tous. L'expérience sera renouvelée à Lahore, au Pakistan, puis à Téhéran, en Iran.

Ce que je préfère taire aux enfants de Strasbourg, c'est qu'en Inde, la vie n'a pas le même prix que chez nous. Un cadre hospitalier m'explique son métier. Pas le plus facile : il est en charge d'accepter ou de refuser les malades qui se présentent à l'hôpital pour être traités. Des centaines, tous les mois. Il m'explique que moins de 5 % des victimes du cancer sont acceptées. Traitement trop cher, maladie trop avancée, les raisons pour refuser un patient sont nombreuses. Il me confie avoir toujours la même difficulté à annoncer aux malades qu'il ne pourra les accepter.

« Ils repartent en pleurant, sachant qu'ils vont mourir à petit feu et que personne ne fera rien pour eux. »

Ainsi va la vie en Inde…

Le hasard ou la destinée veut que le jour de ma visite coïncide avec celle de l'association Make a wish, qui exauce le vœu le plus cher d'un enfant gravement malade, souvent en phase terminale. Certains demandent un gadget, d'autres la venue d'une star de cricket, d'autres qu'on leur envoie des cartes postales du monde entier. Il s'agit de leur rendre le sourire pour quelques instants.

L'échange avec Strasbourg et le diaporama de mon parcours terminés, je suis réquisitionné pour offrir aux petits malades les cadeaux offerts par de généreux donateurs. Je fais le premier pas et m'avance doucement vers une fillette, aussi intimidée que moi, pour lui donner une peluche. Si pour les petits Français, les peluches n'ont aujourd'hui plus grande valeur, tellement ils sont gâtés par ailleurs, il est clair que dans cet hôpital, ces mêmes peluches sont fortes en symbole et d'une grande valeur. Chaque petit cadeau donné me vaut une courbette avec les mains jointes, en signe de remerciement ; le tout dans une ambiance très solennelle, comme une remise de médaille. Le bonheur se lit sur le visage de tous ces enfants.

Semaine après semaine, je dévore les kilomètres de cette Inde qui s'offre à mon regard. Le soleil chauffe. Les températures oscillent souvent entre 45 et 48° avec des taux d'humidité atteignant parfois les 100 %. Résultat, dès que je bouge, je dégouline. Les camions qui m'embarquent se transforment en véritables micro-ondes ambulants, desquels je ressors à chaque coup avec deux kilos en moins. L'Inde me fait ressembler à un squelette qu'on aurait oublié d'enterrer. Je pèse aujourd'hui 10 kilos de moins que mon poids habituel.

Pour me rafraîchir, je décide un jour de me rendre à la piscine publique. Pas de chance, le pays tout entier a eu la même idée. Pas moyen de trouver le moindre centimètre carré d'eau libre pour me tremper : la piscine, pourtant immense, est pleine à craquer. Je n'insiste pas et retourne sous la douche, créant au passage un esclandre. En me mettant sous l'eau complètement nu, j'ai oublié, l'espace d'un instant que j'étais en Inde.

Sâdhus, les hommes sacrés de l'hindouisme.
[Sous-continent indien]

Ce pays m'épuise. À lui seul, il se révèle plus fatigant que tout le reste de mon parcours, mais il se révèle tout aussi intrigant que je l'imaginais. Ici plus qu'ailleurs, la route me confronte à des situations inattendues et m'apporte des rencontres insolites. Dans les temples où je passe parfois la nuit, je croise des gens hauts en couleur. Des rêveurs, des idéalistes, des *sâdhus* en quête d'une vie de lumière. L'un d'entre eux affirme qu'il ne boit que du lait depuis 25 ans. Un autre m'explique que son unique but dans la vie est la *moksha*, la libération de l'âme et du cycle des renaissances, équivalent hindou du *nirvana* bouddhique. Les rapports sociaux sont ici faciles. On ne me demande rien, le simple fait d'être là fait de vous le membre d'une fraternité instinctive, naturelle.

L'Inde me fascine parce que je ne comprends rien à ce pays. Tout est différent. Chaque geste, chaque attitude, chaque instant m'est inhabituel. Tous mes sens se réveillent à la moindre occasion. Mon palais s'enflamme au contact des saveurs épicées. Mon odorat se délecte des volutes d'encens à l'entrée de chaque temple, de chaque boutique. Mon ouïe goûte à de nouvelles sonorités, des chants inconnus ou l'incroyable cacophonie de la rue.

Essayer de comprendre ce pays passe forcément par la compréhension de l'hindouisme. Partout en Inde, on ressent le lien indissociable entre la vie quotidienne et la religion, qui n'est pas séparée de la vie sociale : toute personne se définit par son statut socioreligieux. L'hymne national indien est un hymne à Dieu tiré d'un poème de Tagore. Pour l'Indien, le divin est aussi évident que son propre souffle. Le mot « profane » lui est d'ailleurs inconnu. Le sacré s'étend à tous les aspects de sa vie : se baigner, se nourrir, faire l'amour… L'homme qu'on admire ici n'est pas l'entrepreneur qui a réussi, comme en Occident, mais le sage pauvre et nu, vivant dans une parfaite sérénité. Devant lui, riches et pauvres se prosternent ; il incarne la plus haute réalisation de l'humain.

Le 11 août 2007, je retrouve Marc Dieudonné, un ami d'enfance venant me rejoindre pour la troisième fois depuis 2003. À l'image d'autres amis, il a contracté le virus du voyage et souhaite désormais découvrir le monde entier. Nos retrouvailles sont toujours autant chargées d'émotion malgré les années qui passent… Aujourd'hui, Marc émet le souhait de faire un tour de l'Inde spirituelle, d'en découvrir les différentes religions. Un programme me convenant tout à fait…

Notre petite tournée spirituelle débute par Vârânasî – ex-Bénarès.

Quoi de plus logique que débuter par la « ville éternelle » pour mettre Marc dans le bain indien ? Ville la plus sacrée d'Inde, lieu propice pour mourir, Vârânasî est un peu le Lourdes indien, avec 2 500 ans de plus. Un cocktail de folklore et de ferveur religieuse. Les ruelles grouillent de pèlerins, de sâdhus, de commerçants ambulants, de vieux sages et d'enfants. Des milliers de vieillards, assis par terre, attendent la mort, avec espoir et optimisme.

Dans le centre-ville, nous nous laissons conduire sur des vélos rickshaws, ces taxis où le chauffeur pédale. Il doit faire particulièrement attention à ne pas heurter une vache sacrée qui pourrait bien être sa grand-mère. En effet, ici comme dans toute l'Inde, en vertu de la métempsychose, la vache est considérée comme la réincarnation de la mère ou de la grand-mère, car le lait de vache remplace le lait maternel. On peut aussi, une fois mort, devenir mendiant, brahmane ou ver de terre en fonction du degré de vertu ou de vice de sa vie passée. C'est justement pour éviter de se retrouver en ruminant ou en végétal que des milliers de pèlerins accourent à Vârânasî, convaincus que le Gange, qu'ils vénèrent comme « la mère de l'Inde », emportera les fautes et impuretés du monde, à commencer par les leurs.

Selon la légende, ce fleuve serait descendu des cieux pour être amorti par la chevelure de Shiva… Nous accédons au Gange par les *ghâts*, immenses volées d'escaliers qui plongent vers l'eau rédemptrice. À Manikarnika, le plus sacré de tous, nous assistons aux crémations, lesquelles sont précédées d'un rituel religieux qui enveloppe le site d'une atmosphère de recueillement. Avant d'être posés sur le bûcher, les corps, recouverts de tissu blanc ou coloré, sont immergés dans le Gange pour une ultime purification. Les fleurs qui tapissaient le corps du défunt s'en vont au fil de l'eau. Le fils aîné ou le parent le plus proche, vêtu d'un *dhoti*[33] blanc tourne plusieurs fois autour du bûcher avant de l'allumer avec une torche, et le conjoint du mort lance des offrandes sur le feu. Une crémation dure environ trois heures.

L'hindouisme ne permettant pas la crémation des jeunes enfants, des gens tués par morsures de cobra, des *sâdhus*, des femmes enceintes, des *hijras*[34] et des lépreux, les corps de ces malheureux sont donc enveloppés d'étoffes, lestés puis jetés au milieu du fleuve. Ils s'y enfoncent lentement entre

33. Pièce de tissu que l'on enroule autour de la taille.
34. Individus se considérant comme asexués.

les fleurs. Nous en apercevons plusieurs, le ventre gonflé, flottant comme des baudruches.

Mes yeux me picotent à cause de cette fumée âcre et mes entrailles se soulèvent à la vision d'êtres humains carbonisés. Je reste de longues heures médusé par ce spectacle. Mais plus encore que la vision de corps en décomposition, c'est l'attitude des familles qui m'impressionne. Pas une personne ne pleure. Aucune ne montre le moindre signe de tristesse. L'ambiance est joyeuse, presque à la fête. Le rapport à la mort est ici beaucoup moins pudique et austère qu'en Occident. On parle facilement de l'au-delà, de « l'après ».

Les hindous considèrent la mort comme un passage, analogue à la naissance ; celui qui conduit d'un état à un autre. Comme l'énonce le *Bhagavad-gitâ* – la bible de l'Inde – : « Le sage ne déplore ni les morts, ni les vivants. » Le cosmos et le corps humain étant composés des mêmes substances, c'est l'association de celles-ci qui forme la vie. Si par un phénomène quelconque – accident, vieillesse, maladie –, ces éléments se trouvent désunis, c'est la mort qui s'ensuit, mais seulement la mort du corps matériel, l'âme étant identique à la divinité, c'est-à-dire à la force vive qui crée le cosmos. L'être lui-même ne se trouve pas détruit par la mort, mais subsiste et reprendra, le moment venu, un autre corps.

Le fils d'un défunt se saisit d'un marteau qu'il écrase avec force sur la tête du brûlé. Celle-ci explose littéralement sous l'effet de la chaleur, signe que l'âme s'est échappée de son enveloppe charnelle.

Alors que j'observe ces corps dévorés par les flammes, une pensée pour les enfants de Strasbourg m'envahit. Nous n'abordons que rarement le thème de la mort. Mon rôle est de leur apporter du rêve, de la joie et de les sortir de leurs éventuelles pensées macabres ; pas d'évoquer des faits morbides. Hélas ! Ce thème s'est imposé par lui-même à plusieurs occasions : Priscilla, Elodie, Laura, Ahmed et plusieurs autres m'ont lâché la main en cours de route. À chacun de ces décès, les paroles prononcées par Chantal avant mon départ, me demandant d'essayer de rester « détaché », résonnaient dans mon esprit. Quoi qu'il en soit, la mort d'un enfant est toujours vécue comme un événement injuste et difficilement supportable. À vie, j'emporterai avec moi les images de l'extraordinaire courage, face aux souffrances, de plusieurs enfants accrochés à leur vie jusqu'à leur dernier souffle. Plus que jamais, comme eux, et peut-être pour exorciser leur triste destin, j'ai faim de vie et je mesure chaque jour un peu plus la chance que j'ai d'être en parfaite santé.

Hindouisme, bouddhisme, jaïnisme, islam, christianisme, sikhisme… Trois semaines durant, nous découvrons les différents visages spirituels du pays. À Amritsar, nous visitons l'enceinte sacrée du Temple d'Or sikh bâti tout autour du « réservoir de nectar » auquel la ville doit son nom. Ailleurs, nous nous rendons dans un temple jaïn, religion dont les pèlerins ont l'interdiction de marcher avec des chaussures et de manger des aliments ayant grandi sous terre, par respect pour leur croyance *live and let live*, « vivre et laisser vivre ».

Tout comme moi, Marc est fasciné par ce pays. Ensemble, nous continuons d'être témoins de délires mystiques et rencontrons à nouveau des sâdhus. L'un d'entre eux nous exhorte à ne jamais lui dire merci car, dit-il : « Donner et offrir sont des gestes désintéressés. La notion de gratuité est essentielle. Or, remercier implique déjà une contrepartie, le remboursement d'une dette. » Un peu plus loin, dans la ville de Deshnoke, nous découvrons des centaines de pèlerins se prosterner devant des milliers de rats, nourris avec des boulettes de pain et des grains d'orge donnés par des sages, leur parlant et semblant même les écouter. Ici, les petits rongeurs sont vénérés comme des dieux hindous, car ils sont la réincarnation de moines et de sâdhus morts dans la ville.

Encore plus loin, dans l'État du Bihâr, le gardien d'un temple de Krishna que nous souhaitons visiter nous demande de patienter une heure car « Krishna dort ». « Réveiller l'une des 33 000 divinités serait un grave péché », nous précise-t-il. Nous attendons donc, puis découvrons une statue en train de se réveiller... Étrange spectacle ! Non, l'Inde n'est vraiment pas un pays comme les autres. On n'en revient pas indemnes.

Tout aussi surprenant : nous rencontrons de nombreux Occidentaux venant chercher un peu de spiritualité dans le sous-continent. L'Inde cherche en Occident la technologie, la modernité, tandis que l'Occident cherche en Inde la sagesse, la spiritualité. Le chat serait-il en train de se mordre la queue ? Selon bon nombre d'individus, notre civilisation moderne souffre d'une crise née d'un vide et de l'absence de véritable but spirituel. Pour preuve, on me cite la résurgence de l'intégrisme dans toutes les religions du monde – de l'islam au judaïsme, de l'hindouisme au christianisme –, la prolifération des mouvements spirituels parfois sectaires, des idéologies et cultes en tout genre, la popularité des doctrines du New Age et la fascination actuelle pour les mythes et les légendes.

Retour à New Delhi. Commencer la tournée spirituelle par Vârânasî nous paraissait tout ce qu'il y a de plus logique ; la terminer par la religion baha'ie l'est tout autant. Peu connue en France, cette religion – présente dans 193 pays – est pourtant la seconde plus étendue géographiquement au monde après le christianisme. Incroyable, non ? Marc et moi visitons le temple Lotus dans la banlieue de la capitale. Ce splendide monument, construit en 1986, aujourd'hui plus visité que le Taj Mahal, est l'un des huit temples de la religion baha'ie. L'intérieur de cette « maison d'adoration », comme l'appellent les fidèles, est ouvert à tous pour prier, méditer ou lire des textes sacrés des grandes religions du monde que cette foi prétend renouveler.

Durant ma visite au centre d'information, mon regard est attiré par une pancarte sur laquelle est inscrit : « *Oneness of humanity, oneness of God, oneness of religion*[35] .» Je m'arrête et médite de longues minutes devant ce panneau. Instantanément, me reviennent en tête des images de baha'is rencontrés à travers la planète. Je me souviens notamment de ce groupe de jeunes croisé dans les îles Tonga. Parmi eux figuraient des Noirs, des Jaunes, des Blancs, marchant bras dessus, bras dessous, semblant oublier frontières et couleur de peau, se considérant humains avant de se sentir Africains, Asiatiques ou Européens. « Nous voulons construire un monde uni, disaient-ils. Le monde est entré dans une nouvelle ère. Nous devons dépasser nos différences et accepter qu'il n'existe qu'un Dieu, le même pour tous. »

Je repense aussi à André Brugiroux. Cet infatigable globe-trotter, ayant parcouru tous les pays du monde dont une bonne partie en stop, a exercé une importante influence sur moi. La lecture de son livre *La Terre n'est qu'un seul pays* a joué un rôle de déclencheur avant mon départ en 2003. Lors de notre rencontre à Boussy-Saint-Antoine, fin 2002, il m'a expliqué sa vision du voyage, du monde et les enseignements d'une vie passée sur la route :

« Le voyage n'a d'intérêt que si le voyageur a pu faire sa quête personnelle de la vérité, disait-il. Chaque globe-trotter partant autour du monde revient avec ses propres convictions et idéaux. Ma conclusion personnelle, je l'ai trouvée dans les écrits de Bahá'u'lláh, le prophète de la religion baha'ie, dont le message s'articule autour de cette idée : *« La Terre n'est qu'un seul pays et tous ses habitants en sont les citoyens. »* Les baha'is partent du principe que depuis la nuit des temps, les religions du monde cherchent toutes « la » vérité. Aujourd'hui, le temps est venu de se rassembler. Là réside la clé de la paix sur terre.

Les voyages au long cours aboutissent souvent au questionnement spirituel et le mien ne fait pas exception. Découvrir la ferveur religieuse existant à travers le monde fut sans doute l'un des aspects les plus impressionnants de ce tour du monde, d'autant

35. « Unicité de l'humanité, de Dieu, des religions. »

plus que j'habite l'un des pays les moins croyants du globe. Ce tour du monde m'a appris à voir le monde, non pas uniquement sous l'angle utilitaire, matériel et compétitif, mais aussi sous son aspect mystérieux, sacré et réjouissant. Au cours de mon voyage, de nombreux événements et rencontres m'ont invité à plonger au cœur de moi-même, en quête de mon âme, à me poser les vraies questions, celles du sens de la vie, de la raison d'être et d'une possible « présence ». Au fil des kilomètres, un besoin de croire en un esprit supérieur s'est développé, une route spirituelle s'est dessinée… Une chose est sûre, elle ne fait que commencer…

En revanche, contrairement à André Brugiroux, mon parcours ne m'a pas mis sur la voie d'une croyance particulière. Les questions « qui croire ? » ou « quoi croire ? » resteront probablement sans réponse jusqu'à mon dernier souffle et je me suis résolu à vivre heureux avec cette part de mystère. La religion baha'ie fait partie des 38 religions et sectes découvertes durant ce tour du monde, qui m'a transporté de l'évangélisme sous toutes ses formes au mormonisme, en passant par les croyances vaudoues, indigènes ou encore zoroastriennes. Je les ai toutes abordées avec le plus grand sérieux, espérant en trouver une qui puisse survivre à une analyse critique. Je n'en ai trouvé aucune. Si ma quête m'a permis d'arriver à la conclusion de l'unicité de l'humanité, elle ne m'a toutefois pas permis d'arriver à celle de l'unicité des religions ou des dieux. À la profession de foi des baha'is, je préfère donc celle du jeune Nawis, Indonésien rencontré à Djakarta qui disait : « *Let's agree to disagree*[36] » ou en d'autres mots : apprenons à accepter qu'il existe plusieurs façons d'envisager l'au-delà, et qu'il n'existe aucune vérité absolue. Respectons-nous et apprenons les uns des autres pour se concentrer sur les points qui nous rassemblent plutôt que sur ceux qui nous séparent…

La théorie est belle, la pratique malheureusement bien différente, en Inde comme ailleurs. À Hyderabad, j'arrive le jour

36. « Mettons-nous d'accord à ne pas être d'accord. »

où plusieurs attentats frappent le cœur de cette ville comptant parmi les plus dynamiques de l'Inde. Quarante-deux personnes, dont plusieurs enfants qui assistaient à un spectacle laser en plein air, sont assassinées par un groupe islamiste propakistanais. Après avoir longtemps limité leurs actions au Cachemire indien, ces extrémistes prouvent qu'ils sont aussi capables d'organiser des opérations d'envergure sur tout le territoire.

Accompagné de mon hôte, je marche dans les rues. Au loin, les sirènes des ambulances hurlent leur douleur ; les quartiers sont bouclés par la police. Quelques rares passants, abasourdis par la nouvelle, rasent les murs dans un silence d'outre-tombe. Les regards sont baissés, parfois accusateurs. Des représentants de la communauté hindoue s'efforcent, par des appels radio, de maintenir le calme et d'éviter que des représailles soient lancées contre des musulmans innocents. La tension est extrême. Dégoûté par une telle vision, je ne m'éternise pas et reprends ma route…

Cet épisode aura eu le mérite de me rappeler à quel point l'Inde est un véritable miracle géopolitique. Car malgré ces atroces attentats, sa société composite et l'immense misère existant dans ce pays, l'Inde reste une nation relativement stable : 700 millions d'hindous cohabitant pacifiquement au quotidien avec plus de 150 millions de musulmans – deuxième pays musulman au monde. Le secret de cette stabilité est, selon nombre de personnes rencontrées, le résultat du génie de l'hindouisme. Il est vrai que les situations qu'on rencontre dans ce pays tourneraient sans doute ailleurs en une immense guerre civile… L'Inde peut aussi se vanter d'être la première démocratie au monde, une démocratie dont de nombreux experts ne donnaient pas cher en 1947… Cela fait pourtant plus de 60 ans qu'elle dure…

En cette fin du mois d'août 2007, mon séjour indien touche à sa fin. Avant de partir vers le Pakistan, je remonte plein nord, dans la magnifique région de l'Himachal Pradesh, aux contreforts de la chaîne himalayenne. Là-haut, baigné par une lumière ambrée, se trouve un royaume, ou plutôt une enclave politique, où résident depuis les années 1950 le gouvernement tibétain en exil et son chef spirituel, le dalaï-lama. Bourgade en pleine pinède surplombée de pics montagneux, Dharamsala contraste avec la cacophonie bruyante et polluante des grosses villes indiennes. Ici, tout n'est que calme, paix et volupté. Nonnes, moines, pèlerins, touristes semblent y vivre sereinement sous la bienveillance de Bouddha.

C'est la seconde fois que je viens ici. Lors de mon premier passage, quelques semaines auparavant, j'ai donné une dizaine de conférences à de jeunes Tibétains en exil. Si mon tour du monde les a intéressés, c'est surtout ma traversée du Tibet qui a recueilli le plus grand nombre de questions : « Es-tu allé au Potala, peux-tu nous le décrire ? », « Y a-t-il plus de Chinois ou de Tibétains à Lhassa ? », « As-tu rencontré des Chinois sympathiques pendant ton séjour en Chine ? », « Est-ce qu'il reste quelque chose de la culture tibétaine au Tibet ? », « Crois-tu qu'on pourra un jour retourner dans notre pays ? », « Crois-tu que la culture tibétaine survivra ? »

À l'issue de l'une de ces conférences, j'ai fait la connaissance de Mme Dolma, directrice de l'établissement.

« Monsieur Hubler, nous avons beaucoup aimé votre présentation [...] Avez-vous déjà pensé à rencontrer Sa Sainteté le dalaï-lama ? Je suis persuadé qu'il serait heureux de connaître votre mission ambitieuse faisant la promotion de la paix à travers le monde et cherchant à construire des ponts entre les peuples. Je connais son secrétaire particulier, peut-être pourrais-je vous aider ? »

Rencontrer le dalaï-lama ? Un rêve depuis la lecture de nombre de ses livres. Un article dans la presse et un coup de pouce de Mme Dolma me permettent de rencontrer Tenzin Takhla, secrétaire particulier et porte-parole du dalaï-lama. Aucune visite ni rencontre ne sont possibles sans l'aval de cet homme quarantenaire, doté de beaucoup de charisme et d'une grande gentillesse. Une demi-heure durant, il m'interroge sur mon parcours et mes motivations pour rencontrer Sa Sainteté. Ma traversée du Tibet le fait sourire, mes conférences, surtout en Chine, l'emballent.

À l'issue de l'entretien, il m'annonce que ma requête sera prise en compte et que sa décision me sera communiquée par courriel. Quelques jours plus tard, le message suivant s'affiche sur mon écran :

> [...] L'entourage du dalaï-lama a souhaité vous connaître davantage avant de vous accorder cette audience. Nous avons effectué des recherches sur Internet afin de tester votre sincérité et l'authenticité de votre parcours [...] Le dalaï-lama a accepté de vous rencontrer. Je vous attends dans mon bureau le 4 septembre 2007 à 11 h 45 [...] La rencontre se fera dans un cadre informel durant une dizaine de minutes avant qu'il aille donner une conférence publique.

Joie immense ! Le 4 septembre 2007, je me présente à l'entrée de sa demeure avec deux heures d'avance, prudemment. À l'heure H, plusieurs gardes me font signe de les suivre à l'intérieur de la résidence pour les contrôles d'usage. Le dalaï-lama a beau être l'homme le plus pacifique au monde et sans aucun doute l'un des leaders les plus approchables, les contrôles de sécurité restent très stricts. J'emboîte ensuite le pas à mon guide qui me conduit dans la cour de la résidence de Sa Sainteté : une belle maison spacieuse mais rien d'ostentatoire. Il m'installe à l'intérieur d'une petite salle remplie de médailles, de récompenses et citations reçues à travers le monde. Sur le mur, une grande affiche rappelle la réalité tibétaine en chiffres : « Plus d'un million de tués. Plus de six mille monastères détruits, des milliers de Tibétains en prison, des centaines manquants... » Et en rouge, le célèbre slogan : « *China, free Tibet* ! »

Pendant mon attente, j'engage la conversation avec un moine assis à mes côtés, visiblement l'un de ses conseillers. Nous discutons du problème tibétain et de l'hypothétique retour de Sa Sainteté sur ses terres :

« Nous gagnerons, me dit-il avec conviction. Le bien finit toujours par gagner, le dalaï-lama finira par revenir à Lhassa un de ces jours. Nous devons garder la foi... »

Soudain, le maître de cérémonie lance un appel en tibétain. Instantanément, une dizaine de moines se mettent en rang. Mon guide me demande de faire de même. D'un seul coup, mon rythme cardiaque s'accélère. Que vais-je lui dire ? Comment va-t-il réagir ? Tenzin Gyatso, le 14e dalaï-lama, avance vers moi, suivi de Tenzin Takhla. Il marche lentement, le sourire aux lèvres, les deux mains se rejoignant en signe de prière et de respect, dans la plus pure tradition bouddhiste. Je calque mon comportement sur celui des moines à mes côtés et me courbe en signe de respect tout en joignant à mon tour mes deux mains au niveau du buste.

À ce moment précis, un sentiment ineffable m'envahit. Je suis impressionné de me retrouver devant le plus haut chef spirituel du bouddhisme tibétain, qui incarne la foi de plusieurs centaines de millions de croyants à travers le monde. Cet homme représente pour moi bien davantage que le leader des Tibétains et du monde bouddhiste. Il est non seulement la personnification de la sagesse, de la compassion, de la non-violence, de la tolérance, du dialogue interculturel et interreligieux, mais surtout un excellent ambassadeur de la paix, l'équivalent de la colombe dans le monde des bipèdes. Ses messages de « responsabilité universelle » résonnent en moi comme la voie à suivre pour l'humanité. Il est aussi l'un des rares leaders spirituels à établir le lien entre évolution de l'individu et évolution du monde. Un saint homme !

Remettant sa robe jaune et marron sur son épaule gauche, il s'approche de moi puis me tend sa main quelque peu tremblotante.

« *His Holiness*…

— Bonjour, jeune homme, mes félicitations pour votre mission. Je n'ai jamais pensé que faire du stop dans le monde entier était chose possible. »

Il s'adresse à moi dans un anglais relativement bon et me regarde droit dans les yeux. Son visage exprime une extrême douceur et une grande humanité. Avec sa bonté du cœur d'une simplicité communicative, son rire sonore et contagieux, il me met tout de suite à l'aise. Son secrétaire particulier lui donne davantage de détails sur mon parcours en tibétain. Il lui parle notamment de mes rencontres avec les enfants du monde entier et notamment celles avec les petits Tibétains de Dharamsala. Sa main ne lâche plus la mienne :

« C'est très bien jeune homme. La solution aux conflits du monde passe par la compréhension de l'interdépendance qui relie les six milliards d'êtres humains. L'altruisme et le dialogue sont les seules solutions. Construire des ponts entre cultures et entre les religions est primordial. Envoyez mon amitié aux enfants du monde, ils sont notre avenir. »

Saisissant ma carte du monde, il s'enquiert ensuite des conditions de mon périple. Il veut connaître les endroits visités, savoir où le stop marche le mieux et si les gens m'ont bien reçu à travers la planète. Je lui réponds en tâchant d'employer un ton à la fois familier et respectueux.

« Et au Tibet ? Ça marche le stop au Tibet ? »

La bonne question, je l'attendais. Que lui dire ? Je n'ai pas le temps de tout lui raconter en détail. Je résume en une seule phrase :

« En évitant les points de contrôle, tous les 100 kilomètres environ, ça va. Les Tibétains sont des gens adorables. »

Il sourit. Lui mieux que quiconque sait que les militaires sont un peu partout sur son territoire.

« J'aime beaucoup voyager, mais pas en stop. Peut-être devrais-je essayer avec vous ? Il rit franchement. Sans doute doit-on rencontrer beaucoup de gens par ce biais… »

Faire du stop avec le dalaï-lama ! Déjà, avec Pongsa à mes côtés en Thaïlande, le stop me paraissait facile, qu'en serait-il avec Sa Sainteté ?

Rencontre avec
le dalaï-lama
et remise de la kata.
[Dharamsala, Inde]

Avant de se quitter sur cette note de simplicité et de connivence, deux moines viennent lui présenter la *kata*, l'écharpe tibétaine en soie blanche de la félicité, dont il se saisit avant de me la mettre autour du cou. Cette écharpe trône aujourd'hui en bonne place dans ma chambre. Une petite photo pour immortaliser cette rencontre, puis nous nous séparons avec une nouvelle poignée de mains et quelques encouragements pour la fin de mon parcours.

De retour au centre-ville, le soleil brille de tous ses feux. Je savoure ma chance en silence. Cet homme s'est en effet comporté avec moi tel « un simple moine », comme il aime se définir. Je n'oublierai jamais la douceur de ses mains, ni son regard rempli de sagesse, de force, de maîtrise mais surtout d'amour. Sans doute l'universalité est-elle dans l'humilité et dans cette compassion qu'il essaie de promouvoir autour de la planète.

Il est temps, à présent, de poursuivre ma route vers l'ouest : Pakistan, Afghanistan, Iran… Les pays à venir m'obsèdent… Avant cela, il me faut retourner à New Delhi, à la fois pour organiser la troisième et dernière journée de rencontre entre ONG et pour récupérer mon visa pakistanais. À en croire les forums de voyageurs que je consulte régulièrement, la tâche ne semble pas bien difficile : « Pour obtenir le visa pakistanais, il suffit de récupérer une lettre d'introduction[37] à l'ambassade de France, puis se présenter avec le document à l'ambassade du Pakistan. Compter deux petits jours pour obtenir le sésame. » Simple formalité ?

37. Document officiel à en-tête de l'ambassade de France stipulant nom, date de naissance, numéro de passeport et, plus important, le fait que je sois autorisé à me rendre au Pakistan. Première fois qu'un tel document m'est demandé.

Foutaise ! C'était sans compter sur l'ambassade de France. À mon arrivée, un fonctionnaire m'informe :

« Désolé, monsieur Hubler, depuis les événements de la Mosquée rouge à Islamabad, nous avons décidé de ne plus rédiger de lettre d'introduction pour le Pakistan. Vous pouvez y aller si vous voulez, mais nous ne rédigerons pas de lettre vous y aidant.

Puis d'enchaîner…

« Vous êtes complètement inconscient de vouloir vous rendre dans ce pays. Ne regardez-vous donc jamais la télévision ? Le Pakistan est un pays en guerre. N'avons-nous pas suffisamment de problèmes sans ajouter le vôtre ? Allez, changez votre parcours et laissez-nous tranquilles. »

Je n'ai pas encore parlé de stop ni de tour du monde, mais cela ne va pas tarder. J'obtiens, après de longues palabres, un entretien avec le numéro deux de l'ambassade, monsieur Fonbaustier. Pour une fois, l'obstination ne paie pas. Celui-ci confirme :

« Monsieur Hubler, j'ai de la sympathie pour votre mission, mais vous n'obtiendrez pas ce que vous souhaitez. S'il vous arrive la moindre mésaventure, nous serons tenus pour responsables. Soyez raisonnable, prenez l'avion, pour une fois. »

Le refus est net, mon insistance serait vaine. J'apprends que la décision est toute récente et vient de l'ambassadeur lui-même sur conseils du Quai d'Orsay, qui souhaite limiter le nombre de ressortissants français au Pakistan pour des raisons de sécurité. Bientôt, plus aucune ambassade à travers le monde ne sera habilitée à délivrer cette fameuse lettre d'introduction. Ce qui veut dire en d'autres mots qu'un citoyen français souhaitant se rendre au Pakistan devra à présent obligatoirement faire son visa depuis la France où la lettre d'introduction n'est pas demandée. Aucune autre option ne sera possible à travers le monde…

Cette frilosité bureaucratique m'agace au plus haut point, mais je ne suis pas du genre à me laisser décourager au premier refus. Suis-je fou ? Pas raisonnable ? Trop têtu ? Trop optimiste ?

Peut-être un panaché de tout cela. Quoi qu'il en soit, je souhaite prendre mes propres responsabilités, suivre mon instinct… Et me rendre au Pakistan. Non seulement parce que je souhaite découvrir ce pays et son peuple, mais aussi parce que je n'ai pas d'autre choix si je veux continuer mon parcours : la traversée du Myanmar par la route est interdite et l'entrée au Tibet ne serait sans doute pas possible à partir de la frontière népalo-chinoise.

Qu'il est loin le temps où l'on pouvait partir le nez au vent sur les pistes du Sahara, dans la cordillère des Andes ou sur les bords du Mékong ! Désormais, qui prétend voyager hors des sentiers battus passe pour une tête brûlée ou un irresponsable. Dans leurs « conseils aux voyageurs », les services de Bernard Kouchner égrènent, pays après pays, les bonnes raisons de rester chez soi. Le monde ne serait qu'une vaste assemblée indisciplinée où règne l'insécurité. Certes, le danger existe et le monde est sans doute moins sûr qu'il y a 25 ans, mais quatre années de voyage m'ont appris à relativiser les informations des médias. Se rendre au Pakistan n'a rien d'une inconscience. Bloquer l'accès à ce pays, c'est empêcher les interactions positives entre individus de cultures différentes, favoriser l'isolement et ainsi, précipiter le pays dans une crise encore plus profonde. Je ne partage absolument pas les vues de mon ambassade.

D'autant plus que je reçois de nombreux appels des membres d'Hospitality Club et de Couchsurfing qui souhaitent me montrer l'hospitalité de leur pays : *« Assalam aleikum ! Welcome to Pakistan. »* Les Pakistanais invitent les touristes du monde entier à venir découvrir leur pays et leur culture. Qui les entendra ? Pourquoi ne nous montre-t-on que les actions regrettables d'une petite minorité non représentative ? Au lieu d'interdire l'accès au Pakistan, j'aimerais au contraire que les ambassades encouragent les élites de demain à y aller, à ouvrir leur esprit, à connaître le vaste monde. J'aimerais rencontrer davantage de diplômés au bord des routes, ailleurs que sur celles de la City ou de Manhattan. Je crois en l'apprentissage par le vécu, et je crois que le seul vrai apprentissage se fait par le voyage. Mon rêve le plus fou serait que tout candidat potentiel à la présidence d'un pays effectue un tour du monde à budget réduit avant de pouvoir poser candidature. Comment peut-on prétendre connaître le monde autour de soi lorsqu'on ne sort jamais des grands hôtels de luxe ?

Retour à la réalité. Côté pakistanais, les longues heures que je passe à attendre au guichet restent vaines également.

« Pas de lettre, pas de visa ! me répète-t-on invariablement. *It's the law !* Aucune exception n'est possible. Vous ne rentrerez pas au Pakistan sans lettre d'introduction. »

Et les petites fenêtres rouillées, protégées par des barreaux, de se refermer devant moi, me laissant sans recours. Après maintes démarches, je parviens enfin à entrer à l'intérieur de l'ambassade-mosquée-forteresse pakistanaise. Parcourant les labyrinthes administratifs, je monte et descends des dizaines d'escaliers et affronte chaque bureau, chaque fonctionnaire qui veut bien écouter ma requête. On me fait signe d'attendre. J'attends encore et encore. Je n'en finis plus d'attendre. J'ai troqué ma montre contre un calendrier.

Mettant à contribution tous mes contacts pouvant user de leur poids, j'obtiens finalement, grâce à un ami, une lettre de l'ambassadeur du Pakistan au Nigeria qui me permet de viser plus haut dans la hiérarchie, toujours plus haut, jusqu'à arriver tout en haut. Après trois semaines de démarches dans tous les sens, l'ambassadeur du Pakistan en Inde me reçoit. La décision de la France de ne plus délivrer cette lettre et d'empêcher ses ressortissants de se rendre au Pakistan depuis l'étranger le surprend, mais cela ne change malheureusement rien à son verdict qui tombe comme un couperet :

« Monsieur Hubler, je ne peux malheureusement rien pour vous. La décision de demander une lettre d'introduction est une décision émanant d'Islamabad, qui vaut pour le monde entier. Bon courage tout de même. » Je ressors de l'ambassade dépité, triste à mourir. Trois semaines d'efforts réduits à néant ! Pour la première fois depuis le début de mon tour du monde, j'en ai assez de voyager. Je suis fatigué, prêt à rentrer à la maison. Deux ans ne m'avaient pas paru suffisants, cinq le seront amplement.

Mais mon calme revient vite. La route enseigne qu'il n'y a pas de situations désespérées, mais seulement des personnes qui désespèrent. J'appelle les ambassades de France au Bangladesh et au Népal. Par chance, cette dernière, sans doute peu habituée à recevoir une telle requête, accepte de me délivrer la fameuse lettre, à condition que je vienne la chercher sur place. Me voilà contraint à un détour de près de 2 000 kilomètres sur des routes défoncées afin d'obtenir cet absurde bout de papier ! Je fonce…

Après 48 heures d'un trajet éprouvant sous une pluie tropicale battante, j'arrive trempé et épuisé. Fort heureusement, le consul n'a pas changé d'avis. Je peux maintenant me rendre dans l'ambassade du Pakistan de Katmandou qui m'établit le visa sans broncher. Je paie les 30 dollars avec un sourire vainqueur et ressors avec un sentiment de joie extrême : celui d'avoir réussi une mission qui était plus que compromise, quasi impossible. Je vais enfin pouvoir entrer en terre musulmane, amaigri, épuisé… Mais heureux…

Chapitre 20

INCURSION AU « PAYS DES PURS »

Pakistan

« Donne leur droit à tes proches, mais aussi aux pauvres et à l'étranger de passage. »

— Coran, sourate 17, 26

Depuis toujours, les relations entre l'Inde et le Pakistan sont tendues. D'un côté comme de l'autre, personne n'a oublié les violents affrontements ayant abouti à la création du « pays des purs » – *pak* pour « pur », *stan* pour « pays » – en 1947, dans le but d'appliquer sur ce territoire un islam « pur »... et dur. Bien qu'ils soient frères de sang et se ressemblent comme deux gouttes d'eau, l'un essaie toujours d'impressionner et de surpasser l'autre, quand il ne s'agit pas de l'écraser. Près de la petite ville de Wahga, à l'unique point de passage entre les deux nations, a lieu tous les soirs une étrange célébration. J'observe ce spectacle avec stupéfaction.

Au coucher du soleil, une foule impressionnante se masse à l'entrée de la zone frontalière, de part et d'autre, munie de drapeaux nationaux. Côté indien, des milliers de femmes en saris de toutes les couleurs se tiennent légèrement à l'écart des hommes entièrement de blanc vêtus. L'objectif de la cérémonie est non seulement la descente du drapeau par les gardes, mais surtout de montrer qui peut crier le plus fort et qui marche le mieux au pas.

Avant l'arrivée des principaux protagonistes, un maître de cérémonie, micro à la main, ameute les foules et les fait reprendre des chants nationaux puis danser sur de la musique traditionnelle. La surprise est immense, j'ai du mal à croire que je suis à un poste de frontière et que je ne vais assister qu'à un baisser de drapeau ! Je me revois dans le stade de la Meinau, lors des meilleures années du Racing club de Strasbourg.

Vêtus de leurs plus beaux uniformes, les gardes entament un défilé au pas cadencé sous les hurlements de leurs supérieurs. Les drapeaux glissent le long des cordes. Le torse bombé, la tête haute, les fiers soldats semblent jouer un rôle qu'ils prennent très au sérieux, redoublant de rivalité. Pas question de se faire ridiculiser par le pays voisin ! Pendant une vingtaine de minutes délirantes, l'ambiance est à la fête sur fond de patriotisme, sans l'ombre de la moindre violence. Je quitte les lieux en me demandant pourquoi toutes les guerres ne pourraient-elles pas être aussi bon enfant.

« Vous, le Français, allez-y. Vous, les deux Chinoises, vous ne passez pas ! »

Les passages de frontière me surprendront toujours. Le douanier me laisse passer à pied parce que je suis Français. Les deux jeunes Chinoises qui m'accompagnent doivent retourner 35 kilomètres en arrière pour traverser la frontière en train. Allez comprendre les traités internationaux !!!

Après les difficultés éprouvées pour obtenir mon visa, je vis cette entrée au Pakistan comme un véritable soulagement, mais teinté d'une certaine appréhension : les nouvelles véhiculées par les médias ces dernières semaines ne sont guère rassurantes. L'attaque par l'armée de la Mosquée rouge, devenue un camp retranché pour des fondamentalistes souhaitant instaurer la *charia* au Pakistan, a laissé une centaine de victimes et un pays traumatisé de voir l'extrémisme religieux grandir jour après jour. Le Pakistan, dont le 11 septembre semble avoir profondément changé le visage, vit une période charnière où l'islam modéré se bat au quotidien contre l'islam radical… À moins que ce ne soit le contraire. L'état d'urgence n'est pas loin, il sera décrété quelques semaines plus tard par le président d'alors, Pervez Musharraf.

Je parcours la trentaine de kilomètres de désert séparant la frontière de Lahore, seconde ville du pays, à bord d'un camion comme seul le Pakistan sait en produire : peint de mille couleurs tape-à-l'œil et hérissé de longues antennes inutiles. À Lahore, les hommes sont habillés avec un *shalwar kameez*, vêtement traditionnel ample qui témoigne du ralliement collectif à l'arabisme. Les femmes portent quasiment toutes le foulard. Certaines sont intégralement drapées d'un voile noir. C'est aujourd'hui vendredi, jour sacré. Les rues sont calmes. L'appel à la prière des *muezzins* est diffusé par des haut-parleurs ; 97 % des Pakistanais sont musulmans et la grande majorité d'entre eux pratiquent avec ferveur.

Déambuler dans le vieux Lahore est un vrai régal. Petites ruelles étroites, beaucoup de vie, des musiciens, des marchands en tous genres, de superbes monuments… Il reste ici et là quelques vaches, mais celles-ci ne sont plus sacrées. Pas de chance pour elles ! Les cochons ont quant à eux complètement disparu du paysage. La banlieue donne un tout autre visage, celui de n'importe quelle grande ville du sous-continent : rues boueuses, logements en ruines, poubelles déversées sur le trottoir.

Au pied d'une petite mosquée, entouré de détritus, j'attends mon hôte, Nabeel, membre de Couchsurfing. Le quartier ne me rassure pas, de nombreux «vénérables», tapis à la main, sortant de la quatrième prière de la journée, me dévisagent d'un air me paraissant peu aimable. C'est que je suis le seul, à des kilomètres à la ronde, habillé à l'européenne. Dois-je avoir peur ? Ah ! Je vois arriver Nabeel d'un pas assuré, habillé de son *shalwar kameez* et portant une petite barbe.

« *Assalam aleikum !* Bienvenue au Pakistan. J'espère ne pas t'avoir trop fait attendre. Viens chez moi… »

Nabeel me prend dans ses bras. Nous n'avons échangé que quelques courriels et je le connais depuis 30 secondes, mais j'ai déjà l'impression d'avoir un ami pakistanais. D'un coup, l'environnement devient plus supportable, je me décrispe.

Il me précède et m'ouvre la porte de son appartement. Je m'attendais à un capharnaüm, du fait de l'environnement extérieur, et je découvre un appartement propre et parfaitement rangé. Murs repeints et immaculés, téléviseur trônant sur un buffet où chaque objet – vaisselle et bibelots – se trouve à sa place, canapé sur tapis… Bref, un intérieur impeccable. Après avoir ôté ses chaussures, Nabeel propose de m'installer sur le canapé. Deux tasses de thé et des petits gâteaux se trouvent déjà sur la table. Le plaisir est grand de retrouver un havre de paix après plusieurs heures passées au milieu des klaxons et de la pollution.

Nos premières discussions tournent autour de la situation sécuritaire au Pakistan et des relations parfois tendues entre le monde musulman et non-musulman. Nabeel fait partie de ceux souhaitant donner une autre image de sa religion et jouer un rôle actif dans la stabilisation de son pays. Il en est convaincu, c'est par les jeunes que cette paix doit passer. Sa façon d'y contribuer, outre le fait de recevoir de nombreux étrangers de passage, c'est le sport. Il part du principe que là réside le meilleur vecteur d'intégration pour les plus jeunes et le meilleur instrument pour aboutir à la paix au Moyen-Orient. Selon lui, un enfant qui dépense son énergie dans une activité physique intense ne l'utilisera pas à se battre. Or, hormis le cricket, le Pakistan ne promeut aucun autre sport. Ainsi lui est venue l'idée de développer le projet Play for peace, un événement sur 15 jours, lors duquel plusieurs milliers de jeunes Pakistanais pourront s'essayer à de nombreuses disciplines sportives.

Ma volonté d'intervenir dans les écoles et les universités l'emballe. Il m'annonce qu'il a décidé de prendre deux semaines de congés afin de mener une action d'ampleur à mes côtés. Le voilà qui appelle une trentaine d'établissements les uns après les autres, puis contacte tous les médias du Pakistan. Un moyen de partager mon tour du monde, mais aussi de faire connaître son propre projet au grand public. Grand communicateur, Nabeel me surprend et me séduit par son audace et son bagout.

Parmi les écoles qu'il contacte, certaines sont très particulières. Grâce à lui, je vais connaître des expériences absolument uniques, que jamais je n'aurais pu vivre seul. Homme intègre et respecté dans son quartier, Nabeel connaît tout le monde, de l'imam au cuisinier en passant par les députés. Son caractère simple, sa volonté d'aller de l'avant et le fait qu'il prenne toujours du temps pour aider la communauté ont fait de lui un être connu et apprécié de tous. Autour d'un thé, il m'explique :

« Ensemble, nous allons nous rendre dans plusieurs *madrasas*[38]. Je dois te prévenir, les jeunes que tu vas rencontrer n'ont, pour la plupart, jamais discuté avec le moindre étranger. Leur vie, c'est le Coran, c'est tout ce qu'ils connaissent. Il est fort possible qu'ils n'aient jamais entendu parler de ton pays d'origine. »

Animer une conférence dans des *madrasas* ? J'ai peine à y croire ! Ces établissements sont généralement très difficiles d'accès pour les non-musulmans, *a fortiori* étrangers. Il existe au Pakistan entre 10 000 et 15 000 de ces écoles coraniques. En Occident, on les assimile à des fabriques de terroristes, *djihadistes* ou *talibans*. En réalité, ce sont avant tout des écoles gratuites, ouvertes à tous, enseignant du matin au soir le livre sacré. La plupart des enfants qui y étudient n'auraient pas les moyens de fréquenter un autre établissement. L'apprentissage du Coran est donc censé leur permettre de distinguer le bien du mal et de se comporter correctement en société. Bien sûr, certaines *madrasas* prônent le radicalisme et la guerre sainte, mais pas toutes, loin s'en faut.

38. Écoles coraniques.

La première *madrasa* que je visite est située dans un quartier de banlieue aux murs décrépits. À l'intérieur, des enfants de 6 à 15 ans, assis en tailleur les uns derrière les autres, se balançant d'avant en arrière afin de mieux retenir les sourates du Coran qu'ils répètent inlassablement à voix haute, probablement sans vraiment comprendre ce qu'ils lisent. J'essaie de ne pas paraître impressionné, mais cette vision me choque et me rappelle ces écoles, en Corée du Nord, où les enfants répétaient à tue-tête des slogans anti-américains ou à la gloire du régime sans même les comprendre. Je déteste l'embrigadement et le fanatisme, qu'il soit religieux ou idéologique. Ils ont prouvé par le passé toute leur force de destruction. La nature nous a donné un cerveau pour le laisser fleurir et développer un esprit critique.

Je me dirige vers l'imam, un homme trapu dont la barbe touche presque le sol, qui vient me saluer par une virile accolade. L'accueil est chaleureux, mais les enfants se demandent manifestement ce qu'un Occidental peut bien leur vouloir.

Nabeel prend la parole. Il assurera pendant toutes mes conférences les traductions, à la fois linguistiques et culturelles. Il se confirme qu'aucun élève ne connaît la France, ni même l'Europe. J'explique mon parcours et ma volonté de fraterniser, en employant des mots simples, pour m'assurer que tout le monde comprenne. S'ensuit la traditionnelle série de questions-réponses. Après quelques questions relatives à mon trajet, un bonhomme haut comme trois pommes lève la main puis demande :

« Monsieur, c'est vrai que chez vous, vous pensez qu'on est des terroristes ? »

Ça commence fort ! Nabeel les a prévenus que toutes les questions étaient les bienvenues, mais je ne m'imaginais pas qu'une telle question allait venir si rapidement et surtout provenant d'un bambin de moins de 10 ans. Il m'est difficile de répondre sans mentir et ce sujet est crucial. Expliquer à cet enfant qu'effectivement, en Occident, l'image des *madrasas* est souvent associée à celle du terrorisme, n'aiderait personne ni ne servirait aucune cause. Elle ne ferait qu'empirer une situation déjà tendue. Je décide d'expliquer que certaines personnes, en Occident et ailleurs, commettent l'erreur de généraliser. Ils peuvent en venir à croire que, parce que certains hommes sortant d'ici posent des bombes, tout le monde est terroriste. Je leur exprime ma conviction que si ces gens venaient ici et se retrouvaient en face d'eux, ils changeraient d'avis. Un autre enfant d'une douzaine d'années me coupe :

« Monsieur, mais c'est les Américains, les terroristes, c'est eux qui veulent détruire nos *madrasas*, c'est eux qui viennent tuer nos familles, c'est eux qui ont peur de l'islam ! »

Sujet toujours aussi sensible. Je cherche soigneusement mes mots pour ne choquer personne. Ce que nous appelons un « terroriste », les Pakistanais l'appellent un « combattant pour la liberté ». Plus qu'ailleurs, la haine des États-Unis est palpable au Pakistan. Une grande majorité de la population a des *a priori* négatifs sur le pays de l'oncle Sam, qui n'ont fait que se renforcer pendant la présidence de George Bush. L'invasion de l'Irak est perçue ici comme une attaque contre le monde musulman et beaucoup affirment que les attentats du 11 septembre 2001 ont été orchestrés par la Maison-Blanche, pour justifier la guerre contre le monde musulman et récupérer l'or noir de la région.

Avant mon arrivée dans cette salle de classe, ces jeunes enfants ne faisaient guère de différence entre un Américain et un Français. Je n'ai jamais eu l'occasion de m'exprimer par un vote sur l'élection de George Bush, mais il n'est pas impossible que j'en subisse un jour les conséquences, simplement parce que ma couleur de peau est la même que la sienne. Triste réalité. L'invasion unilatérale de l'Irak n'est pas qu'une problématique entre deux pays. C'est une histoire entre le monde occidental et le monde musulman.

En face de ces enfants, mon objectif n'est ni de défendre les États-Unis, ni d'abonder dans leur sens, mais plutôt de faire comprendre que les peuples du monde entier ont les mêmes rêves de bonheur, qu'ils ne veulent ni la guerre, ni la violence. Ils souhaitent simplement élever leurs enfants avec amour, tolérance et respect pour la différence. Que cela ne soit pas toujours la vérité n'a pas grande importance, mon objectif est avant tout de tenter d'apaiser une certaine colère générale. Les questions politiques se poursuivent :

« Et t'en penses quoi de la création d'Israël sur "nos" terres ? »

Au Pakistan, comme dans de nombreux autres pays musulmans, la question du conflit israélo-palestinien est connue de tous, même des enfants. En Europe ou aux États-Unis, la grande majorité des jeunes ne savent pas grand-chose de la création de l'État hébreu. En revanche, au Pakistan, les jeunes ne savent peut-être pas très bien compter ou lire, mais ils connaissent sur le bout des doigts l'histoire – ou leur version – de ce qu'ils considèrent comme « la catastrophe » – *nakba* en arabe –, c'est-à-dire la création de l'État d'Israël, en 1948.

Cette question du conflit israélo-palestinien revient régulièrement dans les écoles et durant les interviews, ce qui reflète une préoccupation majeure pour ce peuple. À la radio ou devant les jeunes de la *madrasa*, j'essaie d'insister sur l'avenir plutôt que sur le passé, en ménageant les susceptibilités. Je veille surtout à ne pas prendre parti. Israël et Ismaël avaient beau être deux frères de sang, ils se détestaient… et la haine semble avoir parcouru les siècles. Yerushalom – Jérusalem – veut dire « ville de paix » en hébreu. « Islam » a pour racine *silm*, qui signifie « la paix » en arabe. Puissent ces mots un jour prendre un sens…

Avant de quitter la *madrasa*, l'imam me prend la main et ne me la lâche plus. Il me parle en urdu. Nabeel traduit :

« Il te remercie du fond du cœur d'être venu le voir, ainsi que les enfants. Il pense aussi qu'il faudrait discuter davantage et apprendre à mieux se connaître. Personne ne veut se battre. Allah n'aime pas la guerre. Nous aussi, nous devrions venir vous voir pour dialoguer. Le fait que tu sois venu jusqu'à nous en stop lui fait infiniment plaisir. Les Occidentaux passent toujours dans de grosses voitures blindées. Ils nous montrent qu'ils sont riches et ne viennent jamais nous parler. Merci. »

La séance se termine par une photo de groupe le pouce en l'air et une séance d'autographes. En repartant, je ne peux m'empêcher de repenser à ce Texan rencontré aux États-Unis. Sûr de lui, il éructait entre deux gorgées de bière :

« On ne peut pas dialoguer avec le diable, il faut venir l'arme à la main pour se faire entendre. »

Je ne sais pas si je me suis fait entendre aujourd'hui, mais je suis convaincu que ma présence, les mains vides et le cœur rempli d'espoir de dialogue, a apporté bien plus que si j'étais venu avec une arme à la main ! Je repense aussi à ce jour de novembre 1999 lorsqu'une lettre était venue me dispenser du service militaire obligatoire. Ce jour-là, j'apprenais que je n'aurais pas à servir mon pays une arme à la main. Peut-être que de provoquer ce genre de dialogues est une autre façon de servir ?

Après un dernier thé, je quitte Nabeel, ému de laisser derrière moi un homme remarquable, pour repartir vers le nord. Je garderai de lui le souvenir d'un acteur de paix dont l'unique contentement réside dans la satiété de l'invité, accueilli et révéré comme un envoyé de Dieu. Merci, Nabeel !

❧

Le jour où je quitte Lahore, j'ai l'impression qu'un cataclysme vient de s'abattre sur le Pakistan : plus un restaurant ouvert, des prières dans tous les sens… Le ramadan, l'un des cinq piliers de l'islam, vient de commencer. Il va durer un mois. Tous les jours, de l'aube au crépuscule, les estomacs des musulmans vont vivre un état de siège… Et le mien aussi lorsque j'oublie d'acheter un paquet de gâteaux ou un sandwich la veille. Mon comportement doit se calquer sur celui des habitants. Même si l'on n'est pas musulman, être surpris en train d'avaler quoi que ce soit pendant la journée est très mal vu. Mon trajet jusqu'à Islamabad s'effectue le ventre vide. Aux heures de prière, les autoroutes sont désertées, les voitures se rangent pour débuter les ablutions. Je me retrouve au chômage technique lorsque le *muezzin* lance ses incantations.

Islamabad. « La ville de l'islam[39] », capitale depuis 1970, est une cité moderne et calme aux larges avenues perpendiculaires. Elle n'offre pas grand intérêt, sinon celui de regrouper de nombreuses ambassades. J'en profite pour préparer mon visa iranien, dont l'obtention prend plus longtemps que la moyenne. Mon séjour dans la ville est aussi marqué par une partie de cache-cache avec l'ambassade de France. Celle-ci, ayant appris par la presse mon séjour au Pakistan et mon intention de continuer dans des zones à risque, m'envoie des messages me sommant d'arrêter mon tour du monde, de les contacter au plus vite, enfin de « revenir à la raison » selon les mots utilisés par le consul. Désolé, cher monsieur, je sais que vous faites votre travail, mais laissez-moi faire le mien ! »

Hassan, Khalid, Saeed, Aman, Muhammad, Amina, Nasira… Les jours passent tandis que les rencontres se succèdent. L'hospitalité qui m'est offerte dans ce pays me surprend et me touche d'autant plus. Malgré quatre années et demie de voyage, je continue de bouleverser mes préjugés et stéréotypes… Que ce soit à travers le stop, d'une facilité déconcertante dans ce pays, les invitations à manger ou celles pour dormir, l'hospitalité que je reçois est incroyable. Elle s'inscrit dans la tradition musulmane. Traiter les invités de la meilleure des façons est pour les Pakistanais – et pour les musulmans en général – un art de vivre, un code de comportement social, une tradition.

Cette hospitalité que je reçois n'est d'aucune comparaison avec celle que nous connaissons en Occident, et donne à réfléchir dans un monde où tout se paye. Toutes ces rencontres me renvoient à la conception de l'accueil en France. Lorsque, par exemple, j'entends Tarik, ayant hébergé avec le plus grand plaisir une

39. Abad, « ville » en urdu.

trentaine d'étrangers, me dire qu'il souhaitait venir en France, mais que personne n'a répondu à ses nombreux messages – parce qu'il est Pakistanais ? –, je ne peux m'empêcher de mesurer le chemin que nous avons à parcourir. Et encore, à en croire Khaleed, la qualité de l'accueil ici n'est rien par rapport à celui pratiqué plus au nord, dans les zones pachtounes :

« Là-bas, tu trouveras la meilleure hospitalité au monde », me prédit-il.

La meilleure hospitalité au monde chez les Pachtounes ? Ce nom est plutôt associé, chez nous, à des poseurs de bombes. Rien que pour ça, n'en déplaise au consul et à l'ambassadeur, je me félicite d'être venu. À la sortie d'Islamabad, sur la route en direction de Peshawar, non loin de la frontière afghane, une Honda Civic s'arrête à mon niveau. À l'intérieur, le sosie d'Oussama Ben Laden me sourit :

« Salut, je m'appelle Abdullah Asim Mostapha Nourdeen Al Majhid Khan Ben Gorbadi. Je t'emmène ?

— Salut, je m'appelle… Ludovic, tu peux m'appeler Ludo ! Avec plaisir. »

J'ai appris, au fil du temps, à ne pas baser trop hâtivement mes jugements sur l'apparence physique. Cet homme ne paraît pas rassurant, de prime abord, mais son regard est bon. J'embarque donc à ses côtés, et bien m'en prend ! L'ami « Oussama Abdullah » me permet de vivre une formidable transition vers le monde pachtoune. Il me montre l'Indus, fleuve historique marquant la limite géographique entre l'Asie centrale et le sous-continent – où Alexandre le Grand parvint au terme de son marathon avant de rebrousser chemin –, puis décide d'effectuer un détour de plus de deux heures rien que pour me déposer à Peshawar, capitale de la province de la frontière du nord-ouest au Pakistan.

« Bienvenue dans le monde pachtoune ! J'espère que tu apprécieras l'hospitalité de notre peuple », me souhaite-t-il tout en me serrant dans ses bras.

À Peshawar, on est Pachtoune de père en fils, bien avant d'être Pakistanais. L'hospitalité offerte par ce peuple est effectivement parmi les meilleures au monde, j'en aurai la preuve à de nombreuses reprises. Je suis accueilli ici chez Nadeem, un membre d'Hospitality Club, sosie de Saddam Hussein, cette fois. Il vient me chercher là où mon conducteur m'a posé et m'emmène dans le quartier calme où il vit. Comme Nabeel, Nadeem fait son possible pour me recevoir de la meilleure des manières.

Étrange atmosphère dans cette ville où se mêlent regards chaleureux et hostiles. La tension de la région est incroyablement palpable sur les visages, dans le dédale des rues et des marchés. Mélange de fascination et d'incompréhension, population pachtoune à la personnalité bien trempée, réfugiés afghans… À vrai dire, je ne sais que penser de cette cité bouillonnante. Le conservatisme a pris ici une nouvelle ampleur. Dans les rues, les femmes sont intégralement enveloppées avec des burkas blanches ou bleues. Regard invisible et transparent dissimulé derrière le *moucharabieh* d'une grille qui leur permet de respirer un peu… mais vraiment pas beaucoup – j'ai tenté l'expérience. Quand j'essaie de les photographier, elles détalent comme des lapins, dans de grandes effusions de cris et de gesticulations. J'abandonne vite mes cruelles tentatives.

Le ramadan est suivi de façon encore beaucoup plus stricte que dans le sud du pays. Tous les matins, l'appel du *muezzin* me réveille vers 5 heures. Dès que j'ouvre les yeux, je vois Nadeem prier sur un tapis dont les motifs brodés représentent le pèlerinage à la Mecque. Plusieurs enfants, des cousins, frères ou voisins se mettent en rang à ses côtés. Les génuflexions s'enchaînent alors, entrecoupées par des salves d' «*Allah Akbar*», dans cette salle où flotte une forte odeur de chaussettes. Les versets défilent. Les plus jeunes, âgés d'à peine 5 ans, savent prier comme de vieux religieux musulmans et m'impressionnent par leur connaissance du livre sacré. Une fois la prière terminée, tous ces enfants viennent autour de Nadeem recevoir des leçons gratuites sur l'islam et le Coran. Tous m'impressionnent par le respect qu'ils témoignent envers les anciens.

Nadeem et moi mangeons quotidiennement tous les deux, assis sur le sol du salon, à la manière musulmane, autour d'un plateau de cuivre ciselé de motifs orientaux. Aujourd'hui, le repas se compose de viande de mouton accompagnée de riz en sauce et de légumes bouillis. La femme de Nadeem n'apparaît à aucun moment du dîner; je ne l'ai d'ailleurs jamais vue pendant tout mon séjour, pas même un bout de visage. Les femmes n'ont ici leur place que dans la cuisine et au lavoir, réduites à l'état de «bonne épouse» ou «bonne mère». Je dois me résoudre à ne vivre qu'avec des hommes; ce sera le cas durant de nombreuses semaines. Après avoir préparé le repas, elle frappe discrètement à la porte de la cuisine et son mari se lève pour aller chercher les plats déposés avec soin sur un plateau. Je lui demande:

«Comment as-tu rencontré ton épouse?

— Je l'ai vue pour la première fois trois jours avant le mariage. Nos parents nous ont présentés. Je remercie Allah de son offrande, elle est formidable. Nous avons la même conception du mariage: devoir, fidélité et confiance mutuelle. Elle a abandonné ses études après notre mariage. C'est moi qui l'ai voulu ainsi. Comment vivre avec une femme qui côtoie quotidiennement des garçons à l'université? Nous devons apprendre à nous comporter en bons musulmans, à élever notre enfant et à respecter le Coran. Islam signifie "soumission". Se soumettre à Dieu et lui obéir, tel est le devoir de tout musulman.»

Tout en dînant, j'observe attentivement Nadeem. Il est volubile. Une marque sombre occupe le milieu de son front. La *salat* – les cinq prières quotidiennes – a creusé la partie supérieure de son visage. À 40 ans, Nadeem présente déjà le front cabossé des vieux musulmans, ce qui lui vaut le respect de ses pairs. Il prouve ainsi qu'il n'oublie jamais une seule prière. En rigolant, il m'explique que certains se font faire cette marque au front simplement pour être bien considérés.

La plupart de mes discussions au Pakistan portent sur l'islam. Lors de mon séjour à Djakarta en Indonésie, un homme très éduqué m'avait prédit :

« Tu sais Ludovic, toi, tu ne deviendras peut-être pas musulman. Ton fils peut-être pas non plus, ton petit-fils, peut-être pas encore, mais sache que ta descendance deviendra musulmane, c'est écrit, l'avenir est à l'islam. »

Cette affirmation venant de cet homme pourtant très ouvert sur le monde m'avait marqué. Depuis, je demande souvent à mes interlocuteurs musulmans ce qu'ils pensent de cette assertion. Est-ce un point de vue personnel ou une volonté réelle de tout un peuple d'islamiser la planète ? Nadeem m'exprime son avis :

« Ludo, regarde bien en face ta civilisation. Vous bénéficiez effectivement de la liberté et d'un certain bonheur matériel, mais regarde le nombre de dépressifs, d'hommes trop stressés ou ayant perdu leurs repères et ne croyant plus en rien. Regarde le nombre de gens qui ne trouvent plus leur place dans la société et qui se suicident. Regarde la débauche dans l'alcool, la drogue et la prostitution qui commence toujours plus jeune. Regarde le nombre d'homosexuels et de transsexuels. Regarde le manque de respect des jeunes envers les anciens. Regarde l'hospitalité que vous offrez. Regarde bien tout cela… L'islam offre une structure. Dans l'islam, il n'y a plus à penser, la parole vient d'en haut. Les obligations du croyant sont strictes mais limitées : la profession de foi, cinq prières par jour, l'aumône obligatoire, le Ramadan et le pèlerinage à la Mecque. L'islam offre une communauté, la sécurité physique et morale, une orientation, un destin, un mari ou une femme pour ceux qui n'en ont pas. Tout est balisé. Les gens ont besoin d'être cadrés, qu'on leur donne des limites d'action. Ils cherchent de plus en plus de la spiritualité dans leur vie, une raison de vivre, une raison de se lever le matin.

« L'islam offre cette spiritualité et ces règles de vie dont tant de gens ont besoin. Cependant, un bon musulman n'obligera jamais personne à croire en sa religion. L'islam est tolérant. Le monde adoptera l'islam sans violence et sans que quiconque ait forcé quoi que ce soit. Les futurs croyants y viendront d'eux-mêmes parce qu'ils se rendront compte que cette religion répond à leur besoin. Alors, pour répondre à ta question : oui, je pense que l'avenir est à l'islam, c'est écrit dans le Coran.

— Crois-tu que nous allons vers un choc de civilisations, comme beaucoup le proclament ?

— Non, je ne pense pas. Je crois que le monde deviendra musulman, c'est mon droit, mais qu'aucune violence ne sera nécessaire pour y arriver. L'islam n'est pas une religion guerrière. Regarde tous ces gens prier autour de toi : ils croient tous dur comme fer que le monde deviendra musulman tôt ou tard, mais personne ne va forcer qui que ce soit. N'aie donc pas peur…

— J'aimerais entendre ton avis sur ceci. Un ami autrichien a une copine indonésienne. Ils sont amoureux l'un de l'autre, ils veulent se marier mais la famille de la fille n'accepte le mariage que si mon ami se convertit à l'islam, ce qu'il n'est pas prêt à faire. La fille est aujourd'hui prise entre l'amour pour les parents et l'amour pour son copain. Que penses-tu de cette situation ?

— Le Coran indique que l'homme doit se convertir, alors il doit le faire. Sinon, le mariage n'est pas possible. Et s'il n'est pas prêt à le faire, c'est sans doute que son amour n'est pas assez fort.

— Et le fait que dans certains pays, on condamne à mort un homme musulman souhaitant se convertir à une autre religion, qu'en penses-tu ?

— Situation difficile. D'après le Coran, il est impossible d'abandonner l'islam… »

Voilà le genre de discussions que je provoque fréquemment pendant mon séjour pakistanais. L'homme musulman apprendra-t-il un jour à penser par lui-même, au-delà des livres soi-disant sacrés ? C'est tout le souhait que j'émets pour le futur de l'humanité... Puissent aussi les adorateurs ne jamais oublier que l'objectif des religions est de rassembler les hommes et non de les diviser, comme en témoigne l'origine du mot *religare* : « Relier. » En attendant, islamisation du monde ou non, l'islam deviendra mathématiquement la première religion du monde aux alentours de 2030, du fait d'un taux de natalité bien plus fort que celui des chrétiens. À titre indicatif, l'islam compte aujourd'hui 1,3 milliard de fidèles contre 2 milliards pour le christianisme, dont 1,1 milliard de catholiques.

Après une semaine passée chez Nadeem, lors de laquelle j'ai notamment eu l'occasion de célébrer l'Aïd, la fin du Ramadan, il me faut prendre une importante décision pour la suite de mon périple : vaut-il mieux partir vers l'ouest et traverser le Baloutchistan, zone tribale pakistanaise à risque, ou partir vers le nord et traverser l'Afghanistan, pays souvent considéré comme le plus dangereux au monde ? La peste ou le choléra ? Le gaz ou la corde ? Le choix est cornélien mais une décision s'impose dans les plus brefs délais. S'ensuivent de longues heures de tergiversations devant ma carte d'Asie centrale, en tentant de n'oublier aucun des nombreux facteurs : trajet et sécurité, délais d'obtention des visas, formalités administratives... Je passe de longues heures devant mon écran à glaner et trier l'information la plus récente et la plus réaliste sur la sécurité des deux endroits.

Depuis déjà plusieurs mois, je suis à l'affût des renseignements les plus fiables pour étudier la faisabilité d'une éventuelle traversée de l'Afghanistan. Les premiers avis tombent, puis d'autres : tous convergent vers le même sens, négatif. Trop dangereux, situation trop instable, politique imprévisible... Certains propos sont alarmistes : « Cela relève de l'inconscience », ou encore : « Tu es complètement fou, pense à tes proches, aux enfants de l'hôpital. » La difficulté de discernement réside simplement dans la source d'information. Je le sais, les ambassades sont volontairement alarmistes. Je le sais aussi, la plupart des gens en France ne connaissent de l'Afghanistan que ce que raconte le journal de 20 heures, c'est-à-dire les enlèvements, dont la grande majorité a lieu dans la province d'Helmand, dans le sud-ouest du pays, que je ne souhaite en aucun cas traverser. En revanche, les avis de journalistes, de locaux et d'expatriés connaissant l'Afghanistan me paraissent plus crédibles.

Deuxième option, le Baloutchistan. Cela représenterait un raccourci pour revenir en France. Le facteur sécurité est ici aussi à prendre en compte, notamment dans la région de Quetta, proche de la frontière afghane. Après quelques jours de réflexion, je choisis l'option «Afghanistan».

Cela paraît risqué, mais faisable. Afin de limiter le risque d'être une cible trop facile pour les *talibans*, j'y ferai du «stop organisé», c'est-à-dire que je chercherai une voiture, dès Peshawar, qui ira directement jusqu'à Kaboul. Hors de question de me retrouver pouce tendu au bord des routes afghanes ! L'aventure, oui. Le suicide, non. Je contacte alors les compagnies de transport assurant régulièrement de tels allers-retours, mais les réponses sont toutes négatives :

«Il y a deux choses que nous ne prenons pas dans nos camions : de la drogue et des Occidentaux», me résume le gérant d'une compagnie de transport pakistanaise, sourire aux lèvres.

Personne ne veut se risquer à prendre un Occidental à bord. La probabilité que des *talibans* arrêtent les voitures sur la route que je compte emprunter est faible, mais pas inexistante, d'autant plus que la zone tribale que je vais traverser avant d'arriver à la frontière afghane semble sur le point de basculer du côté des radicaux. L'intégrisme s'installe. La question des *talibans* – «étudiants en théologie islamique» – qui était à la base le problème de l'Afghanistan, est désormais aussi celle du Pakistan. Preuve en est l'événement qui se produit durant mon séjour dans la ville de Mardan, à une heure de Peshawar où une trentaine de jeunes ont attendu la fin de l'office religieux pour faire savoir à l'assistance qu'à dater de ce jour, ils se donnaient les moyens de rétablir la justice dans une zone où les voleurs et criminels restent souvent impunis. Peu après, dans un salon de coiffure dans lequel je me rends, une affiche toute fraîche indique en langue *urdu* que le port de la barbe est désormais obligatoire… Aucun doute : la « talibanisation » de la région est en marche !

Mais ce que j'observe surtout, pour l'instant, c'est un grand mouvement d'entraide en ma faveur. Nadeem appelle ses amis, qui à leur tour appellent les leurs. Chacun veut aider à la poursuite de mon tour du monde et se mobilise pour me trouver un conducteur ralliant directement Peshawar à Kaboul. Les réponses négatives se succèdent. J'envisage de lever le pouce et de me rendre jusqu'à la frontière puis de là, essayer de trouver un véhicule, comme en Colombie.

On me le déconseille formellement. Les Autochtones se trouvant autour de la frontière auraient vite fait de me kidnapper pour me revendre aux *talibans* qui n'attendent que cela : avoir entre leurs mains un jeune Français. Je persévère dans l'idée du trajet direct Peshawar-Kaboul. Trois jours d'attente commencent à me décourager, avant qu'un dentiste afghan répondant au nom de Naïm me fasse savoir qu'il rejoindra Kaboul en voiture dans les prochains jours et qu'il accepte de m'emmener, à condition que mes documents soient en ordre. L'homme me semble digne de confiance. J'accepte avec la plus grande joie.

Contrairement au visa pakistanais, le visa afghan s'obtient en deux temps, trois mouvements. Un petit entretien avec le consul, surpris de voir un voyageur souhaitant s'engouffrer dans la fournaise, et hop, un nouvel autocollant vient s'ajouter sur les pages de mon troisième passeport depuis le départ. « Nous ne sommes responsables de rien s'il vous arrive quelque chose », s'empresse-t-il de me préciser. Soit. À peine sorti du consulat afghan, je suis confronté à l'ISI, les services secrets pakistanais. Ces hommes en civil sortent une carte officielle de leur poche :

« Passeport, s'il vous plaît ! »

Que me veulent-ils ? C'est parti pour un interrogatoire poussé.

« Qui êtes-vous ? Que faites-vous au Pakistan ? Qu'allez-vous faire en Afghanistan ? Pour qui travaillez-vous ? »

Les trafics d'armes et de drogue sont le lot quotidien de ces policiers. Un petit coup d'œil à mon classeur de photos… et ils me laissent partir. Je rejoins Naïm et m'apprête enfin à quitter Peshawar. Avant cela, il nous faut embarquer mon garde du corps. La présence d'une escorte appartenant aux *khyber rifles*, régiment d'élite en charge de la sécurisation de la Khyber Pass depuis le 19e siècle, est obligatoire pour les étrangers. Cela ne m'enchante guère, mais je n'ai pas le choix.

Aux portes de Peshawar, nous subissons un dernier contrôle de la police pakistanaise. À partir de cet endroit s'étendent les zones tribales à la réputation sulfureuse. Les mouvements extrémistes religieux ont transformé en bastions retranchés et zones de non-droit ces régions du nord-est du Pakistan. Le gouvernement n'y a plus prise. Ces régions échappent à la juridiction pakistanaise en vertu de la *British Rule*, une loi datant de l'empire des Indes.

Stop dans les zones tribales, zone frontalière.
[Pakistan]

Dans ces lieux de contrebande et de trafic en tout genre – opium, kalachnikovs et autres lance-roquettes – sont vendus en toute impunité. Des chefs omnipotents décident du sort des membres de leur tribu, des codes d'honneur régissent le droit de vie ou de mort. Une véritable jungle coupe-gorge qui sert de base arrière à des *talibans* exilés et des islamistes « allumés ».

Naïm me propose d'aller au Smuggler Bazar, un lieu de négoce unique au monde, théoriquement interdit aux étrangers. Je pénètre dans le royaume des trafiquants de tout poil. Au milieu des barbus, je joue au dur et me fonds dans la foule. J'évite autant que possible les regards que je croise et mime le comportement de mon conducteur. Habillé moi-même en *shalwar kameez* et portant une barbe de trois mois, j'ai sensiblement la même apparence que Naïm et des gens que nous croisons. Ma pilosité joue en faveur de ma sécurité. Une rivière de turbans coule à flot dans les ruelles. Des bouts de barbes emportés par le vent viennent se frotter contre la mienne. L'endroit est hostile mais personne ne me pose problème. Chacun vient réaliser son petit trafic en toute quiétude, sans craindre une intervention de la police.

J'ai révisé mes classiques et connais par cœur la phrase magique : *laa ilāha illa Allāh, wa Muhammad rasūl Allāh*[40]. Je suis prêt à l'utiliser à la première occasion. Connaître cette phrase m'a aidé, à plusieurs reprises, à me faire accepter comme un frère. Des contacts froids et menaçants sont vite devenus fraternels grâce à la connaissance de la profession de foi musulmane.

Les armes sont ici en vente libre : grenades, lance-roquettes, kalachnikovs… Tout est à disposition. Il ne vous en coûtera que 30 à 50 euros pour une réplique parfaite d'un pistolet Beretta de fabrication locale. Vous pourrez l'emporter dans la rue, personne ne vous dira rien. Dans les zones tribales, le port d'arme est autorisé depuis des siècles. Durant l'empire colonial, les Britanniques n'ont jamais réussi à l'interdire, ni même à

40. « Il n'y a de vraie divinité que Dieu et Mahomet est son messager. »

coloniser ces montagnards pour qui porter une arme est un signe de reconnaissance. Ici, on naît guerrier et l'on reste guerrier toute sa vie.

Un vendeur me prête sa Kalachnikov pour une auscultation rapprochée. L'engin de mort est chargé, j'ai l'index sur la queue de détente, canon pointé en sa direction. Aucune réaction de sa part. Les armes n'impressionnent plus personne dans cette région. Un peu plus loin, la drogue se négocie au kilo ou en quantité plus discrète pour l'exportation. On négocie au vu et au su de tous en roulant les «r» comme savent si bien le faire les Pakistanais :

«Hey, mister, what do you want? Morphine? Heroin? I have everything...»

Assis sur des tapis afghans, les clients se voient offrir tous les échantillons de marchandises qu'ils désirent fumer, voire s'injecter. Un vendeur m'en propose un qu'il me glisse fermement dans la main. Je lui rends sa marchandise d'un geste amical mais tout aussi ferme. Dans cette région, la drogue fait partie intégrante de la culture locale. Naïm me traduit quelques enseignes surréalistes qui indiquent : «Haschisch disponible, jusqu'à 50 kilos.» Bienvenue au Cannabistan ! Ici, comme en Inde, la résine de cannabis est consommée en cigarettes ou *shiloms*, ces petites pipes de terre cuite en forme d'entonnoir. Le haschich peut aussi être dissous dans du thé, mélangé aux gâteaux ou aux crêpes, selon l'imagination.

Naïm ne cherche pas d'armes et n'a pas de comptes à régler : il vient régulièrement au Smuggler Bazar pour acheter d'énormes mâchoires en stuc, des dents en or, dorées, en argent, en plastique... Il estime que l'endroit est parfait pour obtenir de bons prix. Revendre sa marchandise aux dentistes de Kaboul lui permet d'arrondir ses fins de mois. J'assiste à une âpre négociation pour une mâchoire dont il fait singulièrement baisser le prix. Il en ressort satisfait.

Nous repartons vers la mythique Khyber Pass, l'un des cols les plus célèbres de l'histoire, en plein cœur des zones tribales, dont la traversée me laissera un souvenir chargé d'adrénaline. Subtil mélange d'angoisse et d'excitation sur cette cinquantaine de kilomètres dans les montagnes escarpées, pour rejoindre la frontière afghane. Sur les côtés de la piste défilent les villages des zones tribales, aussi intrigants qu'inaccessibles. De l'extérieur, ceux-ci semblent être peuplés uniquement d'hommes, les femmes n'ayant souvent pas le droit de sortir de leur habitation. Comme si la moitié de la population s'était évaporée. Parmi ces hommes, je découvre avec surprise la présence de quelques blonds aux yeux bleus au milieu des barbus. Naïm m'explique que cette particularité remonte à l'époque de l'invasion du roi de Macédoine, Alexandre le Grand.

La route semble paisible mais soudain, un incident me sort de ma quiétude. Stupeur ! À deux kilomètres de la frontière, voulant passer à côté d'un camion, la voiture de Naïm se bloque sur une grosse pierre qu'il n'avait pas vue. S'il existait un endroit sur terre où je ne voulais pas rencontrer de problème mécanique, c'était bien ici. Il me faut sortir et pousser. Rapidement, quatre, cinq, six, dix Pachtounes aux barbes plus longues que les autres abandonnent leurs ânes et viennent m'entourer. Accélération subite de mon rythme cardiaque. Sans dire un mot, sans poser de questions, sans même me regarder, ils poussent de toutes leurs forces jusqu'à ce que la voiture puisse enfin repartir, puis s'éparpillent aussi simplement qu'ils étaient venus. Serviables, discrets… Voilà le vrai visage des Pachtounes, que leur main sur le cœur symbolise si bien.

Au loin se profile la frontière afghane…

Chapitre 21

AU CARREFOUR DE L'HISTOIRE : TRAVERSÉE DE L'AFGHANISTAN

Afghanistan

« Lorsque le voyageur venu du Sud aperçoit Kaboul, il se flatte d'être arrivé au bout du monde. [...] Il vient au contraire d'en atteindre le centre. »

— Nicolas Bouvier, *L'usage du Monde*

Torkham. Poste-frontière pakistanais, 14 heures.

Deux minutes pour entrer au Pakistan, une heure pour en sortir ! D'une nonchalance exaspérante, le douanier contrôle mes papiers à la « vitesse de l'obscurité ». Je rumine en regardant Naïm qui m'attend à l'extérieur mais le douanier semble vouloir cultiver l'éloge de la lenteur sous son ventilateur ronflant. Je trépigne d'impatience à l'idée de repartir et pouvoir arriver à Kaboul avant la nuit.

Quand enfin la barrière se lève. L'âme de l'Afghanistan s'ouvre à moi. *Yallah !*

Bienvenue
en Afghanistan.

L'impatience dont je fais preuve ne saurait occulter mon appréhension. Mon cœur commence à tambouriner et mes tempes à bourdonner, le tout sous le ruissellement de la sueur. En toute honnêteté, l'insécurité m'angoisse. La route reliant Torkham à Kaboul est réputée dangereuse. On m'a rapporté l'existence de mines pouvant être déclenchées à distance sur plusieurs parties de la route. Info ou intox ? Peu importe, sans tomber dans la psychose, la prudence s'impose.

Dans la voiture, je harcèle Naïm de questions. Je veux tout savoir sur son pays et sa vision de l'intervention de la force internationale. Je poserai cette question à beaucoup d'autres Afghans durant mon séjour :

« Que pensaient les Afghans au moment de l'intervention américaine en 2001 ?

— Quasiment tout le monde était heureux lorsque les Américains sont arrivés. Pour te donner quelques exemples, sous le régime des *talibans*, la musique était strictement interdite, nous n'avions le droit d'écouter que les sourates du Coran. Le jour de l'invasion, tout le monde chantait et dansait dans les rues. Le cerf-volant, passe-temps favori des enfants, était prohibé car les *talibans* considéraient qu'il nuisait à l'étude du Coran. Le jour de l'invasion, tous les enfants ont ressorti leurs cerfs-volants et ont joué pendant de longues heures. Pour les femmes, le vernis à ongles était interdit sous peine de se faire couper les doigts. Le jour de l'invasion, de nombreuses femmes en ont mis. Il n'y a aucun doute, Ludovic, les Afghans étaient heureux en 2001, mais maintenant…

— Maintenant ?

— Maintenant, ils ont perdu espoir. Ils croyaient sans doute que tous les problèmes allaient se résoudre en 20 minutes et ça n'a pas été le cas. L'Afghanistan est un pays dévasté. Tout ne peut pas être réparé ou remplacé du jour au lendemain. Les Afghans commencent progressivement à douter, à penser que la force internationale n'est pas une force de maintien de la paix, mais une force d'occupation, parce que notre pays est situé à un endroit stratégique entre l'ex-Union soviétique, la Chine, le Pakistan et surtout l'Iran. La misère, l'insécurité et l'injustice sont toujours présentes et en plus, ils ont peur.

— Que faire alors ?

— Il n'y a pas de bonne solution. Si la communauté internationale s'en va, les talibans reprendront le pouvoir en deux jours et ce sera le bordel. Si la communauté internationale reste, les gens auront l'impression d'être occupés et ce sera aussi le bordel. Vaut-il mieux être malheureux avec des étrangers sur le territoire ou malheureux sans ? C'est la question que se posent de nombreux Afghans. Pour être honnête, je crois que les Afghans accepteront la présence étrangère pendant encore quelques années mais si l'insécurité demeure, il se peut qu'ils souhaitent leur départ.

— Comment les gens percevraient-ils un retour des *talibans* ?

— D'un côté, ils seraient très tristes parce que cela voudrait dire qu'il leur faudrait à nouveau abandonner toutes leurs libertés. D'un autre côté, malgré toute leur cruauté, les *talibans* avaient apporté deux choses essentielles qui manquent cruellement aujourd'hui : la justice et la sécurité. Le défi est grand pour la force internationale.

Le mot « justice » me choque. Le souvenir que j'ai des *talibans*, ce sont ces femmes lapidées dans des stades à des mi-temps de matchs de football, des petites filles à qui on coupe le bout des doigts parce qu'elles ont mis du vernis à ongles... Peut-on appeler cela la justice ? Je reprends :

— Que faut-il faire pour lutter contre les insurgés islamistes ?

— Tu sais, c'est une guerre difficile, d'un nouveau type. L'ennemi est omniprésent mais invisible. Quand la France se battait contre l'Allemagne, c'était facile. Vous saviez qui était votre ennemi, il portait un uniforme. Vous saviez ce qu'il voulait. Là, on ne sait pas qui est ennemi ou ami, ni ce que veulent exactement les ennemis. Certains se battent parce qu'ils veulent que les *talibans* reviennent au pouvoir. D'autres pour mener le jihad. D'autres encore parce qu'ils n'aiment pas les Occidentaux ou pour de sombres histoires de territoires. Chacun a ses raisons. Une chose me paraît importante, que les Américains, notamment, ne semblent pas avoir comprise, c'est que dans ce type de guerre sournoise, il faut convaincre la population locale que la coalition est de leur côté. Il n'y a pas de victoire possible sans le soutien de la population.

« Or, ce n'est absolument pas le cas aujourd'hui. La population n'aime plus les soldats étrangers. Ils sont arrogants et parfois méchants. Ils arrivent avec leurs grosses armes dans les maisons et menacent tout le monde sans respecter la moindre coutume. Parfois, ils tirent d'abord et posent les questions ensuite. Souvent, les civils sont des victimes « collatérales » des bombardements aériens. Il y a eu trop de contrôles brutaux, trop de frappes ratées. Bien sûr, des compensations financières ont été données aux victimes mais le pardon ne s'achète pas. Si la mission échoue, ce ne sera pas uniquement la faute des *talibans*, crois-moi. En Afghanistan, il faut comprendre qu'un invité c'est sacré, tu as dû t'en rendre compte. Qu'il s'appelle Oussama Ben Laden ou Ludovic Hubler, on le traite bien. Le devoir d'hospitalité est la base de notre culture. Les soldats devraient prendre des leçons sur notre culture, être moins violents dans leur approche et expliquer dans les villages que leur but n'est autre que le maintien d'une certaine stabilité. Les Afghans ont peur de tout et de tout le monde maintenant, ils n'ont plus confiance en personne. On les cajole un jour, on les maltraite le lendemain. »

Cinq minutes passent. Naïm me montre un exemple concret pour illustrer son propos : un soldat américain sur le toit d'un char fait signe d'un pouce levé à un Afghan de passage. Il croit peut-être lui dire *it's OK*, que tout va bien, seulement, en Afghanistan, comme en Iran, ce geste est considéré comme une insulte…

Je reprends ma salve de questions :

« Et les ONG, comment sont-elles perçues ?

— Plus ou moins bien. Certaines aident vraiment les Afghans et tout le monde leur en est reconnaissant. D'autres sont cependant considérées comme des vaches qui boivent leur propre lait. La majorité de leur budget passe dans l'achat de gros 4x4 qui parcourent les villes et dans des salaires 100 fois supérieurs au salaire moyen afghan.

— Et Ben Laden, il est où ?

— Il ne doit pas être bien loin. Peut-être te prendra-t-il en stop ? » Après trois heures de route, une halte repas s'impose dans la ville de Jalalabad. Ma tenue locale et ma barbe bien fournie continuent de fonctionner à merveille. Personne ne vient m'embêter et je me joins à la foule en pleine allégresse. Les portraits sont saisissants, avec ces « gueules » rudes et fières, la tête ceinte de turbans gris. Les Afghans mettent un point d'honneur à être toujours bien vêtus. Exhibant leur kalachnikov, ces hommes donnent l'impression que l'âme guerrière fait partie intégrante de l'identité nationale. Suivant les recommandations de Naïm, je ne fixe personne du regard pour éviter d'être repéré. J'emboîte une nouvelle fois son pas et déguste mon premier *kabouli pilau*, plat traditionnel afghan. Un vrai régal. Le serveur me défie du regard, puis, d'une voix imposante résonnant dans tout le restaurant, m'interpelle :

« Vous ! Journaliste ?

— Non, touriste. »

Le reste du restaurant se retourne comme un seul homme.

« Vous ! Journaliste !

— Non, touriste français. »

Il refuse de me croire. D'un ton plus agressif, il me demande :

« Vous ! Américain ? Anglais ?

— Non, Français. France !!! »

Conversation de regards virils me donnant une idée de la fierté et du sens de l'honneur afghans. Trois secondes de silence… puis éclat de rire général. L'ambiance se détend d'un coup.

« *Welcome to Afghanistan !* me dit un vieil homme derrière moi. France, good ! »

Décidément, ma nationalité m'aura souvent aidé pendant ce tour du monde, bien que la France fasse partie de l'ISAF, la force d'intervention internationale qui sillonne le pays. Les touristes ne sont pas légion par ici. Les étrangers sont en général soit membres d'ONG, soit soldats. Naïm explique à toute la salle mon projet de tour du monde, sous le regard éberlué de tous les barbus.

« *Good, good !* » disent-ils en chœur avec des sourires édentés masqués en partie par de gros poils parfois noirs, parfois blancs.

Nous reprenons la route, le ventre plein. Sept heures se sont écoulées depuis notre départ de Peshawar et enfin, Kaboul se dessine dans le lointain. La route toute neuve – la force internationale a construit près de 4 000 kilomètres de voirie depuis 2001 – laisse place à une piste défoncée. Ma première vision de Kaboul est pleine de mystère. Les lumières roses du crépuscule se reflètent sur les montagnes, le ciel orangé tarde à s'obscurcir, balayé par les bourrasques de vent. Les fines particules de poussière en suspens n'altèrent pas la vision de ce spectacle grandiose et dantesque. Les cerfs-volants flottent dans les airs, symbole de la reconstruction d'une ville détruite par 30 ans de guerres successives.

Kaboul tient dans ses murs toute son histoire. De nombreux impacts de balles sur les façades témoignent des années de guerre civile qui ont jalonné l'histoire de l'Afghanistan depuis 1980. Le pays a survécu aux guerres et aux tremblements de terre à répétition. Des stigmates indélébiles demeurent aussi dans le cœur de ses habitants. Plus de la moitié des Afghans a moins de 25 ans et n'a connu quasiment que la guerre.

Malgré les craintes de la population, la reconstruction est visible. De nouveaux bâtiments, centres commerciaux, hôtels, fleurissent à tous les coins de rue. Des améliorations inimaginables au temps des *talibans*. Les gens reviennent en ville trouver du travail : de 500 000 habitants avant 2001, Kaboul est passée à 4 millions de résidents aujourd'hui. Les investissements étrangers sont nombreux, la croissance est à deux chiffres et le marché afghan est actuellement considéré comme le plus florissant d'Asie centrale. Tout est à rebâtir. Un retour des *talibans* annihilerait tous ces efforts qui portent leurs fruits petit à petit.

D'une certaine manière, l'Afghanistan me rappelle la Colombie. Le terme « terrorisme » a remplacé le mot « guérilla » ; la culture du pavot, celle de la coca ; les *talibans* gagnent trois fois plus que les militaires, tout comme les guérilleros gagnent davantage que les «réguliers», grâce aux trafics illégaux et aux séquestrations juteuses. Dans les deux pays, le trafic et la culture de la drogue alimentent la déstabilisation du processus de paix et la reconstruction. Ici comme là-bas, les paysans préfèrent les cultures illégales à celles du blé ou du café, nettement moins profitables. En Afghanistan, la production d'opium a presque triplé depuis 2001. Selon un rapport des Nations unies, elle représenterait désormais 93 % du marché mondial !

Mon lieu de rendez-vous avec Antoine, mon hôte à Kaboul, est un bar-restaurant d'expatriés. Les Français y boivent leur pastis, les journalistes y rédigent des articles sur leurs ordinateurs portables. L'endroit ne paie pas de mine : à l'extérieur, une simple porte en fer, mais à l'intérieur, c'est un véritable havre en terrain de guerre. Lumière tamisée à chaque table, piscine bleutée et luminescente, atmosphère des plus relaxantes, accès wifi... Le contraste avec l'extérieur est saisissant.

Dix jours, voilà le temps que je m'accorde pour découvrir la ville, être reçu dans des écoles et obtenir plusieurs visas nécessaires à la suite de mon parcours. Je profite aussi de ces 10 jours pour renouer avec l'ambiance «expats» que j'avais mise de côté depuis de nombreuses semaines. Kaboul draine une population hétéroclite et intéressante. Membres d'ONG, personnel des Nations unies ou des ambassades, hommes d'affaires, reporters... Chacun a une histoire, un parcours, une tranche de vie à raconter.

Au fil des jours que je passe en leur compagnie, je m'aperçois que je suis le seul à me balader librement dans les rues de la ville. On me traite de fou, de tête brûlée ou encore d'inconscient, car le règlement de la plupart des ONG internationales, des ambassades et des Nations unies, interdit formellement à tout employé de se déplacer seul dans la ville. Chauffeur, au volant d'un quatre roues motrices aux vitres fumées, sans plaque d'immatriculation, recommandé. Je préfère suivre mon instinct et découvrir la ville à ma façon. Je pense d'ailleurs être beaucoup moins visible seul, avec mon apparence afghane, que protégé par des gardes du corps.

Mes rencontres avec le peuple sont surprenantes et se terminent fréquemment par des fous rires, comme avec Abdul, un marchand de perruches qui s'approche de moi :

« C'est 1000 *afghanis*, 20 dollars. »

Quand il remarque que je ne suis pas intéressé, il m'invite à prendre le thé dans sa pièce voûtée.

« Permettez-moi de me présenter : Oussama Ben Laden. »

Il désigne un deuxième homme qui tient un pinson entre chaque doigt.

« Et lui, c'est le *mollah* Omar, le chef des *talibans*. »

Tous les deux sont pliés de rire. L'homme me sert du thé et hurle vers la ruelle :

« Et eux là-bas, Al-Qaïda ! Ils font tous partie d'Al-Qaïda ! »

Même les oiseaux se joignent à l'hilarité générale. Est-ce de l'humour noir ? Du sarcasme ? Je n'en sais rien mais les blagues sur les protagonistes de la crise afghane sont fréquentes dans les rues de Kaboul. Dans un autre style, Ahmad, marchand de fruits, insiste pour m'offrir trois bananes après m'avoir fait essayer le turban gris qu'il portait sur la tête.

Je les accepte contre un thé que je lui offre dans un restaurant populaire à proximité. Malgré la barrière de la langue, nous parvenons à parler de nos familles, du football, de mon pays, du sien, de la vie. Avant de nous quitter, nous prenons une petite photo qu'il montre à tous ses amis qui pouffent de rire et se moquent de la position de ses dents.

Pays en guerre ? Pays en paix ? Malgré une tension palpable, les Afghans ne se départissent pas de leur amabilité. Je m'attendais à un climat de franche hostilité dans les rues de Kaboul, il n'en est rien. On me gratifie de nombreux

Welcome to Afghanistan qui me font chaud au cœur, on m'invite régulièrement à partager le plat commun. Quel bonheur d'être là en électron libre et de ne pas devoir obéir à un quelconque règlement intérieur ! Je savoure ma chance. Rien de tel que d'être un touriste en Afghanistan, l'expérience n'est en rien comparable à celle que vivent les employés cantonnés dans leur monde sursécurisé. Je ne gagne pas un sou, mais je m'éclate. Je comprends tout à fait la volonté des Nations Unies ou celle des ambassades de protéger leurs employés, mais je ne peux m'empêcher de trouver cette distance, ce mur installé entre les Blancs et les Afghans, bien triste. Les uns et les autres semblent appartenir à des planètes et à des époques différentes. Il serait cependant dangereux d'oublier que je me trouve en Afghanistan et que la possibilité de rencontrer un illuminé capable de sc faire exploser à mes côtés ou de me kidnapper fait partie du domaine du possible. Je reste toujours sur mes gardes…

Souvent, les gens que je rencontre s'offusquent du mode de vie des étrangers : alcool à volonté, bordels déguisés en restaurants chinois, fêtes à répétition… « Un manque de savoir-vivre et de capacité d'adaptation aux usages de la culture », me dit un Afghan avec qui je partage un *kebab*. Mes hôtes français m'invitent justement à l'une de ces fêtes. Je n'en crois pas mes yeux : plus de 300 membres d'ONG venus de tout le monde occidental boivent, chantent, dansent, draguent, rient. Une soirée pour oublier qu'on est en Afghanistan. Bien sûr, pas un seul Afghan à l'horizon. L'entrée leur est refusée. Motif : ils n'ont pas le droit de boire de l'alcool. Et puis… si l'un d'eux était terroriste ?

J'ai l'impression d'avoir en face de moi un morceau d'Europe ou d'Amérique, en plein Kaboul. La musique est forte et perturbe probablement le sommeil de pieux musulmans, de l'autre côté du mur qui entoure le jardin et culmine à trois mètres de haut. Malgré les deux gardes armés à l'entrée de la petite porte en fer, l'endroit est probablement le moins sûr de Kaboul. Il leur serait facile de tirer une roquette et une telle fête constituerait une belle cible pour un terroriste souhaitant « éliminer du Blanc ». Heureusement, personne n'y pense et tout le monde s'amuse comme si de rien n'était.

Je passe une partie de la semaine à suivre certaines agences humanitaires dans leurs missions, parmi lesquelles ACTED, une ONG française, et USAID, l'agence humanitaire du gouvernement américain. Je découvre avec plaisir les constructions d'écoles, de routes, de ponts ; la mise en place de programmes éducatifs, l'organisation d'événements… Parmi ceux-là, j'assiste à un salon, organisé par USAID, destiné à enseigner aux agriculteurs afghans des techniques pour améliorer la productivité de leurs cultures. Le tout dans une ambiance de fête et de danse.

Sur la Chicken Street, je rencontre Abdul Khaliq Khan, qui m'invite chez lui. Il me parle des hippies qui, dans les années 1960, passaient chaque année par l'Afghanistan pour aller au Népal et en Inde. Ils avaient droit à des paysages vierges, une hospitalité chaleureuse et à la meilleure « *dope* » du monde. Il regrette cette époque. Son voisin, qui se trouvait là, a lui un tout autre point de vue sur la présence des étrangers dans son pays. Abdul me traduit ses propos :

« Les forces étrangères n'ont rien à faire ici. Nous refusons l'occidentalisation des mœurs. Nous voulons vivre selon l'islam. Vous, les Occidentaux, vivez comme vous voulez, mais nous, on ne veut pas vivre comme vous. De toute façon, un jour ou l'autre, vous vous tournerez vers l'islam. Moi, je prie Allah tous les jours pour que vous partiez de mon pays le plus rapidement possible et pour que vous vous convertissiez à l'islam. Vous ne gagnerez pas en Afghanistan, je te le promets. On se battra jusqu'au bout. L'Afghanistan n'a jamais été colonisé et ne le sera jamais. Notre mission sur terre est de chasser les infidèles. On a déjà gagné deux guerres contre les Britanniques et les Soviétiques. Pas grâce à de meilleures armes, mais grâce à notre foi. Nous sommes soutenus par Allah ! Vous avez peut-être plus d'argent, mais nous avons la force de rassemblement. »

Préférant éviter d'approfondir la discussion avec cet homme au regard rude, je reprends mon chemin.

Les chars font aussi partie du décor. Tantôt beiges avec un drapeau américain, tantôt noir et vert, avec un drapeau italien. Pour éviter les tentatives d'attentat, il est formellement interdit de dépasser un convoi militaire. Sur les routes, les automobilistes patientent donc sagement derrière les colonnes de chars. En ville, avec un brin d'inconscience – oui, j'en ai parfois –, je sors mon appareil photo pour mettre en boîte un de ces gros chars américains avec le soldat en poste sur sa tourelle. Clic-clac, une première. Pas mal mais je peux faire mieux. Clic-clac, une deuxième, un homme qui passait par là se jette alors sur moi. Il me fait clairement comprendre que je viens de risquer ma vie et qu'il vient de me la sauver. Le soldat aurait pu tirer, selon lui. Prendre une photo d'un char est non seulement interdit, mais peut être considéré comme une attaque. À distance, pas évident de différencier un appareil photo et une arme à viseur, et encore moins de faire la différence entre un Français barbu et un Afghan. On m'expliquera par la suite qu'effectivement, dès lors que sa sécurité est mise en jeu, il n'y a pas d'état d'âme, le soldat a ordre de tirer. Merci à toi, inconnu afghan !

Je ne compte plus mes montées d'adrénaline. Comme cette soirée où, après un moment agréable avec les membres de l'ONG ACTED, il m'a fallu rentrer à pied chez mon hôte, à 20 minutes de là, en pleine nuit. Circuler de nuit est fortement déconseillé en Afghanistan. Même les Afghans ne s'y risquent pas en raison d'agressions régulières. Rançonneurs, trafiquants de tout poil ou *néo-talibans*, toutes les rencontres sont possibles. N'ayant pas trop le choix, je me couvre bien et rentre chez mes hôtes. Mon apparence physique ne dénote pas et un passant ne peut deviner que je suis Occidental s'il ne m'adresse pas la parole.

Il est 20 heures à peine mais les rues sont déjà vides. Quelques barrages de soldats solidement armés contrôlent les rares voitures encore de sortie. La ville est incroyablement assoupie. Aucune femme à l'extérieur, quasiment pas d'hommes. Je marche le plus vite possible en essayant tout de même de conserver une certaine décontraction. Il s'agit de ne pas attirer l'attention. La vision de Kaboul *by night* est particulièrement angoissante. J'arrive à la maison sans souci mais je ne recommencerai plus l'expérience…

Avant de quitter le pays, je souhaite tout de même tester le « vrai » stop en Afghanistan. Je m'y essaye dans une zone réputée assez calme : la vallée du Panjshir, ancien fief du commandant Massoud, héros national de l'Afghanistan, dont la photo apparaît dans chacun des restaurants bon marché au bord des routes. Seul problème, les voitures privées sont quasiment inexistantes dans ce pays et la plupart des véhicules me passant devant sont des taxis. Avec un peu de patience, l'autostoppeur peut tout de même trouver son bonheur et j'y parviens finalement. Gare aux nombreuses mines sur le bord de la route, cependant ! Les estropiés en ayant fait les frais se rencontrent très régulièrement.

Depuis Kaboul, deux solutions se présentent à moi pour continuer mon parcours. La première, très risquée, consiste à me rendre dans la région de Kandahar, zone contrôlée par les *talibans*, pour rejoindre l'Iran. C'est le chemin le plus court, mais le plus dangereux. La deuxième m'amène à faire un large détour en traversant une partie du Tadjikistan, de l'Ouzbékistan puis du Turkménistan. Trois pays, trois visas à obtenir… Mais des risques moindres. J'opte pour cette seconde solution.

L'équipe de l'ONG ACTED, dans laquelle travaille un ami, propose de m'emmener jusqu'à Kunduz. Quatre heures sur des routes splendides et tortueuses à travers des montagnes escarpées et des vallées profondes. Mon imagination s'évade parfois à la vue des vestiges des dernières guerres. Contraste étonnant entre le bleu du ciel et l'ocre des montagnes qui s'étirent jusqu'à l'horizon. Les villages se fondent dans le paysage avec un surprenant mimétisme. Spectacle grandiose. Je me sens plutôt bien en Afghanistan, finalement. Le peuple est charmant, curieux, toujours prêt à discuter avec moi, et très hospitalier.

À Kunduz, je profite de la possibilité qui m'est offerte de rester pendant une semaine dans une maisonnette, pour faire un tour des écoles de la région. Principale difficulté : trouver un traducteur capable de m'aider à délivrer mes messages de paix aux jeunes de la région. Dans ce pays où plus de 50 % des hommes et 80 % des femmes sont analphabètes, trouver une telle « perle rare » anglophone dans une petite ville reculée est un défi majeur. Après maintes recherches, je finis par rencontrer un barbu d'une cinquantaine d'années se débrouillant en anglais et acceptant de m'accompagner.

Nous nous rendons ainsi dans une école de filles. Quel plaisir de voir ces demoiselles qui, il y a peu, étaient interdites d'éducation, aujourd'hui assises à la table d'une école pour apprendre à lire, écrire et compter ! Quel bonheur aussi d'avoir de vrais visages en face de moi et de ne pas garder de mon séjour afghan que des visions de *burkas*.

Dans une région où la grande majorité de la population associe le statut d'Occidental à celui de soldat, mon rôle est déterminant. C'est l'occasion pour ces demoiselles de se faire une autre image des Occidentaux… Faute d'électricité, les filles se rassemblent autour de mon ordinateur, que j'ai volontairement choisi à écran large pour ce type de situations. Présentation et diaporama classiques, les filles semblent passionnées… jusqu'à ce que la batterie de mon ordinateur rende l'âme. Commence alors ma séquence favorite des questions-réponses.

« Monsieur, comment puis-je apprendre votre langue pour communiquer avec vous et avec les autres Occidentaux ?

— Monsieur, pouvez-vous nous décrire Kaboul ? »

La ville se situe à moins de cinq heures de route et pourtant, aucune de ces jeunes filles ne s'y est jamais rendue. Me voilà donc embarqué dans une description de leur propre capitale. J'insiste sur ma vision en tant qu'étranger qui a voyagé. Je leur fais part de ma tristesse de voir tant de bâtiments détruits mais de mon espoir, aussi, à la vision de tant de bâtiments en construction. Une jeune fille lève le doigt :

« Monsieur, est-ce que les femmes peuvent choisir leur époux dans votre pays ? »

Surprise dans la salle. Le droit des femmes… Vaste programme ! En Afghanistan, comme dans bien d'autres pays musulmans, la femme est sujette à de fortes discriminations et n'a guère de droits, et certainement pas celui de choisir son mari. Elle a surtout des devoirs. La liste des interdits pourrait faire l'objet d'un livre à lui seul. Avec la plus grande diplomatie, il me faut expliquer à ces jeunes demoiselles qu'en France, nous considérons que la femme est l'égale de l'homme. Par conséquent, les femmes peuvent choisir avec quel homme elles veulent passer leur vie.

Discussion entre femmes afghanes.
[Kaboul]

Coup de chance, mon « *taliban* » n'hésite pas à traduire ces paroles, même s'il préférerait sans doute que les droits des femmes en France soient semblables à ceux des Afghanes. Une fille me demande ensuite si les femmes peuvent travailler dans mon pays, mais mon traducteur me propose prestement de passer à un autre sujet, visiblement embarrassé par la tournure que prennent les questions.

Avant de partir, une demoiselle me fait part de son bonheur d'avoir pu échanger avec un Occidental. Elle me dit ne jamais en avoir vu auparavant qui ne portait pas de casque. Toutes les filles me confirment qu'elles aimeraient recevoir davantage de voyageurs pour apprendre du monde qui les entoure. Avis aux amateurs. Mais il faut le faire dans un esprit de dialogue et d'ouverture. Raconter un tour du monde à vélo ou en stop facilite le contact. La modestie du moyen de transport est importante : mieux vaut passer pour un courageux que pour un riche, offrir et partager plutôt que donner des leçons.

Quelques jours plus tard, je me retrouve invité à un mariage. Les hommes sont réunis dans une salle, les femmes dans l'autre. À l'époque des *talibans*, les mariages se déroulaient sans musique, ni danse. Aujourd'hui, les Afghans peuvent rire et chanter à nouveau…

Je quitte le pays sur ces images de gaieté et de fête, l'âme emplie de paysages à couper le souffle, de rencontres mais surtout d'espérance. Direction le Tadjikistan, premier des trois pays de l'ex-Union soviétique que je vais traverser et que je rejoins en traversant le tout nouveau pont construit par la force internationale. Je ne sais encore rien de ce pays qui se présente à moi, sinon que sa capitale est Douchanbe…

Chapitre 22

VISIONS DE L'EX-UNION SOVIÉTIQUE

Tadjikistan – Ouzbékistan – Turkménistan

« L'expérience est une école sévère, mais les fous n'apprendront dans aucune autre. »

— Benjamin Franklin

Un nouveau monde se présente à moi, celui de l'ex-Union soviétique. Tadjikistan, Ouzbékistan, Turkménistan : trois pays à traverser en moins de trois semaines. Je retrouve mes sensations africaines de « bâcler » les endroits par lesquels je passe. Merci à l'ambassade de France pour ce mois perdu à New Delhi !

Tadjikistan. Nouvelle langue, nouveau « document magique », mais toujours la même technique de la station-service qui n'en finit pas de bien fonctionner. Le stop est assez peu habituel dans la région, mais la lecture de mon document et un sourire suffisent, la plupart du temps, à me faire embarquer. Je parcours ainsi les montagnes du pays à bord d'une noria de véhicules dont le plus récent doit remonter au dégel brejnévien. Parmi les conducteurs que je n'oublierai pas : un alcoolique m'obligeant à prendre le volant, un homosexuel me faisant de lourdes avances et une famille afghane arrêtée et fouillée méticuleusement à chaque point de contrôle de la police. Tout cela sur moins de 1 000 kilomètres !

Mon arrivée dans la capitale, Douchanbe, m'offre un grand bonheur : celui de revoir des femmes cheveux au vent. Oubliés les *tchadors*, *tchadris* et autres *burkas*, place maintenant à de superbes créatures se baladant en minijupe dans les rues et lançant des regards nacrés aux hommes. Après deux mois passés au Pakistan et en Afghanistan, le changement est appréciable. Autre grand plaisir : celui de retrouver une apparence plus conforme à mes habitudes. Pour la première fois de ma vie, je me rase à la tondeuse et adieu la barbe ! Ma peau peut à nouveau respirer.

Le Tadjikistan ne me laissera pas un souvenir impérissable : les villes traversées se ressemblent toutes essayant tant bien que mal de se débarrasser des vieux blocs poussiéreux de l'époque communiste pour construire des bâtiments plus modernes. Les paysages sont envahis par d'immenses chantiers, investis par des hordes d'ouvriers chinois construisant de nouvelles routes à travers le pays. À l'image de ce que j'avais vu en Afrique, en Asie du Sud-Est et aux îles Tonga, la Chine s'installe malgré une présence russe toujours palpable, 16 ans après l'indépendance. Son influence grandissante se fait fortement ressentir. En comptant le nombre d'ouvriers chinois dans chaque pays, j'ai découvert une nouvelle technique pour apprécier le potentiel énergétique et minier d'un pays !

L'Ouzbékistan me propose un tout autre spectacle. Quel plaisir de parcourir la mythique route de la soie, de marcher sur les pas d'Alexandre le Grand, Marco Polo, Tamerlan ou Ibn Battûta ! De découvrir les splendides villes de Samarcande, Boukhara ou Khiva. Autant de noms enchanteurs berçant l'imaginaire des voyageurs du monde entier. Certes, l'époque des caravanes chargées de marchandises exotiques est révolue. Le commerce de l'indigo, des brocarts, des soies et des épices s'est réduit, mais la tradition des marchés regorgeant de grains, de fruits et de tissus perdure. À l'écart des routes asphaltées, des petites villes caravanières oubliées offrent encore au voyageur la vision d'un Orient éternel. C'est sûr, je reviendrai.

Dernier des trois pays, et non le moindre : le Turkménistan. Cinq jours ! Pas un de plus ne m'est concédé, après de longues démarches, pour visiter ce drôle de pays totalitaire. En Corée du Nord, je croyais avoir vu le sommet du culte de la personnalité et de la mégalomanie.

Je m'étais trompé. Il existe, au bord de la mer Caspienne, un pays dont le dirigeant, Sapamyrat Nyýazow – décédé juste avant mon arrivée – est encore plus fantasque, égocentrique et schizophrène.

Partant du principe que son peuple avait besoin d'une identité au moment du retrait soviétique, il a décidé de construire le pays à son image. « Parce que le peuple le souhaitait et en avait besoin », affirmait-il non sans modestie. Résultat, celui qui se faisait appeler Turkmenbashi, « le père des Turkmènes », a rebaptisé tous les mois de l'année au nom des membres de sa famille et de personnalités historiques. Ses photos et statues sont omniprésentes à travers le pays. L'une d'entre elles, immense, trônant au centre-ville, tourne sur elle-même toute la journée pour rester en permanence face au soleil… Le *Ruhnama* (livre de l'âme), bible politico-spirituelle écrite de sa main, doit être lue et apprise par cœur, par tous les étudiants du pays… Et ce n'est pas tout : jusqu'à sa mort, il était admis que toutes ses paroles « faisaient loi ». Il affirma un jour ne pas aimer les hommes aux cheveux longs, les barbes, ni les femmes aux cheveux courts. La loi les interdisant fut promulguée dès le lendemain. Les exemples de ce style sont nombreux.

Pratiquer le stop dans ce pays où le prix de l'eau est supérieur à celui de l'essence et de la vodka est cocasse. Comme les Tibétains, les Turkmènes acceptent de m'embarquer, mais préfèrent éviter de se trouver à mes côtés aux points de contrôle. Le stop n'y est pas interdit, mais il est mal vu de discuter avec un étranger ; les policiers détestent cela. À trois reprises, sur le chemin de la capitale, on me dépose ainsi un peu avant les barrières. À mon arrivée à pied, les militaires, sidérés par ma présence, ne savent pas comment réagir. Après discussions, ils acceptent toutefois généralement de m'aider à trouver un véhicule.

La traversée du Turkménistan, aussi rapide soit-elle, se révèle effroyablement désolante : immeubles décrépits, routes défoncées, gens vivant dans la misère malgré la manne pétrolière du pays. Du coup, je crois voir un mirage en approchant d'Achgabat, la capitale, probablement l'une des villes les plus surprenantes visitées pendant mon parcours. De loin, elle ressemble à New York. De près, on se rend compte qu'elle est... beaucoup plus moderne ! Des gratte-ciel flambant neufs, de larges avenues bordées de palais, des routes extrêmement propres, mieux asphaltées qu'en France. En somme, une ville dorée et clinquante, à l'image des statues de son président... Mais une cité incroyablement vide. Les immeubles, plus luxueux les uns que les autres, sont désespérément inanimés, les autoroutes à trois voies quasi désertes. Un quartier d'affaires sans affaires, des places sans badauds... Une ville sans âme et sans vie. Une ville morte. J'ai l'étrange sensation d'être dans une ville imaginaire. Une sorte de ville-jouet, modelée et façonnée selon les caprices les plus délirants d'un président aux fantaisies grotesques.

J'y loge chez le *nonce*, représentant du Vatican dans le pays. Drôle de personnage que cet Andrzej, Polonais d'origine, qui se bat depuis plus de 10 ans pour continuer à assurer dans une cave sa messe quotidienne et une représentation de l'église catholique. Sachant que le Turkménistan fut hostile à toute religion pendant une cinquantaine d'années et que la religion aujourd'hui la plus pratiquée est l'islam, sa vie n'est pas jonchée de pétales de rose. Nous passons ensemble trois jours, durant lesquels il me détaille toutes les misères qui furent siennes pour ne pas fermer boutique.

Malgré la dictature,
les satellites pullulent à Achgabat.
[Turkménistan]

À la différence de la Corée du Nord, ici je peux discuter en douce avec les Autochtones. Mes conversations tournent essentiellement autour de ce pays mystérieux que je cherche à mieux comprendre. Ici, comme en Angola, au Nigeria, en Arabie Saoudite ou en Iran, l'or noir rime avec dictature, corruption, mépris de l'individu, presque pas de liberté d'expression, impossibilité d'entreprendre…

Le Turkménistan profite du prix du pétrole pour retarder l'apparition d'un contexte démocratique. Tant que les monarques et les dictateurs de ces États pétroliers s'enrichiront en exploitant les ressources naturelles, au lieu d'exploiter les talents et l'énergie des habitants, ils resteront au pouvoir indéfiniment. Pour ce que j'en ai vu, les pays où l'innovation et l'imagination sont les plus dynamiques sont ceux qui n'ont pas de pétrole… Mais des idées !

Après avoir tenté en vain d'approcher plusieurs écoles, ce qui aurait nécessité de nombreuses autorisations gouvernementales, je quitte Achgabat au petit matin du cinquième jour, pour ne pas risquer un retard à la frontière. Pour entrer dans le pays, j'ai dû me plier à des formalités administratives ahurissantes. Jamais vu pareilles procédures. Paperasse débordante, et pas moins d'une dizaine de personnes à voir et à revoir, apposant une vingtaine de tampons aussi absurdes qu'inutiles. Un parcours du combattant exténuant dans les méandres de la bureaucratie turkmène.

Aujourd'hui, c'est la fouille qui s'avère agaçante. Un voyageur au passeport si bien rempli doit certainement avoir des choses intéressantes dans ses affaires. Quatre personnes entourent mes sacs. Déballage complet. Chaque centimètre est minutieusement inspecté et réinspecté. Chaque vêtement est sorti, presque reniflé. Chaque médicament est attentivement observé, voire expertisé. La poudre blanche du Smecta éveille les soupçons et donne lieu à un test chimique. Il me faut expliquer l'utilité de chaque gélule par des mimiques que je suis seul à trouver drôle. Mais l'heure n'est pas à la plaisanterie. Tout est passé à la loupe : mon ordinateur, mes photos, le contenu de chaque CD. La fouille dure plus d'une heure mais rien n'y fait, ils ne trouvent rien d'illégal et n'arrivent même pas à m'énerver. En apparence du moins. Pas question de leur offrir ce plaisir.

Ces pervers me laissent enfin poursuivre mon chemin. Je peux rejoindre l'Iran, ultime pays avant la dernière ligne droite.

Chapitre 23

IRAN, TERRE D'ACCUEIL

Iran

« Le futur a plusieurs visages :
Pour les pessimistes, l'impossible
Pour les craintifs, l'inconnu
Pour les vaillants, l'idéal. »

— Victor Hugo

Une page se tourne. Les portes de l'Asie centrale se referment derrière moi tandis que s'ouvrent celles du Moyen-Orient. Grand bonheur au moment où le douanier, à moitié endormi, écrase son tampon sur mon visa : c'est mon dernier ! Les courses aux ambassades sont enfin terminées. Je rêve du jour où les générations futures iront au musée voir et se moquer de ce bout de carton qu'on appelait « passeport » et de cet autocollant qu'on appelait « visa ». Un jour viendra…

Me voilà donc en Iran, au cœur de l'ancienne Perse dont l'empire s'étendait jadis de la Turquie au Pakistan. Chargée de mystères et de conquêtes, cette contrée me fascine. Et je ne suis pas le seul. En témoigne la communauté de voyageurs rencontrée au fil de la route. Je ne compte plus les propos élogieux et enthousiastes sur l'Iran et son peuple. On dit que l'Iran bouleverse, impressionne, subjugue, séduit et envoûte tout visiteur de passage. Pourtant, vu de l'extérieur, le pays semble souffrir d'un déficit d'image et inquiète l'étranger. Mythe ou réalité ? À moi de vérifier…

Premier choc culturel : comme au Pakistan et en Afghanistan, les femmes « légèrement vêtues » de l'ex-Union Soviétique ont laissé place aux femmes « légèrement visibles ». Le *hijab*, ce voile noir qui les enveloppe jusqu'aux chevilles, leur donne des allures d'œuvres d'art que l'on s'apprêterait à inaugurer. Je dois, moi aussi, m'adapter aux lois coraniques. À peine la frontière passée, un membre des *bassidjis* vient vers moi et me demande d'enfiler un autre vêtement sur mon T-shirt pour couvrir mes bras, dont la vue est indécente. Il me prévient en même temps de ne jamais porter de bermudas et ne jamais montrer mes jambes en public : ce serait pire.

Je ne le sais pas encore mais ces *bassidjis* vont rythmer ma découverte du pays et m'en faire voir de toutes les couleurs. Sorte de police parallèle, leur rôle est de faire respecter les lois coraniques, qui se résument à une longue liste d'interdits et quelques obligations. Interdiction de consommer de la viande de porc, de boire de l'alcool, de se maquiller, de se parfumer, d'écouter de la *pop music*, de demander son chemin à une fille, de fixer du regard la gent féminine, de tenir la main d'une personne de sexe opposé, de danser debout – danser assis est autorisé ! Séparation des hommes et des femmes dans les bus, les cinémas, les bars… Embrasser une amie dans la rue est punissable de coups de bâtons, voire de prison. Je plains les jeunes Iraniens…

Mon pouce me conduit vers Machhad, l'une des deux villes saintes de l'Iran, avec Qom. L'une des particularités de cette ville est la mosquée Azim-e Godar Shad, un monument époustouflant. Depuis le 15e siècle, elle abrite le mausolée de l'imam Reza, huitième imam des chiites et descendant du prophète. Plus de 14 millions de pèlerins viennent ici se recueillir chaque année. Une sorte de Mecque, version iranienne ! Bien que l'entrée soit interdite aux non-musulmans, je parviens à la visiter en me faisant passer pour le mari de la sœur de mon hôte, Navid. Une nouvelle fois, mon physique et mon air décontracté me permettent de passer sans difficulté.

Une légère angoisse m'envahit tout de même à l'idée d'être observé dans mes simagrées apprises par cœur dans les autres pays musulmans.

J'imite les pèlerins, dépose à l'entrée mes sandales, prêtées par mon hôte, pratique les ablutions rituelles puis suis la foule en direction de l'entrée principale. Couvert d'or et de miroirs, le monument éclairé scintille dans la nuit noire. Des centaines de fidèles se pressent à l'entrée, touchant et embrassant les lourds battants des portes en bois. Faisant attention de ne pas me faire remarquer, je fais mine d'être le plus recueilli possible. À mon tour, je touche l'imposante porte et pénètre dans le lieu saint, seul, la demoiselle étant partie du côté des femmes.

Au fond de la salle, le cercueil du prophète est entouré de grilles de trois mètres de haut. Une agitation peu rassurante se dégage de cette foule en délire. Accrochés aux grilles, les hommes, barbus et autres *muftis* ou religieux, élégamment drapés dans leur costume traditionnel, se bousculent et se montent dessus pour voir le tombeau et y jeter des pétales de roses. La ferveur exacerbée de ces fidèles m'impressionne une nouvelle fois. J'ai beau avoir participé à une centaine de célébrations religieuses pendant mon tour du monde, je reste toujours bouche bée devant une telle hystérie collective.

Navid, connaissant un journaliste au *Khorasan* – le journal le plus populaire du nord-est et l'un des plus conservateurs – m'y emmène pour que je témoigne de mon projet. La rédaction occupe quatre étages dans un quartier huppé de Machhad. À l'intérieur, on nous demande de nous asseoir dans une vieille salle lugubre sur des chaises menaçant de s'écrouler. Le mobilier n'est pas à la hauteur du quartier ! Un quart d'heure s'écoule puis un homme, sortant visiblement de sa sieste, s'assoit avec un petit carnet à la main :

« OK. Nom, prénom, date de naissance, raison de votre passage en Iran ? me demande-t-il avec autorité.

— Ludovic Hubler, monsieur l'agent… »

Navid me donne un petit coup de genou sous la table et me fait les gros yeux, façon de signifier qu'il ne faut pas s'amuser avec les rédacteurs du journal. Je me reprends et accepte de répondre docilement aux questions techniques :

« Pas moins de 150 000 kilomètres parcourus, 52 pays visités, plus de 1200 conducteurs, 7 continents, pas un sou dépensé en transport, 4 ans et 10 mois sur les routes…

J'égrène les chiffres tout en songeant que mon tour du monde est tout… sauf ça, des chiffres secs ! Mais le journaliste a besoin de ces données sur lesquelles il focalise. Je les lui donne en pâture, espérant que les questions suivantes seront plus pertinentes. Il s'enquiert de ma visite à la mosquée de l'imam Reza. Ne souhaitant pas entrer dans les détails, je me contente de lui dire que je l'ai trouvée fort belle et que la foi des pèlerins m'a impressionné. Rien de plus. Durant le reste de l'entretien, je parle de mon expérience de globe-stopper, de ma vision des relations interethniques et interreligieuses, et des messages que je souhaite faire passer à travers mon parcours.

Le lendemain, l'article paraît, titré d'un affligeant : « J'ai été très impressionné par la ferveur des pèlerins à la mosquée de l'imam Reza. » Les premières lignes de l'article soulignent que je suis venu en Iran pour mieux connaître l'islam et que j'ai été impressionné par la foi des Iraniens. Pas mal pour illustrer objectivement un tour du monde en stop… Vive la liberté de la presse !

« Tu vois, c'est ça mon pays, commente Navid, dépité. Au moins, tu auras eu l'occasion de découvrir ce que sont les médias iraniens… »

Au cours de la discussion qui suit, je raconte à Navid une histoire, dans un registre quelque peu différent, qui m'avait marqué au Pakistan.

À l'issue d'une conférence dans laquelle j'avais expliqué que mon rêve, pour l'avenir de l'humanité, serait un monde sans frontières, où les passeports et visas seraient relégués dans un musée, un étudiant était venu me voir et m'avait dit :

« Oui, Ludovic, je suis tout à fait d'accord avec toi sur le thème du monde sans frontières. D'ailleurs, le prophète Mahomet a aussi dit que l'islam n'a pas de frontières. »

Une réflexion qui m'avait fait sourire intérieurement et m'avait amené à me poser certaines questions sur ma façon de m'exprimer…

Dans le centre-ville de Machhad, je suis témoin d'une première scène surprenante en rapport avec les *bassidjis*. Il est 15 heures lorsque j'attends avec Navid, devant un musée, la venue de Tan, un membre d'Hospitality Club. L'heure convenue passe… mais point de Tan. Pendant notre attente, nous observons trois femmes drapées de haut en bas, accompagnées de deux policiers en train d'interroger une jeune fille et un jeune homme, séparément. Navid m'informe que le crime commis par ces deux jeunes est d'avoir marché côte à côte dans la rue alors qu'ils ne sont ni mariés, ni liés par la parenté. La jeune fille encourt une peine de plusieurs mois de prison et la flagellation pour cet acte odieux ! L'homme, quant à lui, subit une leçon de morale. Je regarde la scène avec effarement. Le comprenant, deux jeunes hommes viennent me voir pour s'excuser de l'image que les *bassidjis* donnent aux étrangers :

« Personne ne les aime, me confie l'un d'eux. Nous les subissons. »

Tan ne viendra pas… Et pour cause ! Deux jours plus tard, quand nous nous retrouvons enfin, je réalise que c'était elle dont j'avais observé l'arrestation. Elle m'explique s'en être finalement sortie sans qu'ils la battent, par chance, mais avec un sérieux avertissement, une décharge à signer reconnaissant ses torts, une promesse de ne plus recommencer, ainsi qu'un appel aux parents, considérés comme indignes de laisser leur fille de 24 ans marcher dans la rue avec un « inconnu », un ami de l'université qu'elle voulait me présenter… Je nourris une pensée émue pour la jeunesse iranienne.

Après cinq jours à Machhad, je reprends la route en direction de la capitale, Téhéran. En raison du climat général de méfiance, la police est omniprésente sur les routes et les points de contrôle jalonnent à nouveau mon parcours. Tous les véhicules sont fouillés et leurs occupants doivent montrer patte blanche. L'intérieur des véhicules est passé au peigne fin, en quête d'alcool ou d'iconographies érotiques. Les criminels, les déserteurs et les couples adultérins sont aussi activement recherchés par les gardes révolutionnaires. Chacun de ces barrages suscite la crainte et parfois la haine des camionneurs et automobilistes.

Malgré cette atmosphère négative, mes relations avec les autorités sont bonnes dans l'ensemble et les policiers ou autres hommes de loi continuent de m'aider à trouver des véhicules. À hauteur de Sadr Abad, je me retrouve invité pour un *chaï* dans l'une de ces guérites militaires plantées au bord de la route. Des portraits officiels sont accrochés aux murs : Ahmadinejad, l'actuel président de la République ; l'*ayatollah* Khomeiny, l'homme à l'origine de la révolution qui a façonné la société iranienne actuelle ; et l'*ayatollah* Khamenei qui a repris le flambeau à la mort du premier. Une dizaine de jeunes recrues m'entourent, tous crânes rasés, vêtus de vert.

Ils me posent les questions d'usage. Non pas sur la validité de mon visa ou la possession de drogue, mais sur ma famille, mes enfants, ma femme et la fréquence de mes relations sexuelles. Ils veulent tout savoir. Ils regardent mes photos avec beaucoup de curiosité. Ma qualité d'étranger lève tout soupçon. Je leur apparais comme un « objet » presque irréel. Certains insistent pour que je leur fasse écouter de la musique pop occidentale, laquelle est prohibée par la République islamique d'Iran depuis la révolution, tout comme les antennes paraboliques que Khomeiny baptisait « assiettes à Satan ».

Au bord des routes, ils obéissent aux ordres et piquent leurs images pornos aux automobilistes… Mais une fois retournés dans leurs locaux, ils ne se gênent pas pour les feuilleter en cachette. Chaque femme nue est commentée et analysée dans des hurlements de rire. Et lorsque je leur demande de me chanter quelque chose, ils débutent fièrement par l'hymne national puis embrayent rapidement sur un air de Michael Jackson. *Thriller* et *Beat It* semblent faire partie de leurs hits. Derrière leurs uniformes de guerriers, des humains comme tous les autres…

Après plus de 1 000 kilomètres de désert aride, j'atteins enfin Téhéran. Dans cette capitale comptant 14 millions d'habitants, le trafic est à la hauteur de ce que j'imaginais : dense et cacophonique. D'emblée, la mégalopole, s'étendant à perte de vue, me déplaît. Aussitôt arrivé, je me dirige vers le premier cybercafé que je repère pour trouver les coordonnées d'Hamid, jeune étudiant en ingénierie d'une vingtaine d'années qui sera mon hôte pour la semaine. Nombre de sites sont interdits d'accès, mais l'existence d'Hospitality Club et de Couchsurfing n'est visiblement pas encore arrivée aux oreilles des membres de la censure. Pourvu que ça dure…

Notre point de rendez-vous est l'entrée de l'ancienne ambassade des États-Unis, désertée depuis 1979, suite à la tristement célèbre prise d'otages. Un épisode de 444 jours qui avait marqué les débuts de la République islamique d'Iran et des relations conflictuelles avec les États-Unis. Tout autour de l'enceinte, des messages hostiles sont inscrits à l'encontre du « grand Satan ». « L'islam est la crainte de l'Occident », « l'islam vaincra », « l'Amérique va subir une cuisante défaite » ou encore, en grand : « À bas les États-Unis ». Dans la ville tout entière, les murs clament haut et fort la haine de l'Occident, mais les messages les plus virulents s'adressent aux Américains. Mis à part en Corée du Nord, je n'avais jamais vu autant d'incitations à la violence. J'en suis dégoûté.

Loin de toute cette haine encouragée par le régime des *mollahs*, ces chefs religieux, Hamid me reçoit en ami. Il me présente ses trois colocataires, tous étudiants, avec qui je partagerai la moquette du salon pendant une dizaine de jours. Dès le premier soir, Hamid organise une soirée en mon honneur. Sont invités une vingtaine d'étudiants, et de nombreux voisins viennent également participer à la fête. On vient pour voir le nouveau, « l'étranger qu'Hamid a ramené », « paraît qu'il est Français », « et même qu'il fait le tour du monde à vélo ». Les idées et informations sur ma présence s'embrouillent parfois.

Une fois la porte fermée, un autre pays s'ouvre à mon regard, complètement différent de celui perçu depuis la rue : les hommes sortent quasiment tous une bouteille de vodka ou d'eau-de-vie sauvage de leur veste. Les femmes enlèvent le voile cachant leur corps de jeune fille svelte et moderne. Certaines portent même des minijupes ! Une descente des *bassidjis* et tout le monde serait bon pour la réprimande, le fouet et la prison. J'éprouve une immense joie de voir ces corps enfin libres et surtout, de constater que ces jeunes n'ont pas dit leur dernier mot. Une cuisse offerte au regard prend ici plus de saveur, du fait de la connotation « politique » d'une telle audace !

« On ne va pas tout de même pas s'arrêter de vivre », martèle Shahrazade, la voisine du dessus, âgée d'une vingtaine d'années, en m'invitant à danser. Tu sais, Ludovic, il y a un sacré fossé dans ce pays entre le peuple et les *mollahs*, que nous détestons tous ici. Ils veulent briser et voler notre jeunesse, nous interdire tous les plaisirs, étouffer notre appétit de vivre. Nous voulons vivre en paix, dans un pays plus libre, loin des ordonnances imposées par la théocratie. Nous refusons de nous laisser faire, nous n'avons qu'une jeunesse.

— Mais vous prenez un sacré risque, non ?

— Ah, il y a bien une descente des *bassidjis* de temps à autre, c'est vrai. Ils embarquent deux ou trois d'entre nous, puis nous relâchent le lendemain après nous avoir fait signer une confession et payer une amende. Ce sont les flagellations qui nous humilient le plus. Heureusement, le concierge parvient toujours à nous prévenir avant qu'ils n'arrivent à l'étage, cela nous laisse au moins le temps de dissimuler l'alcool et de remettre le voile. Nous vivons avec ces désagréments au quotidien, mais cela ne gâche pas nos fêtes.»

Les jours passent à Téhéran. Hamid me présente Yasmine, qui me présente Jahan, qui me présente Payam… Je ne sais plus où donner de la tête. Tous les jours, je rencontre de nouvelles personnes. Tout le monde veut me rencontrer et m'amener chez lui, à la fois pour offrir l'hospitalité et pour discuter de la France et de l'Occident, de la liberté. Les propositions affluent : «Viens chez mes parents, ils aimeraient te rencontrer. Viens chez mon frère, il veut organiser une fête pour ta venue.» Les personnes les plus âgées que je rencontre disent presque toutes regretter la révolution islamique de 1979.

«Nous avons fait un grand pas en arrière», déplore un père de famille. Malgré les interdictions, toutes les discussions aboutissent aux ayatollahs, au régime en place ou au gouvernement populiste du président Ahmadinejad, dont les déclarations incitant à la destruction d'Israël et considérant l'holocauste et ses 6 millions de morts comme un «mythe», ne sont que rarement partagées. Parler politique doit se faire ici le plus discrètement possible, mais tous veulent me faire savoir combien ces ultraconservateurs leur pourrissent la vie. Les critiques et même parfois les insultes pleuvent. Pourtant, personne ne souhaite une autre révolution. Tous espèrent que le changement se fera progressivement et que l'Iran finira par se moderniser.

«En Iran, les hommes sont bons, mais la politique est mauvaise», me rappelle-t-on fréquemment.

Dans plusieurs universités, on m'invite à parler mais les directeurs me demandent de choisir mes mots avec soin : «Pour éviter les problèmes avec les autorités.» Message reçu. Moyennant quoi, ils m'octroient des conditions de ministre : immense auditorium, double écran géant… Les salles sont combles. Les jeunes se pressent pour venir écouter « l'Occidental » souhaitant parler du monde, soit-il autostoppeur.

Tout le monde veut connaître la réalité de ce qui les entoure. L'interdiction semble décupler la curiosité.

Une fois ma présentation terminée, on m'interroge sur tout, notamment sur… la problématique nucléaire et les récentes paroles de Bernard Kouchner qui déclarait, quelques jours avant mon arrivée, que « toutes les options étaient sur la table, y compris la guerre ». On me demande mon avis sur une éventuelle intervention américaine ou israélienne. Devoir de réserve oblige, surtout devant un parterre comportant un certain nombre de *mollahs*, j'évite de prendre position et de m'appesantir sur les sujets politiques, insistant sur le côté fraternel de ma démarche. Les conférences se terminent souvent comme elles ont commencé, par la lecture de versets du Coran dont on me remet régulièrement un exemplaire.

Téhéran, comme bien d'autres villes des pays en développement, marche à deux vitesses. Le clivage nord-sud de la ville est flagrant. Il oppose une bourgeoisie minoritaire qui jouit de tous les privilèges — y compris l'air frais et non pollué de la vie en altitude – à une classe majoritaire bien plus pauvre qui se partage les congestions du sud, sa pollution, son bruit, la promiscuité.

Avec Hamid, je me balade entre les beaux magasins, les boutiques de mode vendant des tailleurs Yves Saint Laurent que les dames de la bonne société porteront, comme il se doit, sous le *tchador* ; les parfumeries aux senteurs parisiennes que la loi interdit et les salons de thé. J'assiste aux séances de drague faites de croisements de regards rapides et d'échanges de numéro sur un bout de papier.

Dans les rues, les jeunes filles traditionnellement voilées de la tête aux pieds croisent celles qui se permettent quelques « audaces » : maquillage, mèches de cheveux teintées dépassant du voile, sacs et lunettes à la mode… Les contrastes sont saisissants entre l'Iran classique et conservateur et l'Iran moderne et réformiste.

Dans les bus, hommes et femmes sont séparés par une paroi métallique. Nous perdons de vue la sœur d'Hamid qui disparaît derrière les voiles noirs ; nous ne la retrouverons qu'une fois à destination. Cette ségrégation date de 1992. Le directeur des transports publics de la capitale, Mohamed Ali Tarfa, a calculé le nombre de frottements, et donc de péchés, que cette forme d'apartheid allait empêcher.

« Il y a 370 000 femmes qui prennent chaque jour le bus. Or, les passagers mâles se frottent à chaque femme une dizaine de fois en moyenne, que ce soit involontairement ou à dessein. Cela peut donc représenter 3 700 000 péchés chaque jour. »

Heureusement qu'il était là pour éviter ce drame !

L'une des conséquences de ce tour du monde est qu'il m'incite, non plus à comparer avec mon pays d'origine, mais avec les pays voisins précédemment visités. Mon séjour iranien me pousse souvent à la comparaison avec le Pakistan. Là-bas, la ferveur religieuse me paraissait « réelle », le port du voile naturel, presque instinctif. Ici, malgré une identité islamique forte, la jeunesse semble bien moins religieuse que son voisin. Pour en avoir le cœur net, je mène ma petite enquête et demande aux jeunes Iraniennes que je rencontre – souvent éduquées et anglophones – si elles porteraient le voile dans une société où elles auraient le choix. À ma grande surprise, sept sur dix me répondent négativement. Au Pakistan voisin, bien plus religieux, le voile n'est pas obligatoire mais ces dames le portent bien davantage, par conviction. L'obligation ne semble pas développer la foi…

Le territoire iranien est gardé comme un pénitencier. Toutes sortes de polices sillonnent le pays. Le Hezbollah, l'armée régulière forte de deux millions d'individus payés quelques euros par mois durant les deux années de service obligatoire ; la Sepah Pasdaran, unité paramilitaire qui forme des mercenaires pour les interventions commandos ; la police des routes, classique ; la police secrète, redoutable ; les voisins de palier, avec leur langue venimeuse et délatrice, mais surtout les *bassidjis*, qui terrorisent toute la population.

À la sortie du métro, accompagné d'Hamid, j'assiste à une nouvelle scène choquante les concernant, lorsque deux de leurs membres, des femmes, tout de noir vêtues, demandent à une autre de les accompagner dans une voiture de police. La raison : une mèche de cheveux sort de son voile et sa veste, ne lui couvrant pas tout à fait les genoux, ne serait pas suffisamment longue.

La femme refuse de les suivre. Elle se débat et crie qu'elle est attendue chez elle et qu'elle est bien habillée. Elle sanglote et tente de se dégager sous les regards compatissants des témoins. Un autre policier, un homme cette fois, vient aider les deux femmes à l'embarquer en utilisant la manière forte. La femme hurle de plus belle. Les passants restent immobiles.

Le *chawarma*[41] que j'étais en train de manger ne passe plus. Voir le policier maltraiter cette femme me donne la nausée. La honte m'envahit devant la violence utilisée et les raisons invoquées pour l'arrestation. L'un des témoins, écœuré lui aussi, donne un coup de pied dans la roue de la voiture de police. Il est embarqué avec la femme, sous les cris d'indignation et les insultes de la foule. Encore une victime du *Coran* revu et corrigé par les mollahs !

Sur le chemin du retour, Hamid éclate en sanglots. Jeune homme sensible, il dit en avoir assez de ne rien pouvoir faire sans être constamment suivi, épié, espionné. Hamid a tout du parfait élève. Il est sérieux, poli, fait son possible pour être agréable et aimé de tous. Tout en sanglotant, il ne cesse de s'excuser pour l'image pitoyable que me donne son pays.

« Ne t'en fais pas, mon ami, j'ai bien compris que le peuple est bon et qu'il souffre ! J'y vois d'ailleurs l'espoir d'un Iran meilleur, cela ne pourra pas durer indéfiniment. »

Je quitte Téhéran en direction du sud, après avoir fait mes adieux à Hamid et à tous ses amis. Dès la périphérie de la ville, le désert me happe. Dans les villages que je traverse, des familles de paysans m'accueillent et m'offrent des couvertures

41. Sorte de sandwich à base de mouton.

pour dormir sur un sol mille fois dépoussiéré en mon honneur. Comme au Pakistan, je me fais sans cesse inviter à manger, à boire le thé ou à dormir. Cette région semble sans cesse vouloir me démontrer qu'un fleuve d'hospitalité coule dans les veines de son peuple…

D'oasis en oasis, je compte me rendre jusqu'à Bandar Abbas, situé à plus de 1 500 kilomètres au sud de la capitale, pour découvrir davantage de ce pays aussi mystérieux qu'envoûtant. La route m'aspire dans une procession de camions aux moteurs agonisants, comme en attestent les relents d'huile chaude et de plastique fondu. Mercedes, Scania, Iveco, Mack, White… À l'intérieur, tous les conducteurs écoutent la même radio émise par l'importante communauté iranienne de Los Angeles :

« C'est la seule source d'information fiable », m'explique Armin qui, trois minutes plus tôt, me demandait par gestes si je pouvais l'amener en France, ponctuant sa phrase par un retentissant *fuck ayattolah !*

J'arrive dans la ville de Qom que je reconnais de loin, à ses nombreux dômes en faïence turquoise des mosquées. Gardienne du dogme chiite, Qom est tout entière vouée à l'étude théologique, à l'érudition islamique et à la prière. C'est ici que Khomeiny a étudié la théologie. Ici aussi que se trouve la plus grande concentration de turbans du pays : on y croise des *mollahs*, le *Coran* à la main, à chaque coin de rue.

Contrairement aux autres villes que j'ai découvertes jusque-là, celle-ci m'apparaît malsaine : agressivité, suspicion à l'égard de l'étranger, escroquerie, mercantilisme… Je m'y sens mal à l'aise, mais souhaite tout de même y rester deux jours pour mieux m'imprégner et rencontrer des gens. N'ayant pas trouvé d'hôte dans cette ville, et souhaitant éviter de dormir à l'extérieur ce soir, je décide de passer la nuit dans un petit hôtel populaire. Un, deux, trois, quatre… J'ai du mal à y croire. Les uns après les autres, les tôliers refusent de m'accueillir sous prétexte que je ne suis pas musulman.

« Je ne veux pas d'infidèle dans mon hôtel », m'assène l'un d'entre eux…

Nous sommes à l'opposé du formidable accueil que j'ai reçu chez tous les autres Iraniens, jusqu'ici. Ça m'apprendra à généraliser !

Au cours de mon voyage, discuter de ma perception de la religion avec ceux qui reconnaissent que leurs vues sont également subjectives est devenu un passe-temps agréable. Pour ce qui est des autres croyants, convaincus de détenir « l'unique et absolue vérité », j'ai, selon les personnes et situations, tantôt partagé ma vision des choses, tantôt écouté sans intervenir. Je ne veux pas être perçu comme une menace à « leur vérité ». Depuis quelques semaines cependant, j'ai décidé d'arrêter de répondre « chrétien » à la question « quelle est ta religion ? », posée très fréquemment dans la région.

Cette réponse facile m'évitait de longues discussions sur le sujet.

Être chrétien entre dans la logique musulmane car elle est ce qu'ils appellent « une religion du Livre » – monothéiste. Elle est donc acceptée. J'en avais assez qu'on me réponde par des signes d'approbation, en me rappelant toute la tolérance de l'islam. Je m'amuse à tester la réalité de cette tolérance, un brin provocateur. À présent, je réponds : « chrétien, mais je vais me convertir au bouddhisme ou à la religion baha'ie », expliquant que ces croyances me paraissent faire partie des plus tolérantes et des moins violentes au monde. Ces religions sont totalement interdites en Iran où l'on observe une forte persécution des baha'is, malgré le fait que le mouvement soit né dans ce pays. Je pousse ainsi à la réflexion et amène mes interlocuteurs à se poser la question du réel degré de tolérance de leur religion… Je reprends la route et retrouve rapidement l'Iran que j'aime.

Dans les gargotes qui jalonnent le chemin, je me restaure tantôt avec un *chelo kebab*, mélange de viande et de riz, tantôt avec un simple sandwich. Une fois sur deux, le cuisinier refuse que je le paye en me faisant un geste amical. Puis, la main sur le cœur, il me lance «*my friend*». Je comprends rapidement qu'insister n'est pas la bonne solution. J'essaye tout de même, à plusieurs reprises, de glisser l'argent dans sa poche de chemise mais sans succès. Parfois, c'est un autre client avec lequel je n'ai échangé qu'un sourire ou un «*hello*» qui souhaite régler la note. Impressionnant !

Les journées défilent, ponctuées par ces petites histoires du peuple et les visites des joyaux de l'Iran. À Ispahan, ancienne capitale des *chahs*, j'admire les splendeurs de l'architecture perse et la place Eimam Meidun, la troisième plus grande au monde. Sept cents kilomètres plus loin, c'est la splendide ville de Chiraz, ancienne capitale de la Perse, qui me dévoile ses charmes. À proximité, je découvre les fameuses ruines de Persépolis et les tombeaux de Darius, Cyrus le Grand et d'autres empereurs perses.

N'en déplaise au président Ahmadinejad qui affirmait récemment aux États-Unis qu'il n'y a pas d'homosexuels en Iran, je suis logé à Chiraz chez un *gay* ! Il me raconte les risques qu'il prend pour aller voir son petit ami et me relate les descentes des *bassidjis* lors de soirées homosexuelles : les personnes présentes sont fouettées, celles surprises dans des chambres, en plein ébat sexuel, carrément exécutées. Il m'affirme avec conviction que malgré ces oppressions, il y a davantage d'homosexuels en Iran que dans le monde occidental.

Je poursuis ma route jusqu'à la ville de Bandar Abbas. J'y suis hébergé dans une maison aux murs blanchis. Nous dînons sur une nappe de plastique dépliée sur le sol du salon. Quatre générations s'y entassent, avec un bonheur apparent. Les femmes ont ici gardé leur voile du fait de ma présence, de l'arrière-grand-mère à l'arrière-petite-fille, petite poupée de trois ans qui porte son *tchador* à la manière des grandes personnes.

Bandar Abbas n'offre pas *a priori* un grand intérêt touristique. La ville ne possède ni joyau architectural, ni beauté naturelle. Pourtant, à proximité se trouve l'un des endroits les plus stratégiques au monde : le détroit d'Hormuz. Passionné par la géopolitique, je ne souhaitais rater cet endroit pour rien au monde...

Large de 34 kilomètres, le détroit d'Hormuz n'a, au premier regard, rien d'impressionnant : de l'eau à perte de vue, bleue comme la Méditerranée ou l'Atlantique. Toutefois, cet endroit dispose d'un intérêt géostratégique majeur. Avec le Qatar, le Bahreïn, l'Irak, les Émirats Arabes Unis et l'Arabie Saoudite à proximité, cette embouchure constitue un passage obligé pour le trafic international. Plus de 30 % du commerce mondial de pétrole y transite sous le contrôle de l'Iran... dont le gouvernement est le premier ennemi des États-Unis et d'Israël.

Si les tensions entre l'Amérique et l'Iran devaient s'intensifier, un blocus ici pourrait avoir des conséquences catastrophiques. Considérant le développement de la technologie nucléaire iranienne, la raréfaction progressive de l'or noir – à bon marché tout du moins –, l'antisémitisme ostensiblement affiché des dirigeants iraniens, les relations de plus en plus conflictuelles entre les mondes musulman et non-musulman, la proximité politique de l'Iran avec le *Hezbollah* au Liban et le *Hamas* en Palestine, un large conflit aux enjeux géopolitiques majeurs ne peut être exclu. On y trouve là tous les ingrédients d'une possible guerre mondiale opposant l'Occident et ses alliés – notamment l'Inde et le Japon – à l'axe « islamo-confucéen » – principalement les pays musulmans et la Chine, voire la Russie.

Le thème de la guerre est souvent revenu pendant mon tour du monde. Et pour cause : l'histoire des hommes, en particulier celle du 20e siècle, est inexorablement liée à celle des guerres, à la disparition des empires et des nations. La plupart des pays se sont créés dans la douleur, d'autres ont vécu leur révolution dans le velours. L'Autriche-Hongrie, l'Empire britannique, l'Empire ottoman, l'Union soviétique, l'Allemagne de l'Est, la Yougoslavie... Tous ont disparu, provoquant la naissance d'autres nations. L'Indonésie a fait son apparition, comme Israël, l'Ouzbékistan, des myriades de pays africains et européens – dans l'ex-Yougoslavie qui n'en finit plus de se morceler – ou encore la Corée du Nord. Certains États ont changé de noms, comme Ceylan ou la Haute-Volta. La Pologne s'est déplacée vers l'ouest, la Hongrie a rétréci, certaines frontières se sont évaporées, à commencer par celles à l'intérieur de l'Union européenne. Des idéologies sont apparues et reparties – nazisme, communisme – emportant des millions de vies au passage. Ainsi va le monde.

Une différence subsiste cependant entre les guerres d'hier et celles, possibles, de demain : la technologie. Finies les épées qui tuaient l'ennemi un à un. Finis les fusils qui pouvaient tuer par centaines. Finies les « bombinettes » qui pouvaient tuer par milliers. Hiroshima n'était qu'un gros pétard au regard des bombes atomiques actuelles. Aujourd'hui, si conflit il devait y avoir, l'arme nucléaire pourrait bien être utilisée massivement. Les victimes se compteraient alors par centaines de milliers, voire davantage. Le monde entier pourrait disparaître dans une succession de ces apocalyptiques embrasements, répondant aux premiers puis se succédant en cascade. Nous sommes entrés dans une nouvelle ère. Une ère où la guerre pourrait détruire tout ou partie de l'humanité. Bon débarras, diront certains ! Sauf si ce sont les leurs qu'ils voient périr dans d'atroces souffrances.

Le 20e siècle a, pour la première fois, subi la tourmente des armes nucléaires, et le 21e siècle est témoin de la prolifération de ces armes mortelles. Jusqu'où ? Qui peut arrêter cette folle course en avant, vers toujours plus de puissance destructrice ? D'où partira la première bombe, celle qui mettra le feu aux poudres ? Dans certains pays actuellement ou prochainement dotés de la bombe nucléaire, il est tout à fait possible que le pouvoir de la lancer incombe un jour à un intégriste, un instable, un illuminé.

À plusieurs reprises, le président iranien a évoqué l'idée de rayer Israël de la carte. En retour, le gouvernement d'Israël a mentionné la possibilité de bombarder l'Iran par mesure de prévention si celui-ci persiste à courir après l'arme nucléaire. Les États-Unis y ont fortement songé également et jusqu'en France, un de nos ministres, Bernard Kouchner, a indiqué qu'on ne pouvait totalement renoncer à cette option même s'il fallait privilégier la discussion avec l'Iran. De simples mots, pour l'instant, de terribles menaces restées en l'air… Pour combien de temps ?

En regardant ce détroit où passent aujourd'hui tranquillement d'immenses *supertankers*, je ne peux m'empêcher de repenser à ce jour de mai 2006 dans la ville de Tennant Creek, au nord de l'Australie, où durant une conférence dans une maison de retraite, un homme presque centenaire, la main tremblotante et la voix faiblarde, m'avait demandé :

« Ludovic, j'ai combattu lors de la Seconde Guerre mondiale. Les horreurs de la guerre m'ont dégoûté de l'espèce humaine et j'attends aujourd'hui de mourir pour pouvoir enfin oublier les images tragiques que 60 années d'existence n'ont pas réussi à effacer. Croyez-vous que l'espèce humaine arrivera dans le futur à apprendre de ses erreurs ? Pensez-vous que la paix sur terre est chose possible ? Quelle est votre vision pour l'avenir de l'humanité ? »

Ses questions ne m'ont jamais quitté. Elles sont même devenues insistantes et obsédantes au fil de mes lectures, rencontres et découvertes. Est-ce que la paix est possible ? Arriverons-nous un jour à vivre en paix les uns avec les autres ?

« Impossible, m'a catégoriquement répondu un jour Brad, un Américain rencontré dans un bar. Il y a toujours eu la guerre et il y aura toujours la guerre. Les conflits d'intérêts sont trop nombreux. L'avidité est humaine, l'homme n'est jamais satisfait de ce qu'il a, il veut toujours plus… Et pour avoir plus, il faut se battre.

Des pessimistes et catastrophistes, j'en ai rencontré un certain nombre pendant toutes ces années. Je me souviens notamment de Claus, cet Allemand croisé près de la ville de Bombala, dans le sud de l'Australie. Convaincu qu'il y aura une guerre atomique dans les 30 prochaines années, il avait décidé de se faire construire une maison au milieu du Bush, loin de toute habitation :

« J'en suis arrivé à la conclusion que l'homme est mauvais par essence. Il est trop cruel. Regarde un peu les images de la télévision : ce n'est que violence. Moi, je suis persuadé que l'homme est amené à disparaître. Il détruit son environnement et construit les armes pour assurer son extinction. En vivant ici, je ne rencontre pas grand monde et ferai partie des survivants le jour où débutera la grande guerre. »

A-t-il raison ou est-il complètement paranoïaque ? De même, donner une réponse objective à ce vieil Australien ne fut pas chose aisée. Au cours de mes cinq années de voyage, il m'est arrivé parfois de douter de toute chance de réconciliation entre la grandeur de l'homme et ses bassesses, sa capacité à créer des horizons de bonheur et sa force de destruction et d'obscurantisme. Il m'est arrivé aussi de me questionner sur le sens du mot « paix » au milieu de la souffrance et de la déchirure humaine.

Néanmoins, malgré les importants défis à venir – énergie, eau, choc des civilisations...–, mon tempérament optimiste me pousse à rester positif et serein pour l'avenir des relations entre les hommes. Après tout, l'homme a toujours fait plus de pas en avant que de pas en arrière. Et puis mon tour du monde m'a permis d'aboutir à un certain nombre de convictions qui sont autant de sources d'espoir :

Un, l'homme est bon par nature.

C'est ma première conviction. La plus grande satisfaction de mon tour du monde est d'avoir pu vérifier que la grande majorité de la population mondiale est composée de gens honnêtes et sympathiques. Même dans les endroits considérés comme les plus hostiles de la planète, de nombreuses mains m'ont été tendues. Cinq années de pérégrination sans aucune agression me l'ont prouvé. Bien sûr, ma bonne étoile m'a suivi, et bien sûr le danger existe, mais cette constatation me rassure quant aux populations de la planète.

Oui, l'homme peut être cruel, vis-à-vis de ses semblables, de la nature ou des animaux : j'en ai eu de nombreuses preuves. La cruauté est une réalité de l'espèce humaine et le distingue même des autres mammifères. Cependant, je suis persuadé aujourd'hui que cette cruauté n'est pas naturelle, mais culturelle, donc on peut la combattre à la source. Elle est avant tout le fruit d'un manque d'amour reçu à l'enfance, d'injustice ou d'agression subie et de misère endurée.

« La haine est l'une des plus puissantes émotions perturbant la tranquillité de notre mental. L'antidote est la compassion. Nous ne pensons pas que la compassion relève seulement du sacré et de la religion. C'est une des qualités humaines de base. La nature humaine est essentiellement amour et douceur. Je ne suis pas d'accord avec les personnes qui affirment que les êtres humains sont naturellement agressifs et ce en raison de la prédominance apparente de la colère et de la haine dans le monde. Dès notre naissance, nous avons besoin d'amour et d'affection. Ceci est vrai pour tous jusqu'au jour de notre mort. Sans amour, nous ne pourrions survivre. Les êtres humains sont des créatures sociales et l'attention mutuelle est la véritable base de notre vie en société. »

— Sa Sainteté, le quatorzième dalaï-lama.

Deux, les hommes du monde entier aspirent à vivre en paix. Seconde conviction. L'immense majorité de la population mondiale ne souhaite pas la guerre, souvent déclenchée par les pouvoirs et non les peuples. Pour en avoir le cœur net, je me suis souvent transformé en collecteur de rêves dans les écoles. Sonder et interroger les enfants sur leur vision de l'avenir, à la fois celle qui prévaut dans leur pays et la leur, s'est avéré un précieux indicateur de leur dose d'espérance, d'optimisme ou de pessimisme.

Croyez-le ou non, aucun enfant, même dans les pays les plus dangereux du monde, ne m'a fait part de sa volonté de faire la guerre. Tous voulaient être médecins, avocats, policiers, astronautes ou autres mais pas guerriers. Tous souhaitaient se construire un avenir meilleur et, dans les pays en guerre, partagaient leur désir de paix.

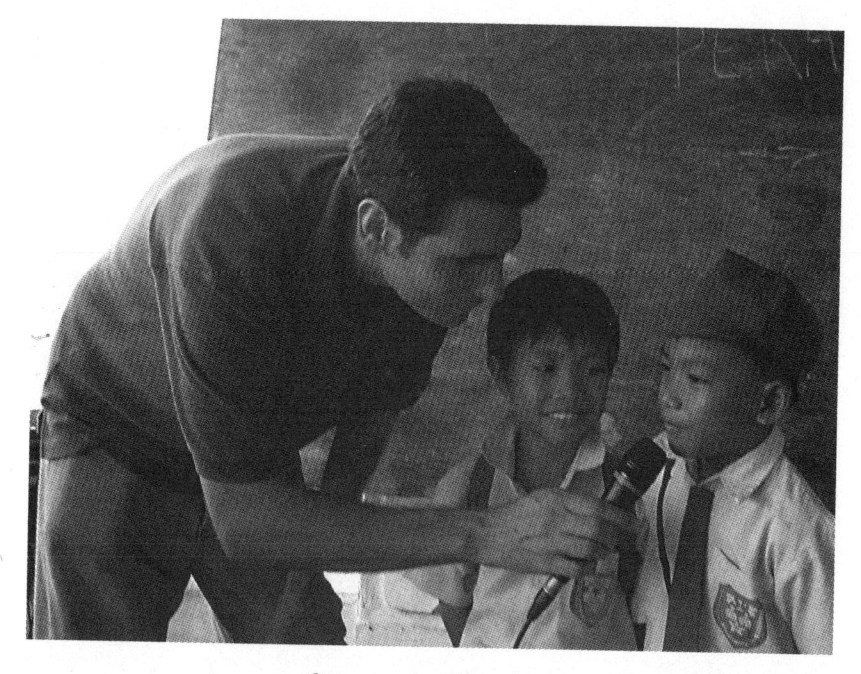

Et toi, quel est ton rêve ?
[Indonésie]

Trois, l'existence d'une hospitalité universelle.

Autre grande satisfaction et source d'espoir. Hormis la Corée du Nord, il n'y a pas un pays où je n'ai pas pu dormir chez l'habitant. L'hospitalité est une valeur mondiale. Mieux encore : c'est dans les pays où j'hésitais le plus à me rendre que cette hospitalité s'est révélée la plus chaleureuse, Pakistan et Iran en tête. Quel plaisir de découvrir qu'à l'heure où un fossé semble se creuser entre les différentes confessions religieuses, l'hospitalité continue de briller grâce à des sentinelles du sourire, des gardiens de l'accueil toujours prêts à vous recevoir dignement, quelles que soient votre origine ou votre religion ! Les nombreuses rencontres que j'ai faites sur la route m'ont révélé l'existence d'un sens de l'hospitalité universel qui me remplit d'espoir. Quelle différence entre l'image véhiculée et l'image réelle…

Excellent accueil
dans une école du Pakistan.

Hospitality Club et Couchsurfing constituent un microlaboratoire du monde parfait, tel que je l'imagine. Un monde d'ouverture, de simplicité, de tolérance et d'amitié, allant au-delà des frontières. Au Pakistan ou en Iran, les membres augmentent tous les jours. Que ce soit à Islamabad, Lahore, Peshawar, Téhéran ou Ispahan, j'ai rencontré, lors de réunions, des gens extraordinaires cherchant tous les moyens pour améliorer l'accueil des étrangers dans leur ville et permettre aux relations entre musulmans et non-musulmans de prendre un grand bol d'air frais. Ces jeunes à la recherche de relations positives avec les étrangers veulent contribuer à la construction d'une image nouvelle pour leur pays et leur religion, et construire un monde meilleur empreint de tolérance et d'humanisme.

Je croise les doigts pour que leur message d'hospitalité soit entendu à travers la planète, pour que le nombre d'adhérents grandisse tous les jours, mais aussi et surtout, pour que les étrangers ouvrent leur esprit et viennent leur rendre visite ; à condition que les ambassades ne viennent pas empêcher ces interactions tellement importantes pour le futur de l'humanité.

La « famille parfaite », famille Azahad.
[Malaisie]

Cette hospitalité, je l'ai également ressentie durant les conférences que j'ai pu donner dans les écoles. J'ai approché des cultures, des civilisations, des ethnies différentes de la mienne et toutes m'ont ouvert la voie du dialogue. Nos différences de codes, de gestes, de pensée ont généré la sympathie et favorisé la découverte permettant à chacun d'élargir ses horizons et d'ouvrir son esprit.

Ce tour du monde m'a permis d'aller au-devant d'autres univers, de démontrer qu'il est possible de s'intégrer dans tous les pays et toutes les sociétés. En somme, qu'un monde fraternel et respectueux d'autrui est envisageable, seulement si nous évacuons cette peur omniprésente de la différence. Il nous faut donc apprendre à nous connaître car chaque interaction positive entre individus de milieux culturels différents est un vote pour un monde meilleur.

«*Bringing people together.* Slogan d'Hospitality Club.

Changing the world, one couch at a time. Slogan de Couchsurfing.

Ces deux sites sont des vecteurs de paix formidables. Un moment fort que je n'oublierai jamais fut vécu lors d'une soirée Hospitality Club/ Couchsurfing à Bangkok, lorsqu'une quinzaine de membres étaient réunis autour d'une table à palabrer sur les plus beaux endroits de la planète. À ma droite, deux Israéliens juifs venant de terminer leur service militaire et voyageant en Asie du Sud-Est pendant six mois – ce genre de voyage post-service militaire est une véritable institution en Israël. À ma gauche, deux Malaisiens musulmans venant rencontrer leurs voisins du nord.

Pendant deux heures, je les ai écoutés discuter de la stupidité, du non-fondement de la haine entre les deux peuples et du besoin d'interactions positives. L'un des Israéliens regrettait de ne pouvoir se rendre dans les pays musulmans. Il disait qu'il aurait aimé ouvrir un dialogue mais que cela n'était malheureusement pas possible. Les deux Malaisiens étaient parfaitement d'accord et se disaient qu'un voyage en Israël serait sans doute une belle expérience pour eux.

Cette discussion, cette amitié nouvelle qui naissait devant mes yeux m'avait presque mis les larmes aux yeux. J'y voyais le monde de demain, celui dont je rêve tout du moins. Chacun d'entre eux regardait mon tour du monde avec envie en se disant que leur religion et origine ne leur permettraient sans doute pas de réaliser un tel parcours. Ils avaient malheureusement raison. Je garderai notamment en mémoire la parole d'un des Malaisiens :

« Nous, on est au-dessus de toutes ces merdes, les habitants du monde sont nos amis. »

Puissent tous ses frères l'entendre…

Quatre, passeurs d'espoir : une volonté d'entraide grandissante
« Sans progrès, il n'y a pas de paix possible. Sans paix, il n'y a pas de progrès possible. » – Kofi Annan.

L'éducation est la base de la paix. Que ce soit à travers le Rotary, dont les nombreuses actions pour rechercher des solutions pacifiques favorisent l'entente entre les hommes, ou les innombrables passeurs d'espoirs rencontrés pendant ces cinq années, tous m'ont montré que la compassion et l'aide humanitaire sont de formidables vecteurs de paix.

Les défis qui se présentent sont grands mais l'humanité a fait face, dans le passé, à bien d'autres défis tout aussi difficiles. Nous avons secoué notre joug colonial. Nous avons libéré les esclaves, donné aux femmes le droit de vote. Nous nous sommes attachés à Jim Crow et au problème de la ségrégation. Nous avons soigné la polio et contribué à éradiquer la variole. Nous avons marché sur la Lune, nous sommes venus à bout du nazisme, du communisme, de l'apartheid. Bref, de nombreux défis ont été gagnés par l'humain. J'ose croire que l'homme continuera dans cette voie.

Fort de ces convictions, de cette formidable expérience, de mon doctorat de la route quasi terminé, ce 7 décembre 2007, mon regard se porte désormais sur l'Europe. L'étape de Bandar-Abbas constitue l'une des dernières de ce tour du monde. Il me reste à présent un peu plus de 7 000 kilomètres à parcourir en seulement 17 jours. Objectif: arriver pour Noël à Strasbourg avant de terminer le 1er janvier dans les Alpes. J'en salive d'avance.

Les prémices de l'hiver commencent à se faire sentir. Je ressors ma vieille veste, la même depuis cinq ans, et tends le pouce. Chiraz, Ispahan, Qom… Les villes se succèdent au rythme des Paykan, voitures iraniennes aussi polluantes que branlantes. Entre elles, un désert sans cesse changeant; sable, rocaille, montagnes… Les couleurs aussi changent selon les heures de la journée : jaune le matin, blanc au zénith et rouge en fin d'après-midi.

Revoilà Téhéran. Pour me diriger vers la frontière turque, je marche au milieu d'embouteillages monstres en essayant de me frayer un chemin et de trouver des voitures partant vers l'ouest. Le stop restera un enfer en ville, jusqu'au bout. Heureusement, sur la route, on continue de me proposer des *chaï* en suivant un agréable rituel qui s'éternise. Je bois jusqu'à 10 thés par jour alors que je n'en consomme jamais d'habitude.

Je me rapproche du poste-frontière à bord d'un camion alimentant un trafic de viagra – fréquent dans la région. Des poids lourds sont alignés de part et d'autre de la frontière, stoppés sur le bas-côté pour une attente qui se prolongera pendant plusieurs jours. Je dépasse tous les automobilistes en marchant, ignorant leur cargaison plus ou moins légale en provenance d'Afghanistan, du Pakistan ou d'Irak. J'éprouve une drôle de sensation face à l'officier d'immigration; comme une prise de conscience que mon tour du monde est véritablement en train de s'achever. Une légère nostalgie s'empare de moi.

Ma sortie d'Iran est à l'image de l'accueil que m'a réservé son peuple : courtoise, souriante, hospitalière.

« Au revoir, *mister*, à bientôt.

— *Khoda afez !* »

Chapitre 24

LA DERNIÈRE LIGNE DROITE

Turquie – Bulgarie – Serbie – Hongrie – Autriche – Allemagne – France

« Quand on veut quelque chose, tout l'univers conspire à nous permettre de réaliser notre rêve. »

— Paulo Coelho

En ce 10 décembre 2007, l'automne a bel et bien laissé place à l'hiver. Il y a encore quelques jours, il faisait plus de 20° à Bandar Abbas et je rêvais de troquer mon jean pour un hypothétique bermuda illicite. Aujourd'hui, il fait –5° et la neige couvre le poste-frontière turco-iranien d'un joli voile blanc. Le douanier turc me chasse comme un malpropre de l'endroit où j'arrêtais les véhicules. Je suis fatigué, prêt à rentrer à la maison, les yeux et le cerveau emplis de merveilleux souvenirs et de superbes images.

« Allez, Ludo, un dernier effort, t'es presque arrivé ! » Plus que 4 000 kilomètres, 4 000 ridicules petits kilomètres tellement insignifiants par rapport à la distance déjà parcourue… Je frémis autant de froid que d'impatience de me retrouver à la maison. J'ai promis à mes parents d'arriver à Strasbourg pour le 24 décembre. Il ne me reste donc plus que 14 jours pour honorer mon engagement. Le compte à rebours est enclenché…

Arriver en Turquie après quasiment cinq ans d'errance à travers la planète, c'est déjà se sentir à moitié à la maison. Après le Pakistan, l'Afghanistan et les autres pays parcourus ces derniers mois, j'ai l'impression de sortir du Moyen Âge et de retrouver le 21e siècle. Les signes avant-coureurs de l'Europe sont nombreux : les bazars sont désormais des galeries marchandes balayées plusieurs fois par jour ; le linge est plié sur les étals, la vaisselle empilée au cordeau, les *kebabs* vendus sous cellophane. La langue s'est occidentalisée, du moins phonétiquement : *inflasiyon, kuaför, otel, otobus, bisiklet, kurdan*… Un parfum de France se fait sentir. Dans les stations, les matchs de football de la Ligue des champions ont remplacé ceux du championnat iranien pour accompagner mes attentes.

Mon statut aussi a changé. Être Français n'est désormais plus aussi exotique pour mes conducteurs. Je ne suis qu'un touriste occidental parmi d'autres. N'empêche, faire du stop en Turquie est une partie de plaisir. Un petit coup de pouce et hop, me voilà aux côtés d'un camionneur ou d'un paysan qui me raconte les luttes du PKK[42] ou me parle de la volonté de la Turquie d'intégrer l'Union européenne.

Depuis la frontière, je longe la côte sud pour revoir la Méditerranée et découvrir quelques sites intéressants. Le spectacle est magnifique, mais je n'ai pas vraiment le temps d'en profiter : je circule vite. Que la Turquie ne m'en veuille pas mais mon esprit est ailleurs. Ma seule et unique obsession, aujourd'hui, c'est le retour à la maison. La perspective du retour ne m'effraie pas, au contraire. Je suis ravi, prêt à passer à une nouvelle étape de ma vie. Tout comme Ulysse, après toutes ces aventures, je me sens mûr, à présent, pour retrouver mes racines.

---

42. Parti des travailleurs du Kurdistan (PKK, en kurde : Partiya Karkerên Kurdistan).

Quel plaisir de penser que dans quelques jours, je serrerai mes bien-aimés dans mes bras, retrouverai mes amis, ferai connaissance de leurs femmes et de leurs enfants, de mes petits-neveux. Des perspectives qui me remplissent de joie. Autre grande impatience : celle de revoir Marisol qui attend mon arrivée à Strasbourg. Vingt-sept mois que nous ne nous sommes pas vus ! Depuis septembre, elle est inscrite en *master* Commerce international et connaît déjà ma famille. Arrivera-t-elle seulement à me reconnaître ?

Sur la route, je m'offre une courte halte au milieu des innombrables stations balnéaires jalonnant la côte. Me voilà à présent dans l'univers des hôtels, des luxueux complexes touristiques pour touristes anglais, allemands, hollandais. Buildings à plusieurs étages, avec piscine, bar à cocktails, *night-club*… Ces complexes hôteliers travaillent pour que le touriste se sente le moins dépaysé possible. Confort, nourriture, musique, loisirs, tout est savamment orchestré pour ne pas déstabiliser le client. À peine un zeste de folklore ! Mon atterrissage est, certes, un peu violent, mais je réalise pleinement l'imminence de mon arrivée. Mon allure de voyageur au long cours contraste avec celle des touristes. Certains me dévisagent de la tête aux pieds. Je choque ? Peu importe !

Après cinq ans de voyage, je mesure à quel point je suis décalé. Loin de moi l'idée de porter un quelconque jugement. Chacun voyage à sa façon et trouve son plaisir en fonction de ses désirs. L'important n'est pas d'instaurer une « dictature du voyage », un modèle à imposer, mais bien au contraire, de trouver la forme de voyage qui convient à chacun. Je m'interroge juste sur les différences. Certains préfèrent garder leurs repères, je préfère les perdre. Ils savourent leurs vacances en « farnientant » confortablement au bord de la piscine. Je savoure avec autant de plaisir mes kilomètres de poussière, mon inconfort d'errant et mes contacts avec les gens du coin.

Malgré le temps qui presse et toute mon impatience, je m'attarde dans la splendide Cappadoce et ses impressionnantes grottes troglodytiques. Du dessus, elles ressemblent à un immense gâteau meringué. Un régal pour mon appareil photo ! Et je repars. Les paysages défilent... Les kilomètres aussi... Plus je me rapproche de l'ouest, plus l'Europe est palpable. Le dépaysement devenu coutumier à chaque nouveau pays commence à s'estomper. Les voitures ont changé d'allure. Je croise nombre de Mercedes conduites par des hommes, téléphone à la main, ayant travaillé en Allemagne. Les avenues sont larges, propres et bordées de platanes. Les gens, vêtus de costumes et de manteaux de laine, me rappellent les Berlinois. Les gargotes à *kebabs* laissent peu à peu place aux fast-foods avec leurs néons racoleurs et leurs sièges en plastique. Le marchandage n'a plus cours dans les souks. L'Orient s'éloigne...

Les souvenirs reviennent en cascade. Il y a sept ans, après mon « déclic roumain », Jean-Luc et moi avions décidé de poursuivre notre escapade européenne jusqu'à Istanbul. À l'époque, le coût de la vie était ridiculement bas pour nous. Aujourd'hui, nourriture, vêtements, transports locaux... tout est plus cher. C'est un coup dur pour mon compte en banque, rouge vif depuis quelques mois ! Plutôt que de travailler dans des pays où le salaire minimum était bas, j'ai préféré emprunter ; mais j'ai calculé serré...

L'augmentation du coût de la vie se répercute sur le prix du litre d'essence, sans doute ici le plus cher au monde : près de deux euros le litre – dix centimes en Iran ! Quelle bonne idée de circuler en stop ! Le baril de pétrole, valait 25 dollars à mon départ, il approche les 150 dollars aujourd'hui !

Istanbul se rapproche. Ville charnière entre l'Europe et l'Asie, carrefour des civilisations, elle apparaît comme une vieille main couverte de bagues, tendue vers l'Occident. Le passage du Bosphore est toujours un moment fort sur la route du voyageur. Cette plaque tournante des continents est la balise qui sépare la zone européenne de cabotage de celle du long cours. Pour ceux partant de France vers l'est, c'est ici que l'aventure commence. Pour moi, c'est là qu'elle se termine.

Le trajet Istanbul-Strasbourg, c'est du déjà-vu. Les découvertes sont certes moins dépaysantes, mais mon émotion reste vive, surtout au moment de traverser le pont mythique du Bosphore. Flottant entre deux rives, je fais mes adieux à cette majestueuse Asie qui m'accueille depuis des mois et rejoins l'Europe, ma « terre patrie ». Peut-être le moment le plus symbolique de ce périple, concrétisant mon retour. Au loin, le drapeau étoilé jaune sur bleu flotte au vent…

Jour-9. La barrière de l'Europe se lève avec un air de fanfare dans ma tête. Le cœur battant, l'esprit envahi par une appréhension encore indéfinissable mais impérieuse : arriver à bon port sans trop de heurts. J'ai réussi à traverser une bonne partie du monde, la remontée de l'Europe devrait être une partie de plaisir. Il me reste néanmoins plus de 2 500 kilomètres à parcourir et une grande semaine avant le repas familial. Le fumet de la dinde cuisinée par ma mère me titille les narines…

La Bulgarie est maintenant membre de l'Union. Le jour de mon départ, en 2003, elle comptait 15 membres, ils sont aujourd'hui 27. Pendant ces cinq années, j'ai suivi l'évolution de l'Union Européenne. Parfois d'un œil sceptique, voire inquiet, quand la xénophobie, le manque d'ouverture, l'excès de nombrilisme ou le nationalisme de certains se manifestaient fortement, ou que le populisme de quelques dirigeants transparaissait un peu trop. Parfois d'un œil enthousiaste, quand je prenais conscience que l'Union européenne est le plus bel exemple d'intégration dans le monde. Puisse-t-elle un jour se transformer en une Union mondiale fédérale qui arbitrerait avec sagesse et régulerait le concert des nations. L'espoir fait vivre…

Il neige si fort que les routes bulgares sont quasiment impraticables. Les voitures avancent lentement. La France se fait désirer. Les gros flocons s'entassent silencieusement sur les côtés du pare-brise. Pied de nez au destin, je passe devant la station-service de Svilengrad où, sept ans plus tôt, mon ami Jean-Luc et moi avions attendu une dizaine d'heures avant de trouver un véhicule acceptant de nous embarquer. Aujourd'hui, la chance est avec moi, les temps d'attente ne dépassent que rarement les 20 minutes.

Après la ville de Plovdiv, une vision choquante : nous dépassons un petit bus local échoué sur le bas-côté. Il est encastré dans un pont qui passait au-dessus de la route. Plusieurs corps sont étalés sur la neige. D'autres, gravement blessées, semblent avoir besoin d'aide. Un ambulancier vient d'arriver sur les lieux, il nous fait signe de poursuivre. Affreux spectacle de sang violacé mêlé aux bris de glace. Ces quelques secondes de confrontation durent des heures que je ne pourrai jamais oublier. La vie est une loterie et ne tient qu'à un fil. Difficile de ne pas repenser à tous ces conducteurs, à travers le monde, qui tenaient ma vie entre leurs mains, conduisant parfois de façon complètement déraisonnée. Mille fois, ces camions, camionnettes ou voitures auraient pu s'écraser contre un mur ou dévaler une montagne. *Mektoub !* Ce ne devait pas être mon heure. À moins que Dieu existe et qu'il m'ait protégé, comme l'avait prédit le tout premier chauffeur belge, au sortir de Val-d'Isère…

⁂

Jour-6. Courte halte à Sofia, la capitale bulgare. Après tant d'échanges de courriels, je parviens finalement à rencontrer Jeremy. Je le vis comme un passage de témoin, puisque ce jeune homme de 25 ans débute un tour du monde qu'il aimerait faire uniquement en stop. Mon aventure l'a inspiré, affirme-t-il. Pendant trois heures, nous partageons les mêmes joies du voyage, les mêmes soucis, les mêmes galères. Il veut que je lui donne de bons conseils. J'insiste sur les stations-service, la bonne apparence, le sourire constant, le document magique, le classeur photo, la carte du monde plastifiée et bien sûr, la persévérance. Bonne route, Jeremy, n'abandonne jamais…

Je touche au but. L'Europe de l'Est passe à toute vitesse sous mes yeux. Je ne connaîtrai de la Serbie que ses routes et la gentillesse de quelques conducteurs. Mon prénom, pourtant français, me fait déjà passer pour un habitant de la région. La Hongrie m'accueille la veille de son entrée dans l'espace

Schengen. Je fais partie des derniers individus à passer la barrière séparant les Magyars des Autrichiens. Tout un symbole. Hier, ces deux pays s'opposaient idéologiquement. Dans quelques heures, ils pourront aller se serrer la main, apprendre à se connaître, mettre en commun leurs expériences, sans même avoir à montrer leurs papiers d'identité. Quel progrès fabuleux ! Quelle marque d'espoir formidable !

Et ça repart aussitôt. J'arrive en Autriche. Je retrouve les belles autoroutes avec plaisir, des automobilistes raisonnables et courtois… Mais aussi l'euro. Et là, c'est plus dur ! L'union monétaire est peut-être formidable mais le choc est rude. Je m'étais habitué à des repas complets pour moins de deux dollars. Pas le droit de me plaindre : le taux de change favorable de l'euro m'a beaucoup aidé pendant toutes ces années. Il me faudra simplement un peu de temps pour m'y réhabituer. Malgré une grande froideur du climat – et de la population qui me regarde souvent comme un marginal – je continue d'accumuler les kilomètres à bonne allure. Après un an et demi passé en Asie sans pouvoir me faire comprendre par la majorité de la population, je retrouve enfin la joie de m'exprimer sans le moindre document magique. Pour la première fois en cinq ans, l'allemand que j'ai dû apprendre à l'école – contraint et forcé – me sert enfin à quelque chose.

« *Ich möchte nach Strasburg fahren, bitte.* »

Je parcours mes derniers kilomètres avec une légèreté incroyable, avec des papillons dans le ventre et un bonheur qui m'envahit des orteils à la pointe de mes cheveux. J'ai du mal à réaliser que je suis si proche de la fin de mon parcours…

Jour-3. Un panneau marque mon entrée en Allemagne, 59e et dernier pays de mon tour du monde. Deux dernières visites aussi intéressantes que symboliques : d'abord le camp de concentration de Dachau, que les Allemands visitent aujourd'hui les larmes aux yeux ; puis, dans un tout autre registre, la ville de Freiburg, considérée par beaucoup comme l'exemple à suivre pour l'Europe, du fait de ses nombreux projets écologiques HQE – Haute Qualité Environnementale. Je ne m'y attarde pas, j'aurai tout le loisir d'y revenir un jour…

Jour-1. Un couple rencontré dans une station-service me dit qu'il va sur Paris et me propose de monter. Razvan et Roxana sont Roumains mais connaissent bien la France. Ils habitent la région parisienne depuis plus de 10 ans. Nous sympathisons rapidement. Nous parlons de l'époque communiste de Ceausescu, de l'entrée récente de leur pays dans la Communauté européenne, de leur ville natale, Cluj-Napoca. Notre conversation coule agréablement et je ne vois pas passer les kilomètres. Soudain, Razvan me demande :

« Habites-tu à Strasbourg même ?

— Oui, je vais maintenant chez mes parents, je vais leur faire la surprise. Vous pouvez me déposer à la sortie.

— Non, nous voulons être ta dernière voiture, nous t'emmenons devant chez toi. Pas question que tu prennes froid. Tu en as déjà bien assez bavé comme ça. Et puis ça nous fait grand plaisir. »

Yeeeessss ! J'ai peine à y croire. C'est en Roumanie qu'était né le projet fou de boucler la grande boucle en stop, et voilà que ce sont aujourd'hui des Roumains qui s'apprêtent à me ramener chez moi. La Roumanie restera résolument dans mon cœur…

À hauteur de Baden-Baden, sur l'autoroute, Razvan prend la sortie Strasbourg. Ça y est, la dernière frontière se présente à moi. Mais pas n'importe laquelle : la plus belle et la plus symbolique au monde. Cet endroit précis était, il y a une soixantaine d'années, le cœur de la Seconde Guerre mondiale. Le lieu des pires atrocités. Deux peuples souhaitant la destruction de l'autre. Aujourd'hui, la frontière a disparu et des milliers de riverains traversent le Rhin dans un sens et dans l'autre, tous les jours, pour aller travailler. Les deux peuples sont devenus les meilleurs amis du monde.

Ayant grandi en Alsace, je peux témoigner des nombreuses fêtes où Français et Allemands se rejoignent autour d'une bière pour célébrer leur unité dans la différence. Puisse cet endroit inspirer la planète entière.

Traversée de la frontière en vue : 500 mètres, 300, 200, 100… plus que 50 mètres… 20, 10, 5, 4, 3, 2, 1… *Yeessss* ! Le panneau « Bienvenue en France » et le drapeau tricolore claquant fièrement au vent me remplissent de bonheur. J'ai beau être un citoyen du monde convaincu, retrouver ma patrie me rend fou de joie. Quelques mètres plus loin, nouvelle explosion de bonheur à la vue du panneau indiquant mon arrivée en Alsace. Ça y est, me voilà à Strasbourg. Les frissons me gagnent…

En ce 23 décembre, ma ville de cœur est recouverte d'une petite couche de neige et les lumières de Noël l'illuminent de façon resplendissante. Demain, j'irai boire un vin chaud au marché de Noël devant la cathédrale.

— Prenez à gauche puis au feu à droite !

Mes yeux commencent à briller. Ce retour, je l'ai vécu des milliers de fois dans ma tête. Avenue des Vosges, Allée de la Roberstau, Orangerie… Autant de noms familiers qui résonnent dans ma tête comme une agréable musique. Il n'y a ni foule, ni banderole pour m'accueillir. Personne ne sait que j'arrive. Malgré cinq années de stop, ce moyen de transport n'est toujours pas une science exacte. C'est une victoire personnelle, celle de la réalisation d'un défi, mais surtout, de la réalisation d'un rêve d'enfant. Comme c'est grisant d'être en accord avec soi-même, de ressentir la plénitude d'un vieux rêve accompli ! Un bien-être merveilleux m'emporte.

Au dernier croisement, j'aperçois l'immeuble de mes parents puis leur voiture. Razvan active le dernier clignotant chaleureux, Rozana ouvre la dernière porte de l'amitié. Ça y est, l'appartement de mes parents est là, je suis en bas de chez moi. Au moment d'appuyer sur la sonnette, un sentiment ineffable m'envahit, celui du retour au bercail après cinq années d'absence. J'écoute avec le plus grand plaisir le haut-parleur crachoter :

« Allô ? »

Silence... L'émotion comprime le souffle dans ma poitrine. Le moment est jubilatoire.

« Il y a quelqu'un ? »

Maman ! Sa douce voix ne m'a jamais quitté pendant ces années de voyage. Enfin vais-je pouvoir la serrer dans mes bras, lui parler sans avoir le moindre gadget électronique entre nous. Très heureux aussi à l'idée de retrouver mon père. Avant mon départ, il était soucieux, voire inquiet que son fils s'éloigne de la vie professionnelle pendant plus de six mois. Puis il est venu me voir sur place, a assisté à des conférences, a lu mes articles sur mon site Internet. Et il a compris. Compris que ce voyage n'était pas des vacances prolongées. Compris que nous étions différents mais, pour autant, que j'étais en mesure d'assumer ma différence et mes responsabilités. Il fallait le voir à Shanghai, notamment. Celui qui était le père, sur les terres de mon enfance, était devenu enfant, sur les terres du monde. Je le revois ébahi, curieux, impressionné en regardant les grandes tours, en découvrant l'histoire de la Chine, en goûtant aux savoureux mets locaux... en prenant conscience du bonheur de voyager.

22 h 30. Les voilà qui descendent tous les deux. Ils n'ont pas changé. Quel plaisir et quelle chance de les retrouver en pleine forme après cinq ans ! Tout n'est maintenant que pur bonheur. Paroles, histoires et émotions coulent en un torrent inépuisable. J'ai souvent imaginé ce moment des retrouvailles ; me voilà en train de le vivre pleinement. Quel bonheur que mes parents soient les premières personnes à pouvoir lire toute l'intensité de mon retour ! Mais ce que je ressens est fait de tout ce que j'ai vécu pendant ces cinq années. Personne ne peut vraiment l'éprouver de la même façon, et donc le partager réellement.

Je le sais : c'est une grande chance de pouvoir savourer de tels moments, en tant qu'individu. Cependant, le défi, le périple et sa longue réalisation valent bien plus qu'une arrivée. Comme le disait l'écrivain Paul Theroux : « C'est le voyage qui compte, non l'arrivée ; le périple, non l'atterrissage. » L'arrivée représente sans aucun doute un plaisir, une jouissance forte et instantanée. La route, elle, constitue un bonheur durable, moins intense peut-être, mais plus profond.

Après avoir sabré une bouteille de champagne et célébré le retour à la maison comme il se doit, je laisse Razvan et Roxana partir, non sans les avoir chaleureusement remerciés. À travers eux, mon esprit communie avec tous ces princes de l'accueil, ces rois du sourire, ces souverains de l'hospitalité qui m'ont reçu tout au long du périple, chez eux ou dans leur véhicule. Amis d'une vie, d'un jour, d'une heure ou d'une minute, je vous remercie de l'honneur que vous m'avez témoigné. Il me reste aujourd'hui le devoir de vous imiter, d'égaler votre simplicité, votre intelligence de cœur, et de rendre, dans mon pays et ailleurs, ce que vous m'avez donné. Aucune récompense n'aura autant de valeur que ces petits moments d'amour offerts par des inconnus.

Comme la découverte d'un nouveau site historique, je retrouve ma chambre, les yeux écarquillés. Dans un coin, colis, enveloppes, paquets expédiés des quatre coins du monde attendent patiemment mon retour. Ils contiennent quelques petits souvenirs et achats réalisés au fil des kilomètres : cartes postales, timbres merveilleux, sculptures, peintures, coupures de journaux relatant mon tour du monde. Pêle-mêle de souvenirs délicieux… Tout aussi merveilleuse est la sensation que j'éprouve au moment d'entrer dans mon lit. Après avoir passé quelque 1 850 nuits dans près de 600 endroits différents, je savoure ma couche moelleuse, le plaisir d'une douche chaude, la douceur du papier hygiénique, l'onde purificatrice d'une chasse d'eau… Autant de choses simples qu'à présent, je saurai apprécier.

Le lendemain, les retrouvailles pleines d'émotions reprennent de plus belle. D'abord avec tous mes amis autour d'un repas alsacien puis le soir, autour d'un repas digne d'un géant avec la famille. Embrassades, accolades, claquages de paumes, caresses, bises : plaisir et délice de retrouver les siens, de découvrir de nouvelles têtes. Orgie de bonheur…

Quelques jours plus tard, la joie et l'émotion continuent au moment de retrouver les enfants de l'hôpital, cinq ans après ma première visite. Plus de 2000 courriels échangés, davantage de photos envoyées, le projet pédagogique a rempli tous les objectifs fixés au départ. Les enfants que je retrouve ne sont plus les mêmes qu'en 2003. Certains ont guéri, d'autres nous ont malheureusement quittés. Seul un enfant a parcouru les cinq années à mes côtés.

L'histoire de Yannick est formidable. Autiste et aujourd'hui âgé d'une vingtaine d'années, il se comportait en 2003 comme un enfant de 10 ans, se contentant de répondre aux questions posées uniquement par « oui » ou « non ». Victime de problèmes rénaux, il est rentré à l'hôpital fin 2002, juste avant mon départ, et – coïncidence troublante – obtiendra une greffe début 2008, juste après mon arrivée.

Au cours de mes cinq années de voyage, Yannick fut le plus fidèle de mes correspondants avec plus d'une centaine de courriels échangés. Passionné de géographie, il connaît toutes les capitales du monde par cœur et a suivi jour après jour mon parcours. À la surprise de tous les enseignants, mon tour du monde a créé en lui une aventure intérieure qui l'a aidé à s'extérioriser. Extériorisation qui a trouvé son paroxysme le 20 mars 2004, lorsque, tremblant de tout son corps, il fit, devant 200 parents, un exposé de cinq minutes sur mon aventure. Expérience inimaginable quelques mois auparavant aux dires des soignants et des enseignants !

Cinq ans plus tard, je retourne dans les chambres stériles avec la même émotion. Les enfants semblent tout autant impressionnés que moi. Voir le globe-trotter en personne, celui dont ils ont entendu parler tant de fois et dont ils se sont inspirés pour leurs cours, leur paraît tellement irréel qu'ils ne savent pas quelles questions me poser. Nous organisons une conférence réunissant de nombreux enfants avec qui j'ai été en contact pendant toutes ces années. Ce projet pédagogique n'aurait pas été ce qu'il a été sans l'aide formidable des éducateurs et instituteurs ayant assuré l'intermédiaire entre les enfants et moi. Qu'ils en soient remerciés !

En trichant un peu, je pourrais considérer que mon arrivée à Strasbourg est suffisante pour valider mon contrat moral. Après tout, je suis de retour à la maison. Mais il faut, pour réaliser un rêve, qu'il soit accompli en entier. Je repars donc en direction de Val-d'Isère, histoire de véritablement boucler la boucle. Pour la dernière fois, je refais mon sac. Même cérémonial depuis des mois. Ce sac décoloré, imprégné de toute la poussière du monde, de toutes les particules de souvenirs collectées au gré du vent, a été mon plus fidèle compagnon de route.

Il a tenu cinq ans, bravé des températures allant de – 42 à +48° (Canada et Inde), traversé 59 pays à travers tous les continents du monde ; il est entré dans plus de 1300 véhicules, s'est retrouvé coincé entre de nombreux autres sacs, sur des toits, sous mes pieds ; il s'est retrouvé nombre de fois sous mes fesses au bord des chemins, dans l'eau d'un port des Marquises. Il a fait office d'oreiller une bonne centaine de fois et fut sur le point de mourir à de nombreuses reprises, trouvant toujours une âme charitable prête à lui prolonger la vie. En le fermant une dernière fois, je ferme en même temps un fabuleux chapitre de ma vie.

Pour cette dernière ligne droite, je ne suis plus seul à faire du stop : Marisol, que j'ai retrouvée avec grande joie et émotion, m'accompagne sur la route. Pour la première fois de sa vie, elle découvre les joies de l'autostop ; non sans peur. Première fois que je vois une autostoppeuse avec talons aiguilles et minijupe dans son sac à dos ! Son baptême du feu n'est pas trop difficile, il lui suffit d'attendre bien au chaud, à l'intérieur des stations d'essence, que je vienne la chercher dès qu'un automobiliste accepte de nous prendre.

Début d'une nouvelle vie avec Marisol,
mariage le 21 mars 2009.

Après 8 conducteurs et 700 kilomètres, Marisol est ravie : nous sommes arrivés à Bourg Saint-Maurice vivants. Le 1er janvier 2008, vers 21 heures, nous rejoignons Brice, un de mes amis proches, qui sera le tout dernier conducteur de mon tour du monde. Dans une voiture bondée, avec d'autres amis, en pleine semaine de ski, nous parcourons un à un les lacets que je m'étais promis de retrouver cinq ans plus tôt. Étrange sensation ! Soudain, après avoir parcouru 170 000 kilomètres, franchi une trentaine de fuseaux horaires, traversé 6 continents, 3 dictatures, 4 guerres, 18 déserts, 16 chaînes de montagnes ; attendu plus de 10 000 heures au bord des routes du monde, reçu un bon milliard de claques d'air, attendu la venue de véhicules dans plus de 700 postes d'essence, usé 8 paires de chaussures, perdu 7 kilos, pris 22 000 photos, dépensé 25 000 euros… surgit le dernier panneau qui jalonnera ma route :

« Val-d'Isère. » L'écriteau est le même que cinq ans auparavant. Rien n'a changé autour de moi, hormis la route qui était enneigée en 2003 et qui ne l'est plus. Nouvelle joie inexprimable.

Cette fois, ça y est, la boucle est véritablement bouclée ! Terminus de ma balade planétaire. Quant à la motivation qui m'a guidé cinq années durant, elle peut se résumer par ces paroles empruntées à Paul-Émile Victor : « Faire que l'aventure, au-delà des aléas, du meilleur et du pire, du succès et de l'échec, soit déjà en elle-même un accomplissement. »

1er janvier 2008 :
le tour se termine au même endroit
que le départ fut donné.
[Val-d'Isère]

ÉPILOGUE

Près de deux ans se sont écoulés depuis mon retour. Deux ans d'atterrissage en douceur qui m'ont permis de prendre davantage de recul par rapport à cette expérience, ô combien passionnante et enrichissante. Depuis mon retour, de nombreuses questions m'ont été posées. Ci-dessous, je vais essayer de répondre à certaines d'entre elles…

« N'est-il pas trop difficile d'être de retour en France, dans une vie de sédentaire, après cinq années de balade ? Penses-tu pouvoir te réadapter à la vie française ? »

Cette question m'a été posée des milliers de fois, semblant refléter un réel souci pour de nombreuses personnes. Nombre de gens me prédisent même un avenir déprimant, comme si « trop de bonheur pouvait tuer le bonheur », comme si avoir été trop heureux pendant une période donnée pouvait compromettre le bonheur à venir. Je pense exactement le contraire : l'audace et la soif de vivre pleinement s'en retrouvent encore plus intenses aujourd'hui.

Mon tour du monde m'a transformé. Il m'a permis d'attiser ma curiosité, mon ouverture d'esprit, de briser autant de certitudes que d'idées préconçues. Il a aussi contribué à rendre ma vie plus intéressante qu'avant, me permettant de développer une grande empathie.

Lorsque je regarde le journal de TF1, je peux aujourd'hui voir au-delà des simples images de catastrophes et comprendre bien mieux les tenants et aboutissants de chaque histoire et la vie locale des endroits présentés. Lorsque je lis des articles de presse sur un pays dans lequel je me suis rendu, je peux à présent lire entre les lignes, avoir instantanément des images et des témoignages qui me reviennent en tête. De nombreuses passions sont nées au cours de ce voyage. J'ai aujourd'hui envie de regarder des centaines de documentaires et lire des milliers de livres sur le monde…

Non, mon retour ne va pas rimer avec déprime, c'est une certitude. Je suis aujourd'hui en accord avec moi-même et il n'y a rien de plus important. Je voulais faire ce tour du monde en stop, je l'ai fait et j'en suis aujourd'hui très heureux. J'ai toujours considéré ce tour du monde comme une étape nécessaire de ma vie entre la fin de mes études et le début de ma vie professionnelle. Je pensais qu'elle allait durer deux ans, elle en a duré cinq. Cela ne change finalement pas grand-chose. Il me reste désormais à tourner la page du tour du monde et construire une nouvelle étape de ma vie que ce soit au niveau personnel ou professionnel, en restant imprégné par tous ces Hommes rencontrés pendant toutes ces années, qui m'ont influencé et inspiré.

Pour ce qui est du sédentarisme et de la réadaptation à la vie française, ça ne pose pas davantage de problèmes. Pendant cinq ans, mon voyage a été une adaptation constante à l'environnement, aux gens, aux religions, aux coutumes. Ce n'était plus un périple mais un style de vie. Me réadapter à mon style de vie original et à ma propre culture n'est absolument pas insurmontable.

« Et maintenant ? Que fais-tu ? »

Selon les lois de la biologie, je ne suis parvenu qu'au tiers du voyage de la vie. Avec chance, les deux tiers restants seront aussi intenses et heureux que le premier.

J'ai aujourd'hui deux diplômes. Un *master* en commerce international et un doctorat en « auto-bateau-stop » international. On me demande parfois lequel de ces deux diplômes va m'être le plus utile dans la vie. Ma réponse est très claire : les deux. L'école du voyage, aussi bonne soit-elle, ne peut remplacer celle de l'université. Les deux sont absolument complémentaires. La première m'a donné les bases pour avoir un regard éduqué sur le monde. La deuxième m'a permis de croiser la route de rats, de lépreux, de clochards, de gens très riches, d'indigènes et d'avoir une autre vision du monde.

Je pense avoir aujourd'hui terminé un cycle de ma vie. À présent, il convient de se tourner vers l'avenir. Un avenir qui ne manquera pas d'être prometteur tant les projets venant visiter mon esprit fougueux sont nombreux.

Sur le plan personnel, je suis à présent marié avec Marisol. Elle est mon rayon de soleil quotidien, mon voyage permanent, une source de bonheur formidable… Elle fut ma première supportrice dans l'écriture de ce livre. C'est à présent une toute nouvelle aventure qui débute à ses côtés… Je rêve aujourd'hui d'avoir des enfants et de leur transmettre l'envie d'apprendre à regarder, à écouter, à être curieux. De connaître la planète pour mieux la respecter et y trouver sa place. D'ores et déjà, la petite Ana-Laura a vu le jour le 7 septembre 2012… En attendant d'autres…

Sur le plan professionnel, mon périple m'a permis de découvrir les nombreuses possibilités et opportunités qu'offrait la vie. Contrairement à ce que me prédisaient de nombreux oiseaux de mauvais augure avant mon départ, trouver un moyen de gagner ma vie n'est en rien insurmontable malgré cinq ans à découvrir le monde. Tout est question d'état d'esprit et de volonté… Je travaille aujourd'hui pour l'organisation Peace and Sport, basée à Monaco, sous le haut patronage du Prince Albert II. L'objectif de cette organisation est de faire la promotion de la paix à travers le monde par le sport. (www.peace-sport.org).

Au-delà de la vie sentimentale et professionnelle, je travaille sur le développement de plusieurs projets. Parmi ceux-là, le site Internet www.travelwithamission.org.

L'idée de la création de ce site est née du constat de deux phénomènes :

Tout d'abord, la difficulté d'organiser des conférences à travers le monde. Au cours de mon périple, j'ai donné plus de 350 conférences, principalement dans des écoles et universités. Aussi pédagogiques furent-elles, les organiser fut sans cesse un véritable défi. Quelle école contacter ? Quel professeur au sein de telle école pourrait être intéressé par ma venue ? Comment préparer au mieux la conférence ? Si les sites Hospitality Club et Couchsurfing m'ont été d'une grande aide, avoir le culot d'aller frapper aux portes des institutions m'a permis d'atteindre mes objectifs, mais force est de constater qu'il est aujourd'hui compliqué, pour un globe-trotter, d'aller s'exprimer dans les écoles et universités du monde entier.

Ensuite, l'idée de la création de ce site est née de la prise de conscience de l'existence de deux mondes, aujourd'hui séparés, qui n'attendent que de se rapprocher. D'un côté, les professeurs, directeurs de centres de jeunes, d'hôpitaux, etc. (appelés *Twamhosts*). Nombre d'entre eux, surtout dans les pays de « civilisations différentes » (Indonésie, Chine, Inde…) m'ont fait part de leur souhait d'avoir davantage de voyageurs venant s'exprimer dans leurs salles de classe, afin « d'éveiller » leurs étudiants, patients, membres, etc., au monde qui les entoure. De l'autre, une nouvelle génération de globe-trotters, éduqués, humanistes et conscients du rôle qu'ils ont à jouer pour aider la planète d'une manière ou d'une autre (appelés *Twamers*). Au cours de mon périple, nombre de jeunes hommes et femmes m'ont contacté en me faisant part de leur rêve non seulement de découvrir et mieux comprendre le vaste monde, mais aussi et surtout de se rendre utiles. La question : « Comment faire ? » est très souvent revenue…

Construire des ponts entre ces *Twamhosts* et *Twamers*, tel est le premier objectif de www.travelwithamission.org. Le deuxième est de développer le «*Twaming*», un type de voyage engagé en plein essor.

Concrètement, comment ça marche?

Vous êtes un expert du réchauffement climatique et souhaitez expliquer les défis environnementaux aux jeunes et moins jeunes dans votre région ou à travers le monde? Vous êtes un expert en musique et souhaitez divertir les jeunes Chinois ou Indiens? Vous êtes doué pour l'art et souhaitez développer la créativité des enfants du monde? Vous faites un tour du monde à vélo, en *roller*, en stop, à pied et souhaitez partager votre rêve et vos apprentissages dans des écoles et universités?

Quel que soit votre projet, si celui-ci implique de se rendre dans des écoles, universités ou autres organisations à travers le monde, la plateforme *Travel with a mission* pourra vous aider à mener votre projet à bien. Comment? En mettant à disposition une base de données de Twamhosts intéressés par la venue de *Twamers* dans leur institution ou leurs établissements.

Cette plateforme s'inscrit dans la mouvance Web 2.0 (deuxième génération d'Internet) en s'alignant sur les nouvelles technologies des sites à succès comme Facebook.com, YouTube.com, Flickr.com, Viadeo.com ou bien sûr Couchsurfing.org, dont le fonctionnement sera assez similaire, à la différence que la recherche n'est pas faite sur des possibilités de logements mais d'interventions.

Au-delà des bases de données de *Twamers* et *Twamhosts*, la plateforme «*Travel with a mission*» aura également pour objectif d'aider les *Twamers* à médiatiser leur parcours par une base de données de journalistes à travers le monde, à la recherche d'initiatives originales ayant un impact positif sur la communauté, mais aussi par de nombreux conseils pratiques pour aider les *Twamers* à trouver des partenaires ou à créer une présentation et un diaporama de qualité.

Parce que chaque interaction positive entre individus de cultures différentes est un vote pour un monde meilleur.

Parce qu'il vaut mieux vivre ses rêves que rêver sa vie. Parce qu'un voyage est tellement plus sympa et intéressant lorsqu'il est accompagné d'un véritable projet éducatif, connectez-vous sur www.travelwithamission.org et partez à la rencontre des enfants et étudiants du monde… Le site est en ligne depuis le 15 mai 2013.

« Vas-tu continuer à faire du stop maintenant que ton tour du monde est terminé ? »

Il y a un temps pour tout. La roue doit tourner. Pour être tout à fait honnête, cinq années de stop m'ont fatigué et je ne compte pas utiliser ce moyen de transport au quotidien pour me rendre à mes rendez-vous. Cependant, si le besoin devait se faire sentir, je ressortirais mon pouce à la première occasion avec le plus grand plaisir.

« Prendras-tu des autostoppeurs ? »

Au cours de mes cinq années de voyage, il fut primordial pour moi de toujours rester propre, respectueux et poli lorsque je faisais du stop. Si un autostoppeur, remplissant ces conditions, devait se tenir au bord de la route ou dans une station, je le prendrais bien entendu volontiers à mes côtés…

« Crois-tu que l'autostop puisse revenir à la mode avec le prix élevé de l'essence et les problèmes environnementaux ? »

Au 1er janvier 2008, j'aurais répondu négativement à cette question pour la simple et bonne raison que je n'ai rencontré pendant mon tour du monde que très peu d'autostoppeurs sur les routes et que je n'ai pas véritablement ressenti une renaissance de ce moyen de transport. Cependant, le 8 août 2008, j'ai participé au premier rassemblement des autostoppeurs d'Europe à Paris (projet 888). Ce jour-là, j'ai découvert qu'une nouvelle génération d'autostoppeurs était en train de naître. Une génération de jeunes souvent éduqués, loin du type hippie négligé.

Depuis ce jour, mon espoir de voir le stop revenir à la mode est monté en flèche... Dans tous les cas, j'espère sincèrement que ce moyen de transport pourra trouver un nouveau souffle et redevenir un moyen de transport fréquemment utilisé. Puisse ce livre et mon expérience contribuer à pousser des jeunes et moins jeunes à franchir le pas... Si je me suis lancé dans l'écriture de ce livre, c'est en partie pour montrer que cela est faisable...

« Continueras-tu à utiliser les sites Hospitality Club et Couchsurfing ? »

Je suis aujourd'hui ambassadeur de ces deux sites que je trouve fabuleux. Étant à présent sédentaire, j'ai changé mon profil pour dorénavant recevoir des invités. Comme pour l'autostop, la roue doit tourner. Depuis mon retour, de nombreux voyageurs m'ont déjà fait voyager par procuration...

« Gardes-tu contact avec tous les gens rencontrés sur la route ? »

Mon tour du monde m'a permis de rencontrer plusieurs milliers de personnes. Garder contact personnellement avec chacune d'entre elles n'est pas possible à moins d'embaucher une secrétaire. Cependant, au cours de mon périple, j'avais une liste de diffusion qui me permettait de partager régulièrement les aléas de mon voyage. J'ai toutefois gardé de nombreux amis à travers la planète, que j'espère revoir au plus vite.

« Comment vois-tu la France après cinq années sur les routes du monde ? L'as-tu trouvée changée ? »

Ma plongée dans les mystères du monde m'a aussi permis de prendre conscience de la chance que j'ai d'habiter dans l'Hexagone. Ma passion du voyage et de la découverte ne saurait traduire un quelconque rejet de mon pays. Bien au contraire, ce tour du monde fut une fabuleuse occasion pour prendre du recul et voir mon pays sous un nouveau jour. Une des leçons du voyage, c'est qu'il vous apprend à mieux regarder, à mieux goûter votre propre pays.

Climat social, nourriture, éducation, infrastructures… tout semble s'additionner pour assurer l'équilibre d'un pays où il fait bon vivre, malgré un nombre alarmant de grèves et de manifestations en tous genres et une assistance financière accordée sans contrepartie bien trop importante à mon goût. J'ai pu mesurer pendant toutes ces années à quel point mon pays représente un véritable paradis pour des millions d'hommes et de femmes. J'ai croisé tant de personnes rêvant de vivre en France, « le pays des libertés et des droits de l'homme ».

À la seule évocation de mon pays, le regard de certains étrangers s'illuminait. Le simple fait d'avoir un passeport français relève souvent d'un privilège. Il constitue un véritable sésame pour voyager quasiment dans le monde entier sans entraves. Je suis bien conscient que si ce pari de faire le tour du monde sans dépenser un sou de transport a été gagné, c'est aussi attribuable à ma nationalité. Pour les habitants de nombreux pays, passer les frontières relève de l'impossible.

Sur le plan des conférences, le statut de la France, trait d'union entre l'Est et l'Ouest, m'a également beaucoup aidé. Sans doute aurait-il été plus difficile de faire ces conférences avec un passeport américain…

Oui, la France a changé entre 2003 et 2008. Elle s'est même transformée. Je retrouve aujourd'hui un pays dans lequel les supermarchés mettent à présent en avant les produits du commerce équitable et obligent les clients à apporter leurs sacs plutôt que d'utiliser des sacs plastiques jetables et polluants. Un pays où les habitants trient dorénavant leurs déchets dans de toutes nouvelles poubelles bleues et jaunes, invisibles auparavant. Un pays où la moitié des publicités à la télévision traite du respect de l'environnement. Un pays où le gouvernement a mis en place un Grenelle de l'Environnement ambitieux…

Certes, le chemin à parcourir est long avant d'aboutir à des changements significatifs, mais force est de constater que le changement est net entre l'avant 2003 et l'après 2008... Puissent la prise de conscience continuer et les actions se démultiplier...

*
* *

« Plus Jamais »

À l'issue de mon tour du monde, le 1er janvier 2008. J'ai envoyé à ma liste de diffusion un bulletin d'informations présentant les conclusions de mon tour du monde. L'une des parties de ce courriel s'appelait « Plus jamais. »

Plus jamais, je n'agirai sans penser aux conséquences de mes actes pour l'environnement et plus jamais je ne laisserai mon gouvernement ignorer les défis pour la planète. De la vision de la déforestation au Honduras, Brésil ou Indonésie à la vision de la fonte des glaciers en Antarctique ou dans le Grand Nord canadien, j'ai pu me rendre compte à quel point l'être humain est en train de détruire petit à petit notre si belle planète. L'hebdomadaire anglais *The Economist* écrivait récemment dans ses colonnes *Will individual ignorance and selfishness lead to collective doom ?* – « Est-ce que l'ignorance et l'égoïsme individuel mèneront à une faillite collective ? » –, aujourd'hui, c'est une question que je me pose régulièrement... Chacun de nous a un rôle à jouer pour éviter cette faillite collective. L'une des grandes priorités pour cela et qui résoudrait en même temps d'autres sujets sensibles est la promotion des énergies alternatives.

Plus jamais, je ne me plaindrai pour ce que je n'ai pas. Ce tour du monde m'a permis de côtoyer des gens qui n'avaient rien – ni eau potable, ni électricité... – et qui pourtant gardaient le sourire, offraient l'hospitalité et ne se plaignaient jamais de leur sort. Je m'efforcerai dorénavant de ne jamais oublier ces gens qui m'ont tant apporté, et de relativiser mes problèmes personnels.

Plus jamais, je n'ignorerai le travail fabuleux de toutes ces personnes travaillant dans l'ombre – souvent bénévolement ou presque – cherchant à rendre notre monde meilleur. Avant de partir, je ne savais même pas ce que les lettres « ONG » voulaient dire. Après en avoir côtoyé une centaine et rencontré des individus formidables cherchant à changer la destinée des plus défavorisés, je n'ai qu'une seule envie : apporter ma modeste contribution à leur effort et encourager chacun de vous à faire de même.

Plus jamais, je n'oublierai la chance que j'ai d'être né en France. Merci, papa, merci, maman. Combien de personnes m'ont-elles rappelé pendant ces cinq années la chance que j'ai d'avoir eu accès à une éducation de qualité, d'avoir un passeport me permettant de me déplacer librement à travers le monde, et d'avoir une monnaie forte me donnant la possibilité de rendre un tel voyage possible. J'aimerais, dans un avenir pas trop lointain, qu'il y ait réciprocité dans les déplacements des citoyens de ce monde. Ce n'est pas le cas aujourd'hui et j'espère que nous comprendrons dans un futur proche que beaucoup de problèmes du monde seraient résolus par le développement d'un équilibre entre les différents pays.

Plus jamais, je ne jugerai qui que ce soit en me basant simplement sur l'apparence physique, la nationalité, l'appartenance religieuse ou sur des stéréotypes. Si mon tour du monde m'a appris une chose, c'est que nous sommes tous les mêmes, peu importe notre couleur de peau, notre religion, notre race ou l'équipe de football supportée. Chacun des six milliards et demi de citoyens de ce monde – ou l'immense majorité – partage les mêmes besoins primaires, les mêmes envies. Chacun d'entre nous recherche le bonheur, la sécurité, l'amour, le désir d'avoir des enfants et la volonté de leur offrir le meilleur avenir possible. La diversité est une richesse et nous devons tous apprendre les uns des autres.

Plus jamais, je ne laisserai la recherche de sensationnalisme et de mauvaises nouvelles des médias laver mon cerveau. Mes récents séjours en Iran, au Pakistan, en Afghanistan ou en Colombie m'ont montré à quel point la perception que j'avais des habitants de ces pays était totalement biaisée par des médias, n'insistant que sur les activités de quelques illuminés ne représentant pas la majorité de la population.

Plus jamais, je ne refuserai l'hospitalité à un voyageur de passage ou à un ami dans le besoin. Outre le fait que je suis endetté pendant un moment envers tous ceux qui m'ont offert l'hospitalité au cours de ces cinq années de voyage, j'ai pu voir à quel point le monde occidental a beaucoup à apprendre de l'Amérique latine ou du Moyen-Orient sur ce plan. Merci par ailleurs aux deux sites Internet www.hospitality-club.org et www.couchsurfing.com qui ont rendu mon tour du monde bien plus aisé et bien plus intéressant.

Plus jamais, je n'achèterai de produits sans penser aux conséquences de mon acte d'achat. Lors des conférences que j'ai données dans diverses écoles et organisations, j'ai souvent cherché à faire la promotion du commerce équitable et à responsabiliser le consommateur. « Acheter, c'est voter. » Désormais, chaque fois que j'achèterai un produit, je me poserai la question du type d'entreprise que je cautionne.

Plus jamais, je n'aurai peur de me lancer dans des projets ambitieux. La citation d'Oscar Wilde : « La sagesse, c'est d'avoir des rêves suffisamment grands pour ne pas les perdre de vue lorsqu'on les poursuit », s'est avérée un leitmotiv pour moi tout au long du parcours ; cette phrase m'avait poussé à me lancer dans l'aventure. De même, la citation de Dominique Glocheux : « La vie n'est pas un restaurant mais un buffet, levez-vous pour vous servir » restera à jamais gravée dans ma mémoire.

Inspiration

On prête à Confucius l'histoire suivante. Un voyageur cheminait depuis l'aube. À l'entrée d'un village, il aperçut un vieux sage assis à l'ombre d'un arbre.

« Le soir tombe. Je voudrais me restaurer et me reposer. Dis-moi si je puis m'arrêter dans ton village. »

Le vieillard lui répondit par une question :

« D'où viens-tu ?

— D'un pays lointain.

— Comment étaient les gens avec toi ?

— Hospitaliers et généreux. Le sage sourit et dit :

— Tu peux aller dans mon village, il est bon. »

Des jours plus tard, un autre voyageur s'arrêta auprès du vieux sage et lui dit :

« Je suis fatigué et affamé.Je voudrais m'arrêter dans ton village. »

Le vieillard lui demanda :

« Là d'où tu viens, comment les gens t'ont-ils accueilli ?

— Les femmes et les enfants m'ont lancé des pierres et les hommes ont lâché les chiens. »

Le sage soupira et dit :

« Continue dans la nuit. Évite mon village et les suivants. Tu n'y trouveras rien de bon. »

Remerciements

Même si j'étais seul et bien seul au bord des routes du monde le pouce tendu, l'aide de nombreuses personnes m'a permis de faciliter la réalisation de mes objectifs. Je tiens par conséquent à remercier :

Mes partenaires : Adrien Zeller (Région Alsace), Joël Ohayon, Reneka, Dernières Nouvelles d'Alsace, Europe 2, Défi Jeunes, Rotary club Strasbourg Kléber, Isigny Ste Mère, M. et Mme Nigon, Jean-Luc Brun, Éric Kraft, Hubler SA, Banque CIAL, Bledina et le Crédit Agricole pour leur soutien financier ou matériel.

Mes « aides techniques » : Claudio Tirado (« coach » et traducteur des articles du site en espagnol), Sara Baum (traductrice des articles du site en anglais), Jérôme Botiba et David Doucet (aide pour la construction et maintenance du site Internet), Jean-Christophe Balandras (illustration de mon site grâce à de nombreux dessins de qualité), Heather Michaud et John Kelley (traduction *newsletters* en anglais).

Membres du CHU Strasbourg-Hautepierre : merci à Chantal Jorand, Michel Fernbach, Marie-Claire Laugner, Valérie Falkenrodt et Nadine sans qui le projet pédagogique aurait été impossible. Merci aussi à tous les enfants hospitalisés pour tout ce que vous m'avez apporté.

Aides pour missions humanitaires et organisations de journées de rencontre : Daniel Maitrot, Sebastien Gusmao, Padre Moratalla, Padre Santiago, Gricelda Gonzalez, Angie, Sergio Garcia, Tri Indra Satki, Shakeel, et tous les participants aux journées de rencontre.

Aides morales : merci à mes amis et ma famille de m'avoir toujours soutenu dans la poursuite de mon rêve. Cette aventure n'aurait pas pu se réaliser sans votre appui moral. Merci aussi à ceux qui sont venus me rendre visite et à tous ceux qui m'ont écrit des mots d'encouragement..

Mes logeurs : merci à tous ceux et celles qui, telle une grande chaîne d'amitié, m'ont offert un toit et parfois le couvert pendant mon voyage.

Ceux qui m'ont pris en stop : merci aux 1 300 chauffeurs de voitures, camions, voiliers, brise-glace, cargos, skidoos, etc., qui ont accepté de me prendre à leur bord et m'ont ainsi permis de réaliser mon objectif de boucler la grande boucle, en utilisant le stop comme unique moyen de transport.

Médias : merci à tous les journalistes (TV, radio, presse) de m'avoir permis de partager mon challenge et les différentes dimensions de mon aventure avec un grand nombre de personnes à travers le monde.

Conférences : merci à toutes celles et ceux qui ont bien voulu organiser des conférences me permettant ainsi de partager mon aventure et de transmettre les messages me paraissant importants à de nombreuses personnes de tout âge.

Ceux qui m'ont aidé à faire ce livre : Guillaume Moingeon, Sandrine Pierrefeu, Sophie Lajeunesse, Sophie Senart, Didier

Labouche, Nolwenn Cointo, Marc Fouillard, Éric Hubler, Alain Demange, Sebastien Ditleblanc, David et Mickaël Knaute, Caroline Fieux, mes parents et mon épouse Marisol Richards Espinosa Hubler. Erwin Münch qui a inspiré mon passage sur l'Australie.

ADRESSES UTILES

Ci-dessous, quelques adresses Internet qui pourront être utiles pour les futurs voyageurs :

Bateau-stop

www.stw.fr
www.voyages-transversales.com/bateau.htm
www.equipier.fr/admin_accueil.php
www.7knots.com
www.hisse-et-oh.com/index.php
www.mesnavigations.com
www.banik.org/default.htm
www.voilier-quasar.com/index.php
www.floatplan.com/crew.htm
www.crewfile.com
www.cruiserlog.com/forums
www.plaisancier.fr
www.latitude38.com

Logement

www.couchsurfing.com
www.hospitalityclub.org
www.globalfreeloaders.com
www.hospitalityclub.org
www.bewelcome.org
www.stay4free.com
www.bewelcome.org
www.belodged.com

Volontariat ONG

www.worldvolunteerweb.org
www.worldvolunteers.org
www.unitedplanet.org
www.clong-volontariat.org
www.enviedagir.fr hopetour.free.fr/volontaires.htm

Québec, Canada
2013